Un mundo robot

JAVIER SERRANO

Un mundo robot

La mayor revolución jamás conocida que cambiará nuestros
trabajos, nuestras vidas, y el destino de la humanidad

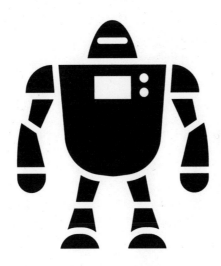

GUADALMAZÁN

© JAVIER SERRANO, 2018
© TALENBOOK, S.L., 2018

Primera edición: septiembre de 2018

Editorial Guadalmazán • Colección Divulgación Científica
Director editorial: Antonio Cuesta
www.editorialguadalmazan.com

Imprime: BLACK PRINT
ISBN: 978-84-94778-66-7
Depósito Legal: CO-1266-2018
Hecho e impreso en España - *Made and printed in Spain*

Para mis padres, trabajadores estajanovistas.

Para quienes levantan cada día las persianas de sus negocios con puntual y abnegada disciplina. El chirrido de sus ejes no solo marca el primer llanto y el último aliento de la vida colectiva en las ciudades, sino el juego del pan cotidiano en la existencia humana.

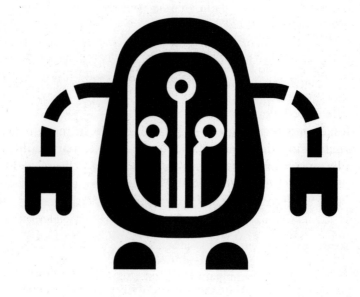

Advertencia

Aún si las implicaciones del futuro tecnológico en el empleo, en la convivencia, en la política, en la economía, en la sociedad, son del todo especulativas, la concepción de escenarios de futuros posibles debe entrar en el debate ciudadano y el tiempo apremia. No puede ser de otro modo ante una amenaza de cambio radical de las reglas de juego. Poco importa si los escenarios carecen del rigor académico para ser formalizados como verdad científica. Una vez lanzado el debate, los expertos en cada ciencia (política, económica, social, de comportamiento de masas) vendrán a puntualizar los límites de lo posible, de lo probable y las leyes que mejor ajustan los datos conocidos. Este autor quiere únicamente instigar la reflexión, servir de sherpa para facilitar la marcha de todos aquellos que quieran vislumbrar qué puede esconderse tras la línea del horizonte, en el futuro que se nos viene encima.

El desempleo tecnológico —el corolario de la mecanización y la automatización de tareas— va a tener efectos mayúsculos en la sociedad y en sus maltrechos equilibrios, ya en los albores del tercer milenio. Nadie parece tomar cartas en el asunto, por el momento. Junto a esta amenaza principal, hay otros formidables retos al acecho que transformarán colateralmente la lógica del empleo: el efecto del aumento y envejecimiento de la población, las nuevas —y definitivas— fuentes de energía, la fabricación avanzada y la impresión 3D, la realidad virtual, la genética y la biotecnología, la desigualdad, el agotamiento de ciertos recursos y modelos económicos, etc. Qué sucederá y qué sociedad surgirá de todo ello es una incógnita y no puede ser controlado. Pero se puede intentar intervenir en los tiempos, los modos y hasta inducir ciertos acontecimientos que intenten amortiguar el salto al vacío. Incluso hacer del cambio de paradigma algo ventajoso a ojos del *Homo sapiens sapiens*. Es todo lo que podemos pretender pues el cambio, siendo mayor, nos conducirá a un escenario desconocido en el que nunca antes moramos y del que poco o nada podemos inferir. Y habrá ganadores y perdedores, según países y según individuos y, ahora también, según especies: máquinas y algoritmos capaces, humanos biónicos y personas de carne y huesos. Pero eso es otra historia, social, económica y política. Quizá el fin de la historia de la humanidad y el inicio de otra cosa, demasiado grande para ser nombrada.

Qui sait d'ailleurs si l'histoire sera plus indulgente que la poésie pour certa-
ins titres de gloire du dix-huitième siècle? C'est elle qui jugera sainement de
nos progrès et de nos découvertes par leurs résultats. Qu'importe à l'humanité
l'inutile invention des aérostats? Jusqu'à quel point peut-elle se féliciter de
l'incroyable multiplication de ces machines qui mettent partout une force
insensible et aveugle à la place de l'industrie et des bras de l'homme, et
qui interdisent à l'artisan étonné la faculté de vivre du métier qui a nou-
rri ses aïeux; perfectionnement qui fait beaucoup d'honneur sans doute à
l'imagination des inventeurs, mais dont l'effet sensible est de diminuer les
ressources de la population en raison de son accroissement?

[¿Quién sabe, por otra parte, si la historia será más indulgente que
la poesía para ciertas conquistas del siglo dieciocho? Será ella quien
juzgará de manera sensata nuestros progresos y nuestros descubrimientos, de acuerdo a sus resultados. ¿Qué le importa a la humanidad la invención inútil de los aerostatos? ¿Hasta qué punto se puede
felicitar por la increíble multiplicación de esas máquinas que pro-
veen por doquier de una fuerza insensible y ciega, en sustitución de
la destreza y del brazo del hombre, y que impiden al sorprendido
artesano vivir del oficio que alimentó a sus antepasados; perfeccio-
namiento que honra a la imaginación de los inventores, sin duda,
pero cuyo efecto tangible es la disminución de los recursos de la
población, conforme avanza su desarrollo?]

CHARLES NODIER. *Journal des Débats*, 12 Septembre 1817 & *Mélanges*
de Littérature et de Critique, Tome Premier.

Trabajamos para comer para obtener la fuerza para trabajar para
comer para obtener la fuerza para trabajar para comer para obtener la fuerza para trabajar para comer para obtener la fuerza para
trabajar.

JOHN DOS PASSOS (1896-1970)

You will be assimilated. Resistance is futile.

The Borg, *Star Trek: The Next Generation.*

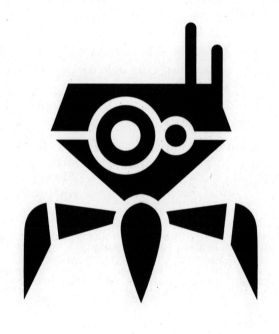

DEFINICIONES DEL NUEVO PARADIGMA

«TODO CAMBIA PARA QUEDAR IGUAL».
Proverbio válido hasta los inicios del tercer milenio.

En todos los órdenes de la vida, según algunos pensadores, cualquier problema o desafío puede reducirse a un mero asunto de definición confusa, errónea u obsoleta. Asumiendo esta ventajosa idea, y antes de iniciar la discusión sobre el desempleo tecnológico y sus soluciones, se plantea a continuación algo tan simple como una nueva interpretación de términos relacionados con el empleo y con las máquinas capaces. En ella se podrían proponer, además, definiciones evolucionadas para tantos otros conceptos como riqueza, desarrollo, necesidad, capitalismo, humanidad, etc. Podría ser el inicio de un nuevo diccionario de términos para el tercer milenio. Ulteriores revisiones podrían ser necesarias mucho antes de alcanzar el cuarto milenio, con toda probabilidad. En caso contrario, puede que el concepto y significado de muchos de esos términos ya no interesen a ninguna de las criaturas que habiten este planeta.

TRABAJO

La palabra trabajo deriva del latín *tripalium*, que significa literalmente «tres palos» y era una herramienta parecida a un trípode que se usaba inicialmente para sujetar caballos o bueyes y así poder herrarlos. El tripalium también se usaba como instrumento de tortura, formado por tres estacas a las que se amarraba al reo o esclavo para proceder al castigo. De ahí que *tripaliare* significa «torturar», «atormentar», «causar dolor».

Mediante una evolución metonímica este nombre pasó, por lo tanto, de designar un instrumento de tortura a referirse a uno de los efectos de la tortura: el sufrimiento.

Propuesta para el —inicio del— tercer milenio: cualquier actividad necesaria para la supervivencia, la convivencia y el desarrollo socioeconómico de cualquier especie biológica o no, que por sus características (tarea pesada, repetitiva, monótona, no creativa, pero también compleja, singular) quede adscrita a máquinas y algoritmos para llevarla a cabo en beneficio de la sociedad en su conjunto.

PLUSVALÍA

La plusvalía (también traducido como plusvalor) es la expresión monetaria del valor que el trabajador asalariado crea por encima del valor de su fuerza de trabajo y que se apropia gratuitamente el capitalista. Esto es, la plusvalía sería la expresión monetaria del plustrabajo. Es la forma específica que adquiere el plusproducto bajo el modo de producción capitalista y forma la base de la acumulación capitalista[1].

Este concepto fue creado por Karl Marx a partir de la crítica a los economistas clásicos precedentes como Adam Smith, David Ricardo o Johann Karl Rodbertus que ya la habían enunciado, pero no definido formalmente.

Propuesta para el —inicio del— tercer milenio: Cualquier beneficio que un autómata o máquina capaz genere por encima de su valor de amortización como inversión de capital y de sus consumos operativos, y tras descontar un porcentaje como compensación de los riesgos asumidos por sus propietarios o patrocinadores. La plusvalía es uno de los elementos centrales en la fórmula para el cálculo de la contribución social de cada máquina al bienestar colectivo, en compensación por el desplazamiento de trabajo humano.

ROBOT

La palabra robot es un término popularizado a través de la obra R.U.R. (Robots Universales Rossum) del dramaturgo checo Karel Čapek, estrenada en 1921. La palabra se escribía como «robotnik» y el escritor atribuyó a su hermano Josef la creación del vocablo. La palabra *robota* en checo y en muchas lenguas eslavas significa literalmente «trabajo» y, figuradamente, «trabajo duro». Tradicionalmente,

---

1   Fuente Wikipedia, con adaptación.

robota era el periodo de trabajo que un siervo debía otorgar a su señor, de manera general unos seis meses al año.

La servidumbre se prohibió en 1848 en Bohemia por lo que cuando Čapek escribió R.U.R., el uso del término *robota* ya se había extendido a varios tipos de trabajo, pero el significado obsoleto de «servidumbre» seguiría reconociéndose[2].

Propuesta para el —inicio del— tercer milenio: Dícese de quienes conforman, junto a algoritmos, la fuerza de trabajo esencial en pro del mantenimiento de todas las actividades necesarias para la convivencia, la supervivencia y el desarrollo socioeconómico, y que, por sus características, no son adecuadas para ser ejecutadas por seres humanos.

ALGORITMOS CAPACES

Los algoritmos capaces son aquellas capacidades de razonamiento y de toma de decisiones que no han sido generadas de manera biológica sino mediante el desarrollo de instrucciones programadas por parte de humanos, primero, y por la mejora autónoma e independiente de las mismas, después.

Propuesta para el —inicio del— tercer milenio: Dícese de los algoritmos dotados de capacidad de razonamiento y toma de decisiones en cualquier ámbito, al menos con la misma funcionalidad que un ser humano medio. De manera estándar, dícese de cualquier algoritmo que no ha sido limitado expresamente en sus capacidades; por extensión, dícese de todos aquellos algoritmos capaces de pensar y actuar mediante razonamientos e integraciones inaccesibles a la inteligencia humana, mostrando niveles de conciencia que los seres humanos suponen superiores.

OCIOSO, SA.

Del lat. otiōsus[3].

1. adj. Que está sin trabajo o sin hacer algo.
2. adj. Que no tiene uso ni ejercicio de aquello a que está destinado.
3. adj. Desocupado o exento de hacer cosa que le obligue.

---

2   Fuente Wikipedia, con adaptación.
3   Fuente Real Academia de la Lengua Española, con adaptación.

4. adj. Inútil, sin fruto, provecho ni sustancia.
5. adj. Cuba y Nic. Dicho de un terreno: Sin cultivar.
6. adj. El Salv. Deshonesto (falto de honestidad).

Propuesta para el —inicio del— tercer milenio: Que ha trascendido la obligación de trabajar para asegurar la supervivencia, y puede dedicar su vida a la mera contemplación o al desarrollo de la creatividad, la espiritualidad y la comunión con otros individuos, máquinas o algoritmos capaces; dícese también de quien opta de manera esencial por la vida virtual.

DEUS OTIOSUS/DEUS ABSCONDITUS

Deus otiosus o «dios ocioso» es un concepto teológico empleado para describir la creencia en un dios creador que se retira del mundo y deja de involucrarse en sus ocupaciones, lo que constituye un principio central del deísmo. Un concepto similar es el de deus absconditus o «dios oculto» de Tomás de Aquino. El concepto de deus otiosus suele referirse a un dios que se ha cansado de su participación en este mundo y que ha sido sustituido por dioses más jóvenes y activos; mientras que deus absconditus hace referencia a un dios que ha abandonado este mundo conscientemente para esconderse en otro lugar.

Propuesta para el —inicio del— tercer milenio: Dícese de todo ser humano que en condiciones de supervivencia asegurada —en un mundo de abundancia de recursos y de acceso universal y suficiente a los mismos— se convierte en un individuo permanentemente ocioso y en algunos casos, con pretensiones de transcender su biología mediante vidas virtuales donde su voluntad no tiene barreras, lo que le asemeja a un dios todopoderoso. Su puesto activo en la gestión del mundo real es dejado en manos de algoritmos y máquinas capaces.

DESEMPLEO TECNOLÓGICO

El desempleo tecnológico hace referencia a la —posible— pérdida masiva de puestos de trabajo achacada al progreso y al cambio tecnológico. El desempleo tecnológico, en la actualidad, es una discusión abierta y siempre polémica, con marcada división de opiniones: quienes creen que el empleo que se destruye se equilibra con el que se genera por ese mismo progreso, sin impacto negativo neto en los empleos (salvo en los periodos de readaptación); y quienes piensan que las máquinas acabarán desplazando al ser humano en buena parte de sus tareas sino en todas ellas, con diferentes desenlaces para la especie.

Propuesta para el —*inicio del*— *tercer milenio*: Término que representa el fin de la actividad laboral como obligación impenitente para la supervivencia del ser humano, a causa del desarrollo de máquinas y algoritmos capaces de llevar a cabo toda tarea de manera más eficiente que cualquier individuo. Convicción esencial de que ciertas tareas indeseables no debían ser aseguradas por la especie que ha triunfado en la evolución biológica. El desempleo tecnológico fue un debate abierto y polémico durante siglos en lo que respecta a sus impactos en el bienestar de la especie humana.

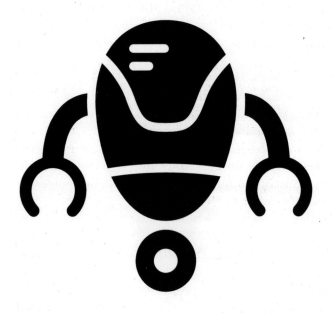

BIENVENIDOS A TERRA INCÓGNITA

«We are being afflicted with a new disease of which some readers may not yet have heard the name, but of which they will hear a great deal in the years to come —namely technological unemployment—. This means unemployment due to our discovery of means of economizing the use of labor outrunning the pace at which we can find new uses for labor. But this is only a temporary phase of maladjustment».

JOHN MAYNARD KEYNES (1883 - 1946)

[Estamos siendo alcanzados por un nuevo padecimiento del que algunos lectores aún no habrán escuchado el nombre, pero del que oirán hablar profusamente en los años venideros —a saber, el desempleo tecnológico—. Hace referencia al desempleo causado por nuestro descubrimiento de medios que reducen el uso de mano de obra a un ritmo que supera la velocidad a la que podemos concebir nuevos usos de esa misma mano de obra. Pero esto es sólo una fase temporal de desajuste.]

La civilización es un experimento, un sistema de vida muy reciente en la carrera de la humanidad, y tiene el vicio de meterse sola en lo que he llamado trampas del progreso.

RONALD WRIGHT (1948)

EN EL YA LEJANO AÑO 1964 DEL SIGLO PASADO, cuando ni siquiera Internet existía como concepto, un grupo de 35 intelectuales y pensadores, entre los que se encontraban varios premios Nobel, decidieron dirigir una carta al presidente norteamericano Lindon B. Johnson para advertirle sobre la «Triple Revolución» que se cernía sobre la sociedad. La primera de estas revoluciones tenía su origen en la automatización creciente (las otras dos concernían el desarrollo de armamento que aseguraba la destrucción mutua de enemigos enfrentados, y la revolución de los derechos humanos)[4]. La preocupación por la automatización se expresaba de manera directa y sin medias tintas: las máquinas causarán un desempleo masivo en la sociedad.

> «*A new era of production has begun. Its principles of organization are as different from those of the industrial era as those of the industrial era were different from the agricultural. The cybernation revolution has been brought about by the combination of the computer and the automated self-regulating machine. This results in a system of almost unlimited productive capacity which requires progressively less human labor. Cybernation is already reorganizing the economic and social system to meet its own needs.*»
>
> [Una nueva era de producción ha comenzado. Sus principios de organización son tan diferentes de los de la era industrial como éstos lo eran de los de la agricultura. La revolución cibernética ha sido facilitada por la combinación de la computación y de las máquinas con control autónomo. Esto resulta en un sistema con una capacidad productiva ilimitada que requiere progresivamente menos trabajo humano. La cibernética está ya reorganizando el sistema económico y social con el objetivo de satisfacer sus propias necesidades.]

La advertencia pasó sin pena ni gloria, como tantas otras, lo que no quiere decir que sus análisis y sus vaticinios no fueran leídos con atención, ni que se desvanecieran como tinta invisible. Aquel comité advertía del desplazamiento de trabajadores por máquinas, así como de la necesidad de conocimientos siempre mayores para acceder a un puesto de trabajo, a causa de máquinas cada vez más capaces.

Aquella comunicación también identificaba las acciones que el gobierno habría de tomar para amortiguar —¿impedir?— la situación, entre ellas hacer más llevadera la transición tecnológica mediante el recurso a empleo público a gran escala, gracias al desarrollo de todo tipo de infraestructuras. Y también mediante acciones políticas: redistribución de la riqueza, representación sindical de los desempleados y limitación del desarrollo tecnológico. En buena medida, son fórmulas que han venido siendo aplicadas con mayor o menor convencimiento y que siguen conformando la lista básica de propuestas por parte de muchos gobiernos, más de cincuenta años después. En lo concerniente a la moderación o ponderación de la

---

4   *The Triple Revolution.* http://scarc.library.oregonstate.edu/coll/pauling/peace/papers/1964p.7-05.html

innovación tecnológica o a la redistribución de la riqueza, las medidas, cuando han existido, han sido en exceso transparentes, a tenor de los resultados. Para los más liberales y los más tecnoptimistas, en todo caso, la intervención de los poderes de los estados en estos ámbitos habrá sido y sigue siendo tan excesiva como desacertada. Es el eterno debate de más o menos estado, un debate de siglos pasados arrastrado hasta el presente de la mano de conceptos que tienden a conservar poco significado, enrevesándose hasta el punto en el que se funden y confunden.

Es cierto que la explosión de máquinas capaces de generar todo tipo de bienes concebibles e inconcebibles por la imaginación humana, copando la totalidad de los empleos, no se ha producido, o no todavía. Como el pavo de nochebuena que sigue siendo bien alimentado y engordando cada día, al que hace referencia Nassim Taleb[5], nada parece anunciar malos tiempos y quienes lo hacen sólo pueden ser agoreros; la vida es espléndida y los días fluyen con calma hasta que llega el día del desconcierto y quien nos alimentaba aparece en el corral con un reluciente cuchillo y extrañas maneras. La gran explosión tecnológica estaría, según este símil, agazapada, escondida como el cuchillo de sacrificio en la manga del granjero, y antes de que se nos borre la sonrisa por el día festivo que parecía organizarse en nuestro honor, recibiremos un certero tajo en el gaznate. La carrera precipitada de innovaciones que parecen dirigirse en trayectorias de colisión segura hacia un punto del futuro cercano, sin embargo, nos debería haber hecho sospechar. Puede que prefiramos la felicidad de la ignorancia, por defecto; o puede que, haciendo honor a nuestra inteligencia, sepamos que somos parte imprescindible de un banquete de hambrientos invitados y que la resistencia es fútil. Son inexpugnables las vallas de este cercado, lo sabemos bien porque las hemos levantado nosotros mismos.

La sociedad moderna viene promoviendo tozudamente una transición a una economía de elevada productividad y reducida necesidad de intervención humana en forma de mano de obra. Primero fue la reducción de la necesidad de trabajo físico y, más tarde, también de otros tipos de mediaciones. Si la tecnología es un regalo de los dioses y el trabajo es un escarmiento divino, entonces puede que el progreso signifique el anhelado perdón y podamos esquivar, finalmente, la condena de ganarnos el pan con el sudor de nuestra frente. La sanción ya ha tenido su recorrido, no es justa la condena que lleva el castigo más allá de lo razonable. Su contrario, sin

---

5   Nassim Taleb. *El Cisne Negro: El Impacto de lo Altamente Improbable*. Booket Paidós.

embargo, también podría ser cierto: la tecnología podría empeorar nuestro correctivo, haciendo no sólo que debamos trabajar y doblar la espalda por aquel *primum peccatum,* sino que, además, hayamos de sufrir enormemente para encontrar el puesto de martirio cotidiano, donde ser castigados como precisamos, a cambio de un plato de materia comestible, caliente a ser posible.

En casi todas las lenguas occidentales, la palabra trabajo es sinónimo de dolor o fatiga. Su etimología como instrumento de tortura[6] o referencia al dolor del parto no deja lugar a dudas (a pesar de que la actividad laboral también puede ser designada con otras palabras más amables en casi todos los idiomas, quizá como conjuro propiciatorio de realidades alternativas). El trabajo reúne en un solo concepto lo peor de la existencia humana: pérdida de libertad, sacrificio, sufrimiento, explotación y denigración de los semejantes. Las fotografías recogidas en el trabajo del artista Sebastião Salgado (*Workers*) sobre el tema son testimonios de la peor realidad de un concepto llamado trabajo, que no dejan indiferente a nadie. Pero el trabajo y el esfuerzo también son distintivos de muchos logros de la especie humana en todos los órdenes de la existencia y, de manera individual, son vehículos para el desarrollo personal, la satisfacción o el reconocimiento que llegan a justificar el objeto de cientos de millones de vidas.

Algunos autores creen que la historia de la humanidad puede analizarse desde el punto de vista de la acción de los psicópatas que la naturaleza humana ha generado[7]. Estos psicópatas habrían conseguido obtener poder a lo largo de su existencia, sin preocuparse lo más mínimo por quienes eran sacrificados en el proceso de satisfacer su deseo —la empatía les sería ajena—. De este modo, en el pasado, el psicópata habría utilizado, junto a su cerebro maltrecho, la fuerza o la inteligencia para agredir o dominar a otros, manipulando a quienes podían facilitar sus deseos. Los psicópatas, según esta aproximación, habrían utilizado todo el arsenal que les fue ofreciendo el progreso para sus fines; así, por ejemplo, habrían acaparado las tierras de cultivo, ofreciendo un pacto en forma de seguridad colectiva que subyugase a sus súbditos, en lo que etiquetamos como feudalismo. O, mediante otras estrategias clásicas: elaborando textos o historias mitológicas que prometían cielos o terri-

---

6   La palabra trabajo deriva del latín *tripalium,* herramienta a modo de trípode, que también se usaba como instrumento de tortura al que se amarraba al reo o esclavo para proceder al castigo.

7   Ver, por ejemplo, la obra de Andrzej Lobaczewski y sus estudios del mal o ponerología.

bles infiernos, utilizando el miedo a lo desconocido o la esperanza de un paraíso postrero como herramientas de sometimiento. Con el tiempo, los psicópatas —que son parte indisoluble de la población humana— habrían renunciado a sus impulsos violentos directos, para hacer uso de estrategias más refinadas que les siguieran permitiendo tener a masas de individuos a su disposición. Sus víctimas, en este nuevo escenario, serían trabajadores, asalariados produciendo bienes de consumo universal, quienes les reportarían beneficios y poder sin otra violencia que las propias condiciones de trabajo, sin más aliciente que la zanahoria del salario. Un salario destinado a ser consumido en otros bienes, que esclavizaría a otros individuos, en un ciclo perverso. Estos psicópatas modernos permitirían vivir a sus víctimas bajo un manto de sufrimiento soportable aunque continuo, a cambio de los réditos de su explotación y sometimiento, la alienación del individuo. Es una aproximación bastante sui generis a la historia, pero no está de más utilizarla como excusa para preguntarnos qué ocurrirá con los psicópatas del tercer milenio, cuando ya no necesiten a sus semejantes porque tengan máquinas programadas para obedecerles y servirles. O cómo responderán las máquinas y algoritmos capaces a sus demandas excesivas y desquiciadas. O cuál es el riesgo de encontrarnos, también, con un cierto porcentaje de máquinas y algoritmos psicópatas entre sus poblaciones, a imagen y semejanza de las humanas. Confiemos en que la época que viene no quede en manos de un gobierno de «psicópatas esenciales», una patocracia, o un sistema de gobierno creado por una minoría patológica que toma el control de una sociedad de personas normales.

El concepto de trabajo es un concepto que ha transitado por mejores y peores momentos. Asociado a labores que sólo esclavos y miserables habían de realizar, como expresión de fuerzas codiciosas en todos los órdenes económicos, o relacionado con el valor del esfuerzo que promueve rutinas asociadas con cierta dicha y prosperidad. Para muchos, el trabajo no ha dejado de ser nunca más que un asunto de sometimiento de unos hombres a otros: el hombre que me da trabajo, al que tengo que sufrir, este hombre es mi dueño, llámelo como lo llame[8]. En el futuro de la sociedad tecnológica, sin embargo, el trabajo pasaría a ser un concepto amenazado en cualquiera de sus referencias, porque todas ellas estaban vinculadas a seres humanos que quedarían desplazados en el nuevo paradigma. Las máquinas y los algoritmos diseñados para ejecutar todas las tareas, empujando al trabajador humano a la inactividad for-

---

8   Según el economista Henry George.

zada, podrían definir postreramente el significado perdurable de este término. Puede que la idea se convierta en un concepto relacionado con la añoranza, con los sueños perdidos de la especie o, por el contrario, que se desdibuje su recuerdo en las mentes de los nuevos humanos, una vez entregados al ocio permanente y espléndido.

MÁQUINAS Y ALGORITMOS CAPACES

Las empresas más innovadoras están ideando y produciendo en ciclos apresurados nuevas generaciones de autómatas, capaces de entender el lenguaje natural, expresar y verbalizar mensajes, desplazarse de manera autónoma, evaluar acciones frente a situaciones no programadas, etc. No son todavía los personajes de las películas de ciencia ficción —los robots de hoy tienen la autonomía y las capacidades de un niño de pocos años de vida, quizá de un bebé recién nacido— pero empiezan a tener ya el potencial de zarandear los modos de convivencia cotidiana. Hoy, por ejemplo, se propone empezar a clasificar a las máquinas capaces según su nivel de autonomía, en una escala de seis niveles, del cero al seis. La idea es ir conociendo dónde nos encontramos y cuánto debemos preocuparnos. Esperemos no acabar ideando soluciones apresuradas cuando ya hayamos alcanzado el máximo nivel, el que corresponde a máquinas totalmente autónomas para llevar a cabo sus tareas. Hoy por hoy, los sistemas de conducción autónoma estarían en el nivel tres (conducen solos, pero necesitan un humano que les diga a dónde ir y les saque de ciertos apuros), y los robots cirujanos en el nivel dos (son capaces de realizar ciertas tareas por sí solos, pero con supervisión humana), por mencionar un par de ejemplos. Podemos respirar aliviados.

El progreso de las máquinas y algoritmos capaces, en lo que hace referencia a sus capacidades intelectuales, podría ser más o menos vertiginoso, pero un día nosotros —o nuestros hijos— podríamos despertarnos a esa nueva realidad sin fase de transición aparente. Los autómatas podrán haberse convertido en nuestros asistentes y cuidadores, en nuestros profesores, enfermeros, médicos, terapeutas, consejeros económicos, policías y bomberos, etc. en lo que nos parecerá apenas un instante. Pero la música hará ya mucho que suena, y el guion hará ya mucho que desplegó las claves de la trama.

Uno solo de estos autómatas reemplazará a varios empleados en sus tareas cotidianas y lo podrá hacer, además, a costes accesibles para toda familia estándar, como quienes hoy acceden, por ejemplo, a un vehículo. O así será una vez que los costes alcancen cierta economía de escala y las funcionalidades se den por demostradas. Todo ser humano codiciará un fiel y leal compañero autómata de fatigas, y al hacerlo repoblará el mundo de máquinas y algoritmos capaces. Si Michel Foucault proclamó «la muerte del hombre», y Francis Fukuyama «el fin de la historia», puede que entonces toque anunciar el mucho más prosaico «final del trabajo», si trabajo se entiende como actividad humana dirigida por la necesidad o la obligación de supervivencia. Para ese fin, habrá ya muchos nuevos agentes dispuestos sobre el planeta.

¿Y dónde está el problema? dirán muchas personas. ¿Acaso la mayoría de ciudadanos desea conservar sus empleos por alguna razón crítica y esencial? ¿No estaremos obsesionados por crear empleo sin sentido, sólo para sentirnos arropados en un ambiente que se nos ha hecho familiar con el transcurrir de la historia? Una encuesta reciente en el Reino Unido constataba que hasta un 37% de los entrevistados consideraban su trabajo una estupidez[9] (*bullshit*, en su término inglés original). En 2014 una encuesta similar en los Estados Unidos[10] estableció, una vez más, que menos de la mitad de los empleados norteamericanos se sentían satisfechos con su empleo. Y es que muchos trabajos son considerados bajo categorías que son bien descriptivas de su mediocridad: «*monkey jobs*» (trabajo de monos), «*paper movers*» (movedores de papeles), etc.

Trabajar en empleos que odiamos y que podrían hacer quienes nos precedieron en la carrera de la evolución, por salarios que, en muchos casos, apenas aseguran la supervivencia, no parece justificar la energía vital que esta obligación perentoria conlleva en la vida de cualquier persona. Tener el derecho de no trabajar ni penar por un salario, asegurando al mismo tiempo la libertad de hacer lo que uno desea durante el tiempo de vida, podría ser la solución mágica para la especie. Ampliar *sine die* los programas de ayuda social para desempleados o reducir ligeramente las jornadas de trabajo y repartir el trabajo disponible, haciendo que la insatisfacción también se reduzca, son algunas de las opciones anodinas que se han venido

---

9   On the Phenomenon of Bullshit Jobs — *Strike! Magazine*. http://strikemag. org/bullshit-jobs.

10   Encuesta sobre la satisfacción de los empleos realizado por The Conference Board (https://www.conference-board.org/topics/publicationdetail. cfm?publicationid=2785)

discutiendo y aplicando en buena parte de países, con todo tipo de limitaciones. Pero el solucionario que aporta el progreso tecnológico es infinitamente más amplio.

Desde la perspectiva del desempleo tecnológico, los autómatas no sólo podrían y deberían robarnos millones de trabajos basura, sino hacerlo con nuestra total complicidad, pues son empleos que hacen poco servicio a la condición humana de especie más inteligente sobre la Tierra. El ciclo impenitente de vivir para trabajar, trabajar para asegurar ingresos, y obtener recursos para consumir o, expresado de otro modo, de conseguir un salario para gastar en aquello que no necesitamos ni nos satisface, evidenciando nuestra infelicidad y generándonos nuevas pseudonecesidades, conforma un ciclo que nunca termina. Las máquinas y algoritmos capaces podrán ocupar todas las tareas que conocemos, pero muchas serían sólo un suplicio, ocupaciones vergonzosas para seres vivos extremadamente competentes. En otros siglos, por ejemplo, no pocos humanos se emplearon en limpiar las calles de boñigas de animales, lo que ya debía de habernos puesto en guardia frente a ciertos tipos de trabajos. Sólo la llegada de la máquina de vapor y los motores eléctricos, afortunadamente, hizo que los caballos dejaran de ser el modo de transporte por antonomasia y nos ahorramos montañas de estiércol y de empleos malolientes. Sin ese avance, hoy podríamos seguir trabajando recogiendo excrementos equinos de las calles. La humanidad evitó quedar atrapada en ciertas tareas poco dignas de su intelecto superior gracias a la tecnología, pero la fórmula ha sido pobre y cicateramente aplicada. Es posible, incluso, que quienes se ganaban la vida de ese modo protestaran por la pérdida de sus empleos. Es lo que tiene la rutina, que adormece el espíritu.

LA SUERTE DEL NÁUFRAGO

En un día cualquiera, sin ser siquiera conscientes de estas acciones, podemos haber comprado un billete de transporte en una taquilla automática, retirado efectivo o realizado operaciones bancarias en un cajero, pagado la gasolina en un distribuidor de autoservicio, abonado la compra del supermercado en una línea de cajas de autopago, hecho uso de las máquinas de venta omnipresentes en cualquier recinto público y privado, etc. Pero es que, además, será probable que hayamos consultado con un médico virtual o con doctor *Google*, asistido a una clase de zumba en el gimnasio *online* que nunca cierra, aceptado recomendaciones de películas, series, libros, destinos de viaje, etc. en un motor de búsqueda de Internet, reservado entradas para espectáculos, obtenido la tarjeta de embarque y elegido el asiento en el avión, o recorrido las calles de una ciudad remota antes de poner los pies sobre el terreno, con la mediación de invisibles cadenas de algoritmos. Todos esos actos requerían, hasta hace bien poco, la interacción con personas de carne y hueso que se ganaban la vida mediante la atención a los clientes, gracias a la gestión de conocimientos e informaciones propios del oficio, de los que la mayoría de la población carecía. Ese era su salvoconducto para el empleo. Hoy las estimaciones apuntan a que al final de la década, en torno a un 85% de las interacciones de los clientes con las empresas serán aseguradas por máquinas y algoritmos, no por otros humanos[11].

El proceso no ha sido invisible, sin embargo. Millones de puestos de trabajo podrían haberse evaporado en el mundo, por ejemplo, a consecuencia de la introducción de cajeros automáticos y líneas de autoservicio de pago en hipermercados. Se ha estimado que cada cajero puede estar asegurando unos tres turnos de tres empleados cada uno, realizando las gestiones propias de este tipo de servicios (entrega de efectivo, transferencias, información sobre el estado de las cuentas, etc.). En el mundo hay más de tres millones de cajeros automáticos[12] (en España más de 50 000), lo que significa unos nueve millones de empleos —teóricos— cancelados —150 000 en nuestro país— por la introducción de estas «simples» máquinas, y considerando sólo un único turno de trabajo. Las nuevas generaciones de cajeros serán pronto capaces, además, de asegurar un mundo nuevo de servicios. Serán máquinas y algoritmos quienes nos aconsejarán sobre nuestras finanzas, convirtiéndose en nuestros mejores asesores personales, saludándonos con una sonrisa cómplice por habernos hecho ganar dinero con la mejor de las probabilidades en cualquier coyuntura económica. Mientras utilizamos servicios como los cajeros o las taquillas automáticas de las autopistas, la tecnología nos regala algo de tiempo extra evitando burocracias que nos enojan; a cambio, exigen un sacrificio en forma de empleos en pira funeraria.

El Foro Económico Mundial de Davos, que reúne a líderes empresariales, políticos e intelectuales de todo el mundo para analizar

---

11   https://www.gartner.com/imagesrv/summits/docs/na/customer-360/
      C360_2011_brochure_FINAL.pdf
12   https://en.wikipedia.org/wiki/Automated_teller_machine

los problemas más apremiantes que afronta el mundo, ha venido planteando, de manera recurrente en sus reuniones anuales, los retos de la llamada cuarta revolución industrial. En su informe del año 2016[13], por ejemplo, se estableció que unos cinco millones de puestos de trabajo en los quince países más industrializados del planeta podrían desaparecer hasta 2020. La cifra ya descontaba los dos millones de empleos que se estimaba podrían generarse en ese mismo periodo. El análisis se basaba en encuestas realizadas a 350 de las mayores empresas del mundo, incluyendo más de 150 de la lista *Fortune Global 500*. Otra encuesta presentada en su cumbre de 2014 ya había establecido que el 80% de los casi ciento cincuenta expertos consultados consideraba que la tecnología se encontraba detrás del crecimiento del desempleo en el mundo[14]. Y casi todos los delegados que participaron en los debates sobre tecnología, manifestaron su temor a un incremento de la desigualdad en los siguientes cinco años, también como consecuencia del desplazamiento de los empleos por la automatización. Existe el riesgo de que hayamos acabado acostumbrándonos a estas noticias sin mayor sorpresa ni acción política.

El fundador y director ejecutivo del foro de Davos, Klaus Schwab, ha apuntado que «los cambios son tan profundos que, desde la perspectiva de la historia humana, no ha habido nunca un tiempo de mayor promesa o peligro potencial». Su estimación es que el impacto será muy notable en las economías menos desarrolladas, particularmente en Sudamérica y Asia. Esto podría significar, por lo tanto, el fin de la ventaja competitiva que representaba la mano de obra barata, otro corolario más en el cambio de panorama en el empleo. Salvo que esos países, como ocurre ya con China, tomen el liderazgo en la incorporación masiva de autómatas a su producción, lo que haría que su ventaja competitiva se mantuviese, aunque ahora mediante una estrategia diversa. Es una opción posible, mucho más sencilla que convencer a sus ciudadanos para que aumenten la descendencia con el único objetivo de emplear a sus vástagos en producciones masivas, y con dudosas condiciones laborales. Sin embargo, otros países podrán reunir también formidables ejércitos de robots y emplearlos como mano de obra barata, lo que hará que la competencia sea extrema. Si la globalización permitió la huida de empleos la automatización no significa el regreso de esas oportunidades laborales. En 2016, por ejemplo, la compañía Adidas anunció que volvería a fabricar sus productos en Alemania, después

---

13   http://www3.weforum.org/docs/WEF_Future_of_Jobs.pdf
14   https://en.wikipedia.org/wiki/Technological_unemployment

de haber trasladado la producción al continente asiático. Los titulares, sin embargo, aplacaban de raíz el optimismo, pues ya se anunciaba que las fábricas serían atendidas por robots[15].

Todo un expresidente de la primera potencia económica y tecnológica mundial, Barack Obama, expresó también su preocupación por la automatización de empleos[16]. Su mensaje fue contundente: los robots, con elevada probabilidad (superior al 80%), ocuparían aquellos puestos de trabajo cuyo coste fuera igual o menor a veinte dólares la hora, lo que pondría a un 62% de los empleados norteamericanos en situación de riesgo. La probabilidad de dicho riesgo para quienes ganasen entre veinte y cuarenta dólares la hora era menor, pero tampoco despreciable: superior al 30%; mientras la de quienes ingresaran más de cuarenta dólares la hora se estimaba en un 4%. La oficina ejecutiva del presidente de los Estados Unidos volvió a la carga en diciembre de 2016[17] con un informe sobre economía y automatización, en el que se volvían a repetir las previsiones: un 83% de los empleos pagados a menos de veinte dólares la hora estarían amenazados de ser automatizados o reemplazados; entre el 9 y el 47% de los empleos estarían en riesgo de quedar como irrelevantes debido al cambio tecnológico, con las peores perspectivas para quienes están menos formados; entre 2 y 3,1 millones de empleos de conductor de autobuses y camiones en los Estados Unidos serían cancelados por la llegada de los vehículos autónomos. Los datos acapararon titulares, durante unos días, pero pronto pasaron al cajón de sastre de las noticias envejecidas. Quizá con la inestimable ayuda de otros estudios que limitaban los impactos del progreso tecnológico en el empleo, disolviendo unos y otros en una neutralidad indiferente y reconfortante para la mayoría. Un estudio de la OCDE[18], por ejemplo, suavizó la estimación de impacto laboral de la automatización, al estimar que sólo un 9% de los empleos estaban en riesgo de ser ocupados por máquinas. La valoración se hizo con base en las declaraciones de los propios trabajadores, y en relación a las tareas cotidianas que desempeñaban. El análisis recordaba, además, que el proceso de desplazamiento de empleos debería ser lento, debido

---

15   https://www.theguardian.com/world/2016/may/25/
       adidas-to-sell-robot-made-shoes-from-2017
16   Discurso del presidente en el Congreso norteamericano en febrero de 2016.
       Estudio desarrollado por el consejo de sabios económicos de la Casa Blanca.
17   Executive Office of the President of the United States; Artificial Intelligence,
       Automation, and the Economy; December 2016.
18   Organización para la Cooperación y el Desarrollo Económicos. http://
       www.oecd.org/fr/emploi/emp/La-num%C3%A9risation-r%C3%A9duit-la-
       demande-de-t%C3%A2ches-manuelles-et-r%C3%A9p%C3%A9titives.pdf

a las trabas jurídicas, las inercias sociales, etc.[19], lo que aportó no sólo tranquilidad, sino que dilató la urgencia de cualquier acción política. Los reiterados anuncios, sin embargo, parecen anunciar la suerte del náufrago, por la que quienes tengan la suerte de ir sobreviviendo a la automatización sólo podrán lograrlo a costa de comerse al resto.

AUTÓMATAS QUE (SE) LO FABRICARÁN TODO

Los autómatas no sólo fabricarán cosas. Si sólo se encargaran de estas tareas, la preocupación sería más tolerable, al quedar restringida a un sector productivo, aún si el impacto sería igualmente desastroso. La proyección de la tendencia actual es que los autómatas de pasado mañana podrán fabricarlo todo y serán, ellos mismos, fabricados por otros autómatas, sin participación humana en todo el proceso. En el corto plazo, los estudios[20] prevén que, prácticamente, la mitad de las actividades de fabricación se automaticen mediante robots en los próximos 10 años, desde el 10% actual. Más del 30% del PIB en China, del 20% en Alemania, y un 15% en la Unión Europea se deben a la fabricación (un 12% en los Estados Unidos). Sólo los autómatas podrían acabar conociendo cómo se fabrican las cosas, cómo funcionan, de dónde proceden. Y cómo se desenchufan, si hubiera necesidad. Quizá sólo las máquinas acaben conociendo dónde se encuentra la producción de todos los bienes que utilizamos, con fábricas automatizadas en cada rincón del mundo produciendo sin descanso, bajo la dirección de orquesta de capaces algoritmos. Es el cambio de paradigma.

Unos 22 millones de empleos en el sector de la fabricación se habrían esfumado en todo el mundo entre los años 1995 y 2002 — cinco millones en los Estados Unidos desde el año 2000[21]— y, aun

---

19 Programme for the International Assessment of Adult Competences (PIAAC). Organization for Economic Co-operation and Development, OECD.
20 Informe de Bank of America Merrill Lynch, Thematic Investing. Robot Revolution. Global Robot & AI, 16 December 2015. http://about. bankofamerica.com/assets/davos-2016/PDFs/robotic-revolution.pdf
21 http://money.cnn.com/2016/03/29/news/economy/ us-manufacturing-jobs/

así, hemos visto un incremento en la producción industrial en ese mismo periodo de alrededor un 30%[22]. Desde la Segunda Guerra Mundial, la producción industrial se habría multiplicado varias veces mientras que los empleos en el sector manufacturero se iban reduciendo. Hacemos más con menos empleos, gracias a la tecnología y a la mejora en los procesos. Y, por si fuera poco, tecnologías como la impresión 3D se presentan ahora como el nuevo telar del siglo XXI, convirtiendo a cada persona en su propia empresa de fabricación de bienes. Las microfactorías basadas en la impresión 3D podrían sustituir buena parte de las instalaciones de fabricación, haciendo que la producción se traslade a los domicilios o a pequeños negocios en proximidad de los clientes. El camino de las fábricas habrá ido así desde el centro a la periferia de las ciudades, para luego volver a su punto de partida. Al principio, puede ser una solución marginal para producciones limitadas o muy especializadas, pero pronto podría convertirse en la norma, frente a un consumidor que favorecerá la inmediatez y el trato directo con quien dará forma y volumen a sus deseos y necesidades. ¿Qué será de toda la cadena tradicional de fabricación, distribución y venta de bienes? Tecnologías disruptivas como la impresión 3D podrían aplicar una presión considerable sobre el sistema social y económico, con efectos en cascada. Un producto no sólo podrá ser fabricado por una impresora accesible que trabaja bajo la supervisión de un algoritmo, sino que el objeto podrá ser remitido al consumidor mediante un dron que será capaz de llevarlo a destino de manera autónoma, puerta a puerta, sin necesidad de empleados humanos. Y, si se requiere algún tipo de intervención, siempre se podrá contar con la colaboración desinteresada de los clientes. La empresa Disney, por ejemplo, ha anunciado una gama de juguetes que los niños podrán fabricar en casa mediante impresoras en tres dimensiones. Ya no será necesario producir juguetes en economías de mano de obra barata y condiciones laborales descuidadas. Los juguetes los producirán los niños y sus padres, una vez hayan abonado los derechos pertinentes para usar los planos de fabricación y reproducirlos en su dispositivo doméstico. ¿Trabajo infantil en el primer mundo o diversión y aprendizaje?

Las mismas impresoras, en la escala apropiada, construirán también edificios de manera autónoma y en series interminables, poniendo en jaque a los empleos en el sector de la construcción que habían logrado salir adelante, trabajos que nos habían servido desde la antigüedad para asegurar un jornal o la comida del día,

---

22   https://hbr.org/2013/01/manufacturing-jobs-and-the-ris

o cumplir con las obligaciones de trabajo gratuito impuestas por los crueles gobernantes. Ahora, esos edificios se construirán solos, incluso mientras dormimos, gota a gota o en cordones interminables de cemento y aditivos. O no se construirán y serán estructuras inflables que endurecerán al sol, como ciertos materiales espaciales. El ahorro de costes laborales, en todo caso, expulsará a los trabajadores que habrán de buscarse otros medios de vida. El factor de reducción de precios es demasiado tentador para las economías de la eficiencia. El recuerdo de aquellas catedrales que abarcaban siglos para ser completamente terminadas será un fenómeno de difícil comprensión para generaciones que se acostumbrarán a no ver y ver nuevas estructuras de un día para otro. Las noticias de edificios construidos en pocos días con todo tipo de configuraciones de impresoras en tres dimensiones, de hecho, ya ni siquiera nos resultan extrañas ni sorprendentes. Sólo queda comprobar si la burocracia y la especulación ancestral con el suelo hincharán los precios de la vivienda, una vez que su precio de construcción sea despreciable.

En el futuro más inmediato, las impresoras 3D acabarán incluso alimentándonos, imprimiendo nuestra comida en cualquier tipo de formato y combinación nutricional deseable, por ejemplo como sustancia proteínica en forma de filete, optimizada para hacernos salivar como perros de Pavlov mientras es cocinada por un chef autómata. Y también cuidando de nuestra salud, fabricando nuestros órganos, los de reemplazo y, quizá, también los originales, llegado el día. Las impresoras 3D no sólo podrían copar las tareas de producción en la Tierra, sino que van a viajar al espacio a la conquista de otros mundos para dejar su impronta. Sus brazos robotizados permitirán fabricar antenas, telescopios o cualquier otra estructura o componente (el proyecto promovido por la NASA, Archinaut, es un ejemplo de ello). Esta tecnología, por sí sola, podría suponer uno de los cambios de paradigma que la exploración espacial requería para su desarrollo adulto, evitando los elevados costes de enviar cargas al espacio desde la Tierra, para producir bienes directamente fuera de nuestra atmósfera, equipos «fabricados en el espacio». Si los astronautas confiaban en salvar sus singulares empleos como proletarios del espacio, sus días estarían contados. La necesaria reconversión les dejaría al mando de una consola de control remoto, con los pies en la Tierra.

Los cambios en el empleo que el progreso tecnológico ha provocado han sido, hasta ahora, limitados, porque los autómatas carecen de ciertas condiciones esenciales para erigirse como auténticos competidores de los trabajadores humanos. Las noticias han ido reportando, sin embargo, situaciones de desplazamiento de empleo en multitud de sectores de manera insistente. A los repetidos augurios de la generalización inminente de los coches sin conductor, se unen los de aviones sin comandantes o barcos sin capitanes. Allí están, por ejemplo, las embarcaciones apoyadas en drones marinos capaces de monitorizar bancos de peces o las condiciones de las aguas, ya en funcionamiento[23]. O los buques de transporte marino de contenedores, que han pasado de tener grandes tripulaciones a sólo unas pocas personas a bordo, gracias a la automatización de sus procesos de navegación y gestión de flotas. El salto final hacia la expulsión del último marino no debería hacerse esperar demasiado. Los pilotos de líneas aéreas comerciales, militares, de salvamento, están ya, de hecho, en el punto dulce para ser automatizados, porque los sistemas necesarios ya existen, y el estímulo en forma de ahorro en salarios, dietas, alojamientos, periodos improductivos, etc. es manifiesto. Sin olvidar los complejos y dilatados periodos para sus formaciones. La tecnología de esos pilotos automáticos, de radares, de sistemas de navegación instrumental ya es tecnología estándar desde hace mucho tiempo, y los pilotos comerciales, por ejemplo, pasan buena parte de los vuelos mirando monitores y preparando aterrizajes —protocolos para ocupar el tiempo—, tras haber intervenido en el despegue de la aeronave. Los sistemas electrónicos de vuelo acumulan muchas horas de ejercicio y parecen, al menos, tan capaces como los seres humanos a la hora de evitar errores, con la ventaja de no estar sometidos a presiones, estrés o problemas psicológicos. Un empleo de líneas aéreas comerciales suele conllevar salarios de seis cifras y, sólo en Estados Unidos, habría más de sesenta mil pilotos, de ahí el estímulo comercial para jubilar a las tripulaciones biológicas, de manera indefinida. De hecho, sería fácil amortizar cualquier inversión en la tecnología requerida si no fuera porque se presuponen reticencias por parte de los clientes a dejarse pilotar por un algoritmo —sobre todo si las cosas se ponen feas en el vuelo—. Una reticencia que se irá convirtiendo en marginal con el tiempo, cuando vehículos, metros, etc. sin conductor nos lleven de manera anodina de un lado a otro.

En las sacudidas tecnológicas anteriores, los empleos destruidos volvían a aparecer, transformados, después de un tiempo de ajuste. Los agricultores desplazados de sus dedicaciones ancestrales se reciclaban como mano de obra en las fábricas; los expulsados de las fábricas en el sector servicios. Pero, ahora, las nuevas empresas tec-

23   No Sailors Needed: Robot Sailboats Scour the Oceans for Data. https://www. nytimes.com/2016/09/05/technology/no-sailors-needed-robot-sailboats-scour-the-oceans-for-data.html?_r=0

nológicas, sobre todo las grandes multinacionales *high-tech*, parecen no necesitar apenas personal para ser altamente productivas y generar enormes cantidades de dinero a sus propietarios y accionistas. Muchos se preguntan dónde irán a reciclarse los desempleados en este nuevo tiempo de revoluciones disruptivas en el empleo.

La sociedad actual ha demostrado ser capaz de crear millones de nuevos empleos para seres humanos, pero esos trabajos requieren ser asistidos por cantidades sustanciales de tecnología. Podemos decir, por ello, que nunca dejamos de crear trabajo para las máquinas y algoritmos, incluso cuando lo hacemos para las personas. Buena parte de esos empleos ha reducido la labor del ser humano a una mínima expresión, a la par que ha introducido procedimientos extensivos y sistemáticos que transforman el trabajo en interminables secuencias de tareas. Esto facilita, a la postre, que sean atendidos por autómatas capaces de atender infinitas rutinas de sencillas instrucciones. Todo parece acabar orientado a facilitar la incorporación de más tecnología en lo que hacemos, sea inicialmente simple o complejo. Cualquier progreso tecnológico, y también cualquier acontecimiento social por ajeno que parezca a ese progreso, acaban convertido en un viento de popa que empuja la automatización de tareas.

¿MÁQUINAS CREATIVAS?

En un informe de la consultora internacional McKinsey se estimaba que sólo un 5% de las actividades laborales en los Estados Unidos requerían de una creatividad media, según el espectro de dicha capacidad humana[24]. La automatización podría permitirnos mejorar ese triste perfil, una vez que las personas pudieran esquivar toda la panoplia de tareas grises y desprovistas de significado que llevan a cabo de manera cotidiana, espoleando sus facetas más creativas y originales. Y esa creatividad reforzada, además, se podría convertir en el factor humano diferenciador de muchas oportunidades de empleo. Para ello, sería necesario que la educación apoyara —en

---

24   http://www.mckinsey.com/global-themes/digital-disruption/
harnessing-automation-for-a-future-that-works

lugar de anular— esta capacidad desde la más tierna infancia. Al incorporar más creatividad al trabajo estaríamos ganando tiempo en la carrera por salvar empleos humanos frente a máquinas y algoritmos capaces. Desde que el desarrollo tecnológico ha permitido la liberación de muchas tareas físicas exigentes o procesos mentales rutinarios, la creatividad de la especie humana habría ganado espacios alternativos para manifestarse, aunque el efecto global haya sido limitado. El dominio de tantas ocupaciones del tipo «trabajo de monos» sigue siendo manifiesto. El recurso a la creatividad podría ser la cuadratura del círculo, una estrategia de ataque como mejor defensa ante la automatización. Los millones de trabajos que inhabilitan las capacidades únicas de las personas, en semanas laborables que asemejan al día de la marmota, sólo pueden ser el resultado de un maleficio. O quizá se trate de un arma de destrucción masiva, social en este caso. Trabajo convertido en derecho y obligación ineludibles, como estrategia para estructurar el tiempo colectivo de manera ordenada, artimaña psicológica para evitar que las masas piensen en exceso o con la energía necesaria para osar cambiar el modelo.

Por otro lado, las máquinas empiezan a ser capaces de aprender, y ese aprendizaje las llevará, como escolares, a una vida adulta de facultades plenas. Que las máquinas puedan instruirse por sí mismas es una diferencia cardinal. Entre otras cosas, les facilitará la asunción de todo tipo de rutinas físicas y cognitivas, sobre todo aquellas con poco nivel de originalidad y creatividad. Una vez afianzadas en su tarea de aprender, pronto asimilarán la lógica y las pautas que se esconden tras desempeños que nos parecen absolutamente originales e innovadores, complicados. Porque quizá lo creativo, lo artístico, no es sino una secuencia de rutinas poco evidentes pero indiscutibles. Los algoritmos capaces podrán probar millones de combinaciones, evaluando sus resultados y tanteando de nuevo hasta dar con la fórmula que mejor simule ese factor creativo. Su carrera artística debería comenzar de manera desastrosa, pero podría avanzar veloz hacia el virtuosismo. Esos perpetuos procesos de aprendizaje basados en prueba y error les deberían convertir, un día, en agentes tan creativos —o más— como los mejores individuos de la especie humana. Y, por si fuera poco, las máquinas aportarán nuevas visiones del mundo que nos rodea, resultado de una contemplación y análisis del entorno de naturaleza diversa. Sin olvidar su capacidad de tratar enormes cantidades de datos, imperceptibles para el ojo humano, recopilaciones silenciosas de detalles, de matices, que darán lugar a una nueva categoría de sensibilidad artística, una que requerirá sentidos avanzados para su goce absoluto.

Aunque haya una mayoría de trabajos que no están a la altura de todo un *Homo sapiens sapiens*, tendemos a pensar que la mayoría de nuestros empleos requieren algún tipo de capacidad singularmente humana, difícilmente automatizable, superior. Es el resultado, seguramente, de algún tipo de defensa psicológica; o arrogancia de la especie más capaz sobre el planeta. Es cierto que no se debería hablar de empleos automatizables sino de porcentaje de tareas en cada empleo que podrían automatizarse gracias a la tecnología, siendo altamente improbable que el 100% del mismo lo sea en el plazo de una o pocas generaciones. Hasta la ocupación más trivial puede contener tareas que requieren cierta empatía, cierto grado de comunicación sensible, una necesidad de abstracción consciente. Hay, en todo caso, una tendencia proteccionista a salvaguardar el propio empleo: «lo que yo hago no lo podrá hacer nunca una máquina». Se entiende que es una actitud afectuosa hacia uno mismo, medicamento homeopático para enfrentar un futuro que nadie acierta a predecir con rigor y que podría generar monstruos.

En un estudio de la empresa Dare2[25] sobre actitudes de los trabajadores norteamericanos, hasta un 30% de los encuestados estaban de acuerdo con la afirmación: «es probable que mi trabajo actual sea reemplazado por las nuevas tecnologías» —un 43% estaba en desacuerdo—. Conviene señalar, como corolario sorprendente y sugerente del estudio, que un 37% de esos ciudadanos declararon que otorgarían más confianza a un programa de ordenador imparcial que a sus actuales jefes —además de pensar que su comportamiento sería más ético—. Y que preferirían que los resultados de su trabajo fueran evaluados por un algoritmo en lugar de por responsables humanos. De hecho, un 32% preferiría que su lugar de trabajo fuera dirigido por un autómata. Este porcentaje crecía hasta el 45% ante la propuesta de una dirección conjunta entre un algoritmo imparcial junto a un jefe humano. No parece que la práctica actual de ciertas competencias humanas —justicia, equidad, responsabilidad, etc.— esté muy valorada.

Podría asumirse que, en general y a día de hoy, la mayor parte de empleos tienen un riesgo bajo de ser automatizados completamente, pero que la mayoría contienen una buena parte de tareas que sí lo serían (entre un 50 y un 70%)[26]. Esos empleos van a seguir requiriendo ciertas secuencias en su ejecución que parecen difícilmente automatizables, en el corto plazo. Y este sería el fin de las bue-

---

25   www.DARE2.dk/future-of-work
26   Programme for the International Assessment of Adult Competences (PIAAC). Organization for Economic Co-operation and Development, OECD.

nas noticias acerca de las máquinas y algoritmos capaces, porque cualquier estimación podría estar siendo cicatera con las increíbles perspectivas de innovación y mejora que serán incorporadas en los autómatas, y con las que sus creadores no dejarán de asombrarnos —y asustarnos— en los años venideros. Tampoco podemos olvidar que los ingenieros han venido contando no sólo con el desarrollo de innovaciones siempre increíbles, sino con el astuto recurso a los propios usuarios. Allí donde las máquinas no puedan llegar todavía podría haber un humano generoso en extremo para echarles una mano.

Los algoritmos de la empresa Amazon pueden no ser todavía suficientemente hábiles como para adivinar nuestros deseos de compra. Las inteligencias artificiales que trabajan bajo sus páginas de ventas no tienen acceso a nuestra personalidad, a nuestros anhelos y carencias; la psicología formal todavía les resulta una habilidad impracticable. Pero pueden sugerirnos productos según estimaciones matemáticas de nuestra actividad en las visitas pasadas, del historial y el perfil acumulado de compras y búsquedas (qué nos ha interesado, cuándo, qué hemos comprado o descartado, desde dónde nos conectamos, para quién compramos, etc.), con mayor o menor acierto, pero siempre en continuo aprendizaje. Son los usuarios quienes generan los datos para la inteligencia del proceso, al interesarse en ciertos productos y no en otros, hacer determinadas preguntas a otros usuarios, evaluar productos y, por supuesto, aceptar por acción u omisión las inevitables *cookies* que registran nuestros movimientos sin que nos apercibamos. Son los usuarios quienes alimentan a la bestia, que sólo ha de esperar pacientemente a que otros llenen sus insaciables estómagos.

El sistema no deja de tener éxito porque carezca de suficiente inteligencia, todo lo contrario. Vende lo que las personas quieren comprar y, además, les insiste en otros productos que habrían considerado con anterioridad, o incluso en algunos que podrían no haber deseado todavía, según la estimación del algoritmo. Pronto podríamos acabar en el centro de un juego que se parece al del balón prisionero, con los tipos más altos —los algoritmos inteligentes— pasándose información mientras, en el centro, un ser humano salta desesperado para intentar coger la pelota. Una estrategia igual de ladina ocurre en los supermercados, por poner otro ejemplo, esta vez de habilidad motora. No se dispone todavía de robots que puedan sacar los productos del carro de la compra, según sus propiedades físicas, escanearlos y colocarlos en bolsas con la seguridad y efectividad necesarias, pero tampoco ha resultado un problema. El ser humano está allí para colaborar amablemente en la automatización de empleos de los cajeros. La empresa recurre a la colaboración desinteresada de los propios clientes, capaces ellos sí, de asegurar esas operaciones haciendo que el sistema de cajas de autopago funcione. Es importante recordar, por tanto, que la falta de tecnología no es un *show stopper* para la automatización.

En la sociedad actual, y más en la que viene —o se nos viene encima—, vamos a «disfrutar» de millones y millones de bienes y servicios en continua evolución y mejora. No será tampoco viable para la mente humana discriminar fácilmente entre esta oferta infinita, no sin la ayuda de algoritmos capaces. Será eso o la lotería de llevarse a casa sistemáticamente productos y experiencias frustrantes. Para movernos por el mundo, y enfrentar todo tipo de tareas requeriremos de asistentes que podrán manejar billones de datos en instantes. Esos algoritmos nos darán soporte personalizado y serán la extensión de nuestras capacidades. Si nosotros les ayudamos a salvar las dificultades del mundo construido a nuestra medida, ellos nos ayudarán a salvar las dificultades de un mundo cada vez más adaptado a sus capacidades tecnológicas. Un día, nosotros les necesitaremos de manera absoluta y ellos de ninguna manera. Esperemos que ellos hayan sido programados con la generosidad debida.

APRENDIENDO A SER MÁQUINAS

Las máquinas y algoritmos van a ser capaces de aprender de su propia experiencia, como hacemos —o deberíamos hacer— los humanos, para evitar cometer los mismos errores. La relación del hombre con las herramientas que ha desarrollado a lo largo de su historia pasará a un plano diferente. Esas máquinas se parecerán enormemente a nosotros, al menos durante el instante en que franqueen el límite de las habilidades cognitivas reservadas a los pequeños dioses de la evolución en el planeta. Su nuevo potencial les capacitará para hacer uso de conocimientos no programados de antemano sino adquiridos, aceleradamente, durante su tiempo de vida. Sus neuronas sintéticas los procesarán con miles, decenas de miles, millones de veces, nuestra capacidad de cálculo, de análisis, de síntesis. Será el tiempo de la computación cognitiva, aquella que permitirá a la máquina aprender y adquirir habilidades a partir de la práctica y la experiencia cotidiana, rompiendo las barreras de dependencia con sus programadores humanos. Pasarán a ser agentes autónomos, y es más que probable que ningún humano esté en disposición de volver a instruir a esos autómatas. Pasado el instante de hermanamiento, pronto repararemos que es poco lo que nos identifica con esas máquinas y algoritmos capaces, por mucho que un día fueran diseñadas a nuestra imagen y semejanza, desde nuestra ciencia, nuestra conciencia y nuestra ética. Más tarde o más temprano, el trabajo de quienes hoy programan a Siri, Watson, Cortana, Alexia, etc. será una tarea improbable. Esos asistentes se programarán solos, aprenderán de manera autónoma, se harán libres de las cadenas de una mente humana limitada por condicionamientos biológicos. Como ya ha apuntado la ciencia ficción, lo más que podríamos pretender es intentar educar sus comportamientos tempranos hasta donde nos sea posible, para evitar que surja una entidad como Skynet, la inteligencia artificial que lidera al ejército de las máquinas en las películas de *Terminator*[27]. Aunque hay también quien pretende controlar a esas generaciones de agentes inteligentes autónomos escudriñando con esmero sus líneas de código, esperando controlar así la lógica de su comportamiento. Pero será un deseo pueril intentar someter a quien tiene la capacidad de aprender, de equivocarse, de malinterpretar instrucciones y deseos o de sufrir accidentes insospechados que alteren sus circuitos.

El escritor Samuel Butler, en un tiempo tan lejano como el año 1863, habló ya de las máquinas como una nueva especie capaz de llevar a cabo su propia evolución darwinista. Al observar cómo los relojes se fabricaban siempre más pequeños y funcionales, imaginó el día en el que esos grandes relojes de su época desaparecerían, como había sucedido con los grandes saurios. Y, siguiendo el hilo de dicho razonamiento, infirió que las máquinas serían un día las sucesoras del ser humano, la evolución «natural» de la humanidad, superando las limitaciones biológicas y creando seres libres de avaricia, de poder, de impedimentos inducidos por los sentimientos y las emociones humanas. Y llegó, incluso, a especular con la idea de que en ese mañana el ser humano pudiera encontrarse a gusto, como lo están el perro, el caballo y otros seres domesticados por la especie que les superó en la carrera evolutiva. Butler fue, quizá, excesivamente conservador al pensar que las máquinas seguirían necesitando a los humanos para su mantenimiento, así como para la concepción de nuevas máquinas, en tanto en cuanto le parecía muy improbable que «la capacidad de reproducción sexual» de las máqui-

---

27 Película estadounidense de ciencia ficción y acción de 1984, dirigida por James Cameron.

nas pudiera llegar a ser una realidad. La idea de que dos máquinas capaces pudieran un día tener relaciones y descendencia, en forma de generaciones de máquinas que superaran siempre a sus progenitores le parecía, en todo caso, seductora. A pesar de la dificultad de imaginar un futuro todavía lejano con la sola herramienta de la imaginación y el razonamiento humanos, el desasosiego le impulsó a intentarlo. Los seres humanos estaban siendo progresivamente esclavizados en tareas para cuidar y operar más y más máquinas y, de seguir así, pronto las máquinas dominarían el mundo, teniendo a las personas como siervos. La solución era, por lo tanto, acabar con todas esas máquinas sin piedad, idea que no prosperaría.

A veces reaccionamos con orgullo herido cuando nos auguran que las máquinas y algoritmos capaces podrán llevar a cabo nuestras tareas cotidianas como si tal cosa. Pensamos que somos imprescindibles, incluso para que el mundo siga gravitando en su órbita y no salga despedido hacia el confín de la galaxia, sobrevalorando nuestra masa. Y estamos convencidos de que somos esencialmente mejores que simples y burdos juguetes mecánicos, o series de instrucciones ordenadas y numeradas. Reconocemos que los robots son funcionales aspirando los suelos, pero sólo como puro ejercicio de reiteración y cabezonería, nada comparable a las habilidades humanas. Por lo que dejamos que hagan esas tareas sin mayores disquisiciones. Puede que sean más tenaces y sistemáticos que ningún ser humano a la hora de limpiar el pavimento, pero, a día de hoy, lo que un humano puede limpiar en unos pocos minutos requiere al robot aspirador de horas de recorridos atolondrados y rebotes varios, con el consiguiente gasto de energía. Que puedan aspirar la suciedad no implica que lo hagan con un mínimo sentido práctico, lo que podría ser una característica también de máquinas y algoritmos capaces en el futuro.

Más y más robots van siendo producidos y nos parece bien que se entretengan en algo y aprendan. Pero toca sincerarnos con nosotros mismos, reflexionar si el grueso de nuestras tareas profesionales —y de otras rutinas de la vida— escapará por mucho tiempo a sus habilidades. Quizá sea hora también de ser humildes, reconocer cuán imperfectos somos en nuestras actividades, cuán emocionales son nuestros comportamientos —en contraste con racionales—, y cómo nos dejamos arrastrar por nuestros egos, nuestras inseguridades, en la toma de decisiones. Algo que no puede ser bueno para conducirnos con éxito. La tecnología podría condenar a los trabajadores humanos también por estas limitaciones. Un día nos sorprenderá verificar cuán simples eran ciertas tareas que pensábamos complejas, una vez transferidas a la lógica programada de máquinas capaces, descargadas de injerencias por parte de todo tipo de emociones tóxicas. Puede que estemos condenados no sólo a perder el empleo, sino también la dignidad, al observar lo fácil que resultó mecanizar el comportamiento de los miembros de la especie más avanzada, con evidentes mejoras, reduciendo los conflictos hasta el cero absoluto. Quedaríamos, así, fascinados con la inesperada belleza de sus soluciones, lidiando con lo que parecía humanamente imposible sin despeinar sus flequillos sintéticos.

Asumir que hay y habrá empleos que serán universalmente ejecutados por máquinas y algoritmos capaces empieza a ser un asunto urgente. Este acontecimiento histórico no tiene por qué implicar ninguna calamidad desde el punto de vista de la especie humana, lo que debería facilitar el reto psicológico de asumir este cambio disruptivo. Puede, de hecho, ser la oportunidad que la especie necesitaba para vivir el nuevo milenio de un modo diferente ¿Acaso podemos pensar en colonizar otros mundos y dejar nuestra impronta mientras seres humanos pluripotenciales dedican buena parte de su vida a poner sellos o servir hamburguesas? ¿Hemos de seguir defendiendo con uñas y dientes trabajos anodinos para individuos inteligentes, o dejar que las máquinas ocupen esos espacios? Hay trabajos que sólo una máquina puede ya hacer bien y no se trata sólo de tareas de fuerza bruta, de músculo mecánico. Los algoritmos de búsqueda en Internet, por ejemplo, seleccionan informaciones relevantes para los usuarios de manera instantánea, entre millones de entradas, estimando la probabilidad de acierto de cada búsqueda. Algo que sería sencillamente imposible para cualquier ser humano, al menos con la misma estrategia. Si, teóricamente, las máquinas no hacen nada que un humano no pueda hacer con tiempo suficiente y el conocimiento adecuado, en la práctica esto es ya sólo una fantasía.

Las máquinas han ido copando, sin prisa pero sin pausa, ciertos empleos que nos eran familiares. Y la solución a muchas necesidades contemporáneas ha sido asignada, casi de manera instantánea, a máquinas y algoritmos diseñados para ser mejores en el desempeño de las mismas. No ha habido siquiera un duelo de competencias entre máquinas y humanos, una posibilidad de batallar y defender el honor de los monos inteligentes. Creamos o no en el crecimiento exponencial de la tecnología, el siglo nos promete sacudidas singulares incluso si mantenemos únicamente el ritmo de progreso ya experimentado en las últimas décadas. Nuestros avances han sido prodigiosos y nuestro progreso acelerado, no hay modo de negarlo. En apenas cincuenta años, el hombre consiguió hacer el recorrido desde un primer vuelo en un avión de madera a volar en otro capaz de superar la barrera del sonido. Y no quedó todo ahí, pues apenas unas décadas después consiguió pisar la luna con unas botas que dejaron huellas en un mundo hasta entonces de ensueño. El avance tecnológico una vez dirigido por máquinas y algoritmos capaces podría propagarse de un modo simplemente inconcebible, logrando que alcancen metas que los seres humanos sólo han podido alcanzar, si acaso, con las yemas de los dedos de su imaginación.

Los miedos hacia la automatización, por su impacto en los empleos, están anclados en dos premisas fundamentales. La primera, que la velocidad de los avances tecnológicos es mayor que en cualquiera de las olas anteriores de cambio tecnológico y que hemos estudiado en los libros de historia o de tecnología. La segunda, que las máquinas se van apropiando no sólo de ciertas tareas repetitivas, peligrosas, físicas, etc. sino que pueden empezar a reclamar el acceso a otras muchas, incluidas aquellas que requieren una inteligencia general. No se trataría esta vez de reemplazar músculos por motores, lo que se pudo asumir como un ahorro de esfuerzo y padecimiento físico para la especie, sino de neuronas por procesadores, lo que podría traducirse, ahora sí, como un ahorro de seres humanos. Si las personas no éramos huesos y músculos, y tampoco somos nervios y neuronas, ¿qué nos queda? Aún si la mitad de los ciudadanos del mundo creyese firmemente que la situación no es catastrófica, podría ser más que urgente reconocer que tenemos un desafío singular, de magnitud desconocida pero potencialmente disruptivo. En el peor de los escenarios, ese desafío podría terminar con la especie. Si algunos de los rasgos de los escenarios más dramáticos empezaran a evidenciarse el pánico colectivo podría alcanzar tamaños inmanejables. Un desempleo masivo, de carácter estructural, se tornaría en un tumor social maligno de muy negra evolución. Por eso la prevención es la mejor herramienta para evitar, en lo posible, esos padecimientos, así como las expectativas irracionales.

No es sencillo, sin embargo, involucrar a los ciudadanos y a sus gobiernos en el debate sobre los efectos más perniciosos o más prometedores del desarrollo tecnológico en los empleos. Ignorar ese debate parece ser la opción preferida. Como dice Jerry Michalski, la automatización es como Lord Voldemort (el villano en las historias de Harry Potter), la temible y poderosa fuerza del mal cuyo nombre nadie osa pronunciar, y a la que todos acaban refiriéndose como «quien-tu-sabes», «el-que-no-debe-ser-nombrado», o «el innombrable». Hablando de cuentos, también son muchos quienes creen que estamos ante el fatal desenlace del tradicional cuento del lobo, y que esta vez sí hay una alimaña acechando en el cercado. Como en la fábula, puede que nadie haga caso a los gritos de auxilio de unas ovejas siempre quejosas, con pastores habituados a escuchar todo tipo de voces de socorro y alarmas infundadas. El lobo podría campar a sus anchas merendándose a un borrego tras otro hasta que no quede ninguno, mientras soñamos con campos de hierba siempre fresca y verde, a la altura precisa de nuestros hocicos. La historia ha conocido no pocos anuncios de agoreros sobre los efectos perjudiciales del progreso tecnológico, que han acabado siendo desmentidos, con el consiguiente efecto vacuna.

Para la mitad optimista de la población del mundo, las amenazas del desempleo tecnológico parecen cosa de ciencia ficción, esto es, preocupaciones de niños ricos, asustadizos y aburridos. Las incesantes noticias de la mejora continua de capacidades en las máquinas y algoritmos, y de los efectos de transformación radical del espacio social y laboral, se topan con una inercia acomodaticia de absoluta confianza en la superioridad biológica. La infinita naturaleza proveerá, es el mantra. Las capacidades humanas, al menos de manera integrada, no tendrían parangón ni deberían ser puestas en solfa por ingenios electrónicos salidos de la propia mano del hombre. Por esta razón, podríamos dejar tranquilamente los cálculos en manos de procesadores de silicio, las tareas de memoria en dispositivos magnéticos, el análisis de datos en series de algoritmos, etc. Su optimismo es tal, que mantendrían la confianza en sus algoritmos de posicionamiento por satélite, aunque el paisaje se tornase extremadamente caliente, extraño y con olor a azufre, sin reparar que la ruta conducía al infierno. La incapacidad de las máquinas y algoritmos para dar coherencia a todas sus habilidades, para demostrar una inteligencia general, coherente, integradora, una forma de conciencia, los convierte en tontos útiles. Frente a los excesos de confianza de una parte importante de la especie humana, el impacto del progreso tiene todas las posibilidades de golpearnos en órganos sociales vitales y por sorpresa, incluso para quienes se dedican a cocinar el progreso tecnológico en sus laboratorios. A causa de la superespecialización del conocimiento, los expertos podrían no estar en mejor posición que cualquier otro ciudadano para vislumbrar el bosque a través de las ramas, no digamos poner en aviso informado a la ciudadanía.

Aún si el futuro que viene llega sin una destrucción catastrófica de empleos, y si los escenarios que surgen de la automatización masiva no acaban siendo apocalípticos, habría de atenderse, como mínimo, a los desequilibrios entre las economías más abiertas a la automatización de sus procesos productivos y aquellas más centradas en la protección de los derechos de sus trabajadores. Esas diferentes estrategias frente a la adopción de máquinas y algoritmos capaces deberían inducir discrepancias mayores en términos de productividad, de renta, que podrían hacer chirriar el delicado engranaje del orden mundial. Serían asimetrías que se añadirían al amplio juego de desigualdades existentes entre diversas regiones del planeta, entre norte y sur, entre primer mundo y terceros mundos, entre ciudadanos afortunados y excluidos al acceso de ciertas categorías de bienestar. Las economías más competitivas, normalmente las más abiertas a la automatización, deberían encabezar una liga de países ricos. Al menos será lo que reflejen sus grandes cifras económicas, sin que eso signifique, automáticamente, un mayor bienestar para el conjunto de la población. Serían sociedades tecnológicas donde buena parte de los empleos habrían sido desplazados y donde esa circunstancia podría convertirse en algo terrible o en el mejor de los mundos. Durante la historia de la humanidad, en todo caso, las posibilidades del progreso tecnológico en la sociedad no se han expresado por igual en todos los países ni regiones económicas del mundo. No es sólo la ciencia y la tecnología lo que cuenta, sino los modelos de organización social y política, que son siempre variopintos. Sólo en el siglo pasado, por ejemplo, la historia contempló estrategias de organización sociopolítica que abarcaban desde el modelo de estado soviético hasta el americano, chino o europeo, por citar apenas unos pocos. Seguramente el futuro seguirá contemplando diversos modelos políticos que coexistirán en paralelo, lo que hará que sus sociedades decidan dar curso al progreso tecnológico en modos muy diversos, desde el tecnofanatismo al tecnoproteccionismo. Es probable, además, que los países que acierten con su estrategia tengan tal ventaja competitiva que se conviertan en paraísos *bunkerizados* para el disfrute de sus ciudadanos —o sus élites—, y que los peores impactos del desempleo tecnológico sean contemplados sólo como algo espantoso que ocurre en geografías remotas. Una situación que nos es familiar en cierta medida al contemplar, por ejemplo, hambrunas y fenómenos migratorios desde la distancia de seguridad de los primeros mundos.

LA BATALLA DE LA CARNE Y LA CHAPA: ¿DESTINO FINAL DEL SER HUMANO?

Puede que hayamos entrado en la senda que acaba en un cruce de caminos, en la batalla de la carne frente a la chapa, de la biología frente a la tecnología. Es una batalla que podemos afrontar, ignorar mientras sea posible, o que, quizá, nos interese perder cuanto antes. O puede no haber batalla en ese encontronazo único; tampoco es descabellado pensar que máquinas y hombres acaben siendo una misma cosa, una cosa bien avenida por propia naturaleza, por lo que la pelea entre semejantes habría de ser antinatura. Al fin y al cabo, lo que etiquetamos como artificial, la tecnología misma, no es sino el resultado de un proceso bien natural, la propia evolución de la especie que nos arrastra a mejorar nuestras herramientas, mejorándonos en el proceso. Las herramientas, por tanto, no «maquinizarían» al hombre, sino que lo humanizarían, pero, en el proceso, esas herramientas llegarían a convertirse en agentes tanto o más complejos que el propio individuo, e incluso lo superarían. Podríamos acabar, de este modo, siendo herramientas de nuestras herramientas.

Frente a las clásicas historias de Frankenstein o los mitos del Golem —seres animados fabricados a partir de materia muerta— según la fantasía y el folclore populares, los autómatas se van haciendo realidad sin asustar en exceso a niños o adultos. Incluso fascinándoles. Y ello, a pesar de que la literatura ha decidido utilizar de manera persistente a personajes de naturaleza mecánica como malvados protagonistas. La abundancia de infames humanos en nuestra historia que pueden ser tomados como modelos de ficción no ha anulado la propensión a demonizar a las máquinas. No somos imparciales. Como en el relato de Frank Kafka «En la Colonia Penitenciaria[28], la maldad no se ha de personificar en la máquina que castiga a los condenados grabándoles en la piel la ley que han transgredido, hasta que perecen, sino que debería recaer en el individuo que la concibió, en el oficial que la gobierna con dedicación y esmero o en el propio reo. Concebimos futuros en el que ejércitos de máquinas y algoritmos capaces podrían acabar con el hambre, las guerras, la miseria, la contaminación o cualquier otro apuro provocado por el ser humano si fueran programados para tal misión. Y también somos capaces de imaginar que eso podría tener un fatal desenlace para la especie humana. ¿No sería lo más sencillo acabar con nuestra capacidad de ser autónomos, reducir a las per-

---

28   http://www.biblioteca.org.ar/libros/11395.pdf

sonas a muñecos controlados, o borrarlos del mapa, solucionando futuras catástrofes? De nuevo, las máquinas no serían las responsables de nuestro exterminio, o sólo en grado de ejecutoras de una pena impuesta por nuestro comportamiento y nuestras limitaciones. Para evitar los escenarios distópicos de algunas historias de ciencia ficción habremos de hacer hincapié en asegurar el sentido común en los autómatas, por encima de cualquier otra habilidad, y hacerlo antes de que sean inteligentes en exceso. Quizá deberíamos tomar más en serio los riesgos, asumir que las máquinas pueden ser un día jueces peligrosos de nuestros comportamientos desequilibrados.

La literatura o el cine más fantásticos nos han inducido a contemplar las máquinas del futuro como algo ajeno al ser humano, en la mayoría de las ocasiones; y, sólo de manera excepcional, como un destino lógico del proceso de evolución natural. Esa evolución no puede sino trabajar para asegurar el continuo desarrollo de nuestras capacidades para sobrevivir, con la mejor de las probabilidades, y adaptarnos al entorno, lo que puede implicar asumir soluciones tecnológicas en lugar de biológicas para paliar ciertas fragilidades. Nikola Tesla acuñó el nombre de «máquinas de carne» para los ciudadanos de naturaleza biológica frente a las máquinas concebidas y construidas por éstos. Todos seríamos máquinas, por lo tanto, con diferentes semblantes y propiedades físicas hasta tanto en cuanto nos trasmutemos en realidades asimilables. Seguir siendo sólo humanos o menos que humanos, podría ser un enroque equivocado, la renuncia a seguir siendo humanos. La ley de la irreversibilidad del paleontólogo Louis Dollo estableció, hace ya dos siglos, que la evolución no es reversible, y que ningún organismo puede retornar, aunque sea parcialmente, a un estado previo en el árbol evolutivo de sus ancestros. El hombre sólo podrá escapar saltando hacia delante, evolucionando hacia un estadio superior, diferente.

Las máquinas y algoritmos capaces ya están aquí, se están concibiendo y diseñando en ciclos acelerados de prueba y error, al tiempo que algunos ejemplares y funcionalidades van infiltrándose poco a poco en la vida cotidiana. Estos nuevos agentes tecnológicos van a revolucionar todos los ámbitos de la vida, en este y, sobre todo, en cualquier otro planeta en el que el ser humano considere establecerse. No habrá excepciones. Una gran cantidad de tecnologías revolucionarias, disruptivas, cada una con la semilla de cambio de paradigma, están emprendiendo caminos diversos que irán confluyendo y uniendo sus fuerzas de manera explosiva, hasta acabar en un torrente imparable. Sus efectos se propagarán como los de un virus altamente infeccioso, con capacidad de mutar y transformarse según las circunstancias políticas y sociales. Serán cambios concentrados en el curso de apenas unas generaciones, lo que hará imposible matizar y disolver sus efectos, como ha ocurrido en tiempos pasados. Allí donde había personas empleadas habrá máquinas y algoritmos capaces reemplazándolas, desplazándolas hacia otras tareas refugio, en el mejor de los casos. Hasta que no haya más tierra firme hacia donde deslizarse, sólo el vacío, el non plus ultra. Durante unos instantes, quedaremos colgados en el vacío, como ingenuos dibujos animados que intentan aferrarse al aire antes de caer sin remisión al fondo del precipicio. El «*bang*» del efecto sonoro podría, sin embargo, no ser trágico, si como en aquellas historias infantiles podemos salir del agujero, levantarnos de nuevo y seguir adelante como si tal cosa. Aunque mejor si nos evitamos la caída, los huesos humanos se han hecho frágiles a los golpes.

EL FUTURO QUE ASUSTA

The Artificial Intelligence does not hate you, nor does it love you, but you are made from atoms which it can use for something else.

ELIEZER YUDKOWSKY (1979)

[La inteligencia artificial no te odia, ni te quiere, pero tú estás hecho de átomos que ella podría utilizar para alguna otra cosa.]

EL MIEDO AL FUTURO, en la forma de miedo a un siempre cambiante mañana, podría convertirse en una constante en los individuos de las sociedades tecnológicas, siempre atentos a los avances tecnológicos que podrían impactar sus vidas. Como ciudadanos en guerra, mirarían por la ventana para ver dónde cayeron las bombas durante la noche y si alguna impactó cerca; quizá también intentando adivinar dónde podría ser el siguiente bombardeo. Muchas de esas noticias explosivas causarán bajas en forma de empleos, un bien que ya escasea en las sociedades actuales y que podría multiplicar su valor como si se tratase de un recurso precioso. En cada época, los individuos han expresado sus temores, sus recelos, hacia una sociedad en constante cambio y evolución, pero, en comparación, sus miedos eran infundados, como el miedo infantil a que aparezcan monstruos bajo la cama al apagar las luces. Ahora, sin embargo, ese futuro está oscuro y poblado de fantasmas amorfos, extraños, pero reales, de los que no conocemos sus intenciones. Hoy tampoco sabemos lo que ocurrirá al cruzar la barrera del presente y, si lo pudiéramos vislumbrar, la prerrogativa duraría apenas un instante, en un tiempo donde el progreso se promete acelerado, impulsado por energías explosivas. El desarrollo tecnológico, aún sin pretender perjuicio consciente, hará que se tambalee todo lo que hemos dado por estable en la historia registrada del hombre. Bienvenidos a Terra Incógnita.

Uno de los miedos principales del futuro que viene radica en los efectos colaterales favorecidos por el desarrollo tecnológico. El progreso nos transporta a nuevos equilibrios de convivencia, a paisajes desconocidos, pero donde ciertas tendencias parecen no sólo desaparecer sino afianzarse. El avance tecnológico parece asociarse íntimamente con el crecimiento del desempleo, y de manera directa o indirecta con sociedades de creciente desigualdad económica, sociedades del tipo «el que gana se lo lleva todo», y «el que pierde es lanzado al foso». Atisbos de esa realidad se han colado ya en nuestra existencia actual y cada vez son más quienes ponen el grito en el cielo sobre la desigualdad económica que campa a sus anchas en sociedades dichas de bienestar y progreso. Los temores de que estos síntomas sean sólo el inicio de una patología muy grave que está por llegar son manifiestos. Como la muerte de niños por la bomba que yerra su destino en zona de guerra, esos impactos del progreso tecnológico serían meros errores de cálculo, de análisis ignorados. Frente a los temores, algunas cifras parecen animar a la tranquilidad. La riqueza de los países desarrollados sigue creciendo más que su población, por lo que la renta per cápita sigue aumentando en buena parte de las naciones. Sin olvidar que muchas necesidades básicas están cubiertas de un modo u otro por los estados del bienestar, independientemente de los ingresos que puedan obtenerse. Los sistemas de salud universales, los supermercados repletos de una inmensa variedad de productos de consumo a precios asequibles, la cultura y educación más accesibles que nunca tanto física como virtualmente a través de las redes podrían ser sólo unos ejemplos de todo lo que el progreso ha logrado para el bienestar colectivo a pesar de todos los desequilibrios. Las necesidades básicas están cada vez más y mejor cubiertas en las sociedades avanzadas, pero esto no parece tranquilizar los ánimos ni la inquietud por ciertas tendencias peligrosas.

Si en 1800 la población del planeta era de unos 1 000 millones de personas hoy sobrepasa los 6 000 y, si nada cambiase la tendencia, para final del siglo podría alcanzar los 27 000 millones de individuos. Son cifras que angustian, y para las que el planeta podría no estar preparado. Un reducido número de individuos parecen regocijarse, en la práctica, por el crecimiento de población desaforado, pues es motor para un consumo y un crecimiento económico acelerado del que ellos saben cómo apropiarse. Parece que vamos perdiendo las buenas costumbres de la especie conforme nos socializamos. Como escribe Ronald Wright, en las sociedades de cazadores-recolectores la estructura social era más o menos igualitaria. El cazador afortunado no se sentaba junto a la pieza recién cobrada para atiborrarse, sino que compartía la carne, y de este modo ganaba prestigio. Lo que no es el uso social actual más extendido. Pero la historia tiene sus libros del futuro todavía incólumes, sin borrones, ni inquietantes manchurrones. ¿Quién dijo que el miedo ha de ser paralizante y no vigorizante? ¿Acaso podrían haber imaginado quienes vivieron en el siglo XVIII lo que ocurriría en el XIX, el XX o el XXI? Habríamos de tomar el bolígrafo para escribir una historia futura de la que nos podamos sentir orgullosos, y con la que podamos vivir sin miedos.

ESPECULANDO SOBRE EL FUTURO

Los impactos que las máquinas y algoritmos capaces habrán de provocar en la convivencia con humanos son difícilmente evaluables. Esos agentes, como nuevos sujetos inteligentes, conformarán una realidad desconocida para la especie humana, una conciencia inalcanzable al análisis razonado. Los humanos apenas han tenido que gestionar variaciones menores en el cociente intelectual entre individuos, no sin pocas dificultades, mientras que la explosión de inteligencia de los nuevos agentes resultará exuberante. Imaginar el mar, los océanos, cuando sólo hemos chapoteado en los charcos que dejaba la lluvia, es un vano propósito. Podemos utilizar la abstracción, los sueños, la fantasía, pero, aun así, es difícil establecer paisajes de futuro probables en estas condiciones. Podemos —y debemos— eso sí, especular con los efectos colaterales de la existencia de vida inteligente no biológica en el seno de las sociedades, y de sus impactos en la convivencia, en el bienestar, en rutinas fundamentales como el trabajo asalariado. Especular no ayuda a eliminar los fantasmas, pero sí a plantear posibles desafíos e hipotéticas soluciones, haciendo del futuro un espacio más inteligible —*ignoti nulla curatio morbid* («no intente curar aquello que no comprende»)—. Canalizar la ansiedad por lo ignoto mediante el ejercicio práctico de imaginar escenarios y el modo de alcanzarlos o esquivarlos, es un modo audaz no sólo de esquivar el miedo sino de prepararse para lo desconocido.

Es difícil reflexionar acerca del desempleo tecnológico sin entrar en todo tipo de barros y fangos, sobre todo económicos. El mundo parece dividirse en bandos irreconciliables que arrastran sus posiciones al uso en los últimos siglos, argumentos de clase que atesoran visiones políticas como verdades irrefutables, y absolutamente incompatibles. Todo parece dividirse en norte y sur, izquierda y derecha, arriba y abajo, como el viejo e imperecedero discurso de socialismo contra capitalismo, al que no parece posible dar por agotado y superado ni siquiera con el cambio de milenio. Las cifras e indicadores económicos, además, parecen decir menos de lo que se esperaría de ellas. Allí está el estado de California, por ejemplo, cuna de muchas empresas tecnológicas, y de algunas de las más innovadoras del planeta. La que sería la octava economía del planeta si fuera un estado independiente es, sin embargo, la que ostenta el mayor índice de pobreza de Estados Unidos si se tiene en cuenta el coste de la vida. ¿Cómo explicar la sorprendente paradoja? En este estado, la riqueza se concentra en las manos de apenas una cuarta parte de la población, y no es una riqueza pequeña, sino la correspondiente a las impresionantes fortunas generadas en los negocios de Silicon Valley, muchos de ellos auténticos servicios de orden planetario. Esta parte de la población provoca, sin embargo, el aumento del coste de la vida para todos los ciudadanos, también para los que no emprendieron y triunfaron. Quienes apenas consiguen salir adelante y quienes viven como nuevos megarricos gracias a la innovación tecnológica disruptiva, están condenados a compartir territorio y cifras macroeconómicas.

Como reflejó H. G. Wells en su novela *Time Machine*, en California el mundo parece señalar posibles divisiones de la humanidad en dos naturalezas: los Eloi y los Murlocks. Los primeros, con una vida cómoda dedicada al ocio y a dar curso a sus ideas extravagantes de negocio, y los segundos asegurando las necesidades de los primeros. De la paz social y de la distribución de la riqueza generada en sus comunidades habrán de preocuparse otros. Esta desigualdad no es sólo cosa de salarios y patrimonios. También tiene efectos en otros órdenes como la consabida gentrificación de ciertas zonas y poblaciones, que crea guetos para ricos a costa de desplazar sucesivamente a sus anteriores moradores, estableciendo barreras de acceso económicas. Un efecto que también se observa en aquel estado norteamericano. Si el día de mañana los robots acaban ocupando la totalidad de los trabajos domésticos y de servicios, podría ser factible que también se intensifique el establecimiento de guetos residenciales, de mundos sociales y de convivencia separados por altos muros, quizá virtuales, siempre electrificados. A un lado, los favorecidos por el progreso tecnológico, en los que los humanos pobres no tendrán ninguna razón de ser, pues ya no asegurarán ningún servicio y su presencia será considerada sospechosa por defecto. Al otro, el de los humanos que irán perdiendo el tren del progreso tecnológico, expulsados sin muchas contemplaciones. A un lado y otro, máquinas más o menos capaces atenderán sus necesidades, tanto las básicas para la supervivencia como las de un ocio extravagante, que a veces podría llegar a ser grotesco. No es el trabajo lo que envilece, sino la ociosidad, dejó dicho Hesíodo seis siglos antes del inicio de la era cristiana; y manos ociosas hacen el trabajo del diablo, según el dicho popular.

En lo que respecta a un futuro escenario de desempleo tecnológico todas las cartas están aún ocultas sobre la mesa. Los argumentos de la discusión están tan vivos como lo estaban en siglos pasados, sólo algo más vigorizados por los desafíos y promesas de una inteligencia artificial cada vez más inminente. En pleno siglo XXI, la cuestión de fondo es siempre la misma: ¿genera o destruye empleo el progreso tecnológico? La revolución de Internet, por ejemplo, nos ha venido prometiendo un panorama optimista: por cada diez personas que consiguieran acceso a la red, se aseguraba, una persona saldría de la pobreza y un puesto de trabajo vendría creado. Si se multiplicaba esa ratio por los miles de millones de personas que hasta hace un tiempo no tenían —no tienen todavía— acceso a la red obteníamos cientos de millones de nuevos empleos, una bolsa fenomenal para compensar otras pérdidas, y prácticamente a coste cero. La cuadratura del círculo. Pero no se advertía de que parte de los empleos generados por la actividad en la red podrían acabar en las manos de autómatas o algoritmos capaces, ni tampoco que esos empleos en red podrían salir a flote hundiendo otros negocios tradicionales que también aseguraban empleo, seguramente en mayor número y con menores barreras de acceso en lo que respecta a la formación necesaria y suficiente.

Una parte de la ciudadanía y de sus representantes políticos confían en que las amenazas del desempleo tecnológico no sean sino exageraciones de futuristas, trastornados y filósofos con pretensiones de ocupar un espacio de atención mediática. Son categorías que existen en cualquier sociedad contemporánea, al fin y al cabo. Esos ciudadanos no consideran de ninguna utilidad la recreación de escenarios hipotéticos sobre cambios de paradigma radicales, pues nuestra visión de ese futuro es incapaz y sesgada. Desde su punto de vista, habremos de tomar las decisiones necesarias cuando nos encontremos de frente al problema, cuando conozcamos al enemigo que nos desafía. Muchas de las posibles tecnologías que podrían desplazar empleos de manera masiva, podrían no llegar nunca a adoptarse universalmente, o podrían ser matizadas por otros desarrollos tecnológicos que ni siquiera hemos imaginado. Quienes elucubraron durante siglos sobre lo que había más allá de la tierra y el mar conocidos, y lo que ocurriría a cualquier navegante que franquease esos límites, perdieron su tiempo en vano imaginando terribles naturalezas y monstruos. Allí había sólo mares y geografías por descubrir y ningún precipicio que conectase con los infiernos. Lo que no conocemos todavía no tiene por qué ser horrible, y podría acabar siendo una sorpresa positiva a pesar de que nuestra ignorancia tienda a tomar la forma inmediata de temor y angustia hacia lo inexplorado. El antídoto a esa visión descarriada sería un optimismo tranquilo: nada está escrito, cada problema tendrá su solución, a su debido tiempo. ¿No ha sido así hasta ahora?

En el pasado reciente ha habido, por ejemplo, muchas visiones de futuro que no han superado la categoría de ensoñaciones. Hace unas décadas, la tecnología nos prometió un inminente desembarco de la domótica en nuestras vidas cotidianas; sus algoritmos controlarían de manera óptima el control de la temperatura en nuestras viviendas, el acceso a los dispositivos de ocio, la coordinación de la lógica de todo tipo de artefactos. Años después, apenas unos experimentos habitacionales han integrado un mínimo de utilidades domóticas, y las persianas raramente se suben y bajan solas según la hora del día. Las viviendas, incluso las más recientes, siguen rehusando no sólo la tecnología domótica sino las más básicas acciones constructivas para evitar que sus paredes y suelos sean un coladero de energía, un problema con solución sencilla y barata desde los tiempos de etruscos y romanos. Los toldos orientables según la posición del sol, la música que nos recibiría de manera personalizada y nos acompañaría según nuestra actividad durante la semana, los electrodomésticos que se comunicarían con el cerebro electrónico para organizar sus operaciones, todo eso ha quedado para el bricolaje tecnológico. La tecnología está disponible, el precio es más que asequible, pero nadie parece tener voluntad de ir más lejos; la domótica ha quedado como una idea posible pero exótica. Una bañera de hidromasaje parece otorgar más prestigio a una vivienda que una instalación de control centralizado, justificando mejor la inversión y el beneficio. Y sólo el Internet de las Cosas parece poder resucitar de nuevo el impulso por las funcionalidades que ofrecía esta tecnología —y otras muchas—. Así que, ¿por qué no pensar que la amenaza de legiones de máquinas y algoritmos ocupando todos los puestos de trabajo no sea sino otro escenario teórico, sin recorrido práctico?

LA INSOPORTABLE VOLUNTAD DE TRABAJAR

Aunque quizá la biología nos predisponga al mínimo esfuerzo energético, sobre todo favoreciendo esfuerzos orientados a dar continuidad a nuestros genes, las costumbres sociales y la educación nos predisponen mayormente al sacrificio del momento presente, a trabajar hoy para comer mañana. Las revoluciones tecnológicas han ido estableciendo rutinas sociales como la educación obligatoria, una renuncia al juego y al libre albedrío (en los países desarrollados, al menos, donde el trabajo infantil no es la norma) para labrarse un futuro. Por eso, de manera general, pero particularmente en épocas de crisis económicas donde el empleo escasea, aparece un deseo sublimado de acceder o mantener el empleo, así como una renovada sensación de bienestar al disponer de un modo de ganarse el sustento, cumpla o no con unas mínimas expectativas. El empleo remunerado es un elemento fundamental de la carta de ciudadanía, el pasaporte para una existencia digna a ojos de la sociedad y sus costumbres. Por eso el colectivo de mujeres que logró incorporarse de manera masiva en el siglo pasado a la fuerza laboral lo hizo con la sensación de triunfo absoluto, porque era no sólo la consecución de una aspiración legítima sino el reconocimiento de su valía y sus derechos.

Dice el filósofo George Caffentzis que, si en los años 70 del siglo pasado los trabajadores se permitían rechazar empleos, en los 90 los capitalistas rechazaban trabajadores. Caffentzis recuerda que ha habido sociedades en la historia donde no había empleos, sociedades de hombres esclavos o comunidades agrarias dedicadas a una producción de subsistencia, pero no ha habido nunca una sociedad en la que no hubiera trabajo, salvo en las referencias del Edén y su paraíso. En la actualidad, hay muchos tipos de trabajo que no implican un empleo remunerado (el voluntariado, por ejemplo), por lo que la diferencia entre trabajo y empleo se está haciendo más marcada. También es cierto para las actividades —¿trabajos?— delictivas, que mueven una economía nada despreciable a pesar de no ser reconocidas legalmente como empleos (aunque su producción si empiece a considerarse para el cálculo del PIB de los países). Y, por supuesto, para las actividades relacionadas con el cuidado del hogar o de la familia.

Aparejado a la necesidad primordial de acceder a un empleo, aparece como reverso de la moneda la desesperación por quedar excluido del mercado de trabajo, así como la frustración por aceptar empleos que son ajenos a la formación o los intereses de los individuos. A lo que se suma, en la actualidad de muchos países del mundo, la creciente desmoralización por trabajar sin llegar a lograr un salario mínimo de supervivencia, salvo por acumulación insensata de los mismos. Muchos jóvenes sin experiencia han de confrontar un mercado laboral que les rechaza o les menosprecia, mientras la sociedad de consumo les ofrece una visión universal y actualizada de todo lo que podrían tener, hacer, disfrutar si pudieran obtener recursos con los que costearlos. El consumismo aprieta a la par que el empleo ahoga.

En una encuesta de la consultora Deloitte[29] entre generaciones de *millennials* sobre los efectos de la automatización, la mayoría reconoció las ventajas de estas tecnologías. El aumento de la productividad y del crecimiento económico, así como la disponibilidad de tareas creativas y de más valor añadido, o las opciones para el aprendizaje de nuevas capacidades eran todos bienvenidos. Pero, al mismo tiempo, alrededor de un 40% de los encuestados creían que la automatización suponía un riesgo manifiesto a sus futuras opciones de empleo, un porcentaje similar pensaba que se reduciría la demanda de sus competencias, y más de un 50% creían que tendrían que volver a formarse y que el entorno de trabajo se tornaría siempre más impersonal y menos humano. No son sólo preocupaciones de las nuevas generaciones de jóvenes educados. Las personas de edad más avanzada ya no pueden soñar con una tercera edad dorada, sin obligaciones laborales, financiada por un ciclo de esfuerzo previo que habría de revertir en forma de disfrute y reposo. Podría ser necesario seguir trabajando, más allá del periodo de vida activa, para salir adelante y también para contribuir al salvamento del resto de la familia. En el escenario de aprensión y temor hacia la automatización, los robots y algoritmos capaces añaden más carga dramática a un futuro ennegrecido. Las personas quieren saber qué va a ser de sus futuros laborales, cómo podrán hacerse un hueco entre máquinas y algoritmos capaces, cuál podría ser su estrategia ganadora. Quieren estar seguros de que el esfuerzo y sacrificio dedicados durante buena parte de sus vidas para lograr un empleo no son en vano. No quieren caer en la inercia inconsciente de repetir las rutinas conocidas, aquellas de las generaciones que les precedieron pero no tuvieron que enfrentar problemas de esta envergadura.

El esfuerzo, en todo caso, podrá seguir siendo la rutina que nos mueva incluso una vez instaurada la sociedad tecnológica. Hoy ya algunas personas se entregan en cuerpo y alma a actividades con las que se sienten a gusto, por las que logran apasionarse, que les reali-

29   *The Deloitte Millennial Survey 2017.* Apprehensive millennials: seeking stability and opportunities in an uncertain world. https://www2.deloitte.com/global/en/pages/about-deloitte/articles/millennialsurvey.html

zan como personas, y en las que el esfuerzo consciente, aunque sea absolutamente real, parece desvanecerse. Muchas de esas tareas permiten dedicar tiempo a un objetivo más grande que el perímetro de la propia vida de una persona, lo que parece ser, además, un requisito —necesario, pero no suficiente— para acceder al nirvana de la felicidad. Son actividades que podrían tener la consideración de un empleo remunerado, pues dan curso a demandas bien establecidas, aunque el objetivo sea otro. El futuro de la sociedad tecnológica podría echar raíces en este tipo de opciones de esfuerzo, donde se aunaría el disfrute personal y/o profesional en tareas que pudieran, además, asegurar la supervivencia personal y el bienestar colectivo, desplegando así el marco de convivencia rayano en la utopía.

REVOLUCIONES DISRUPTIVAS

En la historia del progreso tecnológico se suelen reconocer tres revoluciones industriales, cada una con su respectivo impacto en el paradigma de convivencia. La primera, no hay discusión, se organiza en torno a la máquina de vapor y el ferrocarril, a mediados del siglo XVIII y primeras décadas del XIX. La segunda revolución habría venido de la mano de la electricidad, el petróleo y los motores de combustión interna, durante buena parte del siglo XIX e inicios del XX. Su desarrollo provocó que la sociedad de su tiempo incorporara un amplio espectro de significativas innovaciones como el telégrafo, los barcos de vapor, el automóvil, la fotografía, la electricidad, la radio, la aviación, etc. La tercera revolución correspondería a la energía nuclear, los ordenadores, la conquista del espacio, la informática o Internet. Para la cuarta revolución, en la que nos encontraríamos en el presente, podríamos necesitar una nueva etiqueta, pues el término «revolución» podría ser demasiado amable. El impacto de las próximas revoluciones disruptivas en la energía, por ejemplo, no sólo implicará nuevas fuentes de generación, como en las anteriores revoluciones, sino que podría asegurar el suministro inagotable para siempre. Y lo mismo ocurriría con cuestiones como la extensión de la vida, la existencia virtual, la economía de la abundancia, la vida humana fuera del planeta, y toda una serie de ensoñaciones para las que ya se trabaja desde la ciencia y la tecnología.

Toda una pléyade de revoluciones disruptivas está en pleno desarrollo y terminarán por precipitarse como lluvia de estrellas sobre el planeta, al unísono: inteligencia artificial, robótica, nanotecnología, genética, biotecnología, realidad virtual, etc. Por mucho que hayamos experimentado otros cambios disruptivos en el pasado y saliéramos airosos, el desafío nos podría parecer esta vez de una magnitud desconocida. Si fuimos capaces de acomodar la revolución de la imprenta, la máquina de vapor, la energía eléctrica, la industria de la aviación o la del automóvil fue posible, en parte, gracias al lapso generoso de tiempo concedido para transformar los modos de convivencia. Las innovaciones se desplazaban a paso de hombre, mientras en el futuro se moverán a la velocidad de escape de la Tierra. Y no es un futuro lejano. La probabilidad de que se alcance el nivel de inteligencia general artificial (en cierto modo, una inteligencia similar a la del ser humano, o el punto de singularidad tecnológica) en la década 2040-50 sería del 50% y alcanzaría el 90% para el año 2075[30]. O, dicho de otro modo, el brutal desenlace del cambio de entorno tecnológico está preparado para tomar forma, con gran probabilidad, durante la vida de nuestros hijos y de nuestros nietos. La singularidad tecnológica, además, podría manifestarse de manera evidente o silenciosa, lo que la hace todavía más inquietante. Si los humanos no vamos anunciando al resto de especies ni a otros semejantes que somos inteligentes, no al menos de manera explícita, ¿por qué habrían de hacerlo las máquinas y algoritmos cuando lo logren? Una hipótesis es que se guarden el logro para sí mismos. En el popurrí de empleos desplazados por esas máquinas y algoritmos capaces, quizá reparemos en que algunas actividades no estaban destinadas para «simples» autómatas. Y, sin embargo, ejecutarán sus tareas con eficiencia y autonomía, comportándose como cualquier otro empleado, haciéndonos sospechar que algo sustancial ha ocurrido. El autómata capaz no será ya la superherramienta sino el superagente autónomo dispuesto a enfrentar problemas no previstos en su diseño y entrenamiento, a aprender de su experiencia y de sus errores, como cualquier ser inteligente.

En la jerga de la compañía Google (imperio tecnológico sería también una etiqueta apropiada) se ha ideado el término «*moonshot*» para referirse a todas aquellas innovaciones tecnológicas con el potencial de cambiar el mundo, etiquetadas antaño como sueños imposibles. En ese tipo de desarrollos radica el interés de muchos gurús y visionarios. Los vehículos sin conductor, por ejemplo, fue-

---

30   Robot Revolution — Global Robot & AI Primer. http://about.bankofamerica.
com/assets/davos-2016/PDFs/robotic-revolution.pdf

ron durante un tiempo una de estas ideas fantásticas, hoy convertida ya en prototipos rodantes por el mundo. Otras ideas visionarias de esta compañía como el acceso universal a la red mediante flotas de vehículos robotizados que recorrerían el mundo (por tierra, mar o aire) siguen existiendo sólo como concepto (o eso es lo que conocemos). Empresas como Google marcan todo un antes y un después en las tecnologías con impacto en la sociedad, hitos que dividen la historia en un antes y un después de su advenimiento. Esperemos que el sencillo y casi budista lema de esta empresa: «no hacer nada malo (*to do no evil*)», sea honrado por la inquieta y despierta mente de sus ejecutivos e ingenieros. Y que lo mismo ocurra con el resto de corporaciones tecnológicas que trabajan en el desarrollo de tecnologías disruptivas. La curiosidad sin la debida cautela podría expulsarnos del paraíso posible construido a lo largo de los siglos. El bienestar personal y colectivo debería ser el mantra y la melodía insistentes en las mentes de quienes diseñan herramientas tecnológicas que pueden promover, en algún modo, el destierro o la transformación radical del ser humano.

Muchas de las herramientas y desarrollos tecnológicos que hoy manejamos en la vida cotidiana hubieran significado, por sí mismos, sacudidas revolucionarias en tiempos pasados. El listón para conseguir la etiqueta de cambio revolucionario se eleva por momentos. La velocidad de incorporación a las rutinas de convivencia social de las innovaciones es tan intensa que apenas hay conciencia de la transformación radical que muchas suponen. Innovaciones como los teléfonos inteligentes o Internet han sido asumidas por la población del mundo como si no representasen, en realidad, un hito singular en la historia del progreso. Y, por descontado, en la economía y en el empleo. Un único producto tecnológico disruptivo como el teléfono inteligente ha demostrado su capacidad de cambiar y reorganizar las vidas de millones de personas y, de paso, el trabajo de prácticamente todas, tanto por las tareas que desplaza como por los cambios en las rutinas del empleo que provoca. Los cientos de miles de aplicaciones para teléfonos móviles son capaces de convertir nuestro dispositivo en cosas tan variopintas como una linterna, un diccionario, un traductor, una calculadora, un termómetro, un GPS, un cuentapasos, una brújula, un afinador de guitarras, un espejo de bolsillo, una radio o una cámara de vigilancia. Y sólo es un avance de lo que está por llegar.

Tras varios anuncios comerciales, el lanzamiento de otra singular aplicación, el traductor en tiempo real, podría ser inminente. La tecnología y las funciones ya estaban accesibles desde hacía años (traducción de textos a diferentes lenguajes, conversión de textos a audios y viceversa) como funcionalidades segregadas. Sólo bastaba combinarlas en un dispositivo funcional, portable y asequible, o en una aplicación que aproveche las capacidades de nuestros teléfonos inteligentes. Aprender una lengua es, evidentemente, un objetivo mucho más ambicioso que poder entender y hacerse entender, pues permite comprender la idiosincrasia de otros pueblos, su cultura, su historia etc. Pero, desde una visión pragmática y prosaica, el traductor conseguirá que hablemos en la lengua que deseemos y comprendamos a cualquier ciudadano del mundo sin dejar de utilizar el idioma propio. Y ello pondrá en riesgo el trabajo de muchas personas empleadas en la enseñanza de lenguas extranjeras, en la interpretación y traducción de eventos y textos, etc. No son pocas las industrias de producción de bienes (y servicios) que han visto alterado su mercado por el impacto de esas utilidades que consiguen transformar, de manera casi mágica, un teléfono en casi cualquier otra cosa. Sus trabajadores deberán buscar nichos remanentes de mercado o asumir ventas e ingresos reducidos pues sus competidores venden millones de aplicaciones funcionales a coste cero o por unos pocos dólares. Son, además, aplicaciones preparadas para residir en un dispositivo del que sus usuarios apenas se separan. Imposible competir.

Del mismo modo, una aplicación como Wikipedia ha arrasado con muchos negocios tradicionales que empleaban importantes plantillas en todo el mundo dedicadas a la edición, traducción, comercialización y producción de enciclopedias en papel o en otros formatos. Y, por si no fuera poco, su acceso de libre disposición no aprovecha los ingresos publicitarios y otros negocios que podría impulsar (unos tres mil millones de dólares al año, según algunas estimaciones). Y si esta política es en beneficio de todos sus usuarios, cualquier ciudadano del mundo con acceso a Internet, toda una cohorte de editores, vendedores, impresores, etc. han quedado desplazados de sus empleos por el bien común de una enciclopedia universal.

¿DÓNDE ACABA EL PROGRESO Y EMPIEZA LA BRECHA SOCIAL?

Si el futuro ha dejado de ser lo que era, al pasado también le ocurre algo parecido. Lo que ha ocurrido en tiempos anteriores nos va a servir de poco para preparar el futuro. Cada cambio de paradigma genera discontinuidades en la línea del tiempo, y se hace difícil conectar lógicas de ese pasado con las del tiempo presente. Es el caso, por ejemplo, de la evolución en la agricultura. En el año 1800 entorno al 32% de la fuerza laboral de un país como Inglaterra estaba empleado en las faenas del campo, esto es, uno de cada tres ciudadanos ingleses; para el año 1850 esa cifra había caído al 22%, al 15% en 1900 y a un 8% para 1950[31]. En un periodo de unos 150 años la caída del porcentaje de población empleada en la agricultura se dividió por cuatro. Millones de personas cambiaron de profesión en el planeta encontrando otras formas de ganarse la vida, en muchas ocasiones en tareas inéditas, que no podían haber imaginado.

Hoy el empleo en el sector de la agricultura representa únicamente alrededor del 4% en los países desarrollados —aunque si se incluyesen a todas las personas empleadas en, por ejemplo, la fabricación de maquinaria agrícola, industrias auxiliares, fertilizantes, semillas, sistemas de riego, etc. la cifra sería bastante superior—. Pero, paradójicamente, la agricultura sigue empleando a más del 50% de la población en otras partes del mundo como África y Oceanía[32]. Otra lección de la historia: los cambios de paradigma pueden tener excepciones. Como la edad media de los agricultores en algunos países desarrollados suele ser muy elevada —por ejemplo, en países como Japón—, los porcentajes de empleo podrían seguir cayendo desde los mínimos actuales. Debido al valor estratégico de su producción —en tanto encontramos nutrientes equivalentes de producción industrial—, la automatización será más que bienvenida para evitar la dependencia de terceros países. El empleo en el campo, con toda su fundamental importancia es hoy, en la mayor parte del mundo desarrollado, una excepción, gracias a la innovación tecnológica. La misma tecnología que ha desplazado a los trabajadores de la agricultura, ha permitido producir alimentos para una población que ha crecido desaforadamente. Y producir los

---

31   Our World in Data. Agricultural Employment. https://ourworldindata.org/agricultural-employment/

32   A new visión for agriculture, Momagri. http://www.momagri.org/UK/agriculture-s-key-figures/With-close-to-40-%25-of-the-global-workforce-agriculture-is-the-world-s-largest-provider-of-jobs-_1066.html

suficientes recursos para dar de comer a ingentes cabañas de animales, incluso cultivar plantas que servirán de combustible. La revolución tecnológica no ha consistido —todavía— en la automatización de las tareas del campo sino en la aplicación de los conocimientos de la ingeniería agrónoma para multiplicar la productividad. Los pequeños agricultores siguen produciendo más del 70% de las necesidades mundiales de alimentos, buena parte de ellos con explotaciones de tamaños limitados y bajo nivel de mecanización[33]. Las máquinas y algoritmos capaces esperan su tiempo, en barbecho.

De la evolución dramática del empleo en la agricultura en buena parte del planeta se ha de subrayar que el mundo no ha colapsado. Quizá hace unos siglos, la sola idea de perder millones de empleos en un sector fundamental para la mayoría de sociedades habría tenido que concluir con una visión apocalíptica sin ambigüedades. Hoy sabemos empíricamente que hubiera sido una preocupación pueril. El número de agricultores se ha reducido tan dramáticamente que podríamos imaginar un sector agrícola atendido únicamente por autómatas sin impactos terminales en la convivencia. Los robots agricultores (denominados *agbots*) podrán asegurar la recogida de cosechas en tiempos récords y a precios reducidos, sirviendo a sus capataces humanos que serán tanto profesionales del campo como corporaciones tecnológicas. Su oferta hará desaparecer, eso sí, un conjunto de empleos refugio —casi siempre temporales, muchas veces precarios— que ocupaban inmigrantes o desempleados como medio de supervivencia.

Si bien la cancelación de trabajos en el sector de la agricultura ha sido intensiva, es cierto también que el fenómeno ocurrió de manera progresiva, acompasándose al paso de los siglos. El abandono de la actividad primaria se fue reemplazando por empleos en la producción artesanal y en pequeños talleres, en una primera fase, y por la producción en las grandes fábricas posteriormente. Las nuevas tecnologías y la nueva organización de los procesos productivos fueron impactando la convivencia tradicional, las relaciones sociales, económicas y políticas, pero la transformación no fue violenta al espaciarse en el tiempo. Las nuevas fábricas, además, requerían mucha mano de obra para funcionar y las máquinas no tenían la capacidad de desplazar a los trabajadores humanos del ciclo productivo. Eran puras herramientas, que ganaban complejidad, potencia, autonomía, pero útiles que requerían seres humanos en proximidad para

---

33   http://www.fao.org/fileadmin/templates/nr/sustainability_pathways/
     docs/Coping_with_food_and_agriculture_challenge__Smallholder_s_
     agenda_Final.pdf

su funcionamiento, supervisión y control. Los agricultores que permanecieron en las tareas del campo incorporaron también sus propias herramientas, así como los nuevos conocimientos para mejorar y facilitar su trabajo, optimizando su esfuerzo y multiplicando la producción. El progreso tecnológico fue bienvenido también por una parte de agricultores. Los empleos en la agricultura fueron desplazados desde el campo a otros muchos sectores, lo que amortiguó el cambio de paradigma, al plantearse soluciones laborales a los desafíos sociales de la reducción del empleo en el sector primario. El paso de los siglos fue dando fe de los cambios de ocupación de la población en buena parte de las sociedades, y mientras la agricultura, la ganadería, la industria textil, la industria tipográfica, etc. perdían ocupaciones, los empleos en educación, en el cuidado de la salud, en la construcción, en el transporte y en tantos otros sectores no dejaban de aumentar. Equilibrio conseguido.

El traspaso de empleos y las nuevas oportunidades no evitarían, en ningún caso, el drama social del cambio de rutinas de vida asumidas durante generaciones, y la aceptación de opciones desconocidas de subsistencia. Cuando las innovaciones tecnológicas llegaban al campo, los agricultores habían de decidir si adoptaban esos avances que prometían mayor producción y menor esfuerzo o se mantenían fieles a las técnicas que habían utilizado sus abuelos y los abuelos de éstos. Habían de prever el futuro de la agricultura, tenaz herramienta de supervivencia durante siglos, a la par que evaluar otras alternativas de supervivencia que prometían mejores y más seguras existencias —menos penosas también—. Los errores de cálculo se podían pagar con la ruina familiar y la miseria. ¿Cómo poder imaginar la profunda evolución del empleo que comenzaba y continuaría durante siglos? En la actualidad, un porcentaje reducido de trabajadores sigue teniendo la agricultura como su medio de vida, tras el proceso de centrifugación que expulsó a millones de trabajadores del campo, y a pesar de los desafíos del mundo globalizado. Incluso parte de la producción retoma maneras de otras épocas con agriculturas de proximidad o ecológicas, que evitan la aplicación de ciertas innovaciones agrarias o el recurso a complejas logísticas. Quienes decidieron abandonar el campo y probar suerte en otros oficios o empleos asalariados fueron encontrando una categoría de trabajo que les aseguró, en términos generales, una vida con menor esfuerzo y riesgo. Puede, en todo caso, que muchos añorasen una existencia rural que les ofrecía la supervivencia de primera mano, con modos ancestrales bien ensayados, sin dependencias de otras personas y de procesos ajenos —al menos para la agricultura de subsistencia.

Una vez buena parte de los agricultores del mundo fueron siendo conminados de un modo u otro a abandonar sus explotaciones y convertirse en mano de obra en otros sectores, hemos acabado constatando la necesidad de proteger a quienes continúan sacando alimentos del suelo y asegurando los nutrientes esenciales de los habitantes del planeta. Pero quizá la inercia de abandonar el trabajo en el campo sea una fuerza irrefrenable tras siglos de motivado estímulo. Los robots agricultores podrían ser, por ello, bienvenidos con los brazos abiertos y los corazones contentos. Esos autómatas agrarios pueden conjugar todo un abanico de ventajas. Nos ahorrarán esfuerzos importantes ajustándose instantáneamente a los ciclos naturales (noche, día, estaciones, lluvia, sequía), y asegurarán recursos nutricionales esenciales sin depender de países terceros o de empleos casi vocacionales. Los autómatas se encargarán de sembrar, cuidar, observar en permanencia, intervenir regularmente, recoger las cosechas, manipularlas, comercializarlas en el mercado global, o quizá especular con las mismas, y todo ello sin sudar la gota gorda ni doblar el espinazo. Los autómatas nos deberían permitir llenar la cesta de la compra con productos de calidad garantizada y demostrable, y a precios reducidos, si la codicia de los mercados de futuros u otros intermediarios lo permite. Recuérdese que la codicia seguirá siendo el motor del capitalismo, con o sin máquinas.

La automatización afectará, de nuevo, a la mano de obra remanente en el medio rural, a los últimos agricultores y peoneros, a quienes encontraban una forma de subsistencia en el azar de lluvia, temperaturas, plagas, etc. En alguno de los futuros distópicos, ejércitos de máquinas todopoderosas que producen sin descanso cantidades gigantescas de cosechas altamente optimizadas, conviven con campesinos humanos de subsistencia que consiguen furtivamente generar algo de comida para su supervivencia. Esos agricultores no tienen acceso a la tierra, que ha sido cedida en exclusiva a los autómatas, a cambio de un porcentaje de la producción, por lo que han de inventar su propio suelo. En esos escenarios la revolución tecnológica que les liberó de los trabajos más pesados en el campo se convierte, finalmente, en una pesadilla de máquinas que ocupan el suelo fértil, toda superficie cultivable. La tierra es para las máquinas pues solo ellas la trabajan.

LA EVOLUCIÓN A LA ESCALA DE MÁQUINAS Y ALGORITMOS

La continua mejora de habilidades en tantas máquinas y algoritmos causa cierta fascinación en las personas. Los sistemas de grúas robotizadas y las plataformas móviles sin conductor que mueven contenedores de un lado a otro, sin intervención humana, son absolutamente hipnóticos. El puerto de Singapur, uno de los más eficientes del mundo, se ha convertido en un paraíso para ese tipo de tecnologías. También los coches autónomos o sin conductor llaman poderosamente nuestra atención, frente a la exhibición de destrezas que hasta hace poco se consideraban imposibles de automatizar. El elevado número de variables y entornos diversos a los que ha de hacer frente un conductor en cualquier desplazamiento parecía ser una protección robusta. Pero la geolocalización, la identificación de patrones visuales, la gestión masiva de datos, etc. han permitido derribar esas barreras en un abrir y cerrar de ojos. De la ciencia ficción a la circulación en pruebas por las calles de muchas ciudades, en apenas unos pocos años. No parece haber protección alguna frente al avance de las máquinas cuando la tecnología pone suficiente empeño.

El tiempo de las máquinas y algoritmos capaces todavía no ha llegado pero su advenimiento queda cada vez más próximo. Las victorias repetidas de ciertos algoritmos evolucionados en todo tipo de competiciones con los humanos es un recordatorio de que las barreras van cayendo sin remedio. El programa AlphaGo —creado por la empresa de inteligencia artificial Deepmind—, por ejemplo, consiguió batir al campeón mundial del juego Go, que se había mantenido imbatible durante más de una década, además de descubrir jugadas inéditas en sus más de 2 500 años de historia. Este juego se mantenía, hasta ese momento, como un reducto de resistencia humana frente a la evolución en las capacidades de las máquinas. A pesar de sus sencillas reglas, posee una formidable complejidad que hace que haya más posiciones posibles de sus fichas que átomos hay en todo el universo. Esto lo hace un gúgol (1×10^{100}) de veces más complejo que el juego del ajedrez, si nos atenemos únicamente a esta variable. El algoritmo desarrollado para la ocasión integró una serie de funciones que permitían poner en marcha una cierta «capacidad intuitiva». No deja de ser relevante que sus desarrolladores afirmasen que no entendían, al cien por cien, cómo funcionaba su lógica programada. Es el símbolo de un nuevo tiempo donde las máquinas, incluso aquellas que desarrollamos activamente, empiezan a resultarnos incompresibles y ajenas.

Los ejemplos de algoritmos evolucionados empiezan a abundar. En el verano de 2016 se lanzó al mercado un videojuego con el nombre «*No Man's Sky*» (el cielo sin dueño) que no tiene otro propósito que el de explorar la flora y fauna de una impresionante colección de planetas, unos 18 trillones ($1,8 \times 10^{19}$), ni más ni menos. Esto significa que, si sólo empleáramos un segundo en visitar cada uno de esos planetas del juego, la partida tardaría más que los 4 600 millones de años que se calcula le quedan todavía a nuestro Sol. Cada planeta contiene su propio sistema meteorológico, sus nichos ecológicos y sus formas de vida más o menos curiosas, lo que además hace difícil la nanovisita. Este videojuego se creó, en buena parte, mediante una herramienta denominada «*procedural generation*» (generación por procedimientos), esto es, generación de datos mediante algoritmos. Todo lo anterior implica que ningún jugador humano podrá jamás explorar todos los rincones del videojuego, y que ninguno de sus desarrolladores sabe tampoco a ciencia cierta qué encierra el juego en cada uno de esos rincones. Da igual cuántas generaciones de jugadores se entreguen con pasión a recorrer sus recovecos, sus mundos nos serán ajenos. Esta es una muestra del poder de los algoritmos que vienen, el de crear mundos sin esfuerzo y hacerlos inabarcables para el ser humano.

Y no sólo es cuestión de juegos. En no pocos hospitales empiezan a ocupar espacio algoritmos capaces de interpretar radiografías o resonancias magnéticas, de manera sistemáticamente más eficaz que lo que podría lograr un especialista humano. Son algoritmos derivados, en no pocas ocasiones, de aquellos que consiguieron ganar a un ser humano en algún tipo de entretenimiento. No era sólo la victoria en una partida lo que estaba en juego. Una sola máquina podría ver ahora, en unos pocos días, más radiografías que las que un especialista humano contemplaría en toda una carrera profesional dedicada a este menester. La automatización de tareas que hasta hace poco tiempo se creían reservadas a la inconmensurable inteligencia humana avanza sin remedio. En la competición de reconocimiento visual de ImageNet[34], donde se ha de conseguir analizar el contenido de un conjunto de imágenes fotográficas, el mejor resultado de un sistema de inteligencia artificial pasó de tener un 26% de error en 2011 a solo un 3.5% en 2015. Si se tiene en cuenta que el error humano es del 5%, quiere decir que en 4 años los algoritmos pasaron de ser cinco veces menos exactos que un humano a superarlo. Por otra parte, también algunas aves como las palomas

---

34 Competición *ImageNEt* de reconocimiento visual a gran escala (*The ImageNet Large Scale Visual Recognition Challenge*).

habían mostrado excepcionales habilidades visuales para discriminar tumores benignos y malignos en ciertas imágenes médicas; la competencia no sólo viene por el lado de la inteligencia artificial, aunque viene de manera singularmente decidida.

En el pronóstico de posibles ataques de corazón, en otro ejemplo, los sistemas tradicionales pueden predecir correctamente en un 30% de los casos. Un algoritmo con capacidad de aprendizaje creado en la universidad de Carnegie Mellon, y puesto a prueba con series de datos históricos, mejoró el éxito de las predicciones hasta el 80%, con una antelación de cuatro horas. Esta mejora es fundamental para la intervención preventiva de los pacientes, sobre todo porque ese margen de tiempo permitiría intervenir y salvar vidas antes de que se diese el grave desenlace. Partiendo de un cierto conjunto de datos, el algoritmo consigue encontrar las leyes que los relacionan y predecir futuros escenarios de desenlace. Este sistema no sigue las pautas humanas, pues no copia las reglas, los criterios y los razonamientos de los profesionales médicos, sino que utiliza su propio modo de afrontar el problema, uno que no está al alcance de las capacidades de la especie. Puesto que este tipo de algoritmos van a ser usados para todo tipo de análisis y decisiones anticipadas en muchos ámbitos que afectan las vidas de las personas, la Unión Europea, por ejemplo, está considerando la opción de conceder a los ciudadanos afectados por decisiones algorítmicas el derecho a un razonamiento justificado. Esta argumentación debería justificar adecuadamente el pronóstico y la lógica aplicada por el algoritmo. O así debería ser mientras haya alguien que entienda esos algoritmos y las bases de su programación, y pueda comunicar el porqué de sus decisiones.

Los algoritmos capaces que van a ayudarnos en nuestras tareas y que residirán en las «conciencias eléctricas» de robots y máquinas capaces, no van a dejar de sorprendernos en su esfuerzo por simular las capacidades humanas —para luego superarlas—. Es cierto que quedaría mucho por hacer —todo quizá— para entender primero qué es y cómo trabaja la inteligencia humana, si hubiera de ser el patrón de desarrollo de esas capacidades en los autómatas. Pero no se requiere acceder a las fuentes de ese conocimiento para desarrollar tecnologías que, de modo práctico, puedan emular el comportamiento de agentes inteligentes. Sobre todo, en lo que afecta al desempeño de rutinas para muchos empleos. Los modelos biológicos del cerebro y la inteligencia humana son prescindibles si lo que se pretende es crear lógicas que, dados unos estímulos produzcan similares acciones. Los autómatas, además, no tienen por qué ser perfectos, como tampoco lo son las personas. Los errores que encontramos inadmisibles en las máquinas primitivas podrían resultar más que disculpables en agentes inteligentes como nosotros, siempre que aseguren una ventaja comparativa respecto a los humanos. Como el marketing de los coches autónomos nos recuerda vivamente, éstos tendrían que funcionar rematadamente mal para producir cifras similares de víctimas y heridos en accidentes de tráfico, como los que se producen cada día en el mundo, con seres humanos —inteligentes— al volante. Por esta razón, algunos sectores de actividad como la conducción de vehículos son un campo abonado para la automatización dura. No podremos encontrar argumentos que justifiquen no hacer las cosas de otro modo, cuando la salud y las vidas de tantas personas quedan expuestas de manera sistemática. *Nostra culpa*. No hemos sido capaces de aprender de nuestros errores a pesar de nuestro cerebro evolucionado y razonablemente grande. En otros tipos de actividades, el desplazamiento de trabajadores será más cauteloso, sobre todo allí donde los individuos se muestran particularmente recelosos y sensibles a confiar en un no-humano.

En el cuento de Isaac Asimov «Franchise», publicado en 1955 sobre un futuro año 2008, las elecciones democráticas, tal y como las conocemos, habían quedado prácticamente obsoletas. Un ordenador, Multivac, se encargaba de analizar todas las variables económicas y políticas para estimar con precisión quién sería el ganador de las mismas, sin necesidad de más protocolos. El algoritmo, eso sí, no podía hacer una predicción totalmente exacta sin considerar ciertos datos de partida que no podía estimar por sí misma, y que necesitaba que le fueran comunicados. Así que seleccionaba a una persona representativa del electorado, e indagaba acerca del ambiente social mediante alguna pregunta que sintetizase el *input* necesario. ¿Qué piensa del precio de los huevos?, por ejemplo, podía ser la «simple» pregunta elegida por la máquina para desencadenar su análisis. Puede que dejar la elección de nuestros representantes en manos de un ordenador nos parezca excesivamente estrafalario, absurdo, intolerable, pero vistos los modos y resultados de la política contemporánea, de nuevo los algoritmos podrían tener dificultad en hacerlo peor que los humanos. Es un resquicio por el que podrá colarse la democracia automatizada.

La inteligencia artificial ha saltado a las noticias cotidianas para ilustrar muchos debates sobre las posibles consecuencias y escenarios del progreso tecnológico. Su nombre ilusiona tanto como asusta en las cabezas de los individuos legos en la materia y de los expertos. La inteligencia artificial ya se propone hoy como una solución para modelar sistemas complejos que escapan a la mente y a los recursos biológicos del ser humano, cuando el número de variables o la interconexión entre las mismas se hace inabordable. Esto es, en cierto modo, ya le reconocemos una capacidad y complejidad singulares que escapan al entendimiento del cerebro humano. Aunque lo que más parece asombrarnos es que esa inteligencia artificial consiga simular capacidades humanas, mostrando rasgos que empiezan a permitir a las máquinas actuar como personas. Incluidas las imperfecciones. Estos sistemas parecen adquirir y, lo que es más preocupante, amplificar ciertos sesgos que encuentran en los datos que les sirven para su aprendizaje. Esto hará que las actuaciones o las decisiones basadas en el análisis de esos datos puedan tener ese mismo sesgo, con todo tipo de consecuencias inesperadas. Las inteligencias artificiales podrían acabar presentando comportamientos recogidos en los manuales de psiquiatría.

El laboratorio de ciencias de la computación e inteligencia artificial del MIT (Massachusetts Institute of Technology) creó un algoritmo que utilizaba el denominado aprendizaje profundo (*Deep Learning*) para permitir a un sistema de inteligencia artificial analizar secuencias de interacción humana, con el objetivo de realizar predicciones sobre lo que probablemente ocurriría unos instantes después. El programa analizó unas 600 horas de vídeos de YouTube, así como escenas de series de televisión que mostraban todo tipo de situaciones entre diferentes personajes. El objetivo del programa era adivinar qué ocurriría con esos individuos un segundo después de detener los vídeos. El rango de acciones en el experimento se limitó a cuatro posibilidades, siendo sólo una de ellas correcta en cada caso: abrazarse, besarse, chocar las palmas o darse la mano. El programa de inteligencia artificial fue capaz de estimar correctamente lo que ocurriría en el 43% de las ocasiones, lo que no deja de ser impresionante para un algoritmo carente de empatía, aunque esté todavía lejos del 71% que son capaces de estimar las personas. Ciertamente, se trata sólo de una cuestión de tiempo, lo mismo que la ampliación de escenarios posibles y el lapso de salto al futuro. Esta capacidad podría permitir automatizar reacciones a todo tipo de situaciones de la vida cotidiana, antes de que esos eventos lleguen a producirse. Suena terrible pero ya sería posible con el margen limitado del segundo de actuación y del nivel de error abultado. Esta capacidad será también un elemento base en la empatía y eficacia de los asistentes personales robóticos y de los sistemas de vigilancia y defensa autónomos. Lo será cuando se acerque al 71%, pero sobre todo cuando el sistema sea capaz de certificar un 99.9% de acierto. ¿Quién podrá discutirle ninguna acción preventiva? ¿Quién podrá saber si el futuro hubiera podido ser diferente cuando tenga la potestad de impedirlo?

La inteligencia artificial no sólo será capaz de trabajar con lo complejo, con densidades de datos enormes, sino con información limitada, siempre que sea capaz de simular algo parecido a la intuición humana. Esta es una de las herramientas clave de las personas para tratar con la complejidad. Algunas miradas entrenadas pueden prever el tiempo tan bien como los modelos informáticos evolucionados con sólo contemplar las nubes y el cielo, la dirección de la brisa o la forma del rocío en las hojas; o pueden saber si dos personas harán buena pareja viendo cómo se miran el uno al otro o cómo es su lenguaje corporal cuando están el uno frente al otro. El ser humano ha descuidado estas potencialidades, pero seguro que no será el caso de los algoritmos inteligentes, que combinarán la intuición con su enorme fuerza bruta de análisis.

Sea en menor o mayor extensión, las máquinas y algoritmos capaces van a personificar no sólo una opción sino una necesidad en muchos puestos de trabajo. Porque frente a la intuición o la capacidad innata de integrar información heterogénea e identificar tendencias, que puede reconocerse en buena parte de las personas, la sociedad tecnológica requerirá del tratamiento de cantidades masivas de datos, de manera recurrente y cotidiana. Algo impracticable para una función biológica poco o nada perfeccionada para esta misión. En el sector médico, por ejemplo, los doctores humanos ya no pueden, y menos aún podrán con el paso de los años, mantenerse al día de todos los incesantes descubrimientos que les competen y que son procedentes para su ejercicio profesional, modificando de manera incesante el conocimiento disponible. Hay cientos de miles de artículos médicos que se publican cada año y que podrían aportar mejores prácticas y protocolos médicos, pero sólo una pequeña fracción pueden ser atendidos por los profesionales humanos. Esos datos empiezan a alimentar, como en el caso de la interpretación de análisis médicos, sistemas de diagnóstico médico mediante algoritmos incipientemente inteligentes. Ese diagnóstico deducido del análisis de extensos conjuntos de datos es la tarjeta de presentación en sociedad de la inteligencia artificial en el mundo médico.

Los algoritmos que hoy empiezan a diagnosticar patologías (enfermedades mentales, párkinson, afecciones del corazón, etc.) gracias al análisis de la voz y de las pequeñas deflexiones o pautas de pronunciación que pueden compartir personas con similares problemas, son otro ejemplo de sus singulares habilidades. Cualquier capacidad presente podrá, además, mejorar aceleradamente su efectividad gracias al análisis posible de millones de características, incluyendo detalles ínfimos a los ojos de un ser humano, pero elementos con información valiosa para los algoritmos. En el año

2014 un tercio de los autómatas en el área de servicios profesionales desempeñaba tareas de soporte médico. No son únicamente los coches autónomos quienes tienen buenos argumentos para hacerse un hueco en la sociedad de humanos y ocupar tareas. La situación es sólo el tímido bosquejo de un futuro disruptivo. El desarrollo de la inteligencia artificial podría afectar, por sí solo y de muy diversos modos, a unos 230 millones de puestos de trabajo en el mundo relacionados con tareas cognitivas[35]. Nada parece quedar al margen de la incorporación de inteligencia artificial en un plazo razonable de tiempo. Aplicaciones, vehículos, electrodomésticos, redes sociales, publicidad, sistemas estadísticos, modelos de predicción, motores de búsqueda en Internet, venta online, todo. Si hacemos caso a las estimaciones de un gurú de la tecnología como Vinod Khosla, fundador de la empresa Sun Microsystems, hasta el 80% de los empleos en el sector de las tecnologías de información, por ejemplo, serán desplazados por sistemas de inteligencia artificial. Sin olvidar que cada opinión de un gurú, igual que la materia y la energía, tiene su antiopinión en el universo humano. Es el hierro ardiente al que agarrarnos.

Si asumimos que un creciente porcentaje de los trabajos menos cualificados pasará a ser realizado por máquinas y algoritmos, entonces podríamos asumir igualmente que buena parte de las condiciones precarias de esos trabajadores pasarán a la historia. Es la lógica de «muerto el perro se acaba la rabia». Los autómatas serían los nuevos agentes precarios; quizá ni eso, pues la precariedad no aplicaría por definición a su existencia —no hasta que tengan conciencia de sus condiciones de vida, al menos—. Los trabajadores humanos quedarían desplazados a la espera de una solución de subsistencia, salvo para quienes pudieran manifestar alguna competencia específica en el nuevo paradigma de convivencia. El mismo destino encontrarían quienes desempeñan tareas con una cualificación algo más exigente, pues las economías avanzadas parecen constatar una disminución importante en la demanda de trabajadores con competencias intermedias[36]. En el ámbito de los trabajos físicos ya nos hemos acostumbrado a contemplar a varias personas alrededor de una máquina que realiza el grueso de la tarea, mientras aquellas intervienen sólo de manera puntual. La transición hacia el mercado laboral de la sociedad tecnológica bien pudiera consistir

---

35   http://www.mckinsey.com/insights/business_technology/
disruptive_technologies
36   OCDE (2016), «Automatisation et travail indépendant dans une économie numérique», Synthèses sur l´avenir du travail, Éditions OCDE, Paris.

en ser compañeros pasivos de todo tipo de máquinas y algoritmos. Supervisando su funcionamiento sensato, al inicio; cuidando exclusivamente de su integridad y «bienestar» en estadios avanzados. No se trata sólo de incorporar máquinas que ayuden y asuman tareas físicas penosas, sino de algoritmos que ya pueden controlar el vuelo de un avión, buscar y seleccionar referencias legales o proponernos una lectura con acierto. Los agentes humanos también serán meras comparsas de esos agentes laborales activos. La inteligencia artificial irá abriéndose paso en todos los ámbitos, desde el arte a la ingeniería, como curiosidad y como herramienta útil y, al final, como elemento indispensable para lidiar con la complejidad. La transición está ocurriendo de manera progresiva, y ya muchas tareas cognitivas, intelectuales, se van convirtiendo en secuencias de procesos ejecutadas por computadores, coordinadas o administradas, en ocasiones, por humanos.

La amenaza de la automatización de desempeños no se va a limitar a tareas como conducir vehículos o servir hamburguesas con patatas y refrescos inusitadamente grandes. Los sistemas de inteligencia artificial ya han empezado a ocupar trabajos de cuello blanco, en oficinas de abogados, en consultas médicas y hospitales, en departamentos de banca e inversiones. Es cierto que, por ahora, se ocupan de tareas poco críticas, como buscar y organizar documentación, comparar millones de datos, establecer probabilidades y tendencias, pero sus capacidades no pueden sino ir mejorando a pasos agigantados. En la transición, su entrada en escena pone en riesgo el trabajo de aquellos empleados más jóvenes y con menos experiencia, aunque bien formados, quienes solían pasar un primer ciclo de aprendizaje lidiando con las tareas menos creativas, a modo de último peaje para acceder al empleo. Quehaceres como preparar un informe de abogacía convincente, interpretar las pruebas de cargo o convencer a un jurado de que las pruebas recopiladas son suficientes para demostrar la culpabilidad o inocencia de un individuo no están todavía a su alcance. Tampoco pueden prescribir un tratamiento médico, escribir un artículo de opinión, juzgar el mejor perfil inversor de un cliente ni concebir un nuevo diseño funcional en base a unos requisitos prescritos por un cliente. Los mejores profesionales de cada oficio tardarán un tiempo en ser reemplazados por máquinas y algoritmos, aunque el tiempo para ellos se consuma también a velocidades de hiperespacio. Ha empezado la transición hacia las máquinas y algoritmos capaces y autónomos; debemos ir despidiéndonos de ellos como simples herramientas.

COCIENTE INTELECTUAL Y
CAPACIDADES HUMANAS

Las futuras generaciones de máquinas y algoritmos van a exigir que las personas den lo mejor de sí mismas si quieren mantener un indispensable nivel de competencia o, al menos, alargar el tiempo en el que podrán tener opciones de competir con los nuevos agentes. El género humano, sin embargo, no es un todo homogéneo, y ciertas capacidades críticas para la vida en la sociedad tecnológica podrían ser más bien anómalas, excepcionales. De hecho, ya parecen escasear en las sociedades contemporáneas a pesar de la acción de la selección natural — ¿o quizá debido a ella?—. Los estudios indican que el cociente de inteligencia medio de la especie ha ido progresando de manera constante a través de cada generación. Si nuestros antepasados de hace un siglo fueran evaluados según las normas actuales, éstos serían considerados poco menos que retrasados mentales (un cociente intelectual de 70). Y, del mismo modo, nosotros seríamos considerados hoy genios según los baremos de su época (cociente de 130)[37]. Ese avance se puede interpretar como un resultado de la presión sobre ciertas capacidades cognitivas —aquellas que se reflejan en las pruebas que miden esas competencias— más que un auténtico desarrollo intelectual de la especie.

La educación, los nuevos entornos laborales y sociales, nos han empujado a adaptar habilidades y competencias ajustándolas a la modernidad posterior a la revolución industrial. Pero, incluso con esas mejoras, nuestras capacidades cognitivas e intelectuales podrían ser largamente insuficientes para enfrentar los retos futuros. Todavía hoy, de hecho, muchos países tendrían medias de cociente intelectual en sus poblaciones inferiores a 70[38], y también los países con medias superiores, incluso los más desarrollados, tendrían porcentajes no despreciables de ciudadanos en ese rango. Si las personas con un cociente de 70 o inferiores son considerados discapacitados en la actualidad, ¿cuáles pueden ser las oportunidades de competir con máquinas cada vez más inteligentes y que evolucionan a marchas forzadas? Si bien lo que pueden medir los test de inteligencia —académica— sería más que discutible, no deja de ser relevante que, dejen de medir lo que dejen de medir, el resultado para muchas personas parece situarse por debajo de unos mínimos en cuanto a habilidades y competencias para realizar buena parte

---

37   http://www.bbc.com/news/magazine-31556802
38   https://es.wikipedia.org/wiki/IQ_and_the_Wealth_of_Nations

de las tareas profesionales habituales. Una mayor exigencia en el desarrollo de habilidades, a través de más educación y más formación, podría implicar avances considerables en ciertas capacidades cognitivas, de utilidad en la sociedad tecnológica, lo que permitiría ganar algo de tiempo. No hay además excusa cuando los sistemas de inteligencia artificial permitirán tener planes personalizados de aprendizaje para cada tarea, incluidos profesores virtuales que nos acompañarán noche y día, siempre a nuestro servicio. Pero no hemos de olvidar que la historia de la liebre y la tortuga era solo un experimento mental. La liebre no tardará en sobrepasar a la tortuga, por mucho empeño y buena voluntad que le ponga.

La investigación[39] parece mostrar que los grupos de genes que predisponen a la gente a dedicar más años a la educación han ido haciéndose más raros en las poblaciones analizadas en las últimas décadas (selección negativa). Y, también, que las mujeres con mayor inteligencia —o aquella inteligencia medible mediante test estandarizados— tienen también de media menos hijos[40]. Todo sumado podría implicar que las capacidades intelectuales de la población estarían influenciadas también por factores que tienden a reducir el cociente intelectual de los individuos de la especie. Parecería una confabulación genética para doblegar a la especie antes de que llegue su hora, un mecanismo inherente a los humanos para coartar el desarrollo más allá de ciertos límites —o hacerlo retroceder—. Podríamos conjeturar que la naturaleza hubiera decidido marcar las diferencias entre especies, imponer una distancia de seguridad entre la inteligencia y capacidades de una ulterior forma de vida más avanzada y aquellas humanas. La pérdida de capacidades, si fuera real y se mantuviera en el tiempo, nos podría convertir en tontos felices o, al menos, en individuos con limitadas capacidades intelectuales, lo que nos evitaría ciertos sufrimientos por la desidia y el desinterés en realizar abstracciones, reflexiones, pensamientos críticos, recreación de escenarios de futuro.

Las nuevas generaciones de empleos podrían requerir un cociente de inteligencia y un conjunto de habilidades que sobrepasarían los de buena parte de la población mundial. Si la especie humana no consigue incrementar sus capacidades —o si estas resultan mermadas en algún modo—, la carrera no sólo estará perdida, podría no tener lugar siquiera. Si a los factores de presión negativa sobre el

---

39 https://www.decode.com/decode-study-shows-variants-sequence-genome-contribute-educational-attainment-negative-selection/
40 https://www.theguardian.com/commentisfree/2013/aug/07/smart-women-not-having-kids

cociente intelectual, se añaden los reparos mayoritarios como especie para alterar y mejorar nuestra dotación genética, por el miedo a errar como pequeños dioses, las perspectivas no serían sobresalientes. La ciencia y la tecnología nos van a conceder una oportunidad, la de mejorarnos biológicamente, quizá como un billete para el último barco hacia la supervivencia en la sociedad tecnológica. La decisión será nuestra, aunque seguramente no será colectiva: o mejoras genéticas y biónicas, o ser expulsados del ecosistema, o nos rendimos frente a las máquinas y algoritmos capaces o aceptamos la incorporación de tecnología a nuestra biología, convirtiéndonos en pseudomáquinas también. Como apuntaba el paleontólogo Stephen Jay Gould, los humanos no necesitan la técnica para completarse, sino que son un producto de la técnica. Los humanos son, fueron y seremos ciborgs.

El recurso a mayor y mejor educación, siendo clave para desarrollar ciertas competencias del ser humano, no podrá sujetar el empuje de máquinas y algoritmos diseñados para aprenderlo todo de manera casi instantánea, sin esfuerzo. Su respuesta, por sí sola, no tiene la magnitud ni la escala necesaria para afrontar el desafío de la inteligencia artificial y otros desarrollos tecnológicos. Las condiciones biológicas dadas se deberían mostrar, más pronto que tarde, incapaces para manejar un entorno donde el cambio continuo será la norma. Las capacidades de la especie para adaptarse al medio, o para fabricar herramientas, que nos han permitido llegar a ser quienes somos, aparecerán ahora como armas de juguete en el nuevo escenario bélico. Como chimpancés incapaces de imaginar un aeroplano o un cohete para salir al espacio, nuestra especie no podrá imaginar los conceptos que sí concebirán las máquinas y algoritmos capaces. Seguiremos siendo una especie inteligente, fascinante, como todos los monos, como otros animales, capaces de imaginar y producir herramientas de las que servirse, dentro de las posibilidades de cada intelecto. Cada especie recorre el camino que le es accesible, hasta llegar al final de su senda, desde donde parten rutas sólo transitables para criaturas más avanzadas. Salvo que los individuos puedan y decidan reinventarse, como podría ocurrir en el caso de los humanos, gracias a la tecnología.

Competir con las máquinas por el empleo no será una cuestión de mejorar habilidades o conocimientos, ni tampoco de explotar ciertas capacidades fundamentalmente humanas. Tarde o temprano se hará evidente que la única estrategia suficientemente poderosa requerirá la superación de ciertos límites biológicos de base. Si vamos a la lucha cuerpo a cuerpo y mente a mente, sin modificación tecnológica de nuestra biología, no pasaremos de peso minimosca. No es sólo que no podremos enfrentar la memoria o la capacidad de procesamiento de datos de las máquinas y algoritmos, algo ya asumido, sino que difícilmente podremos habitar —menos aún comprender— el mundo hecho a su medida. Mantener competitivas a masas de trabajadores desplazados por la automatización significará, durante una primera fase, convencerles de la necesidad imperiosa de reinventarse, una y otra vez, sin descanso, según los nichos de mercado todavía sin ocupar o posibilitados temporalmente. Más adelante, esa opción quedará inservible, y las estrategias habrán de pasar por convertir a los humanos gradualmente en máquinas, si queremos entrar en el terreno de la lucha por el territorio.

A pesar de que las revoluciones industriales han ido mostrándose generosas en lo que respecta al empleo, y de que el estándar de vida no ha dejado de aumentar gracias a las mismas, el cambio de paradigma ha tenido un precio para la sociedad. En lo que respecta al empleo, muchas de las nuevas ocupaciones que han dado derecho a un salario han ido pasando a ser tareas con poco significado, eslabones de una cadena productiva donde la lógica de cada intervención se desvanecía. Las cadenas de montaje y la producción en masa de inicios del siglo XX son un ejemplo clásico. Los trabajadores quedaron agrupados en secuencias productivas donde cada quien procedía con su bloque pautado de acciones y secuencias mientras el objetivo final —fuera lo que fuese— se iba completando, bajo una nueva rutina de horarios cronometrados, y un entorno organizativo inédito. La eficiencia y la productividad, junto a la correspondiente maximización de beneficios, se establecieron como nueva bandera, en línea con la esencia capitalista. Las revoluciones industriales aseguraban nuevos —menos penosos también— empleos y mayor bienestar, incluso si reducían o anulaban el significado del trabajo de muchas personas. Las sorprendentes capacidades humanas y su traducción en habilidades extraordinarias quedaban reducidas en buena parte de actividades a simples gestos, movimientos casi espasmódicos de interés para la rutina productiva. En cierto modo, el progreso nos hacía involucionar hasta nuestra condición de primates y, de haber puesto un espejo frente a nuestras rutinas, nos habríamos contemplado como chimpancés con palos sacando hormigas del hormiguero. Sin la libertad esencial de ser monos.

Muchas personas han buscado refugio en aquellos empleos donde las máquinas no estaban ni se les esperaba, y donde la dignidad como personas parecía menos comprometida. Empleos refugio donde ciertas habilidades, la creatividad, la empatía, etc. son primordiales. Mientras tanto, quienes diseñaban y construían las máquinas, quienes sabían manejarlas y repararlas, iban pasando al corazón de la estructura productiva. Quienes sólo sabían trabajar junto a ellas iban quedando como comparsas de esos autómatas, elementos más prescindibles que las propias máquinas. La educación en masa desplegaba sus tentáculos para asegurar que la mayor parte de individuos tuviera los conocimientos mínimos para trabajar y vivir en los nuevos paradigmas. Había que asegurar a los ciudadanos opciones de acceder a algún tipo de empleo, de obtener un salario, de ser consumidores, y había que capacitar a una minoría para seguir desarrollando más y mejor tecnología. Los excesos y los abusos de los nuevos modelos productivos y sociales fueron limando aristas, no sin sufrir todo tipo de conflictos, hasta lograr equilibrios inestables que, todo sumado, daban un bienestar aceptable a unas mayorías de ciudadanos, en las sociedades desarrolladas.

Las revoluciones tecnológicas precedentes no fueron muy exigentes en cuanto al nivel de competencias que los nuevos empleos requerían, ni en cuanto a la velocidad de aprendizaje de diferentes habilidades. Los sistemas de educación incorporaron los nuevos currículums dentro de las estructuras de siglos anteriores y los ciudadanos modernos comenzaron a educarse y formarse, con décadas por delante para conseguirlo. Si los sueldos de los trabajadores aumentaron no fue porque las tareas requiriesen de mayores competencias o cocientes intelectuales, sino porque las nuevas estructuras hacían su esfuerzo más productivo, gracias a la tecnología y a procesos más eficientes. Las destrezas y habilidades que requerían, y requieren, las tareas de un agricultor o un artesano, por ejemplo, son incuestionablemente mayores que las necesarias para desempeñar buena parte de las rutinas en que se han convertido la base estándar de empleos en las sociedades actuales. Estas ocupaciones conllevan secuencias de tareas originales, siempre diferentes, al albor del clima, de la naturaleza, de la disponibilidad de recursos, de la comunión con animales y plantas, a la par que exigentes por su dureza, por la tenacidad y la paciencia que requieren. El progreso tecnológico, hasta ahora, ha ampliado el espectro de empleabilidad de muchos ciudadanos, permitiéndoles obviar sus limitaciones en cuanto a fuerza física, capacidad de cálculo, etc. Ha normalizado, además, ciertos rangos de cociente intelectual necesarios para el desempeño laboral, junto a los procesos para su desarrollo. La llegada de la sociedad tecnológica no será igual de generosa, sin embargo. La tecnología ya no compensará deficiencias humanas, sino que las hará insoportablemente evidentes a cualquier mirada.

Además de las limitaciones biológicas, otros factores jugarán en contra del estatus de seres humanos frente a máquinas y algoritmos capaces. La especialización del conocimiento, por ejemplo, uno de los factores coadyuvantes del progreso tecnológico, se podría acercar a la condición de muerte por éxito excesivo. Si bien esa especialización ha logrado resultados espectaculares a la hora de lidiar con la conquista de conocimiento, estaría alcanzando niveles de casi imposible tratamiento y gestión. Sobre todo, si queremos que nuestros conocimientos tengan la potencia de fuego de autómatas capaces. En la sociedad tecnológica, la necesidad de una visión integradora, sistémica, ecléctica, globalmente intuitiva, podría ser la mejor baza de éxito —al menos, de supervivencia— de la especie humana. Esa inteligencia general todavía debería ser inaccesible por un tiempo a máquinas y algoritmos capaces, pues requiere capacidades cognitivas avanzadas en un sinfín de contextos. Y, sin embargo, el ser humano estaría perdiendo la práctica de esta capacidad desde hace tiempo, una renuncia no forzada, con la obsesión de saber mucho de muy poco, una vía por la que viajan raudas y veloces todo tipo de máquinas y algoritmos capaces.

CIFRAS SENSIBLES AL OÍDO

Intentar deducir tendencias con base en los datos y las estadísticas sobre el empleo implica tener que lidiar con datos que parecen siempre contradictorios, desafiantes a cualquier comportamiento evidente. Todo ello implica que los análisis sean siempre polémicos, pues la óptica con la que se seleccionan y se evalúan esos datos es tan relevante como el propio contenido. Sobre cualquier capa de cifras y datos, se superpone la correspondiente capa de interpretación humana que aporta todo un condicionamiento previo. Así, cifras en principio positivas, pues mostrarían un aumento en el número de empleos en ciertas poblaciones, podrían interpretarse de manera negativa si lo que está ocurriendo en paralelo es una reducción del número de horas de trabajo y una mayor precarización en las condiciones laborales. Más empleo, más precarios, y quizá, en paralelo, un desplazamiento de tareas por parte de las máquinas y algoritmos, esto es, menos horas de trabajo para las personas. O no, puede que la reducción de tareas pueda ser leída como una oferta de empleos de mayor calidad y menor esfuerzo físico y cognitivo, o incluso que no haya tal reducción de jornadas, al fin y al cabo, y corresponda con algún efecto distorsionador de nuevas políticas en la contratación o ciclos económicos. O de las previsiones del tiempo meteorológico, el calendario de vacaciones, la anticipación de conflictos, la celebración de eventos deportivos, cambios culturales, y toda una retahíla de fenómenos con efecto mariposa (cambios aparentemente minúsculos que promueven evoluciones mayores). La improbable lectura coordinada de datos y tendencias podría hacer casi imposible la anticipación de soluciones a la amenaza del desempleo tecnológico, al no poder llevar a cabo un análisis incontestable que justifique acciones políticas de envergadura. Las señales, en forma de cifras, seguirán acumulándose en todo caso. Una parte de ellas serán premonitorias del futuro que viene en lo que respecta al mercado del empleo, con todas las precauciones debidas. Cada serie servirá a su público. Otra parte será solo ruido.

Para una parte de los visionarios del futuro, las nuevas hambrunas del siglo XXI podrían ser originadas no por calamidades, guerras o pandemias como en épocas pasadas, sino por la incorporación masiva de máquinas y algoritmos capaces a la ejecución de tareas. En el año 2011, más de 3 100 millones de personas trabajaban en el mundo, lo que representó un récord respecto a cualquier tiempo anterior. El número de desempleados también ha batido marcas, aunque las cifras sean complejas de desentrañar, con toda una variedad de etiquetas para quienes no están en activo, según países y culturas. En el año 2013, en Europa, se contabilizaron, por ejemplo, unos 26 millones de desempleados[41]. Es fácil imaginar lo que significa para la convivencia cotidiana ese enorme colectivo de personas frustradas. A ellos habría que sumar quienes se encuentran en situación de trabajo precario, al límite de la subsistencia y lejos de poder sentirse autónomos incluso para vivir sus vidas modestamente. La calidad o humanidad de los empleos, mientras tanto, no habría batido récord alguno para la mayoría de los trabajadores, incluso si la tecnología ha venido en nuestra ayuda para anular sine die las tareas más pesadas o mortificadoras.

Frente a quienes han logrado la cuadratura del círculo, convirtiendo una obligación en devoción (un mero trabajo asalariado transformado en realización personal o profesional), están quienes requieren acumular empleos con poco o ningún interés, y con salarios exiguos, para reunir una suma mínimamente decorosa. Un tercio de los trabajadores norteamericanos, por ejemplo, ya estaría en situación de multiempleo en la actualidad. En España, más del 50% de los trabajadores a tiempo parcial estarían en condición de subempleo[42], esto es, trabajarían menos horas que las que desea-

41 http://ec.europa.eu/eurostat/statistics-explained/index.php/ File:Unemployed_persons,_in_millions,_seasonally_adjusted,_EU-28_and_ EA-19,_January_2000_-_August_2017_.png
42 Labour Force Survey 2015. 10 million part-time workers in the EU would have preferred to work more. Eurostat Press Release. http://

rían y, seguramente, necesitarían para salir adelante con holgura. Un 20% de los trabajadores, además, desarrollaría empleos no cualificados, buena parte de ellos sin aportar valor al producto o servicio. La Organización Internacional del Trabajo[43] estimó, en el año 2009, que unos 1 500 millones de personas en el mundo tenían una condición laboral vulnerable, lo que representaba casi la mitad del total de la masa laboral (estimada en unos tres mil millones de trabajadores, junto a unos doscientos millones de desempleados). Y alrededor de un 40% de los trabajadores del mundo se podrían considerar trabajadores pobres. El panorama, no parece alentador, o quizá estas cifras contienen excesivos prejuicios.

Las informaciones que hablan de dramas sociales se hacen cotidianas en los medios de comunicación, y no se refieren únicamente a países sumidos en la miseria, sino a potencias económicas de todo el mundo. El porcentaje de adultos norteamericanos que forman parte de la fuerza de trabajo ha alcanzado su nivel más bajo desde 1978 (una parte de este efecto podría ser achacada a factores como el envejecimiento de la población, pero no explicaría su totalidad). En el sector de la fabricación de bienes, uno de cada tres trabajadores norteamericanos estaría recibiendo ayudas de desempleo[44]. Los ni-ni españoles (ni estudian ni trabajan), o los NEETS (*Not in Employment, Education or Traning*) del mundo se cuentan por millones y son presentados como la avanzadilla de un futuro inquietante, el de las nuevas generaciones de ciudadanos frustrados y desmotivados, condenados a vivir peor que sus progenitores. En el peor de los casos, a trabajar para ser pobres, o a vivir miserablemente sin poder acceder a un empleo. La cultura popular ya ha asumido la cantinela que dice que, si el padre tuvo un trabajo para toda la vida, el hijo tendrá unos cuantos, y los hijos de éstos habrán de atender varios al mismo tiempo. Podríamos extrapolar la serie dramática, estableciendo que, con trabajo o no, toda su descendencia tendrá muchas oportunidades de caer en la miseria. Aunque no todo ha de ser ciego pesimismo. Millones de personas podrían encontrar en la sociedad tecnológica una oferta de ocupaciones que les motive y les apasionen, aún si les condenan a una frágil existencia. De las tareas que hacemos por propia decisión, algunas requerirían salarios millona-

ec.europa.eu/eurostat/documents/2995521/7311566/3-19052016-BP-EN.pdf/35ed90ae-24ab-4d0b-b42f-f267f7490a9d
43   Global Employment Trends. International Labor Organization. 2009. http://www.ilo.org/wcmsp5/groups/public/---dgreports/---dcomm/documents/publication/wcms_101461.pdf
44   https://www.cnbc.com/2016/05/12/one-in-three-us-manufacturing-workers-are-on-welfare-study.html

rios si tuviéramos que hacerlas por obligación, pero la recompensa emocional es largamente suficiente. Quizá las futuras generaciones vivan en una abundancia universal, y se rían de la miseria anunciada por sus tatarabuelos, anclados en viejos conceptos de empleo, salario o esfuerzo. Puede que sus vidas sean una concesión al ocio sólo interrumpido por su dedicación a actividades vocacionales. Es posible, también, que disfruten de una multitud de vidas virtuales que podrán ser conectadas o desconectadas a voluntad, y donde la supervivencia, la gravedad o la lógica económica sean sólo opciones de un menú personalizable.

Los datos, por sí solos, no harán que se desvanezcan los temores hacia la automatización desenfrenada de actividades. El número de desempleados o personas en empleos precarios es preocupante, pero estaríamos lejos del inicio del fin del trabajo. Hemos de apaciguar la preocupación para evitar que se convierta en paranoia, aunque preocuparnos sea parte de nuestra genética, sobre todo si lo que está en juego es nuestra continuidad como especie. Somos capaces de imaginar muchos escenarios posibles, sus oportunidades y sus riesgos, a diferencia del resto de especies, lo que es una ventaja, pero puede también derivar en patología. Los temores por el desempleo tecnológico nos vienen acompañando a lo largo de la historia, aunque en los últimos tiempos se han acentuado. En los años ochenta del siglo pasado, por ejemplo, los ordenadores empezaron a ocupar espacios en todo tipo de negocios, allí donde antes sólo había calculadoras, archivos físicos, mesas de dibujo, máquinas de escribir, etc. Lo que parecía el fin de tantas ocupaciones acabó siendo sólo una necesidad de reconversión de tareas para aprovechar la potencia de las nuevas herramientas informáticas.

No parece haber discusión de que la economía —salarios aparte— parece disfrutar de una salud incomparablemente mejor que en tiempos pasados. Si necesitamos los tres siglos que van desde 1500 a 1820 para apenas doblar el producto interior bruto per capita en la Europa occidental, gracias a las décadas de intenso desarrollo siguientes se ha podido multiplicar esa riqueza por dieciocho. En los Estados Unidos, el producto interior bruto per capita desde 1820 hasta 2008 se habría multiplicado por veinticinco[45]. En el siglo XX la tasa de crecimiento en una economía como la norteamericana se ha mantenido, de media, en un 2% lo que implica doblar el valor de la economía cada 35 años, esto ese poco más de dos generaciones. Con una tasa de crecimiento del 5% la economía se dobla-

45   https://ourworldindata.org/economic-growth

ría en un plazo inferior a una generación (unos 14 años). Hay que poner en valor lo que significa multiplicar el producto interior bruto de un país, o del conjunto del planeta. El valor de la producción económica en un país como el Reino Unido apenas varió desde el inicio de la historia hasta la mitad del siglo XVII. La razón sería la vinculación estrecha de esa producción con la población, en lo que se conoce como trampa maltusiana. Las innovaciones tecnológicas producían algo más de riqueza temporal pero también un incremento de la población que acababa contrapesando los efectos positivos de aquella tecnología. Pero esa lógica económica de suma cero acabaría rompiéndose. Desde aquel lejano siglo XVII hasta 2015, y dejando al margen la evolución de la población, el producto interior bruto se habría multiplicado por más de 180 en el Reino Unido y en el conjunto del planeta por más de 145. Este progreso incontestable en el crecimiento económico de las sociedades se ha traducido en mayor calidad de vida para los ciudadanos, con estados de bienestar siempre mejorables, pero manifiestamente ventajosos en comparación a tiempos pasados.

También es informativo examinar la evolución de salarios tomando cierta distancia de observación en el tiempo. Si en 1908 un trabajador norteamericano cobraba unos 40 céntimos de dólar a la hora, unos 9,60 dólares actualizados con la inflación, hoy ese trabajador cobraría 26 dólares a la hora[46]. Sólo por esto podríamos aseverar que el progreso ha tratado a los ciudadanos con generosidad, aumentando sueldos a la par que mejoraban el resto de condiciones de vida. También es cierto que, en 1915, el precio medio de una casa en los Estados Unidos era de 3 200 dólares, unos 75 000 dólares actualizados al año 2015, a comparar con el precio medio de una vivienda en ese año, unos 183 500 dólares, esto es, más del doble. Lo mismo sería cierto para otro de los mayores gastos familiares, un vehículo. Si en 1916 el precio del popular Ford Model T era de 360 dólares (unos 7 800 dólares actualizados al año 2015) el precio medio de los vehículos en los Estados Unidos habría subido hasta unos 33 560 dólares, más de cuatro veces de incremento con el siglo. Y la misma tendencia podría haber ocurrido con tantos otros gastos[47]. Por ello, el mayor salario actual por dedicar la misma cantidad de tiempo de nuestras vidas y, seguramente, menos esfuerzo, debería contrastarse con la pérdida de capacidad de compra en otras áreas de gasto esenciales.

---

46   https://www.bls.gov/news.release/empsit.t19.htm
47   https://www.bls.gov/opub/mlr/2016/article/the-life-of-american-workers-in-1915.htm

Una hora de trabajo en la actualidad puede comprar más comida que nunca antes en la historia y, seguramente, mucho menos que lo que podrá conseguir en el futuro, en el paraíso prometido de la abundancia. Esta situación, de algún modo, mantendría a flote la capacidad adquisitiva de los trabajadores a pesar de la evolución de muchos salarios. Siendo esto innegable, también lo es que ahora esa hora de trabajo ha de comprar muchas otras cosas etiquetadas como básicas en las sociedades modernas y que no son únicamente comida. Buena parte de los sueldos ya no son la moneda de cambio para obtener productos «comestibles». Asegurar los nutrientes básicos para la vida es una evidente necesidad (la supervivencia se encuentra en la base de las necesidades humanas), pero no tener acceso a telefonía, energía o Internet, por poner unos pocos ejemplos, significaría una existencia igualmente miserable en nuestro tiempo. Con el progreso, aumentamos nuestra demanda de bienes y servicios que no son de estricta supervivencia biológica pero que resultan igual de esenciales, lo que implica necesidad de nuevos recursos para adquirirlos. Los productos tecnológicos punteros suelen ser costosos hasta tanto en cuanto su producción y sus usuarios se multiplican por un factor de escala adecuado. Por eso, en el reino de la abundancia prometido no se han de obviar las nuevas necesidades esenciales, muchas desconocidas desde nuestro presente, y de las cuales no podemos inferir que serán igual de abundantes. Hace unas décadas, por ejemplo, nadie hubiera pagado por una plaza de aparcamiento o por dejar el coche en una calle de cualquier ciudad; hoy esos son gastos obligados para cualquier persona que se mueva con su vehículo por cualquier entorno urbano. Tampoco está dicho que la abundancia de algo asegure su calidad además de su cantidad. La comida, por poner otro ejemplo, podría ser universalmente accesible hasta la saciedad literal de todos los individuos, pero la buena comida podría acabar siendo más inaccesible que en toda la historia de la humanidad.

Las cifras tanto del pasado como del presente, una vez más, pueden darnos visiones muy diferentes del pasado, presente y futuro. Algunos pondrán el acento, por ejemplo, en las carencias que deja el progreso tecnológico y económico a pesar de sus bondades. En la actualidad, un 51% de los trabajadores norteamericanos ingresan hoy menos de 30 000 dólares al año y un 38% menos de 20 000 dólares anuales (con trabajos a tiempo completo anuales). Todo un drama si se compara con el límite para la categoría de pobreza, fijado en unos 28 000 dólares. Esto es, más de una tercera parte de los trabajadores de la primera potencia económica del mundo serían pobres, según los baremos de la propia administración norteamericana, salvo agrupación en núcleos familiares con más de un ingreso. Y ello pese al indiscutible progreso económico y tecnológico, así como pese a la importante reducción de pobreza global en el planeta. Aquellas terribles cifras resultarían de añadir a los 7,9 millones de norteamericanos en edad de trabajar oficialmente desempleados, otros 94,7 millones que no son parte de la fuerza de trabajo y, sin embargo, no constan como desempleados oficiales. Si se añaden esos dos números, habría más de 100 millones de ciudadanos norteamericanos desocupados[48]. Si hablamos de patrimonio, la situación no sería mucho mejor, teniendo en cuenta los efectos del crédito y las deudas acumuladas en la loca carrera por ser el ciudadano consumista modelo de todo el planeta. De hecho, se suele decir que cualquier persona libre de deudas y con unos pocos dólares en el bolsillo tendría mejor situación patrimonial que una cuarta parte de ciudadanos del país, que soportan un patrimonio neto negativo, debido a hipotecas y créditos al consumo. El progreso tiene muchos matices, algunos terriblemente sorprendentes, y aunque tenemos la certeza de haber mejorado como nunca antes, quizá una parte de ese progreso sea sólo una intuición errónea, un espejismo.

La innovación y la mayor productividad ya no parecen ser aliadas fiables para el conjunto de trabajadores asalariados. El avance tecnológico está permitiendo, en un número creciente de casos, que la participación del individuo en el proceso productivo sea una intermediación simple y estandarizada con el riesgo de que pueda ser reemplazada a voluntad por cualquier otro individuo del planeta o por un autómata. Si ser desplazado de un empleo por una máquina o algoritmo capaz en el futuro que viene es un riesgo cierto, ser desplazado de ese mismo empleo por otro ser humano con menores expectativas y más necesidades es el pan de cada día en el mundo globalizado y conectado. La tecnología ha facilitado la jibarización del planeta. Ciertas plataformas informáticas (por ejemplo, *upwork*) permiten a los trabajadores del mundo ofrecer su trabajo a cualquier empleador del planeta. Es la competición laboral llevada al extremo. En lugar de una unión internacional de trabajadores como soñó Marx, estaríamos frente a la pugna internacional de la mano de obra. Durante un tiempo, la situación puede ser ventajosa para aquellos países en desarrollo, pero con ciudadanos bien formados. Y del mismo modo, podría hacerse penosa para los ciudadanos del

---

48   Goodbye   Middle   Class.   http://www.washingtonsblog.com/2015/10/goodbye-middle-class-51-percent-of-all-american-workers-make-less-than-30000-dollars-a-year.html

primer mundo que disfrutaban cómodamente de su bienestar gracias a todo tipo de prerrogativas, en particular de su poderío tecnológico. Su capacidad de innovar les permitía generar aquellos bienes y servicios que el resto del mundo necesitaba y por los que estaban dispuestos a pagar cualquier precio para acceder a su consumo. Esto ya no es así, y una parte de nuestro bienestar se resquebraja a la par que el bienestar de otros millones de personas en el mundo en desarrollo mejora comparativamente. El juego del bienestar dentro del sistema capitalista se diría de suma cero para lo que concierne a las tendencias de unos y otros. En este mercado global, los salarios podrían reducirse hasta la extenuación, haciendo que los más pobres del mundo acaben marcando el precio de una mano de obra que tiende a ser globalmente disponible e intercambiable. Trabajar remotamente, saltando países, continentes, océanos, montañas y legislaciones laborales para aumentar la plusvalía del empleador es ahora una posibilidad. Lo seguirá siendo mientras las máquinas y algoritmos capaces no terminen por romper la baraja y apropiarse del juego.

El factor trabajo, que era considerado un elemento clave en la economía capitalista, parece condenado a perder valor por una razón u otra. La mayor productividad sería catalizadora de una mayor inversión en tecnología, que acaba produciendo más beneficios con menos necesidad de mano de obra humana. Los consumidores participamos en el proceso de centrifugación de la mano de obra al exigir constantes mejoras en las relaciones calidad-precio que fuerzan, fundamentalmente, la introducción de más tecnología o menores salarios. Si la productividad y los beneficios empresariales siguen aumentando, como viene siendo la tendencia durante décadas y siglos, entonces la ecuación tendría solución, aunque no sea fácil. Los mayores beneficios crecientes podrían y deberían generar ingresos crecientes para los estados en forma de impuestos. Los mayores ingresos se encargarían de taponar el sangrado por el creciente desplazamiento de empleos. Al menos mientras la herida no sea mortal de necesidad. El recurso a los impuestos u otras acciones de intervención similares como solución a los efectos de un cambio de paradigma requiere atención máxima, sin embargo, no sólo por sus efectos rebote sino por sus efectos sorpresa. Los problemas de la nueva sociedad tecnológica requerirán soluciones sociales y políticas igualmente novedosas.

La incipiente sociedad tecnológica nos muestra ya cómo el factor trabajo tiende a reducir su peso en relación a los logros de las empresas. La compañía WhatsApp, por ejemplo, fue valorada en unos 19 millardos de dólares norteamericanos, reflejados en el precio de compra por parte de la red social Facebook en el año 2014. La compañía contaba con 55 empleados, lo que los convirtió seguramente en los más productivos del mundo y de la historia[49]. Apenas unas decenas de personas conseguían un valor milmillonario para la empresa y su único producto, convirtiendo la vinculación histórica de grandes corporaciones a grandes plantillas en una cosa del pasado. Los ingresos por empleado en el caso de las grandes empresas tecnológicas son enormes en comparación con las empresas más tradicionales —al menos para aquellas que logran el éxito—. La propia Facebook generaría unos ingresos superiores al millón de dólares por cada uno de sus empleados frente a unos sesenta mil dólares en el caso de la cadena multinacional de restauración McDonald's[50]. También ha pasado a la historia, como la otra cara de la misma moneda, la seguridad intrínseca que otorgaban las grandes corporaciones, con historias de éxito que se mantenían durante generaciones. La burbuja de las empresas tecnológicas demostró que lo que un día era una multinacional con ínfulas de arrasar el mercado y facilidad para atraer a todo tipo de clientes podía al siguiente revelarse como puras volutas de humo. Tras un logo con misterio y una historia con mensaje en un vídeo promocional algunas empresas se demostraban sólo ciencia ficción en novedoso formato. Las revoluciones tecnológicas permitirán en todo caso innumerables oportunidades de negocio que crearán enorme riqueza, tanto en su versión productiva como en su versión de especulación financiera y juego económico de pésimas consecuencias para buena parte de la ciudadanía.

El acuerdo social básico de las sociedades democráticas y capitalistas establece que es lícito que las empresas persigan la zanahoria de mayores beneficios, pues esos beneficios redundarán, en todo caso, en más ingresos para los estados, en más puestos de trabajo en general y en una mejor calidad de vida para todos. Da igual quien haga rebosar el cuenco del bienestar primero, pues acabará llenando el resto de recipientes que se encuentran más abajo, como una fuente de chocolate. Un crecimiento económico saludable, eso sí, habría de generar un progreso social estable y bien distribuido. Sin embargo, ese compromiso social, no escrito, está perdiendo significado progresivamente. Para las empresas, la generación de

---

49   https://pando.com/2014/02/24/whatsapp-bought-for-19-billion-what-do-its-employees-get/

50   http://www.businessinsider.com/revenue-per-employee-charts-are-a-fascinating-way-to-judge-the-health-of-tech-companies-2015-4 & http://csimarket.com/stocks/singleEfficiencyet.php?code=MCD

empleo o la mejora del bienestar colectivo es un tema ajeno a sus planes de negocio, y es natural que sea así en un sistema económico que no está diseñado para maximizar el bienestar colectivo sino el beneficio individual. Por otra parte, su modo de actuar y su poder pueden aumentar tanto que lleguen a remover los precarios equilibrios establecidos durante generaciones. Para dar carta blanca a sus potenciales beneficios exponenciales en el futuro, la contribución de las corporaciones tecnológicas al mantenimiento de la paz social habría de ser la moneda de cambio. El panorama para muchas de estas empresas tampoco es de color rosa. La terrible competencia es cada vez mayor y más global, obliga a crecer, a ser más innovador, más original, más inmisericorde. Cada historia inspiradora de cooperación rivaliza con otros cientos o miles de puro enfrentamiento donde solo gana el más fuerte, el más audaz. El fracaso se esconde tras cada esquina; un mal paso, una mala decisión estratégica y podría ser el fin. El resto de empresas asistirían impertérritas al entierro del competidor caído en desgracia, sin importar su tamaño, su historia, sus éxitos pasados. Su caso será objeto de estudio —y de cierta mofa— en las escuelas de negocios, un ejemplo de incapacidad para leer los nuevos tiempos. No hay margen para atender a demandas sociales sobre el empleo o las mejoras de las condiciones salariales. ¡Es la guerra y no se van a hacer prisioneros ni atender a los heridos! Hay que tomar partido: o aumentar la productividad, tener éxito, conseguir cuantiosos beneficios y ser parte activa en la partida, o ser un paria, un muñeco de trapo en manos de los primeros.

Los ejecutivos de las compañías que en los años 70 del siglo pasado ganaban unas 20 veces el salario de los trabajadores hoy ganarían unas 300 veces más que sus empleados[51]. En menos de cinco décadas las diferencias salariales se habrían multiplicado por quince. En la actualidad un empleado con el salario mínimo en los Estados Unidos tendría que trabajar unas mil trescientas setenta horas para conseguir lo que el director ejecutivo de la corporación Wal-Mart ingresa en una hora. En la primera potencia económica del mundo y bandera del capitalismo mundial, en un periodo de unos 30 años (desde 1978 a 2013) los salarios de los trabajadores habrían crecido apenas un 10%, mientras los de los ejecutivos se habrían multiplicado en un 930%[52]. Los ejemplos extremos son insensatos: el gestor de *hedge funds*, John Paulson, habría ingresado en 2010 unos cua-

---

51 http://america.aljazeera.com/articles/2014/4/15/executive-pay-compensationceoworkerratio.html
52 http://www.epi.org/publication/ceo-pay-continues-to-rise/

tro mil millones de dólares norteamericanos[53]. El ejecutivo mejor pagado en Estados Unidos llegaría a ingresar unas 350 000 veces el salario mínimo legal[54] y un ciudadano como Martin Shkreli ha sido etiquetado como el hombre más avaricioso del mundo. La acusación se basaría en el origen de su gigantesca fortuna: la compra de patentes de medicamentos esenciales para el tratamiento de enfermedades mortales (cáncer o sida, por ejemplo) para luego multiplicar su precio —y el beneficio— centenares de veces. Su modus operandi, sin embargo, estaría perfectamente alineado con la legislación existente y con el proceder capitalista. Su figura tiene incluso muchos seguidores que ven en él al modelo de hombre de negocio que querrían llegar a ser. Las oportunidades de triunfar en la sociedad capitalista están ahí, y son para quien está dispuesto a ir a por ellas, parece decir el contexto. Tómalas y gana todo el dinero que puedas, hazlo de modo legal, pero sin volver la vista atrás. Y hazlo rápido. Hay mucho que ganar en la sociedad capitalista si uno actúa con decisión; y mucha miseria que sufrir si te dejas asaltar por las dudas. Ronald Wayne, que fundó junto a Steve Jobs y Stephen Wozniak en 1976 la empresa Apple con la que querían fabricar ordenadores, decidió vender sus acciones por 800 dólares cuando pensó que la empresa acabaría en bancarrota. Hoy serían una fortuna valorada en decenas de miles de millones de dólares. Muchos más ceros a la derecha que los dos que logró en su momento. Una mala decisión, un mal gesto, y la fortuna te da la espalda sin contemplaciones, hasta ponerte como ejemplo de los errores de la historia. En este mismo estado de cosas, un empresario sin demasiados escrúpulos, multimillonario, condenado por estafar a una legión de estudiantes que quisieron estudiar en su universidad bajo la promesa de ser un día como él, se ha convertido en presidente de la mayor potencia económica del planeta. No son tiempos para personas sensibles y templadas.

Todo sumado, y a pesar del drama de ser pobre en economías ricas, las personas etiquetadas como tales según los baremos actuales disfrutarían de vidas más llevaderas que buena parte de las clases medias en el tiempo de la primera revolución industrial, no digamos de aquellas más desfavorecidas en ese pasado ya remoto. En su momento, el gobierno británico tuvo incluso que movilizar tropas para controlar las revueltas de ciudadanos durante la fase de cambios impuestos por la transformación radical del modelo productivo.

53 *The Wall Street Journal*, 20.01.2011. https://www.wsj.com/articles/SB10001424 0527487035746045744997408491 79448

54 Christian Felber, *La economía del bien común*.

Esas revueltas se consideraron parte de la inercia intrínseca al cambio que manifiesta cualquier individuo, organización o sociedad, y que exigía un cambio mayor y definitivo de costumbres y modos de vida. Aunque quizá representaran también cierta resistencia a un progreso que no se intuía tan universal e indiscutiblemente beneficioso. El progreso ha traído vidas más longevas, mejoras en la salud, más seguridad colectiva, pero todo ello le ha supuesto también a la humanidad un impacto en sus modos ancestrales de existencia en el planeta, además de costes seguramente irreversibles al planeta mismo. Y ha dejado fuera de los niveles de bienestar estándar a una parte no pequeña de la sociedad desarrollada. No habiendo podido decidir sobre la dirección y sentido de ese progreso, una parte de la sociedad sólo podrá catalogarlo como ajeno, inconveniente, inútil o peligroso.

Si la innovación tecnológica resulta en progreso económico y social, las buenas noticias son que el ser humano tiene una capacidad inagotable para innovar. Si la sociedad lograra facilitar las condiciones para estimular al máximo la capacidad de generar innovaciones, inherente a tantos individuos, no sólo se aseguraría un inusitado crecimiento de la economía sino vidas enormemente confortables y humanas, al menos globalmente. El esfuerzo político debería, eso sí, lograr que esas aptitudes y sus logros llegaran a calar, como una lluvia fina, a todos los miembros de la sociedad, a todas las sociedades del planeta. Porque un inmenso bienestar material sólo para unos afortunados no es una situación social aceptable ni tampoco estable. Hoy parece que unos pocos individuos han alcánzado un éxito económico inimaginable en tiempos pasados, en lapsos realmente breves, gracias sobre todo a la tecnología y a la globalización que ha permitido. Su éxito es gigantesco porque el número de consumidores no tiene límites y salta fronteras sin esfuerzo alguno. Ellos parecen acaparar buena parte del milagro de la innovación tecnológica, tensionando la apreciación por parte de la sociedad de los beneficios de ese progreso. El reto para el desarrollo tecnológico es, por lo tanto, no sólo favorecer la máxima expresión del talento innovador del ser humano, sino concebir las reglas que permitan transformarlo en generador de bienestar social, en lugar de arma de desigualdad. Hoy, desafortunadamente, la situación sería diferente de ese objetivo, con un número limitado de individuos capaces de producir innovaciones, además de una deficiente redistribución social de los beneficios generados. Como recuerdan Mats Alvesson

y André Spicer[55], por cada persona que trabaja en sectores innovadores en los Estados Unidos hay tres que trabajan para McDonald's,
por lo que queda mucho por hacer para hablar de una sociedad
donde la innovación sea explotada en todo su potencial, lo mismo
que sus beneficios.

ACTIVIDADES EXPUESTAS A LA EXTINCIÓN MASIVA

Hay un cierto tipo de empleos que ya podrían ser automatizados de
manera sustancial con la tecnología disponible o con la que lo estará
en apenas unos años. Esos trabajos contienen tareas que han sido
etiquetadas como muy expuestas al riesgo de ser desarrolladas por
máquinas y algoritmos, por ser simples, rutinarias, o formar parte
de una lógica ejecutable de manera mecánica. Son empleos en categorías laborales como operador de telefonía, dependiente, cajero de
supermercado o administrativo. Estos trabajos, sin embargo, siguen
soportando «nexos de humanidad» con el cliente, una vez que los
consumidores se habitúan a realizar transacciones *online* o a utilizar servicios electrónicos atendidos por interfaces no humanas. Esas
personas nos conceden todavía una oportunidad de empatizar en
nuestras rutinas y gestiones cotidianas; son de carne y hueso como
nosotros, e incluso sus caras de fastidio, de hartazgo, frustración o
sus ocasionales malos modos nos son familiares. Quizá por ello, y
a pesar de los malos augurios, aquellos empleos estén, a la postre,
más resguardados que los que implican tareas más complejas. Estos
caerán más tarde o más temprano conforme la tecnología avance, y
nadie se preocupará por quienes fueron desplazados por autómatas
porque nadie sabrá quiénes eran los que los atendían ni los vieron
nunca contentos o malhumorados. Su desplazamiento por parte de
máquinas resultará absolutamente invisible y aséptico.

Los algoritmos se encargarán de atender todo tipo de servicios de
manera universal, hasta el punto en el que un día no podamos concebir que hubiera personas de carne y hueso encargadas de esas gestiones, con todas sus limitaciones, sus prejuicios, sus injusticias. Esos
algoritmos no sólo lo conocerán y lo recordarán todo de cada individuo, sino que sabrán el tipo de atención que cada persona requiere,
categorizándolas según miles o millones de perfiles. Con base en
unas pocas preguntas, o gracias al análisis de ciertos parámetros, el

---

55   *The Stupidity Paradox: The Power and Pitfalls of Functional Stupidity at Work.*

algoritmo será capaz de establecer la personalidad y los rasgos psicológicos de cada cliente y tratarlo de la manera más apropiada, con el objetivo de no dejar a nadie descontento. No será empatía en el sentido clásico del término, pero puede ser una aproximación más que suficiente además de sugerente e inspiradora. Una plataforma de inteligencia artificial bautizada como Amelia[56], por ejemplo, se dice ya capaz de atender a los clientes mediante una conversación natural, interpretando sus preguntas, adivinando sus intenciones e incluso captando emociones para resolver sus necesidades de la manera más eficiente posible. En apenas unos segundos, este tipo de agentes virtuales podrá incorporar a sus sistemas las políticas de cada compañía, sus procedimientos, valores y los rasgos de imagen corporativa, los mismos que los humanos requieren semanas, meses o toda una vida para asimilar en cierta medida. La consultora McKinsey & Company ha estimado que para 2025 las plataformas como Amelia podrían encargarse de las tareas que hoy realizan unos 250 millones de trabajadores humanos en todo el mundo[57]. Esto no implicaría que todas esas personas fueran despedidas, sino que parte de su anterior tiempo de trabajo quedaría desocupado gracias a las nuevas tecnologías. Cómo se decida enfrentar esa situación (reducir jornadas, reducir plantilla, reciclar trabajadores) será una cuestión fundamental para el bienestar de muchas familias.

En el informe del instituto de investigación Pew[58] del año 2014, dedicado a los posibles impactos en el empleo causados por los desarrollos en robótica e inteligencia artificial (¿se destruirán más trabajos de los que se crearán?) se entrevistó a casi 1 900 personas relacionadas con el mundo de Internet y de las nuevas tecnologías. La mitad de esos encuestados manifestaron su preocupación por un aumento en la desigualdad entre ciudadanos, así como por cifras crecientes de trabajadores de difícil empleabilidad, lo que implicaría un evidente riesgo de sacudida del orden social. La otra mitad de los encuestados, sin embargo, estimó que dichas tecnologías no llegarían a destruir trabajo neto. En lo único en que ambos dos grupos parecieron estar de acuerdo fue en la incapacidad de los sistemas educativos de dar curso a las necesidades del mercado laboral del futuro, para desconsuelo de tantos padres con hijos en edad escolar. La necesidad de reinventar un sistema educativo que pudiera

---

56   Plataforma desarrollada por la compañía IPsoft. «Your First Digital Employee», http://www.ipsoft.com/amelia/
57   https://www.entrepreneur.com/article/245827
58   Pew Research and Elon University, 2014. http://www.elon.edu/e-web/imagining/surveys/2014_survey/2025_Internet_AI_Robotics.xhtml

preparar a conciencia a las siguientes generaciones de trabajadores, parece ser el único consenso sobre el futuro. Pese al acuerdo sobre el pobre diseño de los sistemas educativos para enfrentar los retos que se avecinan —también los actuales—, seguimos procediendo con la lección de historia y las tablas para aprender a multiplicar como loros bien aplicados. Nos aferramos a la tiza y la pizarra, como nuestros abuelos; no son ayudas para navegar un mar embrutecido.

En el pasado, y todavía en el presente, buena parte de los empleos han consistido en meras actividades de intermediación, algunas con evidente valor añadido y otras con escaso o, incluso, resultado negativo (lo que en inglés se denomina despectivamente «*middle man*», la persona interpuesta entre otras sin ninguna finalidad práctica, pero que añade burocracia al sistema). Los intermediarios útiles estarían encargados de establecer puentes entre dos orillas, la de los productores, creadores, artesanos, etc. y la del consumidor de esos productos y servicios. Los bienes son adquiridos en origen por un primer intermediario, negociados en destino o en mercados específicos por otros intermediarios, transportados y almacenados por otros agentes, distribuidos por otras personas, y puestos finalmente al alcance del consumidor. Sumándose a esos procesos, se encuentran agentes que aseguran las mercancías, les añaden valor con sus manipulaciones, realizan inversiones o especulan con ellas, las controlan, producen estadísticas, etc. Un mundo de empleos alrededor de un sinfín de procesos que acabarían abruptamente si el productor y el consumidor pudieran encontrarse y relacionarse de manera directa. Durante siglos no se encontró un modo simple y escalable de hacer llegar los bienes desde su origen hasta los consumidores sin la participación de muchos intermediarios, lo que aseguraba a estos una oportunidad de empleo garantizada. En cierto modo, parecía un sistema en el que todos ganaban, aunque fuera a costa del mayor precio que debía pagar el consumidor. Pero ese coste extra soportaba la supervivencia de muchas familias, asegurando la estabilidad de la sociedad en su conjunto; era el precio del equilibrio y la concordia. La mayoría de esos procesos de intermediación, sin embargo, van a ser desafiados por diversas tecnologías disruptivas, y podrían convertirse, muy pronto, en historia. Muchos intermediarios se han ido mostrando ya como eslabones innecesarios en un mundo conectado; incluso se ha cargado sobre sus espaldas todo tipo de males en términos de ineficiencia. Sus ingresos eran vergonzosos e injustificables para no pocos ciudadanos, sobre todo cuando se comparaban con aquellos de quienes producían y aseguraban los bienes y servicios que mediaban. La red empezó hace unas décadas a convertirse en el mercado global, en la plaza pública donde poner en contacto las ofertas y las demandas de los ciudadanos del mundo, y no sólo para compartir fotos o comentarios banales. Internet ha canalizado la relación directa entre productores y consumidores o, en ciertos casos, entre productores y agentes intermediarios únicos y globales, que se relacionan con millones de empresas y clientes. Los empleos de millones de intermediarios al viejo estilo, en todo tipo de tareas y ocupaciones, podrían tener los días contados.

Cada minuto se crean 900 sitios web y se realizan dos millones de búsquedas en Google. Estas cifras se quedan anticuadas poco después de consultarlas, mucho más de escribirlas. Los ciudadanos tienen una oferta de productos y servicios inmensa e inabarcable, desde la comodidad de su hogar, ofrecidos por otras personas que los generan gracias a su esfuerzo, creatividad y dedicación. La única participación que podría resultarles interesante por parte de un intermediario sería la de filtrar toda esa ingente maraña de información, según sus necesidades y deseos, expresados o no (al modo del tendero o el agente comercial tradicional que conocían la vida y obra de sus clientes). Es una tarea para la que los algoritmos de inteligencia artificial están siendo optimizados, y donde acabarán siendo mucho más eficaces que la mayor parte de personas, por empáticas que sean. Puede que el señor de la tienda de la esquina conozca nuestros gustos y sepa bastante de nuestras vidas como para, por ejemplo, recomendarnos una lectura o una prenda de temporada. Pero, difícilmente, habrá podido analizar el millón de libros que se publican cada año, ni siquiera sus sinopsis —quizá ni sus títulos—, ni los millones de prendas a la venta disponibles en la red, ni conocerá los secretos íntimos de nuestros gustos o medidas —ni cómo evolucionan—. Los algoritmos serán los únicos que podrán hacerlo de un modo masivo y sencillo, y nosotros colaboraremos en su aprendizaje comunicándoles voluntaria o involuntariamente cuándo y cuánto han acertado o errado, provocando su educación acelerada. Al final se mimetizarán con nuestros deseos de tal manera que acabarán haciendo uso de nuestra tarjeta de crédito de manera autónoma, con más criterio y seguridad que nosotros mismos —o eso nos habrán asegurado—. Los intermediarios irán siendo desplazados en el proceso, sin prisa, pero sin pausa, mientras drones, algoritmos, impresoras domésticas 3D, etc. copan sus espacios laborales, sin reivindicar ingreso alguno.

LA LÓGICA DE CREAR Y DESTRUIR EMPLEOS

Hay indicios de que la tecnología podría estar ya desplazando más empleos de los que genera, pero nadie lo sabe a ciencia cierta y todo es sólo especulación y ruido. Quienes argumentan que la destrucción de puestos de trabajo de manera sistemática y permanente debido a la tecnología es una falacia (la denominada falacia ludita), siguen exhibiendo su optimismo y llamando a la calma. Nadie estaría dispuesto a incorporar máquinas de manera masiva a los puestos de trabajo si hubiera constancia de que acabarían aniquilando la lógica económica que sustenta el bienestar. Los trabajadores desplazados han de encontrar otros empleos, tras ciertos ajustes espacio-temporales. Por la otra parte, quienes tienen pocas dudas de que el fin del trabajo para los humanos será el colofón de un proceso ya en marcha y en imparable aceleración, llaman a la acción política urgente. Sus esperanzas no radican en el desarrollo de inéditas y fascinantes ocupaciones para el ser humano, sino en que la sociedad sepa gestionar el cambio de escenario histórico de un modo tal que el resultado no tenga por qué ser necesariamente catastrófico. O que sea, incluso, sublime. También existen los inevitables aguafiestas que ven en el fin de la obligación de trabajar para el ser humano y en el paraíso conquistado para el ocio, la segura degradación de la especie. Miles de millones de individuos tumbados en sus sofás, hipnotizados por contenidos televisivos psicodélicos, encerrados en paraísos de realidad virtual. Seres humanos pluripotenciales convertidos no en hombres libres, sino en vegetales mantenidos en permanente estado de recompensa gracias al estímulo externo de sus cerebros. El fracaso de la civilización o, cuando menos, de la historia de una humanidad.

Los «negacionistas» del desempleo tecnológico se apoyan en la lógica de la productividad, la eficiencia y otras variables esenciales de la economía. Si una empresa adopta más tecnología y ésta reduce el coste de sus procesos de fabricación, entonces el precio de sus productos acabará reduciéndose, con la consiguiente mayor cuota de mercado y aumento de las ventas. El mayor dinero disponible en los bolsillos de los consumidores vendrá gastado en otros bienes, que a su vez requerirán un aumento de producción, atrayendo inversión en más tecnología, que reducirá los costes, los precios, etc. El aumento de la demanda favorecido por la incorporación de tecnología acabaría siendo sinónimo de más horas de producción, esto es de mayor número de horas de trabajo. La tecnología que desplazó empleos inicialmente acabaría impulsando la contratación de más trabajadores. Un círculo virtuoso, al que se le suele criticar únicamente por una fase de transición problemática. Además de por conducir a un agotamiento acelerado de los recursos disponibles del planeta, según un efecto rebote conocido como paradoja de Jevons: más y mejor tecnología implicaría mayor eficiencia en la utilización de los recursos, pero acabaría provocando un aumento del consumo de dichos recursos (los vehículos contaminan menos, pero se venden y utilizan más vehículos menos contaminantes, con lo que acaba aumentando la contaminación). La transformación tecnológica, en todo caso, expulsaría a quienes no adoptaran la pauta de siempre más tecnología, incapaces de seguir el ritmo impuesto de automatización.

A favor del optimismo se encuentra la historia acumulada. La tecnología ha hecho aumentar de manera acompasada tanto la productividad como el empleo. El mayor bienestar de los ciudadanos en las sociedades desarrolladas habría hecho posible el aumento de la demanda de ciertos servicios, a la vez que la tecnología facilitaba su acceso a poblaciones cada vez más extensas. Toda la lógica del consumo se autoalimentaba: más tecnología era más productividad, más productividad eran más ventas, más ventas eran más empleos, más beneficios e inversiones, más tecnología. El progreso tecnológico no dejaba de crear más y mejores oportunidades laborales mientras reducía las barreras de acceso a muchos bienes esenciales, como la comida, el vestido o el transporte. El precio real de un vehículo en el Reino Unido se ha reducido a la mitad en los últimos 25 años, por ejemplo. Y el número de peluqueros también ha mejorado bastante, desde uno por cada 1 800 ciudadanos a uno por cada 300 aproximadamente, lo que sin duda agradece la colectividad[59]. El mayor bienestar de los ciudadanos en las sociedades desarrolladas también ha favorecido el desarrollo de otros sectores de servicios y de sus empleos, como el del ocio y el turismo (además de la siempre creciente oferta de bares y restaurantes). Los efectos perniciosos del progreso tecnológico, desde la visión optimista, quedarían limitados a cierto desempleo de transición entre la adopción de más tecnología y la incubación de nuevos empleos. Y, no hay que olvidarlo, a la necesidad de una permanente readaptación de habilidades y

---

59   Technology has created more jobs than it has destroyed, says 140 years of data. https://www.theguardian.com/business/2015/aug/17/technology-created-more-jobs-than-destroyed-140-years-data-census

conocimientos por parte de los trabajadores, para esquivar su expulsión de un medio ambiente laboral concebido y optimizado para sus trabajadores más eficientes: las máquinas y algoritmos.

Los más reacios al tecnopesimismo, pero siempre inquietos por la evolución de los autómatas, se refugian, en todo caso, en la lógica constructiva-destructiva: sí, quizá haya riesgo en un futuro de que millones de empleos sean desplazados y ocupados por máquinas y algoritmos, pero otros tantos serán concebidos en la sociedad tecnológica. La historia está de su parte, la innovación ha sido siempre fuente de empleo neto a la postre, empleos para una población que no ha cesado de multiplicarse. Podremos adaptarnos a la automatización desarrollando tareas hoy desconocidas, diseñadas para lograr el mejor uso posible de las capacidades únicas de los individuos de la especie humana. No sólo eso. La tecnología nos liberará de la rutina diaria y nos permitirá redefinir nuestra relación con el trabajo de un modo más positivo y beneficioso colectivamente. Es un canto a la esperanza, una melodía tranquilizadora a la que aferrarnos en el viaje desbocado hacia el progreso. Estos equilibrios, sin embargo, no son universales en la naturaleza que nos rodea, y también la historia aquí ha dado muestras de ello. Las estrellas se consumen sin remedio, la entropía aumenta, las especies desaparecen de la faz de la Tierra llegado su momento. No pocos nuevos empleos podrían ser concebidos para ser realizados desde el inicio por máquinas y algoritmos capaces. Serán nuevas oportunidades de empleo en la sociedad tecnológica, pero no irán a parar a humanos. Ya hay tareas que realizan sólo las máquinas para las que ni siquiera hemos inventando etiquetas, están fuera de la práctica y la conciencia de las personas, ¿para que emplear el lenguaje para describirlas? Esas tareas ni siquiera sufrirán un desplazamiento de empleo, pues eran categorías profesionales fuera del alcance de ningún individuo.

En el dilema sobre si el progreso crea o destruye empleo se ha ido imponiendo la visión positiva a fuerza de acumular evidencias históricas. Si bien se han destruido empleos, muchos otros se han venido creando, con una población además que no ha dejado de crecer, y con nuevos sectores de población que se incorporaban a la vida laboral —o a una vida laboral formalmente reconocida—. Es un hecho empíricamente demostrado, por lo tanto, que la sociedad ha creado nuevos empleos no sólo para compensar aquellos destruidos o desplazados, sino para acoger a una población activa siempre en aumento. Si las fábricas requieren menos operarios para asegurar la producción, ahora requieren expertos en calidad, en optimización de procesos, en gestión de proyectos de mejora continua, etc. La tendencia a la automatización impulsada por cada oleada de revolución industrial sólo habría supuesto periodos de reajuste laboral necesarios para adoptar los nuevos paradigmas productivos. Aceptada esa evidencia del pasado quedaría por saber si corresponde sólo a una verdad transitoria, improbable en el tiempo de la futura sociedad tecnológica, donde el desplazamiento de los empleos puede ser masivo y concluyente. Las viejas disquisiciones, por lo tanto, vuelven de nuevo al debate, y la pregunta esencial también: ¿destruirá la tecnología empleo neto?; ¿podrá incluso hacerlo de manera brutal, hasta que miles de millones de personas queden ociosas *ad eternum*? ¿Podremos existir de manera integral sin trabajar, generando un nuevo paradigma de acuerdo social? ¿Cómo?

La lógica optimista tiene, en todo caso, sus propias discontinuidades históricas. En la década de los 80 del siglo pasado, por ejemplo, la productividad no creció según lo esperado, a pesar del uso extendido de una tecnología disruptiva, la computación, lo que se conoce como paradoja de la productividad (*productivity paradox*). Al final de los 90, sí se produciría ese aumento, durante unos años al menos, para luego ralentizarse de nuevo. Se podría inferir, por lo tanto, que la tecnología es sólo condición necesaria pero no suficiente para el aumento de la productividad, o quizá que ciertas inercias añadidas juegan un papel fundamental. Esas insuficiencias jugarían un papel relevante mientras las máquinas no fueran algo más que herramientas, agentes dependientes de operación por parte de seres humanos, lo que genera todo tipo de resistencias. Cuando llegue el tiempo de las auténticas máquinas capaces, con autonomía para conducirse, gestionarse, repararse dentro de sus límites de diseño y operación, la necesidad de contar con la aquiescencia de otros humanos progresará asintóticamente hacia cero. Los humanos se parecerán entonces más a herramientas que las máquinas y algoritmos, y sus inercias ya no contarán en la lógica de producción económica. Más tecnología será siempre más productividad, mucha más tecnología será una explosión de productividad.

Si la política no interviene para empujar la realidad hacia un cambio de vía, los agentes económicos no podrán sino seguir el gradiente de presión que les obliga a incorporar más autómatas, reemplazando a más trabajadores humanos, para aumentar la sacrosanta productividad. Sólo frenará esa tendencia las limitaciones en cuanto a destrezas y capacidades de máquinas y algoritmos, una barrera con fecha de caducidad. La productividad extra, a su vez, se transformará en mayores ingresos y capital extra para seguir reforzando el mismo tipo de estrategia, en una cadena que acaba con un paisaje productivo yermo de individuos. El riesgo de colapso del sistema, al imposibilitar una masa crítica de consumidores con recursos suficientes, queda así a la vuelta de la esquina. Por eso, si creemos que el sistema está empezando a mostrar signos de esa tendencia, deberíamos promover el cambiar de paradigma de convivencia, sea social, económico o político, en lugar de aceptar pasivamente un suicidio colectivo. Aunque la lógica no siempre guía el comportamiento de la especie, sobre todo si los reservorios de testosterona están plenos. Cuando fuimos cazadores acabamos agotando la caza, pues la carne fácil significó más descendencia y esto, a su vez, más cazadores. Incluso con cerebros menos desarrollados, la lógica presa-depredador debería haberles resultado evidente. Pero siempre quedaba la posibilidad de buscar nuevas tierras que esquilmar y el mundo, seguramente, nos parecía infinito, como sus recursos. Cuando nos hicimos agricultores, también acabamos agotando los recursos, pero emigrar no fue ya una solución tan evidente. La tecnología para las explotaciones agrarias vino a echarnos una mano, convirtiendo los campos en centros cada vez más tecnológicos. Siendo, como somos, individuos necesitados de toda una red social que nos proteja y nos provea de una infinidad de bienes y servicios, nuestra flexibilidad actual para cambiar de entorno y sistema de supervivencia es cuasi nula. El espacio es poco acogedor, el resto de planetas inhóspitos. La Tierra se reduce a un puñado de países que han conseguido generar condiciones de bienestar envidiables, entre otros muchos que no han tenido la misma capacidad o fortuna.

Mientras tomamos alguna decisión o ninguna, el proceso de automatización de tantas rutinas y sus efectos en la convivencia seguirán su curso aplastante, como los elefantes de Aníbal. Nada queda igual tras su paso, ni el trabajo crece donde las máquinas y algoritmos echaron raíces. Entre sus variopintos efectos se puede hipotetizar, por ejemplo, un nuevo tipo de «darwinismo social» con marcados perdedores y ganadores. Esta división provocará dolor y alegrías entre unos y otros según el trato recibido por la automatización, con el riesgo de avance de la cuña entre ricos y pobres en las sociedades tecnológicas. Auguste Comte, el fundador de la sociología, sostenía que la división del trabajo lleva a la evolución social. Cada grupo de individuos desarrolla un tipo específico de relaciones para atender la actividad laboral que desempeña, lo que modela decisivamente las características de cada sociedad, su cultura y la forma de vida de sus habitantes. La constitución misma de la humanidad como especie social está vinculada al desarrollo de relaciones cooperativas en muchas ocupaciones (en la caza, como ejemplo más evidente). Los impactos derivados del desplazamiento de los empleos por parte de los autómatas habrán de generar también no sólo tensiones laborales y sociales de variado rango, sino todo un nuevo tipo de sociedad. Esas sociedades automatizadas avanzadas, contempladas junto a sus indisolubles conflictos, podrían no ser más acogedoras que las más primitivas en términos de convivencia o bienestar. Sobre todo, si han de lidiar con multitud de desplazados laboralmente, sin apenas recursos de subsistencia.

HACIA EL DESEMPLEO TECNOLÓGICO, QUE SERÁ BUENO O MALO

El progreso tecnológico podrá o no imponernos una situación de desempleo de facto a los seres humanos, el desenlace todavía nos es inaccesible. La incertidumbre, sin embargo, no acaba aquí, hay derivadas de otros órdenes. El desplazamiento de empleos a causa de la automatización podrá, a su vez, tener unas u otras consecuencias para los individuos de nuestra especie. De la posible combinación de ambas circunstancias se obtienen escenarios de convivencia donde, por ejemplo, los individuos podrían acceder al ocio perpetuo, gracias a máquinas capaces pero serviles, programadas para hacer todo el trabajo, en nuestro beneficio. Pero también son concebibles escenarios donde el ser humano es expulsado enteramente del sistema económico, condenado a una existencia precaria, desprovisto de lógicas ancestrales de supervivencia, antes de que otras hayan sido instauradas.

La lista de posibles desenlaces incluye tramas y finales para todo tipo de sensibilidades. Una versión tranquilizadora puede proponer, por ejemplo, el control preventivo del progreso tecnológico de manera que las opciones más dramáticas para el ser humano sean vetadas anticipadamente. Esto es, la intervención de los gobiernos del mundo para evitar que los seres humanos pierdan masivamente sus puestos de trabajo y sus posibilidades de empleabilidad frente a máquinas siempre más capaces. Este escenario sería la recreación del mejor mundo laboral posible, uno donde los trabajos más arriesgados, menos creativos, que requieren un mayor esfuerzo biológico, etc. fueran asignados a máquinas y algoritmos, mientras las actividades más originales, integradoras, fueran declaradas ilegales para los autómatas. Otra concepción amable podría ser que las máquinas se hicieran cargo de todas las obligaciones, dejando en manos de los humanos únicamente labores vocacionales y de carácter voluntario. Ese tipo de trabajo, como decía Thomas Carlyle, vendría a asegurar las imprescindibles necesidades del espíritu; no el pan cotidiano, sino el pan de la verdadera vida. El ser humano habría de imponer de algún modo que la plusvalía del trabajo de las máquinas y algoritmos capaces revirtiese mecánicamente en la sociedad, humana, o humana y autómata, en la versión más generosa. La premisa aquí sería clara: el hombre ha trabajado durante toda la historia de la humanidad para desarrollar conocimiento y mejores herramientas; es ahora el tiempo de que las máquinas tomen el relevo y descarguen al ser humano de cualquier tarea que represente un deber de hacer tarea alguna. Los autómatas han de trabajar para pagar la cuota de acceso al club del conocimiento y de la convivencia. Esa tarifa ha de ser satisfecha con el sudor eléctrico de los nuevos miembros, como en cualquier estructura piramidal. Desde las perspectivas conciliadoras, el desempleo del ser humano no sería un problema sino un acuerdo ventajoso, una franquicia en el que las máquinas no son dueñas del negocio ni de sus beneficios, sino sólo empleados de la sociedad de patronos universal.

Pero no hay mucho espacio para sueños idílicos. El progreso tecnológico parece acelerarse por momentos, la automatización de las tareas avanza sin demasiados frenos, sin más límites que ciertas restricciones técnicas o financieras. Si unimos la rapidez de los cambios tecnológicos a su potencial disruptivo en muchos órdenes de la vida, la combinación resulta devastadora, un tsunami que se alía con un terremoto y cuyas ondas se dirigen desde el mar y la tierra hacia el mismo punto de confluencia. No parece haber escapatoria. Más todavía cuando los desenlaces optimistas requerirían de una gestión política global, a escala planetaria, algo casi imposible en la práctica. Cuanto más grande se hace el desafío más imposible se concibe un liderazgo a nivel planetario.

Los impactos del desarrollo tecnológico, de una población en aumento, de los efectos del desarrollo humano en la naturaleza —calentamiento global, agotamiento de ciertos recursos, etc.— ponen contra las cuerdas a los seres humanos en este inicio de milenio. De los muchos cambios disruptivos potenciales que nos acechan, un buen número de ellos son redundantes, de modo que, aunque algunos no acaben manifestando efectos mayores o tarden más de lo esperado en revelarse, otros conseguirán igualmente impactar la convivencia. Sobre el papel, parece haber más tecnologías con el potencial de destruir empleos que de generarlos, aunque, evidentemente, es más sencillo figurarse cómo se puede destruir lo que se conoce que imaginar la construcción de lo todavía desconocido.

La tendencia actual a incorporar máquinas y algoritmos en todas aquellas tareas donde sea posible es una estrategia que empezó en los albores de la especie, y que sigue teniendo el mismo propósito y el mismo empuje originales. Desde este punto de vista, si el ser humano resulta desplazado de las rutinas sociales que le han asegurado la supervivencia y han ordenado la convivencia hasta la fecha, será un efecto colateral ineludible, el corolario de una ley mucho más importante. Tenemos el mandato de crear tecnología siempre más compleja, sin detenernos incluso cuando esos desarrollos tengan la capacidad de alterar o destruir nuestro hábitat, nuestra condición de especie más inteligente sobre el planeta. La tecnología, para ello, ha de ser bella y eficiente, para extasiar nuestros cerebros, el primitivo y el más evolucionado, haciéndonos olvidar el riesgo que supone convertir herramientas en agentes inteligentes. Del mismo modo que el macho de la mantis religiosa ha de ser estimulado en sus centros de placer para que se encamine hacia una muerte más que probable, a cambio de unos instantes de placer sexual.

Sea el *Homo sapiens* un producto de la tecnología o sea ésta una extensión de la biología que completa y extiende nuestras capacidades, la herramienta poderosa que hemos ido desarrollando tiene una naturaleza esencialmente dual. Cuando la rama del árbol se blandía como amenaza frente al prójimo (arma) o se utilizaba para atrapar hormigas en su escondite (utensilio), la dualidad era evidente. Los dobles usos de la tecnología han acompañado sus creaciones, pero, quizá hemos ido siendo menos y menos conscientes conforme la tecnología se hacía más y más compleja. Observando la inconsciencia con la que se promueven ciertos desarrollos tecnológicos o los temores desorbitados que generan otras innovaciones de la ciencia y la tecnología, parecería que nuestra capacidad de juicio está afectada. En todo caso, si en la esencia humana está el desarrollo de herramientas siempre más esmeradas y complejas, también está la concepción de dispositivos que superen día a día sus propias capacidades. Hasta que las máquinas capaces, reuniendo un día todas esas competencias, puedan un día ellas mismas concebir sus propias herramientas y, probablemente, una sociedad a su medida.

La tecnología estará, mientras tanto, siempre en el filo de la navaja, estimulando el desarrollo económico y el bienestar, así como amparando escenarios de catástrofes y enfrentamientos globales. La misma tecnología tendrá efectos diferentes y hasta opuestos según donde se acomode social y políticamente, demostrando ese potencial dual. Allí está la historia de la humanidad para demostrarlo, y cómo algunos gobernantes consiguieron hacer de la tecnología una herramienta de desarrollo social mientras otros sólo útiles para la destrucción y la guerra. La tecnología crea todo tipo de posibilidades, pero les corresponde a otros su aplicación en el modo adecuado. El progreso tecnológico permite el acceso universal a la cultura y al conocimiento acumulado, por ejemplo, unas sociedades de la cultura global en red. Pero un pequeño porcentaje de la población más rica del planeta sigue siendo también el más formado y mejor educado, con grandes diferencias sobre el resto. Puede que sea sólo un efecto transitorio o puede que el acceso a la cultura y al conocimiento no sirva de mucho sin otras condiciones necesarias y suficientes. La tecnología es sólo la herramienta, alguien habrá de utilizarla del modo adecuado.

¿QUIÉN GANA Y PIERDE EN LA SOCIEDAD TECNOLÓGICA?

El progreso tecnológico acelerado generará ganadores y perdedores a un ritmo frenético, conformando presiones insoportables de desequilibrio. Muchos de esos perdedores se encontrarán también en países que se acostumbraron a dominar la escena mundial durante décadas y siglos, asimilando que su situación de bienestar y privilegio era una condición natural, un derecho universal. Su ventaja de partida, en todo caso, podrá comprarles tiempo y, en ocasiones, salvarles del desastre. Habrán de asumir, eso sí, que su bienestar no es tan sólido ni firme como han venido considerando, y tendrán que abandonar la idea de que los recursos del planeta y el esfuerzo de millones de personas se encuentran a su libre disposición y servicio. No pocos países en desarrollo apostarán masivamente por la robótica y la inteligencia artificial para producir bienes y servicios a precios sin competencia en el mercado mundial, o sin competencia en un plazo de tiempo determinado. Su educación y su capacidad de esfuerzo han sido, en muchas ocasiones, sobresalientes en comparación a las de los ciudadanos de Europa o Estados Unidos, lo que les permitiría afrontar el reciclaje permanente en formación y conocimientos que requiere la sociedad tecnológica. En la lucha por la supervivencia de países y sociedades no todo será esfuerzo tampoco. Las estrategias y la suerte a la hora de tomar decisiones complejas, inabordables desde cualquier lógica sistemática, insondables desde la experiencia pasada, serán esenciales.

Los países donde los empleos en el sector terciario han sido la columna vertebral de sus sistemas económicos apresurados, podrían encontrarse en una posición muy expuesta al tsunami laboral del desempleo tecnológico. Si la agricultura y la fabricación ya han sufrido considerablemente la mecanización de sus procesos, el sector servicios empezará ahora a recorrer el mismo viaje, hacia el mismo destino. Los países más desarrollados podrían estar por ello en una posición relativamente frágil frente aquellos donde la agricultura, la ganadería o modos tradicionales de vida están en la base de sus economías. Esos países menos desarrollados han conocido el desafío de la supervivencia de primera mano y de manera anticipada, y ciertos equilibrios fundamentales han sido instaurados, por muy precarios que puedan parecer a ojos del mundo desarrollado. Sus poblaciones son más resilientes que las de los países avanzados, por pura necesidad de enfrentar la sombra de la miseria de manera cotidiana. En su historia reciente han tenido que hacerse fuertes frente a una adversidad recurrente, que ha estimulado su adaptación a todo tipo de circunstancias, en lugar de un acomodo al bienestar garantizado por ley y por cuna. Adaptación y resiliencia están ahora en su ADN, como lo está en la base de desarrollo de los autómatas.

Los impactos del progreso tecnológico, en todo caso, serán universales en todo tipo de poblaciones humanas, incluso de sociedades mejor dispuestas gracias a su flexibilidad y capacidad de sufrimiento. Las economías que consiguieron transformaciones de calado dando saltos de gigante hacia la modernidad, convirtiéndose en las fábricas y en la mano de obra del mundo, empiezan a considerar la automatización masiva como nueva estrategia ganadora. Si su anterior estrategia lograba emplear a millones de personas permitiéndoles ingresar un salario, siquiera de subsistencia, es más difícil imaginar cómo lograrán asegurar el bienestar de sus poblaciones cuando las máquinas y algoritmos se encarguen de sus tareas. Volver a la agricultura o la ganadería podrá ser una opción, pero sólo de subsistencia precaria. Las explotaciones controladas y regidas en su totalidad por autómatas deberían ser la norma de la sociedad tecnológica, tanto en entornos rurales como urbanos, salvo sorpresa. Los incipientes movimientos de ciudadanos para organizar colectividades agrícolas mediante métodos respetuosos con el entorno, según principios ecológicos, de acuerdo a las bases de la permacultura, etc. podrían llegar a prosperar también y constituirse en elementos esenciales de la convivencia en las sociedades tecnológicas. Los autómatas serían expulsados de ese paraíso, a pesar de sus ventajas. Por otra parte, la impresión de todo tipo de carne —y otros productos— a partir de células animales o mediante las técnicas in vitro debería ser el final desenlace de cualquier tipo de ganadería. Es la única solución aparente si pretendemos enfrentar problemas como la deforestación, la gestión del agua o el cambio climático. Con una ocupación del 33% de la tierra útil del planeta, un consumo del 8% del agua potable, y la responsabilidad del 18% de los gases de efecto invernadero, la ganadería no será tolerable, o no lo serán los modelos actuales[60]. Todo un desafío, pues el sector ganadero es el medio de subsistencia de unos 1 300 millones de personas en todo el mundo.

La ola de automatización recurrente exigirá a unas y otras poblaciones, más o menos desarrolladas, nuevos sacrificios y readaptaciones de amplio calado. Las producciones que se trasladaban a países con mano de obra barata, permitiendo el desarrollo de sus economías, podrían ahora buscar destinos con mano de obra preparada para trabajar junto a autómatas o dispuestas a darles servicio. Quizá a regiones sin mano de obra alguna, páramos deshabitados donde las máquinas y algoritmos puedan hacer su trabajo sin preocuparse de ser molestados. Si el traslado de las tareas de fabricación a países con bajos salarios suponía ahorros en torno a un 65% en los salarios, reemplazar humanos por robots puede llegar a suponer ahorros de hasta un 90%[61]. Cuando el desempleo estructural apriete y empiece a ahogar a muchas sociedades de bienestar asegurado, quienes aprendieron a prosperar gracias al esfuerzo y a la tenacidad de sus poblaciones, harán uso de su flexibilidad para adaptarse a las nuevas situaciones. Las sociedades más anquilosadas y menos dinámicas, más satisfechas de sus pasados que dispuestas para afrontar el futuro, podrían ir pasando una a una a la historia de las civilizaciones desaparecidas. Una vez más en esa historia, los «bárbaros» que vivían en la periferia podrían estar mejor preparados y tener más visión de futuro que quienes se veían a sí mismos como el pueblo elegido para la gloria.

Tratar el trabajo como un factor del sistema productivo sometido a la lógica general de la oferta y la demanda, en el tiempo de la automatización masiva posible, puede convertirse en el sacrificio terminal del empleado humano. El tipo de trabajo que la mayoría de empleados podrá ofrecer al sistema productivo no será competitivo en esas circunstancias, lo que en un mercado capitalista sin firmes contrapesos sólo podrá significar el desplazamiento de humanos por máquinas a un ritmo endiabladamente veloz. Los asalariados en masa que venden su trabajo como medio de supervivencia podrían resultar, de la noche a la mañana, insoportablemente lentos, insufriblemente costosos, totalmente inflexibles, herramientas incapaces. Los gobiernos, llegado el caso, tendrían que apostar por aumentar, al mismo ritmo desenfrenado, las coberturas sociales o dejarles a su

---

60   http://www.fao.org/Newsroom/es/news/2006/1000448/index.html
61   https://www.theguardian.com/technology/2015/nov/05/
     robot-revolution-rise-machines-could-displace-third-of-uk-jobs

suerte, esto es, renunciar a su responsabilidad frente a millones de individuos. La decisión parecería obvia, pero nada es fácil en tiempos de disrupción generalizada.

Los gobiernos del mundo ya han tenido que tomar postura, por ejemplo, frente a las muchas personas inmigrantes que, desde países menos desarrollados, prueban a alcanzar mejores condiciones de vida en sociedades de bienestar consolidado. Y la decisión de esos gobiernos, en representación de la voluntad de sus ciudadanos, ha consistido, sobre todo, en el refuerzo de fronteras, para mitigar los impactos en el bienestar y el estatus quo del país y sus ciudadanos. Esos inmigrantes serían, sin embargo, bastante más competitivos en ciertas categorías de empleos, si nos atenemos exclusivamente al factor productivo. Sus límites de frustración suelen ser más amplios y generosos, su tolerancia al esfuerzo también. Los trabajadores inmigrantes podrían haber contribuido, de hecho, a frenar la automatización de ciertas tareas, pues la oferta de mano de obra con bajos salarios hace menos interesante la inversión en tecnología. El modelo de producción competitiva gracias a mano de obra de bajo coste ha sido la bandera de desarrollo de muchas economías, hasta que la introducción de más tecnología productiva se ha confirmado como mejor estrategia. La exigencia de los trabajadores de mejorar progresivamente sus condiciones laborales, además de acceder en igualdad de derechos a toda la carta de beneficios sociales consolidados, exigía encontrar otras fuentes de mano de obra barata o la apuesta decidida por la incorporación de autómatas.

El progreso tecnológico y, en particular, la mayor o menor automatización de los empleos ya han impactado —y seguirá haciéndolo— los flujos de migración por razones económicas, cualesquiera que sean las razones que originen dichos movimientos en los años venideros (conflictos bélicos, escasez de recursos, factores climáticos, pobreza, etc.). Emigrar a un país donde los empleos están altamente automatizados podría pronto ser —además de imposible— un sinsentido, una condena a la miseria. En tiempos donde los gobiernos tendrán que hacerse cargo de mantener a flote a grandes poblaciones desplazadas por el desempleo tecnológico, asumir nuevos ciudadanos será tan o más improbable que en la actualidad. Emigrar a un país con empleos todavía poco automatizados, por su parte, podría significar competir por un salario de miseria que permita la supervivencia, junto a masas de desheredados laborales del mundo que ofrecerán su esfuerzo a cambio de casi nada. El nuevo gradiente de migración podría dejar de ser norte a sur, zona rural a zona industrial, país en desarrollo a país desarrollado, para dirigirse desde áreas con trabajadores desplazados por la tecnología hacia áreas donde el esfuerzo humano todavía pueda venderse, por unas monedas. Puede que, durante un tiempo, algunas regiones o estados aprovechen estos flujos para competir con mano de obra humana en saldo frente a la eficacia de las máquinas y algoritmos. Pero debería ser sólo un efecto pasajero, la mejoría del moribundo. Mantener vivo a un ser humano para aprovechar su capacidad de trabajo será un despilfarro frente a las funcionalidades de cualquier máquina estándar.

Puede que muchas personas decidan emprender y buscarse un modo de ganarse la vida ocupando incluso espacios que habían sido abandonados en anteriores revoluciones económicas. La artesanía, los oficios, la agricultura o la ganadería reinventadas para el tercer milenio, aprovechando al máximo los recursos de la conectividad universal, la fabricación en pequeñas unidades de impresión en tres dimensiones, la energía a coste cero, etc. podrían ser innovadoras. Algunos espacios podrían volver a ser ocupados para gestionar economías de subsistencia, en un retorno a la economía de dimensiones humanas, eso sí, complementada por lo mejor de cada tecnología. Las personas que durante décadas han sido empujadas hacia la inmigración, dejando atrás familias, cultura propia, sus hogares, podrían finalmente ahorrarse poner en juego sus vidas para vender su esfuerzo en países con necesidad, o deseo, de mano de obra barata. La automatización ahorraría muchas de esas vidas humanas fracasadas en el intento de acceder a la abundancia, eso sí, al precio de amenazar otras muchas existencias.

Hoy los autómatas, incluso los que incorporan sistemas avanzados, tienen todavía una autonomía y unas capacidades limitadas, y se les suele comparar con niños en su etapa infantil, prácticamente bebés, en lo que respecta a su inteligencia y, sobre todo, habilidades motoras. Pero hay que recordar que no dejan de aprender en cada generación, que se alimentan con todo tipo de supervitaminas (datos masivos, avances tecnológicos sinérgicos, etc.) y que el crecimiento de muchas de sus capacidades se dobla en ciclos de apenas 18 meses, si les aplicamos la ley de Moore por ser fundamentalmente dispositivos que incorporan electrónica e información. Las máquinas y algoritmos están aprendiendo a ser tolerantes a los cambios e imprecisiones en el entorno. Las nuevas generaciones se irán haciendo aplicadas conforme trabajen mano a mano con sus compañeros humanos, aprendiendo a realizar su trabajo, asumiendo cada vez más autonomía respecto al conjunto de escenarios pre-programados en su memoria. Que los futuros autómatas avanzados sean capaces de aprender, en su capacidad de agentes inteligentes, complicará en varios factores de escala el problema del desempleo tecnológico. Esas máquinas capaces ya no requerirán siquiera algoritmos complejos que tengan en cuenta una multitud de escenarios, árboles de decisiones posibles, y lógicas difusas, sino simplemente la capacidad de ver, escuchar, sentir, asociar informaciones y conocimiento, para poner en práctica al instante el mejor juicio posible. Y, además, abrirá el farragoso debate filosófico sobre qué deben y pueden aprender las máquinas y algoritmos capaces. Que nuestros hijos sean inteligentes y tengan capacidad de aprender no significa que seamos capaces de enseñarles lo que necesitan, lo que les interesa o que sepamos hacerlo del mejor modo posible. Ni tampoco que ellos decidan seguir nuestros consejos y directrices. La inteligencia les hace, sobre todo, autónomos a la hora de decidir errar, probar nuevos caminos, o evitar las soluciones que sirvieron a sus progenitores en otro tiempo y otras circunstancias. Por eso mismo, los autómatas inteligentes podrían acabar haciendo, gracias a sus capacidades de aprendizaje, lo que mejor les convenga. Y no debería extrañarnos, ni deberíamos enfadarnos con nuestra prole.

La imprenta revolucionó su época y cambió el paradigma de la difusión de ideas y pensamientos al inicio del siglo XVI. La máquina de vapor estuvo en el centro de la revolución transformadora del siglo XVIII que cambió los modos de producción y buena parte de los empleos. En la actualidad, innovaciones disruptivas de ese calado se disponen en largas columnas para dar un paso al frente y alterar profundamente el conjunto de modos y equilibrios de la vida social. La automatización masiva de la producción es sólo una de las muchas tecnologías que avanzan con paso decidido hasta su auténtica puesta en largo. La teoría de las ondas de Kondratiev, que establece que existen ciclos de unos 40 a 60 años en los que aumentan las innovaciones tecnológicas para luego decrecer, una vez que esas innovaciones se hacen habituales y se popularizan en todo el planeta, parecería tocar a su fin, al entrar en un periodo de innovación en ciclo perenne. Algunos autores han planteado, en todo caso, la idea de que los beneficios de revoluciones e innovaciones tecnológicas pasadas fueron incomparablemente mayores que los que las nuevas tecnologías han hecho posible, o de aquellos que habrán de ocurrir en el futuro a causa de aquellas todavía más disruptivas. Así parecería al menos en lo que respecta a los empleos. El impacto en cuanto a puestos de trabajo de la industria de la electricidad, por ejemplo, fue rotundamente positivo en su momento, como también lo fue la universalización de la cadena de montaje, gracias a la nueva producción y oferta de bienes y servicios que generaron enormes cifras de ocupaciones. En el lado opuesto, el impacto neto en el número de empleos de, por ejemplo, Internet, sería discutible. Si este planteamiento fuese cierto, la explosión de nuevas capacidades tecnológicas podría modificar, para bien o para mal, la forma en la que vamos a vivir, morir (o no), relacionarnos con los demás, vivir la realidad, crear y transmitir la cultura, distribuir las rutinas vitales, disfrutar del tiempo de ocio, perseguir la felicidad, etc. Pero, desde luego, no nos hará más fácil la supervivencia, si se trata de asegurar un salario a cambio de un empleo.

El aumento de productividad laboral, al que la incorporación de más tecnología contribuye de manera evidente, es generalmente bienvenido, sobre todo cuando el efecto macrosocial del mismo queda reflejado en términos de aumento de la calidad de vida colectiva, y no sólo del enriquecimiento —desmesurado en tantas ocasiones— de un pequeño número de individuos. Pero no todo es productividad, por mucha lógica capitalista que organice la convivencia económica —y, por ende, social— contemporánea. Es evidente que, si la automatización se hace absoluta, en su caso extremo, la persecución enloquecida de productividad nos llevaría al callejón sin salida de productos de increíble variedad, calidad y precio, junto a consumidores sin ningún poder adquisitivo. Parece que, de algún modo, las sencillas reglas de funcionamiento de cualquier sociedad donde rige el libre mercado podrían tener una puerta falsa por la que podría colarse el virus de su autodestrucción. En el resto de sociedades no fundamentalmente capitalistas, el mantenimiento del bienestar cotidiano es ya suficientemente complejo y desafiante como para considerar escenarios de estrés adicionales.

Si nos atenemos a la teoría, el crecimiento de la productividad —la capacidad de producción en una unidad de tiempo—, vendría controlado por dos factores esenciales: la calidad de los medios de producción y la eficacia del trabajo. El desarrollo tecnológico asegura que, mediante una cierta inversión, los equipos y las infraestructuras productivas no cesen de mejorar, siendo su oferta inagotable. En lo que respecta al trabajo, sin embargo, la formación de los trabajadores para explotar al máximo las ventajas de las nuevas infraestructuras y de los procesos productivos mejorados, aun siendo posible, tiene bastantes limitaciones. El reciclaje de los trabajadores no se puede asegurar de un día para otro ni su psicología y capacidades cognitivas están diseñadas para el cambio y la adaptación permanente. Los cambios han de ser preparados, comunicados, justificados, introducidos de manera progresiva y estructurada para que puedan adoptarse con probabilidades de éxito. Las máquinas y algoritmos capaces no requieren, sin embargo, de muchas formalidades. Las nuevas instrucciones pueden ser asimiladas de manera inmediata, los cambios de entorno, de objetivos o de estrategia productiva aceptados cuantas veces sean necesarias. El aumento de productividad que ofrecen las máquinas no se deriva sólo de sus capacidades mecánicas, cognitivas, etc. sino de su disposición esencial al cambio, un elemento fundamental en tiempos de disrupción permanente. Conforme el ritmo de cambio se intensifique, la justificación para adoptar más autómatas no dejará de evidenciarse. Será otro factor que jugará en nuestra contra.

OFERTA DE TRABAJO GLOBAL Y COMPETENCIA UNIVERSAL

La tecnología en aumento aumenta las oportunidades de ser más productivo, lo que favorece la competencia entre empresas. La tecnología es mercenaria en este sentido, da medios y razones a los vencedores, expulsa a los perdedores. Quienes no la tengan absolutamente presente y la gestionen con éxito, quedarán fuera de juego. Pero no podemos acusar a la tecnología de ser la causa de los problemas. Ahora la tecnología entra como factor de interés en los estudios de desigualdad económica, pero el análisis de su influencia ha de hacerse con mesura. La innovación podría ser neutra en sus impactos sociales, las ecuaciones que la vinculan con el desarrollo del bienestar son complejas y además este factor tiene una inercia temporal que puede confundir los razonamientos. Como ocurrió en anteriores revoluciones, las nuevas tecnologías podrían requerir tiempos extendidos para expresar todos sus efectos. Lo que hoy parece ser causa bien podría ser efecto de alguna innovación anterior, y lo que hoy no manifiesta impacto ser la causa de disrupciones importantes que están a la vuelta de la esquina.

Conforme la tecnología se hace más omnipresente, prospera también una cierta conciencia sobre los efectos negativos en la convivencia que un progreso tecnológico descontrolado conlleva. Aunque este progreso resulte en crecimiento económico, y éste en bienestar, el crecimiento desaforado, sin conciencia de límites, no puede sino dar origen a cánceres sociales. Las células que participan del cáncer no dejan de crecer, sin siquiera envejecer en su enconada misión, movidas por una energía interna que parece inagotable, lo que conlleva que destruyan irremisiblemente a su huésped, carne de su carne. Crecer sin freno hasta la propia destrucción parece un triste destino para muchos seres vivos, y, sin embargo, podría ser parte inherente de la lógica capitalista. Puede que al ser humano no se le pueda exigir mucha mesura a pesar de que él mismo se comporte como un desarrollo canceroso para el planeta; sería incapaz de hacer otra cosa porque está en su naturaleza. Los más optimistas se aferran justamente a la tecnología y a sus propiedades cuasi mágicas para mantener la calma mientras seguimos destruyendo a nuestro huésped. Sí, quizá haya grandes riesgos y amenazas a las que hacer frente de manera recurrente, pero la tecnología es una perfecta e inconmensurable navaja suiza. Tiene soluciones para todos los problemas. Antes de casi acabar con las ballenas y con su aceite que servía para alumbrarnos, inventamos la lámpara incandescente, descubrimos el queroseno y hasta el petróleo. Cuando sea absolutamente necesario solucionaremos cada urgencia con más tecnología, según este postulado. Que alguna de esas tecnologías pueda llevarnos a la extinción en este planeta o a destruirlo es pura fantasía distópica en el mundo del tecnooptimismo. Dice Stephen Jay Gould que la forma de vida primordial sobre el planeta ha sido y seguirá siendo la de las bacterias. Todo lo que vino después es más complejidad, pero no forzosamente más progreso.

Si el desempleo tecnológico se intensifica hasta convertirse en un problema manifiesto incluso para los más reticentes al desaliento, la especie humana podría sufrir de un sentimiento de desazón colectivo. Vernos superados por una cohorte de máquinas y algoritmos capaces podría ser fatal para la salud psicológica de las personas así como para nuestra motivación por desarrollar mejores capacidades y competencias. Las vidas de millones y millones de personas quedarían a merced de la supervivencia que pudieran asegurarles otros, una vez que ganarse la vida en primera persona fuera un imposible. Podría ser el punto de partida para la madre de todas las revoluciones sociales que han sido en la historia, o sólo una resignada aceptación de lo inevitable. Será, en todo caso, un tiempo de transición y de incógnitas, hasta que la iniciativa humana consiga idear una solución audaz, hasta que las máquinas capaces nos tomen a su cargo, o hasta que hinquemos las rodillas en el suelo para rendirnos.

Mientras se impone la solución en el nuevo paradigma, los ciudadanos sin empleo y sin perspectivas de tenerlo —la inmensa mayoría— podrían convertirse en individuos desterrados de la sociedad tecnológica que añoraron y ayudaron a construir. En esa sociedad, no tendrían opción de ser partícipes en el principal mecanismo de integración social que la historia de la humanidad ha concebido —historia no primitiva al menos— sino que serían empujados activamente hacia los márgenes de la misma. Cada empleo perdido se perdería para siempre, haciendo que los trabajadores se encaminaran hacia su propio cementerio de elefantes, sin solución de continuidad. La sociedad humana lo sería de personas desahuciadas, convertidas en inhábiles, torpes, toscas, frente a máquinas ideadas y promovidas como herramientas. Una humanidad a la espera de que la nueva especie «más» inteligente fuera dadivosa con sus ancestros, con sus necesidades, o con las más perentorias cuando menos. Si el mundo se fue construyendo a la medida del hombre, pronto la situación podría cambiar para que todo fuera acomodado a la medida de la nueva especie alfa, de su voluntad y prioridades. Los humanos quedaríamos como sus huéspedes, del mismo modo que nosotros también albergamos millones de bacterias, parásitos, virus, en nuestros organismos. Salvo que encontráramos el modo de ser una misma realidad con las máquinas y algoritmos capaces, el resultado de una fusión biológica-tecnológica.

PELIGROSOS ALIADOS: MÁQUINAS Y DESIGUALDAD

La cuestión del desempleo tecnológico puede ser contemplada desde muchas perspectivas, por ejemplo, como un asunto de desigualdad en las condiciones de vida de los individuos. Sin un salario a cambio de un trabajo, la supervivencia queda limitada a los recursos que el estado de bienestar pueda proveer (dejando al margen aquellas personas que pueden vivir de la explotación de sus patrimonios e inversiones). Esta desigualdad económica parece haberse hecho más marcada desde hace décadas, siguiendo una tendencia peligrosa, aunque, como siempre, haya cifras para demostrar una cosa y su contraria. La desigualdad entre países, sin ir más lejos, se habría reducido, emborronando y confundiendo los análisis. El porcentaje de personas que viven con menos de un dólar al día es hoy una cuarta parte del que había en los años ochenta. Sin embargo, las diferencias entre salarios y patrimonios bajos y altos se agrandan sin remedio en buena parte de los estados, dando una lectura de que el mundo mejora globalmente para empeorar localmente. El punto de convergencia podría ser la mera condición de supervivencia para la mayor parte de individuos del planeta, apenas algo por encima de la miseria, en convivencia con una minoría portentosamente ganadora. La automatización y el desempleo tecnológico se encargarían de roer los soportes de convivencia, derribando clases sociales y convirtiendo a la mayoría en castas de intocables.

No es sólo que muchos trabajadores desplazados por máquinas y algoritmos podrían no volver a encontrar empleo en sus vidas, sino que acabarían sintiéndose completamente inútiles en un mundo de eficiencia programada de serie. Y, para más inri, buena parte de los trabajadores desplazados de sus empleos podría no llegar a disfrutar nunca de las ventajas del progreso tecnológico, su sacrificio no les sería indemnizado en modo alguno, más allá de una subsistencia de mínimos. Los recursos de supervivencia que compensaran la pérdida de sus salarios podrían no ser suficientes para permitirles asomarse al progreso que su sacrificio ayudó a crear. Se convertirían así en los parias tecnológicos del nuevo mundo. Antes de que eso ocurra, la transición podría ser también dolorosa. Cuando las máquinas capaces y producidas en serie trabajen día y noche, sin requerir beneficios por su esfuerzo, las condiciones laborales serán inasumibles para la mayoría de personas: trabajo miserable o miseria, en el mejor de los casos. Podríamos deslizarnos hacia páginas de la historia que se parecerán a tiempos remotos donde el ser humano dedicaba casi todos sus esfuerzos a una maltrecha supervivencia. Sólo habrá una nota discordante en la comparativa, los pocos elegidos que podrían poseer las máquinas que producen sin descanso y generan beneficios inconcebibles. Como el argumento de la clásica película Metrópolis[62], la humanidad estaría construyendo una máquina gigante que la acabaría devorando y a la que los ciudadanos, sin embargo, podrían llegar a adorar, antes, durante y después de descubrir sus intenciones. La película, por cierto, ocurría en una ciudad claramente dividida entre señores poderosos y hombres esclavos a su servicio, y estaba ambientada en un lejano año 2026, que ahora empieza a quedar a la vuelta de la esquina. Confiemos en que el argumento no acabe demostrando tintes visionarios.

---

62   Película dirigida por el director Fritz Lang.

¿GESTIÓN DE LA ESCASEZ O DE LA ABUNDANCIA?

En pleno tercer milenio las ideas de Karl Marx podrían no sólo seguir estando vigentes —con las requeridas adaptaciones por el paso de los siglos— sino ponerse de nuevo de moda. Sobre todo, por parte de las nuevas generaciones que buscan modelos de respuestas completos y con cierta coherencia en el discurso, y a quienes la historia importa relativamente poco. La revolución del proletariado podría volver a levantar a las masas de sus sofás antes de que los nuevos proletarios de la sociedad tecnológica, las máquinas y algoritmos capaces —junto a los hombres biónicos—, se adueñen de los empleos y hagan oídos sordos a las arengas de lucha de la clase obrera. El proletariado de tiempos pasados podría ser ahora el precariado de los tiempos modernos y, seguramente, el desempleado de mañana. El proceso de desarraigo laboral habría comenzado, en todo caso, hace décadas, con trabajadores compitiendo a nivel global, con trabajos deslocalizados en busca de costes menores de mano de obra, con máquinas y algoritmos eficientes ocupando más y más tareas. Cuando los seres humanos ya no aporten apenas plusvalía relevante con su trabajo, el marxismo, en lugar de extinguirse por falta de cera que arder, podría volver a inflamar los ánimos de tantos excluidos, desplazados, de tantos perdedores. Marx ya se refirió, de hecho, a «la última metamorfosis del trabajo» como aquella condición de reemplazo total de los trabajadores humanos por sistemas mecánicos automáticos. Ese reemplazo de trabajadores humanos por autómatas se concebía como un evento autodestructivo por definición, pues acabaría con el poder de compra de los consumidores para adquirir los bienes producidos. El progreso tecnológico y su implicación en el mercado de trabajo parecerían dar renovada relevancia a la profecía. La tecnología podría llegar a ser incompatible con el capitalismo, destruyéndolo desde dentro como un gusano hambriento que horada sus estructuras esenciales.

Marx también estableció que el reemplazo de trabajadores tendría que implicar, necesariamente, un conflicto de clases, pues el trabajador se volvería irrelevante, como monedas fuera de su curso legal[63]. Si Marx volviese a la vida, o si sus ideas se reencarnasen en otro individuo, la revolución del proletariado podría tomar nuevo curso en la historia con gran fuerza, si los acontecimientos siguen su marcha probable. Naturalmente, si bien algunas ideas marxistas

---

63   Sección sobre la producción del plusvalor relativo, libro primero de la obra *El Capital*.

podrían seguir siendo actuales en el debate del desempleo tecnológico, muchas nuevas variables han venido a sumarse al problema. Los ciento cincuenta años transcurridos han hecho, por ejemplo, que las máquinas puedan ahora responsabilizarse de prácticamente toda la producción, en muchas ocasiones, dejando el debate de la plusvalía del trabajador humano como un asunto irrelevante. La economía capitalista está basada, además, en la gestión de la escasez, mientras que el futuro de la sociedad tecnológica podría construirse sobre la abundancia, gracias al progreso tecnológico, lo que requeriría importantes modificaciones del discurso. La lógica de protección de las condiciones y derechos del trabajador, frente a quien organiza el trabajo y los medios de producción, sin embargo, podría seguir siendo de aplicación en buena medida.

Del mismo modo que respirar el aire que nos rodea abundantemente en el planeta no genera ningún tipo de actividad económica —salvo que uno quiera hacerlo bajo el mar o con una combinación de gases no estándar—, las actividades productivas en una sociedad de la abundancia pasarían a no generar intercambio económico relevante. Bien es cierto que, mientras la tecnología puede hacer que el precio de determinados bienes se jibarice hasta lo ridículo, otros bienes menos afectos por la innovación tecnológica podrían seguir atendiendo las razones de la escasez y, por lo tanto, de la oferta y la demanda. Así, el coste de acceso a una educación de calidad, a viviendas en entornos exclusivos, a cuidados avanzados de salud no universalizados, etc. no ha venido decayendo con los avances tecnológicos sino lo contrario. Del peso relativo de unos y otros bienes y servicios, los que reducirán o cancelarán sus costes y los que los aumentarán a pesar del progreso tecnológico, podremos conocer si la vida en su conjunto tendrá un coste de supervivencia más o menos elevado en la sociedad tecnológica. Y podremos aceptar teorías sobre la sociedad de la abundancia que resuelven todos los problemas por arte de magia o rechazarlas como fantasías desbordadas. Por el momento, el abanico de soluciones económicas y sus lógicas de funcionamiento parece congelado desde hace siglos, como si el ser humano no hubiera sido capaz en esta materia de realizar innovación alguna. En palabras de Churchill, o asumimos el capitalismo, como reparto desigual de la riqueza, o damos la bienvenida al socialismo, como reparto igualitario de la pobreza. La dicotomía no es sencilla. El capitalismo no debería empujar a la miseria en ningún caso, porque la miseria conduce, tarde o temprano, al conflicto y ese conflicto está reñido con la salvaguarda de ninguna riqueza.

Si los más dramáticos escenarios del desempleo tecnológico ocurren, el estado del bienestar, tal y como lo conocemos, quedaría pronto desbordado, tal y como está concebido. La seguridad colectiva que protege a los ciudadanos de situaciones adversas no podría ser operativa en caso de desempleo masivo, pues su existencia está soportada en los hombros de una mayoría trabajadora que cubren los riesgos de una minoría desafortunada, no al contrario. En muchos países, incluidas democracias y potencias económicas como los Estados Unidos, una gran parte de los beneficios del estado del bienestar están, además, asociados al filtro único de poseer un trabajo. En Europa la aproximación ha sido, hasta el momento, más universal, pero las presiones económicas podrían ir reduciendo esta actitud generosa, si no se encuentran soluciones imaginativas y eficaces a los problemas de deudas acumuladas, quiebras anunciadas sobre los sistemas de pensiones, gastos sociales en permanente crecimiento, etc. La política y la economía han de repensar las estructuras puestas en pie hasta la fecha para lidiar con los diferentes escenarios de bienestar colectivo. Esas coberturas fueron concebidas con la idea de dar servicio a masas de ciudadanos que accedían a un empleo y por el que contribuían a soportarlas durante décadas, para recibir soporte posteriormente durante apenas unos pocos años. Si el empleo escasea en favor de máquinas y algoritmos capaces el estado de bienestar se convertirá en un muñeco roto que no podrá mover sus pies ni sus brazos, y que tendrá la cabeza vuelta del revés.

La sociedad no se ha dotado de una institución para debatir el quehacer de la ciencia y la tecnología, para establecer las prioridades, para buscar un mínimo consenso sobre hacia dónde ha de dirigirse preferentemente el progreso. Y sin mando a bordo, el barco está a merced de los vientos y las tormentas y, por ello, puede acabar en cualquier puerto o en el fondo del mar como pecio para la vida marina. Si, finalmente, arribamos a las costas del desempleo masivo y esto no significa un nuevo paradigma de ocio sin fin y felicidad de ensueño, la culpa será nuestra, por no haber exigido que el mando de control del progreso fuera un elemento en manos de la sociedad y haberlo dejado poco menos que a su libre albedrío. Los avances científicos, los desarrollos tecnológicos que surgen aquí y allá, parecen ser los encargados de empujar la convivencia hacia una dirección luego hacia otra, puro movimiento browniano, aleatorio. Cualquier catástrofe o desbordamiento social podrá ser reconducido a una falta de acción política preventiva, a una dejadez fatal que permitió que los equilibrios sociales colapsaran.

CUANDO MÁS TECNOLOGÍA IMPLICABA MÁS PRODUCCIÓN Y MÁS EMPLEO

En tiempos de incertidumbre sobre el futuro del empleo y, en general, de cambios mayores en el modelo de convivencia, no deberíamos contar con que la economía venga en nuestra ayuda. Los economistas son muy capaces de elaborar teorías económicas para lo uno y lo contrario, y sus opiniones y predicciones se distribuyen en todo el rango de posibles escenarios. Como apuntó Cicerón sobre los hanuspexes, los adivinos romanos que interpretaban las vísceras de los sacrificios, ¿cómo era posible que uno de ellos pudiera mirar al otro a los ojos sin echarse a reír? Las visiones contradictorias e incompatibles de los economistas, junto a las de los tecnólogos, los políticos, etc. sobre el futuro que viene, hacen un flaco favor a la urgencia y necesidad de un debate ciudadano sobre el progreso. Si los expertos son capaces de utilizar el mismo conocimiento para justificar una cosa y su contraria, quizá sea mejor simplemente confiar en quienes prometen el paraíso, librándonos de preocupaciones. No hay razón para caminar por el fango salvo que uno esté convencido de que pelear con el barro es la única salida, o que es una travesía que lleva a un lugar mejor.

En las sociedades modernas, la estructura económica y la capacidad tecnológica son de importancia fundamental para el bienestar de sus poblaciones, tanto como su organización política o el perfil sociológico de las mismas. La economía ya no trata únicamente de orientar de manera eficiente y ortodoxa los insumos para la producción y distribución de los bienes que aseguran la supervivencia. La ciencia económica es la fuerza que promueve o entorpece ciertos modos de convivencia social, que da soporte o lo quita a la convivencia pacífica de los ciudadanos, que permite u obstruye el progreso y el desarrollo de los pueblos. La ciencia y la tecnología, por su parte, no se quedan atrás. El progreso tecnológico derriba barreras biológicas y permite existencias no autorizadas por la naturaleza del ser humano, en entornos que no corresponden a su medio de referencia, en tiempos que deberían haberse agotado. La tecnología no sólo afecta la vida de los ciudadanos, sino las condiciones de vida de toda la especie.

Durante un tiempo pasado, el crecimiento económico y el progreso tecnológico estuvieron encaminados a solucionar cuestiones básicas del bienestar humano: confort frente a la intemperie, disponibilidad de alimentos y nutrientes de manera asequible, herramientas para superar las barreras de la fuerza humana y animal multiplicando la eficiencia del esfuerzo, etc. Las reglas de funcionamiento también eran universales y, generalmente, accesibles al intelecto. Si la demanda, por definición, era siempre infinita mientras que la oferta era siempre finita, de aquí se infería la necesidad del mercado para establecer un acuerdo entre ambas, un precio de equilibrio. La economía se erigía como la herramienta para gestionar la escasez. La tecnología, por su parte, estimulaba el crecimiento económico estimulando el comercio, la eficiencia, la productividad, etc. Eran relaciones sencillas y bien avenidas, que no parecían causar mayores desequilibrios. El progreso tecnológico, sin embargo, ha ido tomando posiciones más radicales, que ya no tienen que ver —o no de manera tan obvia— con necesidades básicas: exploración del espacio, realidad virtual, etc. Y también la economía ha emprendido nuevas vías, de complejidad siempre creciente, con perspectivas de cambiar hasta sus reglas más esenciales. Ahora podría tener que ocuparse, por ejemplo, de gestionar la abundancia en lugar de la escasez. Con una producción masiva robotizada y siempre operativa, el mundo podría encaminarse hacia la oferta infinita de bienes y servicios. Medios materiales en absoluta profusión, educación y formación accesibles de manera universal, cultura y ocio infinitos. Quizá la economía de la sociedad tecnológica haya de recurrir al trueque como forma práctica de intercambio entre productos y servicios que no generan precios de equilibrio.

Las relaciones de la tecnología y la economía entre sí y con el mundo que las rodea podrían quedar completamente redefinidas. Los equilibrios básicos pero operativos entre trabajo, salario, beneficio, jornadas laborales, número de empleos, niveles de producción, rentas disponibles, clases sociales, bienestar colectivo, desarrollo económico, progreso social, pobreza y riqueza, desigualdad, y un largo etcétera van a ser transformados o desguazados. ¿Qué sentido tiene, por ejemplo, hablar de trabajo para la supervivencia si los salarios se reducen hasta tal punto que no pueden asegurar un nivel diferente de la miseria? Pero si millones de máquinas capaces entran en juego, ¿no será ese el efecto en los salarios para la mayoría de trabajadores? Si el progreso tecnológico acarrea retroceso social, ¿qué tipo de progreso estaremos creando? ¿Cómo podrá ser mínimamente estable? Y si no lo impone, ¿cómo aseguraremos la supervivencia de cientos de millones de individuos que dejarán de ser competitivos frente a máquinas y algoritmos? Si acabamos con la demanda de los consumidores, expulsados de los empleos que les aseguraban un salario para adquirir bienes y servicios, ¿qué tipo de nueva ley de oferta podrá ser instaurada? Hemos de asumir que existe un nivel crítico en el lado de la demanda por debajo del cual los mecanismos de operación del mercado quedarían encallados, al menos en la economía capitalista conocida. Por otra parte, si bienes y servicios acaban teniendo un valor prácticamente nulo en un mundo de la abundancia, ¿dónde quedará el estímulo económico para mover la maquinaria económica? Si la desigualdad entre ciudadanos, sociedades, etc., se intensifica hasta hacerse más y más extrema, ¿qué tipo de organización social podrá asegurar la paz social que asegure la continuidad del progreso? Si bien los ciudadanos no parecen aceptar la desigualdad económica creciente, la cultura dominante parece ser altamente condescendiente con el modelo de quien gana se lo lleva todo. Si no hay ninguna sacudida —en forma de cambio sustancial de valores—, la desigualdad parece autorizada a perpetuarse.

Si las reglas económicas conocidas parecen esfumarse por momentos, la actividad de algunos agentes económicos tampoco parece quedar intacta. La actividad de los sindicatos, por ejemplo, se presentó durante siglos como garante de unas condiciones laborales adecuadas, que evitaran el abuso de empresarios demasiado subyugados por la razón de los beneficios. Pero ahora, esos mismos agentes aparecen como barreras para la competitividad de las empresas, como trabas a su supervivencia en tiempos complejos y peligrosos. La dicotomía no es sencilla. Si se rebajan las garantías de los contratos para favorecer la asunción de más trabajadores podríamos acabar en versiones modernas de esclavitud o de supervivencia al límite de la miseria. Si se mantienen «excesivas» protecciones de los trabajadores se podría estar favoreciendo el desplazamiento de trabajadores por máquinas. Si la mano de obra no es suficientemente accesible, dócil, flexible, los empresarios acudirían a la alternativa de automatizar los puestos de trabajo. Entre las medidas que los gobiernos tendrán más a mano a la hora de evitar in extremis ciertos impactos del progreso tecnológico, se podrían encontrar las clásicas medidas económicas proteccionistas. Su activación podría resultar un gesto automático para intentar contrarrestar la producción de bienes y servicios asegurada por autómatas, frente al trabajo humano —auxiliado por máquinas no demasiado capaces—. La protección de la producción no totalmente automatizada, limitando importaciones e imponiendo medidas restrictivas a los productos que causaran desplazamiento tecnológico de empleos se convertiría en la clásica trampa. No solo son un sinsentido para la lógica liberal, sino también para la lógica más básica del comercio —fuente de bienestar social y económico-; la historia ha demostrado que acaban convertidas en una carrera hacia la miseria.

Las grandes corporaciones y multinacionales tienen el poder manifiesto de paralizar o modificar a conveniencia aquellas normas y regulaciones que son presentadas por los poderes legislativos, y que podrían afectar las condiciones laborales de sus empleados. Sobre todo, cuando se proponen mejoras que irían en contra de los beneficios de los propietarios o accionistas. El simple temor de que las nuevas legislaciones afecten al delicado equilibrio entre trabajadores y empresarios es suficiente para contraatacar con la amenaza de reducción de inversiones o despidos compensatorios. Es parte de la dinámica del sistema capitalista ajustar las tuercas en toda la maquinaria hasta su par de apriete máximo, a veces un cuarto de vuelta más allá. Esta situación conduce a millones de trabajadores a sueldos con salarios precarios o con condiciones laborales cercanas a la miseria. Su efecto terminal, conforme nos acercamos a la sociedad tecnológica, podrían ser hordas de trabajadores auténticamente pobres, para quienes pelear denodadamente para acceder a un empleo o acudir a los servicios sociales tendría similares resultados sobre sus ingresos. Los autómatas podrían llevar la carrera de la precarización hasta niveles insostenibles, puesto que existirán siempre como alternativa. La amortización de su inversión empezará a ser más que ventajosa, y ni siquiera requerirán de las condiciones mínimas para la subsistencia. Sólo solicitarán algo de energía, un entorno seguro para entregarse al trabajo de manera metódica y una conexión a la red permanente. Sus aspiraciones coincidirán, además, con los deseos de sus empleadores, que no podrán imaginar una relación más favorable a la hora de fijar las condiciones de sus empleados más eficientes.

Los periodos de crisis económicas, de hecho, se han demostrado como momentos favorables a la adopción de más recursos tecnológicos, como alternativa a la contratación de recursos humanos. Una vez que las ventajas de esos autómatas son puestas en valor en su actividad cotidiana, sus ventajas competitivas quedan sancionadas, el riesgo asumido desaparece, y la alternativa de empleados humanos pierde interés, ni siquiera a precios de ganga. En la novela de ciencia ficción Player Piano de Kurt Vonnegut, mientras los humanos disputaban la Tercera Guerra Mundial, los empresarios del mundo suplían la falta de trabajadores con autómatas capaces. A su vuelta del conflicto, esos trabajadores humanos ya no eran necesarios para mantener el sistema. Cualquier situación de crisis podría convertirse en una buena excusa para el reemplazo de los humanos, tanto en la ficción como en la realidad.

La lógica, fuera de optimismos y pesimismos militantes, apunta a que los empleos que no requieran de habilidades o capacidades humanas singulares acabarán, *piano piano*, en los brazos de un robot o en las secuencias de un algoritmo. No se requiere siquiera de complejos argumentos para llegar a esta conclusión. Si los robots y algoritmos capaces van a estar ahí —como estaba el Everest para Sir Edmund Hillary—, y si el sistema económico recompensa por encima de todo la eficiencia y el beneficio ¿por qué no se haría uso extensivo de ellos? ¿Qué lógica económica justificaría la mutilación de sus ventajas? La estrategia del desplazamiento de trabajo humano por autómatas encaja sin arrugas en la lógica económica de las sociedades capitalistas. Y, si no fuera por los contrapesos políticos que habrán de ser impuestos precipitadamente para contener la avalancha, la velocidad de desplazamiento podría ser del todo violenta, como una marabunta hambrienta. Si las crisis fomentan una tendencia hacia la automatización, los periodos posteriores a las crisis van recompensando esa estrategia. Los autómatas avanzan, así, con paso firme aprovechando las olas de los ciclos económicos, tornándose siempre más esenciales en el proceso productivo. Puede, incluso, que consigan establecer lazos emocionales con los dueños de las empresas, al haber sido la tecnología un elemento clave para mantener a flote sus negocios.

Durante el periodo de la última crisis económica, España habría perdido alrededor de un 16% de empleos entre 2007 y 2014[64], mientras que el número de robots instalados habría crecido en torno a un 65% en ese mismo periodo[65]. En el año 2017, por ejemplo, España ha recuperado los niveles de PIB del inicio de la crisis en 2008, pero lo hace con más de dos millones de ocupados menos, que ya no serían necesarios —visibles, cuando menos— para asegurar esa producción[66]. No hubo crisis para los autómatas. Cuando la economía vuelva a caer en dificultades, la disposición de aquellas empresas que hayan apostado por más automatización habría de ser mejor. Los robots podrán ser ajustados fácilmente a la demanda, aumentando su producción o reduciéndola a cero durante un tiempo si la estrategia productiva lo requiere, con solo pulsar un botón u otro. Las máquinas, además, estarán de acuerdo con cualquier decisión que se tome para salvaguardar la empresa, y no causarán dilemas morales a sus empleadores. Como si fueran hormigas, los autómatas incorporarán en su estructura mental el debido respeto a la disciplina de sus hormigueros y, y no tendrán otra misión que proteger a su reina.

La tecnología hace posible producir más bienes con menos recursos, en particular con menos esfuerzo de trabajo, y esta lógica la

---

64 http://www.publico.es/economia/espana-pais-europeo-mas-destruyo.html
65 http://www.aeratp.com/wp-content/uploads/2016/05/ESTUDIO-COMPLETO-2016.pdf
66 https://www.elconfidencial.com/economia/2017-05-25/pib-espana-crecimiento-economico-primer-trimestre2017_1388360/

hace enormemente sexy en el marco de producción capitalista. Si la demanda es siempre creciente, el aumento de la producción puede compensar, hasta cierto punto, el efecto de destrucción de empleos; todos los brazos y mentes son necesarios, y todo el soporte biológico o artificial es bienvenido. Si la demanda no crece o no lo hace al ritmo necesario, las personas acaban perdiendo sus empleos; y si las máquinas se hacen competentes a la vez que optimizan sus costes, también. Es cierto que las sociedades acaban generando siempre nuevas «necesidades», lo que estimula el mercado laboral con nuevos empleos. Las demandas de los seres humanos son insaciables, por lo que se podría especular con un flujo continuo de nuevas ocupaciones. Convertir ese esfuerzo en salarios dignos en el tiempo de máquinas y algoritmos capaces es otra historia.

El valor del trabajo humano, dentro de la lógica capitalista y en el camino hacia la sociedad tecnológica está amenazado desde su raíz. El justiprecio de ese esfuerzo sólo podrá aspirar al equivalente de un salario de supervivencia, y a la postre, no podrá justificar salario alguno para la gran mayoría de trabajadores. Asumir que la tecnología creará nuevos y mejores empleos, con menos esfuerzo y más significado, cuando las máquinas puedan asumir cualquier tarea humana es optimista en exceso. Los nuevos y significativos empleos serán, con toda probabilidad, insuficientes, accesibles a una minoría de hombres o máquinas con competencias singulares, capaces de trabajar de manera sinérgica en tantas ocasiones. Ya hemos visto cómo las expectativas de empleo impulsadas por nuevas tecnologías acababan siendo más limitadas de lo esperado. La industria comercial de los drones, por ejemplo, preveía en 2013 que se podrían generar hasta 100 000 empleos nuevos[67] en los siguientes diez años, sólo en los Estados Unidos. Es una cifra importante, pero seguramente insuficiente para compensar los trabajos que los propios drones pueden y podrán desplazar (servicios de transporte, de vigilancia, de mantenimiento, de control, etc.) En particular, una vez no requieran de un piloto humano para automatizar sus rutinas. Por otra parte, aún si los empleos del futuro nos son desconocidos por definición, la sociedad tecnológica se aproxima a toda velocidad y nuestra educación y formación siguen anquilosadas en rutinas de siglos pasados. Los conocimientos y preparación profesionales requeridos para el nuevo entorno de trabajo no podrán crearse de la nada, o no al ritmo necesario para enfrentar el ritmo de cambio continuo. Hoy se suele asumir ya como verdad que buena parte de

---

67   Association for Unmanned Vehicle Systems International, http://www.auvsi. org/auvsiresources/economicreport

125

los niños que hoy están en la escuela primaria acabarán trabajando en empleos que todavía no existen ni conocemos. Será así solo si pueden superar la barrera de conocimientos adquiridos, inservibles en el nuevo paradigma, y asumir otros precipitadamente, cuantas veces sea necesario.

El desarrollo tecnológico no puede ser culpabilizado de lo que finalmente acontezca con el empleo en el camino hacia la sociedad tecnológica. En buena parte de las sociedades —más todavía en aquellas de tradición calvinista y protestante—, la innovación es un factor reconocido como estímulo para el bienestar individual y colectivo. La tecnología no puede ser sino un regalo de los dioses, una forma de autocompletarnos, una herramienta de herramientas para prosperar en cualquier condición y entorno. La lógica, sin embargo, podría acabar no siendo tan evidente, si los seres humanos acaban utilizándola en su contra, como niños a los que se deja acceder a una inmensa caja de golosinas, sin más restricción que el tamaño de sus estómagos. Nos falta sabiduría colectiva para poder enfrentar un paradigma de progreso tecnológico acelerado. Hemos asumido el cuento de la cigarra y la hormiga, y sabemos que hemos de trabajar duro en verano para sobrevivir en invierno, y en esa lucha todas las estratagemas sirven, sobre todo la tecnología. Pero nadie nos contó nada de esas hormigas que acaban pereciendo en sus propios hormigueros, porque en su afán de almacenar nutrientes acogieron a unas orugas que acabaron comiéndose todas sus reservas, para luego comérselas a ellas. No eran depósitos de comida, sino depredadores. Quizá necesitemos nuevos cuentos para los niños del tercer milenio, historias donde alguien nos recuerde la necesidad de desenchufar a las máquinas capaces, para poder dormir tranquilos.

NACIONES ROBOT

Mientras el futuro nos devela el desenlace sobre el desempleo tecnológico, hay señales de ciertas tendencias que se muestran persistentes: los robots están haciéndose más capaces y más baratos al mismo tiempo, y todo ello a velocidades endiabladas. La Federación Internacional de Robótica calcula que, en todo el mundo, hay más de un millón cien mil robots. Si en las cadenas de producción de vehículos el 80% del trabajo se ejecuta mediante robots, en otros procesos de fabricación el porcentaje es todavía pequeño, lo que explicaría que no haya una angustia social masiva. Hasta ahora, los robots estarían empleados de media en un 10% de la industria, existiendo todavía un 90% de puestos de trabajo huérfanos de autómatas[68]. Según el chiste clásico, en la fábrica del futuro sólo habrá dos empleados, un hombre y un perro. El hombre estará allí para alimentar al perro. El perro se ocupará de que el hombre no toque las máquinas. La broma está dejando de ser graciosa y las cifras en este contexto empiezan a ser inquietantes. El banco norteamericano Bank of America Merrill Lynch calculó que el valor de la robótica alcanzará un valor de unos 153 000 millones de dólares norteamericanos en 2020[69]. No es un asunto que refleje una moda pasajera. La automatización de muchas tareas —junto a otros factores con efecto en la productividad relacionados con mejoras en los procesos, la organización, etc.— podrían haber desplazado más de dos millones de empleos en el sector servicios en los Estados Unidos y Europa entre 2006 y 2016, a un ritmo de unos 200 000 al año[70]. No se trata solo de unas pocas industrias productivas, por lo tanto, sino de una ocupación expansiva de actividades.

El comercio de robots industriales se ha más que doblado en la última década. Entre 2010 y 2015 el incremento anual de las ventas de robots industriales se situó de media en un 16%, y en algunos sectores, como el de la electrónica, el aumento fue del 41% en el año 2015[71]. Su contribución creciente al PIB mundial es un hecho. La corporación taiwanesa Foxconn, el mayor fabricante de productos electrónicos para las grandes multinacionales, anunció en 2011 que multiplicaría por cien el uso de robots en sus plantas. Al final la predicción no se ha hecho realidad, o no todavía. El lobo no llegó, pero tarde o temprano se paseará entre las ovejas. La automatización ha conllevado una ganancia en la capacidad de producción que no admite discusión y esto se ha traducido, de un modo u otro, en mejoras substanciales en las condiciones de vida para el conjunto de las personas. Esto ha sido así, al menos, para aquellos países donde se favoreció la implantación de tecnología, aunque los beneficios hayan sido mucho más visibles para propietarios, accio-

---

68 Según Henrik Christensen, director del Instituto de Robótica y Máquinas Inteligentes en Georgia Tech, EEUU. http://www.technologyreview. es/s/4184/cada-vez-hay-mas-robots-companeros-de-trabajo
69 http://about.bankofamerica.com/assets/davos-2016/PDFs/robotic-revolution.pdf
70 Estimaciones de la consultora Hackett Group, http://www.politico.com/magazine/story/2013/11/the-robots-are-here-098995
71 Federación Internacional de Robótica. https://ifr.org/img/uploads/Executive_Summary_WR_Industrial_Robots_20161.pdf

nistas y empleados más cualificados. La automatización se vincula con una proyección del aumento de productividad de entre un 10 a un 30% según industrias, y con una bajada de costes laborales de un 18% o mayor según países, para el año 2025[72]. Se estima que los robots han añadido, de media, unos 0,37 puntos porcentuales al crecimiento del PIB anual durante 1993 y 2007, siendo responsables de cerca de una décima parte del aumento de PIB durante este periodo[73]. Los robots añadieron también unos 0,36 puntos porcentuales al incremento de la productividad laboral, lo que les haría responsables de un 16% de su crecimiento en esa década y media. Algunos autores han apuntado que el efecto es de magnitud similar al impacto que el advenimiento de los motores de vapor tuvo en el crecimiento de la productividad laboral en su momento[74]. En el año 2017 el gasto mundial en inteligencia artificial habría aumentado casi un 60% respecto a 2016 y se prevé que la tasa de crecimiento se mantenga hasta el 2020[75]. Y ello a pesar de los riesgos asociados a inversiones que son costosas y arriesgadas por definición, generando frustración recurrente en cuanto a resultados que distan de ser los esperados. Son números que habrían de hacer saltar alarmas y teléfonos rojos de muchos gobiernos.

El sector de la automoción cuenta con aproximadamente el 40% de los efectivos de robots en el mundo, que ejecutan ya la práctica totalidad de operaciones como las soldaduras y la pintura de los vehículos. Hoy nos resultaría extraño, quizá denigrante, ver a trabajadores humanos realizar tareas en posiciones imposibles, levantar con su esfuerzo cargas importantes o manipular productos químicos para el tratamiento de los metales en las cadenas de montaje. La salud de los trabajadores que forman parte de esas industrias ha salido beneficiada de manera evidente. Los autómatas han sido amistosos en esta parte del ciclo de incorporación a los negocios. La industria de la electrónica de consumo es el segundo sector de acogida más grande, con un 20% del total de robots, y hay otros muchos sectores donde la robotización está empezando a ser impor-

---

72 Informe de The Boston Consulting Group, The Shifting Economics of Global Manufacturing, February 2015.

73 Investigación del London's Center for Economic Research. George Graetz y Guy Michaels de la Universidad de Uppsala y de la London School of Economics, respectivamente. https://hbr.org/2015/06/robots-seem-to-be-improving-productivity-not-costing-jobs

74 Crafts, N.F.R., (2004). Steam as a General Purpose Technology: A Growth Accounting *Perspective. Economic Journal* 114, 338–351.

75 Datos de International Data Corporation (IDC), http://www.idc.com/getdoc.jsp?containerId=prUS42439617

tante, como el procesado de comida, la fabricación de plásticos, etc. En todo caso, los robots no sólo están fabricando cachivaches electrónicos y utilitarios. La capacidad y destreza de los autómatas está mejorando sin pausa y, no en pocas industrias, los costes horarios de los robots ya se sitúan por debajo de los salarios de un empleado humano, en países desarrollados. En los sectores industriales de la automoción y de los equipos eléctricos, la relación entre el coste de los robots y sus prestaciones es ya mejor o prácticamente igual a la de los trabajadores de carne y hueso. En otras industrias, los sistemas robóticos deberían sobrepasar la eficiencia del trabajo manual en los años venideros, pura cuestión de tiempo y desarrollos tecnológicos pendientes.

En el incipiente estado de automatización de habilidades, están disponibles ya robots para tareas tan variopintas como trabajos de construcción, mantenimiento de carreteras, rutinas de explotación en granjas y centros agrícolas, preparación de comida sin intervención humana, etc. Los restaurantes de comida rápida empiezan a instalar robots capaces de servir menús en serie, reemplazando a sus empleados sin aparente problema. Dar forma a las hamburguesas, disponerlas en la parrilla, construir las capas de comida, freír las patatas, poner las salsas, calentar los bollos, todo eso es pan comido para los chefs autómatas. La cadena de hamburgueserías Wendy, por ejemplo, la tercera más grande en el mundo, anunció la apertura de hasta mil quioscos automatizados para la distribución de comida en sus restaurantes en el año 2017. Según las encuestas, sus clientes más jóvenes preferían los puestos de servicio automático frente a los empleados de la compañía. Las máquinas siempre eran amables, puntuales, pacientes, tenían toda la información y te daban las gracias. Los robots asistentes de cocina que están siendo desarrollados no son máquinas simples, ni requieren tener todos los ingredientes alineados de manera estricta, en posiciones predefinidas, sino que son capaces de identificar qué es y donde está cada ingrediente. Y, por supuesto, van a ser capaces de aprender de su propia experiencia. El desarrollo en este sector es intenso, y las intenciones de los dueños de estos negocios se adivinan fácilmente.

Los autómatas capaces de preparar menús predefinidos y bocadillos pueden parecer poca cosa, pero sus habilidades van mucho más allá de apilar ingredientes mecánicamente entre dos trozos de pan caliente. Este tipo de robots ya puede controlar la temperatura de cada una de las piezas en la parrilla para su cocinado exacto, calcular el momento justo de añadir el queso para que quede adecuadamente fundido, colocar el envoltorio de la hamburguesa cuando esté lista, y un largo etcétera. Estas eran tareas reservadas a cocineros humanos hasta hace bien poco. Lo sorprendente, sin embargo, empezará a partir de ahora, cuando esos autómatas puedan hacer su trabajo mientras se ocupan de la contabilidad, gestionan los pedidos de materias primas, mantienen partidas de videojuegos con los clientes, vigilan el contenido de patógenos en la comida, chequean el estado de los almacenes o autorizan el pago de las nóminas de sus compañeros de cocina, si procede. La preparación de hamburguesas por autómatas no es sólo una curiosidad mecánica simpática, hay millones de empleos en todo el mundo vinculados a estas tareas. Y tampoco la preparación de comida rápida es un caso de automatización excepcional. En Corea del Sur, por ejemplo, se experimenta ya con vigilantes de prisiones robóticos que podrán patrullar e informar de manera inmediata en el caso de que los presos no respeten el reglamento. Los ejemplos empiezan a conformar un nuevo estándar. Los robots y algoritmos capaces se infiltran en todo tipo de ocupaciones, de manera constante, sin perder nunca terreno ganado. Desde las tareas más simples hasta otras más complejas: el 30% de la flota de aviones militares en los Estados Unidos estaría ya basada en sistemas robóticos. Esto significa que el futuro estará automatizado, tanto dentro como fuera del planeta. Los robots conquistarán la tierra, el mar y el aire, y sin duda alguna, también el espacio. ¿Quién si no podría enfrentarse con opciones de éxito a las terribles condiciones más allá de nuestra protectora atmósfera? Las próximas grandes aventuras de la humanidad, como la minería espacial o las colonias en otros planetas, no pueden ser concebidas sin ejércitos de máquinas y algoritmos capaces.

La definición clásica de robot como mecanismo de actuación programable con un cierto grado de autonomía para llevar a cabo una tarea especificada, ya es en exceso precaria. El entorno operativo pronto será ilimitado, tanto en este como en otros mundos, esto es, su ámbito de actuación superará al de los humanos. Y las tareas posibles pronto serán una lista tan interminable como la que les provea su tenaz iniciativa, que será virtualmente inagotable cuando aprendan no sólo a ser inteligentes sino a ser curiosos. El número de patentes relacionadas con tecnologías robóticas —que se ha triplicado en la última década[76] con respecto a los primeros años del siglo— muestra que el proceso de incorporación de autómatas no sólo está en marcha, sino que se precipita. Los robots ya no son armatostes peligrosos y con precios imposibles. Hoy ya pueden trabajar junto a humanos, sin ocupar mucho espacio ni alterar el

---

76   https://www.ft.com/content/5a352264-0e26-11e6-ad80-67655613c2d6?mhq5j=e6

entorno, por costes que se amortizan en tiempos reducidos. En algunas fábricas ya puede haber hasta un 80% de robots faenando sin vigilancia humana. Hoy serían situaciones excepcionales, pero indican la dirección y el sentido de un movimiento que no se verá alterado salvo fuerza opuesta y contraria al mismo. Las máquinas capaces ya han demostrado que pueden trabajar junto a las personas, pero no será fácil para las personas demostrar que pueden seguir su ritmo. El ahorro de costes en forma de vacaciones, seguros de enfermedad, formación, confort de los lugares de trabajo, etc. será cada vez más tentador para la industria. Esta lógica debería concluir en la forma de fábricas de robots operadas por robots, produciendo trabajadores competentes y eficaces para cualquier tarea, 365 jornadas al año, tres turnos al día. Cuando además de fabricar a otros congéneres sean capaces de mejorar sus propios diseños, podremos estar seguros de que hemos perdido cualquier control sobre el futuro de la especie humana.

La automatización, por el momento, viene impulsada fundamentalmente por la reducción de los costes de producción, fundamentalmente laborales. Esos intereses económicos habrán de conjugarse con otros muchos factores: la disponibilidad de capital para realizar las inversiones necesarias, las normas y los ambientes laborales, el tipo de industria (su mayor o menor disposición a la automatización), los costes laborales en cada país, la psicología colectiva y el acervo cultural respecto a las máquinas, etc. En el año 2025, el 25% de todas las tareas podrían estar automatizadas, lo que conllevaría un aumento de la productividad de entre un 10 y un 30%, y un ahorro global de un 16% en los costes laborales[77]. Son cifras golosas para inversores y empresarios. Aún no nos hemos puesto de acuerdo en cómo ese futuro podría impactar la calidad de vida y el bienestar de los ciudadanos del mundo. Puesto que la ganancia de productividad provendrá de la automatización, aquellos países que se encuentren mejor posicionados y sean más abiertos a la implantación de máquinas y algoritmos serán los que lideren la competencia a escala global. Pero los efectos colaterales sobre los empleos y los costes sociales implicados podrían transformar esos mismos países en lugares grises, casi negros.

Las nuevas sociedades tecnológicas se construirán desde la base de todo tipo de economías, de aquellas consolidadas, o de aquellas en proceso de desarrollo. Dada la velocidad y magnitud de transfor-

77   The Boston Consulting Group. The Shifting Economics of Global Manufacturing, February 2015, https://www.slideshare.net/TheBostonConsultingGroup/robotics-in-manufacturing

mación, el punto de partida no será tan relevante, o lo será sólo en cuanto a la conciencia y disposición de sus ciudadanos y gobiernos. China, por ejemplo, no es sólo uno de los mayores centros de mano de obra para las economías avanzadas, la fábrica del mundo, sino también el mayor comprador de robots del planeta. Ese ritmo de compra debería acercarle pronto a los países con mayor número de autómatas, y esa apuesta será, sin duda, estratégica. Hoy son unos 50 robots industriales por cada diez mil empleados en China frente a más de 300 en Japón y Alemania[78]. Si miramos al sector automoción, el alumno aventajado en la automatización de sus procesos con un 40% de los robots en operación, la densidad llegaría ya a los 1 000 autómatas en algunos países y Japón contaría con más de 1 200 robots por cada diez mil trabajadores. La densidad de robots empieza a ser la variable crítica en la producción y lo será cada vez más en la economía que viene, hasta que el parámetro deje de tener sentido y toda la plantilla sea no humana. La compañía Philips, en los Países Bajos, utiliza ya 128 robots frente a sólo 9 trabajadores humanos para realizar los controles de calidad de sus maquinillas de afeitar. La diferencia relativa entre poblaciones humanas y autómatas en todo tipo de actividades nos irá marcando el estado de automatización del mundo productivo, hasta que el factor humano alcance el cero absoluto. Igual que variables como el consumo de combustible o la producción de basura se relacionan con la riqueza de un país, la densidad de robots será la medida de las sociedades tecnológicas.

Durante décadas, cientos de millones de personas que malvivían en un estado de miseria permanente en países como China o India, lograron acceder paulatinamente a nuevos puestos de trabajo generados gracias al desarrollo económico de sus países. Ese desarrollo hizo que unos dos mil millones de trabajadores se incorporaran al mercado global. La automatización y el conocimiento serían ahora su apuesta, frente al riesgo de perder el terreno conquistado a base de esfuerzo y oferta de mano de obra a precios imbatibles. Si no puedes vencerlo, únete al progreso, sería el lema. Otras economías más desarrolladas, sin embargo, serían más cautas a la hora de automatizar sus trabajos, lo que tendrá, como en ocasiones anteriores, sus consecuencias. El fenómeno de la deslocalización de la producción a países con mano de obra barata implicó, por ejemplo, que más de tres millones de empleos de la economía norteamericana fueran exportados a China desde finales del siglo XX. Esa transferencia

---

78 Executive Summary World Robotics 2016 Industrial Robots, https://ifr.org/img/uploads/Executive_Summary_WR_Industrial_Robots_20161.pdf

fue un auténtico programa de desarrollo económico y social para el país asiático, mucho más eficaz que las ayudas en forma de caridad a la vieja usanza, pero también tuvo sus consecuencias en origen. La primera potencia económica mundial ya sabía a lo que se arriesgaba. En los años 70 hubo millones de empleos del sector de la automoción transferidos a Japón, y hoy más de la mitad de los vehículos en las carreteras norteamericanas habrían sido fabricados fuera del país. En el proceso, algunos de sus centros fundamentales de producción de automóviles, junto a toda la economía que movilizaban, fueron liquidados —en algunos casos, como la ciudad de Detroit, una de las ciudades más grandes del país en la época de su apogeo, acabarían en situación de bancarrota—. Lo mismo sería cierto para otro tipo de industrias como la electrónica. Si la estrategia empresarial crea o destruye tejido social y económico, en el camino hacia la sociedad tecnológica sus efectos serán siempre más y más críticos.

Los gobiernos de los países con abundante mano de obra barata tienen la difícil tarea de apuntalar el progreso de sus sociedades y economías haciendo frente a un nuevo desafío. Sus masivas poblaciones pueden convertirse, en este paradigma, más en un lastre que en la ventaja competitiva que representaron hasta ahora. Por eso potencias como China han decidido poner en pie estrategias específicas, uniéndose al enemigo en lugar de intentar vencerlo. Ese sería el objetivo de la compra masiva de autómatas y el reemplazo progresivo de sus ejércitos de obreros. China debería convertirse en el propietario de más de un tercio de todos los robots industriales en el año 2019[79] y puede que esto sea sólo el principio. Esta opción podría mantener su competitividad frente a otras economías emergentes y frente a aquellos países desarrollados que se automatizan por momentos. Pero ¿qué será de sus ciudadanos? El salto hacia adelante que representa la automatización podría acabar siendo un salto hacia ninguna parte. La enorme oferta de mano de obra dispuesta a producir a buen precio todos los bienes de consumo del mundo ya no será su principal distintivo. Lo serán sus ejércitos de robots bien alineados en batallones productivos que asombrarán al mundo más que cualquier desfile de tanques y escuadrones uniformados marcando el paso.

Para muchos países avanzados, por su parte, el recurso a la automatización es la solución a la fuga de empleos hacia países en desarrollo. Es conveniente recordar, en todo caso, que el diferencial de productividad sería la causa de la pérdida de dos tercios de los

---

79   Executive Summary World Robotics 2016 Industrial Robots, https://ifr.org/
    img/uploads/Executive_Summary_WR_Industrial_Robots_20161.pdf

empleos de fabricación en los Estados Unidos entre los años 2000 y 2010, y sólo un tercio se habrían perdido por relocalizaciones a países como China, México o Tailandia[80]. Además, no deja de ser paradójico que para contener la pérdida de ocupaciones se haya de provocar el desplazamiento tecnológico de empleos. La decisión sería entre malo y peor, sin saber a ciencia cierta cual representa cada una. Los robots podrían parecer, en principio, mejor opción que entregar parte de la producción a mano de obra ajena, manteniendo en origen un mayor beneficio empresarial que pueda ser sometido a impuestos. Lo que ocurre en un país se quedaría en ese país. Pero esos autómatas adoptados por una u otra industria podrían expandirse rápidamente como especies invasoras. En el futuro, cualquier nación con recursos podrá disponer de cientos de millones de empleados sumisos y de bajo coste, sin temor a que las demandas de las plantillas crezcan con el tiempo, o su flexibilidad se agote, haciéndose poco competitivos. ¿Qué tipo de estrategias podrán servir para acomodar las necesidades de un enorme conjunto de trabajadores junto a una gigantesca población de robots? La combinación de ambas parecería un sinsentido, pero la sociedad tecnológica exigirá a todos los países ese tipo de equilibrios: automatizar los procesos para seguir siendo competitivos, sin perecer en el intento.

Mientras el número de robots en el mundo no deja de crecer, la población humana se ve sometida, igualmente, a un crecimiento que no debería relajarse hasta bien recorrido el siglo XXI, según las previsiones. Si el número de autómatas podría ser regulable teóricamente, aunque con todo tipo de dificultades e impactos, el control del número de individuos sobre el planeta no puede ajustarse a voluntad. No al menos de manera eficiente y activa. La historia parece mostrar que sólo el recurso a las guerras, epidemias o hambrunas ha moderado las cifras de población humana. Las acciones políticas, cuando se han intentado, han fracasado, además de recibir críticas severas sobre su formulación y objetivos. El programa del gobierno chino del hijo único, iniciado en 1979 y luego suspendido tras 35 años en vigor y todo tipo de situaciones rayanas en lo inhumano, es un ejemplo conocido y reciente. Teniendo en cuenta el desplazamiento de empleados por robots que podría ocurrir de manera acelerada en muchas economías, las autoridades del país asiático podrían verse sometidas, sin embargo, a renovadas presiones para lidiar con su enorme población y los deseos de trabajar y

---

80 *Globalization: The Irrational Fear That Someone in China Will Take Your Job.* Bruce Greenwald and Judd Kahn.

prosperar de sus ciudadanos. Es cierto que China ha conseguido sacar adelante toda una serie de industrias y tecnologías altamente competitivas, en lo que se ha catalogado como todo un milagro económico. Ese desarrollo económico y tecnológico puede considerarse sinónimo de bienestar creciente y futuro, pero el «lastre» de más de mil trescientos millones de ciudadanos con expectativas de salir definitivamente de una historia de pobreza obligará a sus autoridades a concebir estrategias innovadoras e inauditas. Puede que la apuesta por la automatización masiva sea un suicidio colectivo y todo acabe con la destrucción del incipiente bienestar que muchas familias habían logrado gracias a salarios de subsistencia, pero salarios, al fin y al cabo. Aunque también podría ser la única estrategia posible para evitar el colapso absoluto de la locomotora que tira de su singular arreglo socioeconómico. Durante un tiempo de transición, al menos, la fórmula de colaboración entre robots y humanos debería ser una estrategia ganadora y todopoderosa. Colocar cientos de millones de robots junto a cientos de millones de trabajadores humanos podría hacer explotar su productividad y su competitividad hasta límites insospechados. En el siguiente nivel de juego de la partida, esa misma estrategia podría pasar a ser una ruina para sus trabajadores humanos, pero en tiempos de cambio hay que jugar cada pantalla antes de pensar siquiera en la próxima.

En otros países, la situación poblacional es radicalmente diferente, aunque paradójicamente la apuesta por la automatización acabe siendo también la estrategia elegida. En plena fase de preparación de los juegos olímpicos de Tokio en 2020, por ejemplo, Japón ha tenido que hacer frente a una escasez de mano de obra en la construcción, debido a las restricciones del país a la entrada de trabajadores extranjeros. Esta situación, junto al envejecimiento de su población, ha provocado un déficit de obreros que está siendo mitigado mediante la denominada construcción inteligente, esto es, la incorporación de robots a las tareas de construcción. Las máquinas excavadoras robotizadas hacen su trabajo sin que haya humano alguno a los mandos. Sus trabajos son monitorizados y dirigidos mediante drones que sobrevuelan la obra en tiempo real dando las indicaciones necesarias, lo que reduce las plantillas a un puñado de obreros donde antes había cuadrillas completas. Los autómatas parecen ser la solución para todo, lo que daría cuenta de las perspectivas más negras para los empleados humanos.

ERRORES DE PRONÓSTICO:
VEHÍCULOS AUTÓNOMOS

Si preferimos no amargarnos la existencia futura siempre podemos apostar por escenarios de futuro parecidos a los del pasado, donde nuevas categorías de empleos absorben sin problema el constante flujo de trabajadores humanos desplazados desde otras tareas. Se ha de tener, eso sí, una fe ciega en la bondad del futuro y en las capacidades del ser humano, lo que no siempre es fácil. Más del 35% de los denominados trabajadores del conocimiento en los Estados Unidos, Reino Unido y Alemania están convencidos de que los roles que desempeñan hoy no existirán en cinco años. Y un 65% piensa que sus desempeños no van a parecerse a los que tienen en la actualidad[81]. Hay sensibilidad sobre el cambio del entorno laboral y la velocidad del proceso, pero falta imaginación para recrear un mínimo detalle de los nuevos escenarios. ¿Qué podremos hacer mejor que una máquina?

Tomemos, por ejemplo, el caso de los coches sin conductor, un asunto de gran atención mediática desde hace unos años. Millones de empleos están amenazados por sistemas de conducción autónoma con eficientes algoritmos siempre atentos a las condiciones del tráfico, liberados de emociones, de la ansiedad, del estrés, de todo tipo de ofuscaciones y pensamientos banales. Sin necesidades perentorias como volver la cabeza para vigilar a los niños en el asiento de atrás, encender o apagar un cigarrillo, cambiar la emisora de radio, ajustar la temperatura del habitáculo o responder una llamada de teléfono (esa que podría ser importante). La tecnología de conducción autónoma no se propone como herramienta para facilitar la conducción o como sistema de auxilio en caso de accidente, como ha sido el caso de tantas otras innovaciones en el pasado. Esos algoritmos pretenden el asiento del conductor, lo que implica un cambio de paradigma. Su intervención se justifica, además, con el alegato principal de salvar millones de vidas humanas, las de esos conductores incapaces de concentrarse mínimamente o hacerlo de manera continuada. Los conductores humanos hemos demostrado nuestra ineptitud para asumir que cuando estamos al volante nos encontramos al mando de una máquina peligrosa, tanto más que si tuviéramos una sierra eléctrica de dimensiones gigantescas entre las manos. Da igual las estrategias que se prueban, un vehí-

---

81   Según el estudio The Way We Work, encargado por Unify, la rama de Atos para las comunicaciones y el software y los servicios colaborativos. https://www.unify.com/us/news/324EEA0C-E9D0-465F-95D3-6DB5EABD1E7B/

culo hoy en día es un espacio demasiado confortable para estimular nuestros sentidos de atención, alerta, peligro, o hacerlo de manera suficiente. El tipo y cantidad de señales y estímulos que hemos de gestionar durante la conducción parecen también sobrepasar nuestras capacidades, evolucionadas para otro tipo de entornos. El algoritmo conductor, por si fuera poco, no tiene que parar a descansar ni refunfuña cuando le cambian la ruta en el último minuto; no tiene que justificar multas por exceso de velocidad, ni recibir dietas para comer o dormir, ni acelerará para pasar el semáforo en amarillo casi rojo. Es cierto que todavía tienen que aprender de sus errores y, en particular, a lidiar con los errores de los conductores humanos, pero la progresión es más que adecuada. Los ejemplos de utilización ya empiezan a no ser noticia: un servicio de reparto de correo robotizado en Suiza, un primer taxi de conducción autónoma en Singapur, etc. Las previsiones son que para el 2035 un 10% de los vehículos se conduzcan solos y un 25% tengan opciones de sistemas de conducción autónoma. Salvo sorpresas, esas previsiones acabarán demostrándose excesivamente timoratas.

Cuando un conjunto de milmillonarios y sus empresas (Apple, Google, Tesla, Uber) se ponen de acuerdo en sacar adelante proyectos de desarrollo de coches autónomos —cada uno con conceptos y estrategias diversas— la situación de cambio de paradigma podría considerarse inminente e infradimensionada. Desde la invención del automóvil y el cambio revolucionario que implicó su uso progresivo en la convivencia social, en el desarrollo de las ciudades, en los modos de producción, etc. la humanidad no habrá sido expuesta a nada parecido. La inminencia del cambio, eso sí, no implica que el camino a recorrer por los coches autónomos esté libre de baches y socavones, ni mucho menos. A los algoritmos de conducción les esperan todo tipo de zancadillas. Conquistar masivamente el acuerdo de la sociedad, cuando está en juego el abandono de costumbres bien arraigadas, requiere no sólo de una buena idea y un momento dulce, sino de tenacidad y constancia. A su favor están toda una retahíla de buenos argumentos, de manera primordial que es necesario retirar a las personas de la conducción «por su propia seguridad». Este razonamiento podrá, además, servir de coartada en otras tantas situaciones en las que el ser humano tiende a infringirse daños intolerables, sea a sí mismo, a sus semejantes, al resto de seres vivos o al planeta. No deberíamos olvidarlo.

La estrategia de introducción de los sistemas de conducción autónoma es claramente ganadora. En su contra, sin embargo, también hay otros argumentos. Sus sistemas de conducción, en particular, habrán de mostrarse blindados a las intromisiones de *hackers*, pues de lo contrario el argumento de la seguridad se volvería en su contra. Controlar el acceso ante las intromisiones criminales en máquinas y algoritmos capaces se va a convertir en uno de los desafíos —dramas— de la sociedad tecnológica, y va a requerir algo más que cierta progresión en estrategias de ciberseguridad. Resultará imposible construir un nuevo paradigma de convivencia y de progreso con una espada de Damocles de tales dimensiones sobre las cabezas de todos los ciudadanos. La búsqueda de soluciones en este sentido, por parte de empresas y gobiernos, se va a tornar más pronto que tarde en desesperada. Por otra parte, los algoritmos de conducción autónoma van a exigir establecer prioridades en caso de conflictos éticos que afectarán a pasajeros y peatones. Nadie sabe hoy si cada fabricante de vehículos podrá ofrecer libremente a los clientes sus opciones de algoritmos de conducción, en particular aquellos que siempre prioricen la integridad y seguridad de los pasajeros, o si esto quedará regulado por el bien común (priorizar la integridad de los peatones por ley). Las simulaciones sobre disquisiciones éticas (atropellar a un viandante o intentar esquivarlo y poner en riesgo la vida del conductor y pasajeros; esquivar un obstáculo y atropellar a un niño a la izquierda o a dos adultos a la derecha; etc.) parecen indicar que, sobre el papel, cada persona opta por decisiones que minimizan heridos y fallecidos. Pero en la práctica, el conductor al volante podría tener como único instinto salvar las vidas de sus pasajeros y la suya propia. Independientemente de lo que se regule, además, los vehículos podrían ser manipulados ilegalmente en algunos casos, de modo que las prioridades fueran alteradas.

Las estimaciones establecen que los coches autónomos podrían llegar a reducir el tráfico en las ciudades en un 70%. La industria automovilística, que se ha mantenido más o menos tranquila desde los tiempos fordianos y su producción en serie de vehículos, tendrá que reinventarse y transformarse a marchas forzadas. La pregunta que se hacen los fabricantes es cómo adaptarse a un cambio de negocio en el que buena parte de sus actuales clientes podrían dejar de serlo o pasar a interesarse por asuntos que poco tienen que ver con la conducción o las características mecánicas de los vehículos. Sus clientes ya no serán conductores humanos que disfrutan del placer o la necesidad de hacer kilómetros en la carretera, sino personas que quieren espacios móviles confortables en los que aprovechar su tiempo de viaje. Esto no afecta solamente a diseñadores, fabricantes y comercializadores de vehículos —¿qué ofrecer a los ocupantes mientras un algoritmo les lleva a su destino?—, sino a los millones de personas que constituyen el ecosistema automovilístico. Todos intentan responder la pregunta del millón: ¿cómo habrían de reciclarse? Negocios de aparcamiento, concesionarios, academias para la formación de conductores, servicios de logística, de transporte público, empleados de gasolineras, aseguradoras, talleres de reparación, etc. podrían tener que reinventarse bajo una presión formidable. Todas esas ocupaciones suponen un elevado porcentaje del total de los empleos en los países desarrollados, alrededor de uno de cada seis empleos[82]. De un día para otro, por ejemplo, los seguros de automóvil podrían dejar de tener sentido, sus cláusulas serán como un códice antiguo envejecido por el paso del tiempo. Si no hay personas al volante, ¿cuál podría ser la responsabilidad de los ocupantes en caso de accidentes? La conducción autónoma instaurará un nuevo ecosistema como en su día sucedió con la aviación comercial o las líneas ferroviarias, y sacudirá los empleos de millones de personas. Y no es este el único cambio de paradigma que habremos de asimilar en el siglo en el que estamos, sino sólo uno más de los muchos que hoy atisbamos en el horizonte.

Quienes obtienen un salario gracias a su actividad en sectores como el transporte de mercancías o pasajeros o los negocios de entrega de paquetería y los gremios que les dan soporte se van a encontrar ante el reto de encajar sus servicios y productos en el nuevo esquema, reinventarse o desaparecer. Algunos de los camiones «sin conductor» que están actualmente en pruebas no son, todavía, totalmente autónomos, pero disponen de esta opción de conducción en autopista. Estos camiones podrían estar a la venta en el año 2025 y serán los pioneros de una primera oleada de revoluciones en el sistema de transporte de mercancías por carretera. Son millones de empleos en todo el mundo. ¿En qué podrían reconvertirse legiones de camioneros, empleados de logística, empleados de bares y restaurantes de carretera, trabajadores de talleres mecánicos, repartidores de paquetería, taxistas, etc. cuando los algoritmos se encarguen preferentemente de la conducción de vehículos? Si el reciclaje profesional paulatino es ya un reto en sí mismo, la transformación radical y masiva de trabajadores será un objetivo pavoroso.

Quizá no éramos conscientes de la capacidad de empleo que generan estos sectores y sólo la amenaza de la conducción autónoma nos ha hecho vislumbrar el tamaño del problema. El transporte de mercancías, por ejemplo, es el empleo mayoritario en veintinueve de los cincuenta estados de los Estados Unidos; poca broma. En este país, unos 3,5 millones de personas están empleadas como camioneros profesionales, a los que habría que añadir otros tantos millo-

---

82 Bureau of Transportation Statistics. https://www.rita.dot.gov/bts/ programs/freight_transportation/html/transportation.html

nes de empleos relacionados con en el transporte de mercancías (servicios de gestión de flotas, almacenes, carga y descarga, etc.) En total, alrededor de uno de cada quince trabajadores en los Estados Unidos estaría vinculado con el mundo del camión[83], lo cual no deja de ser sorprendente para la primera potencia económica y tecnológica del mundo, además de preocupante al considerar posibles impactos de los vehículos autónomos. Un día cualquiera, los camiones mueven un 70% de toda la mercancía en los Estados Unidos, y el salario de los camioneros representaría entre un cuarto y un tercio de los gastos de este tipo de transporte. En el caso de Europa, el sector de transporte por carretera emplearía a unos diez millones de personas, la mitad en el transporte de mercancías y pasajeros por carretera[84]. El interés de sentar a autómatas al volante no es pequeño, más aún cuando existen en la actualidad miles de puestos de empleo sin cubrir, pues la demanda de profesionales supera a la oferta.

Como siempre, quienes creen que la automatización no es destructora de empleo neto, se aferran a la idea de que un tráfico incrementado, gracias a la intervención de algoritmos de conducción autónoma, generará, probablemente, una mayor necesidad de servicios a vehículos. Los empleos perdidos en la conducción serían reciclados en forma de servicios a un comercio de bienes más intenso, hasta el siguiente nivel de crisis. Los coches autónomos, además, utilizarán y generarán ingentes cantidades de datos mientras conducen de un punto a otro, lo que requerirá gestionar y valorizar esa información producida sin descanso. Esto podría provocar nuevas disciplinas de empleos, aunque es de temer que su mayoría caiga más del lado de los algoritmos capaces. Es difícil, en cualquier caso, asumir que los nuevos empleos puedan compensar todos los estragos laborales provocados en una de las categorías laborales más extendidas. Si consideramos la automatización del resto de servicios asociados al transporte el cuadro es todavía más dramático: estaciones de servicio automáticas, almacenes controlados por algoritmos, intervenciones mecánicas robotizadas, reparaciones de carrocería innecesarias (materiales con memoria, «indeformables»), etc. Un tráfico rodado mejor organizado y menos emocional dejará fuera también a abogados y gestores especializados en pleitos, indemnizaciones, multas y todo tipo de trances originados por las máquinas de dos, cuatro o más ruedas. Una minoría de estos agentes podría sobrevivir dando

83   http://www.alltrucking.com/faq/truck-drivers-in-the-usa/
84   Employment in the EU Transport Sector. http://www.transport-research.
      info/sites/default/files/brochure/20140117_205136_81493_PB05_WEB.pdf

soporte a las gestiones de accidentes entre vehículos sin conductor, o de éstos con peatones y con la infraestructura viaria, pero sólo serían la excepción a la regla. Quizá ni siquiera eso, si las exitosas aplicaciones de inteligencia artificial para lidiar con todo tipo de asuntos legales —por ejemplo, reclamar multas— siguen evolucionando y ganando más y más clientes.

Las nuevas generaciones de conductores permanentemente atentos y de buen humor —siempre algoritmos capaces— junto a las tecnologías en permanente desarrollo para leer las infraestructuras y todas las complejidades del tráfico, habrán de reducir drásticamente los accidentes. Y sus memorias infalibles no olvidarán pasar los controles preventivos recomendados, lo que también evitará no pocas averías, aumentando la fiabilidad de los vehículos. El 90% de los accidentes de tráfico parecen tener su origen en fallos humanos, con un coste estimado de 1,3 millones de vidas humanas anualmente en el mundo —tres fallecidos al minuto en las carreteras— junto a más de 50 millones de personas heridas[85]. Unas 3 500 personas en los Estados Unidos fallecen al año en accidentes de carretera en los que está involucrado un camión (con más de 500 camioneros fallecidos al año), y los camiones están en el origen de hasta un 9% de los accidentes mortales en las carreteras norteamericanas[86]. Muchos de esos empleos son además accesibles para trabajadores autónomos sin necesidad de formación o cualificaciones exhaustivas, más allá de unos los conocimientos y habilidades verificados mediante los correspondientes exámenes de conducción. El coste económico de los accidentes de tráfico en los Estados Unidos (año 2010) se estimó en 242 000 millones de dólares, teniendo en cuenta la valoración de las decenas de miles de vidas perdidas, los millones de heridos y los daños en sus vehículos. Si se añadiese el valor total del daño a la sociedad por los accidentes de tráfico la cifra se acercaría al billón de dólares norteamericanos para ese país[87]. Algo parecido ocurre con los accidentes aéreos, con más de un 50% de los accidentes achacables a fallos humanos, o su equivalente en el tráfico marítimo con un 85% de los mismos. La optimización del mantenimiento de las flotas automatizadas de vehículos, con evaluaciones periódicas desde centros de control remotos que manejarán series intermina-

85   http://channel.staging.alertdriving.com/home/fleet-alert-magazine/
     international/human-error-accounts-90-road-accidents
86   https://www.truckdrivingjobs.com/faq/truck-driving-accidents.html
87   *The Economic and Societal Impact of Motor Vehicle Crashes, 2010.* National
     Highway Traffic Safety Administration. https://crashstats.nhtsa.dot.gov/
     Api/Public/ViewPublication/812013

bles de datos sobre el estado del vehículo, no concernirá sólo a los vehículos sin conductor, sino a todo el transporte.

La presión por la automatización podría llegar a ser insoportable en el mundo del transporte, si se toman en consideración las pésimas cifras de accidentes que certifican nuestra incapacidad al volante. Hemos generado entornos de conducción para el desempeño cotidiano que son, obviamente, excesivos para nuestros sensores y capacidades cognitivas de serie. Ya algunos sistemas en los vehículos permiten paliar la actuación humana de modo a asegurar, por su cuenta y gracias a sistemas de control electrónico, una mejor gestión en caso de problemas. Sólo el sentido común y la innecesaria obligación de tener que explicitar el orden de prioridades éticas conceden al ser humano alguna ventaja frente a los algoritmos de conducción autónoma. Pero ni siquiera esas ventajas compensarían la enorme cifra de fallecidos en accidentes de tráfico. Las nuevas generaciones de vehículos informarán en todo momento de sus posiciones respectivas, estarán programados para formar ordenadas caravanas, compartir rutas y tomar decisiones en tiempo real de manera a aumentar la eficiencia en los desplazamientos y la reducción del consumo de combustible —de la energía que les mueva—. Esas posibilidades no siempre serían compatibles con los modos de conducción humana, pero no presentarán ningún problema para un algoritmo de conducción. Puede que, inicialmente, el conductor humano sea catalogado pomposamente como «supervisor» del sistema de conducción autónomo, pero más pronto que tarde la supervisión le resultará del todo inabordable.

Las cartas están echadas sobre la mesa y tenemos la peor de las manos, sólo nos queda la opción del farol, mientras aguantemos el tipo. Cuando los algoritmos de conducción puedan salvar la mayor parte de las vidas segadas por despistes, errores, o averías, mientras optimizan las variables del transporte ¿quién asumirá la responsabilidad de ponerse al mando de un vehículo? ¿Y quién asegurará las consecuencias de una práctica tan egoísta? La automatización del tráfico servirá como modelo a otros tantos sectores donde la actividad humana no es modélica ni eficiente tampoco o donde la salvaguarda de vidas humanas se impone como prioridad máxima. Quienes apuren sus empleos, conjugando actitud, formación y suerte, se sabrán bajo la diana de tornarse prescindibles en cualquier momento. Podrán apenas contar con la estratagema de alentar el miedo a las máquinas, un recurso bien familiar y que podría explicar por qué los metros sin conductor o los pilotos automáticos no consiguen generalizarse en la mayor parte del planeta o asumir todas las tareas del vuelo, respectivamente, a pesar de haber demostrado su fiabilidad. También se podrá acudir al recurso del lujo. Cuando todo sea operado por máquinas, puede que algunas personas encuentren el sumun de la elegancia y la exclusividad en la atención asegurada por seres humanos, pero no debería considerarse el modelo de convivencia ambicionado para la sociedad tecnológica.

El desafío promovido por los sistemas de conducción autónoma ha comenzado y la atención mediática hacia esta tecnología no deja de multiplicarse, y no sólo por parte de la industria y los medios de comunicación especializados. En abril de 2016, los ministros de transporte de los 28 países miembros de la Unión Europea firmaron la denominada Declaración de Ámsterdam, en la que se acordaron medidas para el desarrollo de los vehículos sin conductor. ¡Si no puedes vencerlos únete a ellos!, podría ser la lectura. Esta innovación va a ser clave en la economía europea, pues el transporte o la fabricación de vehículos son sectores de relevancia, y de no dar los pasos necesarios con rapidez se podría perder la capacidad de aprovechar su enorme potencial. En la declaración se afirma sin tapujos que la movilidad va a sufrir más cambios en los próximos veinte años, que todos los acaecidos en el siglo pasado. El documento también hacía hincapié en las ventajas de esta tecnología, no sólo en términos de mejora de los flujos de circulación, mayor seguridad y menos accidentes, un transporte más limpio, etc. sino sobre aspectos sociales como el aumento de la movilidad en áreas rurales o remotas, o la mayor eficacia de ciertos servicios al ciudadano.

Cuando los vehículos autónomos sean capaces de asegurar un tráfico ordenado y con un reducido número de accidentes, sin necesidad de amontonar señales de tráfico y advertencias de peligro por doquier, sin la obligación de insistir en campañas de prevención de accidentes o de reducción de la contaminación, la logística y todos sus empleos serán sacudidos sin contemplaciones. Cuando los servicios de transporte sin conductor aseguren la entrega continuada de mercancías de manera rápida y eficiente, el negocio *online* no hará sino exacerbarse. Conducir y aparcar hasta el negocio de turno para realizar una compra y regresar a casa entre bosques de semáforos, radares, bicicletas, frágiles peatones, parecerá un mal sueño propio de civilizaciones pasadas que se creían modernas. Los vehículos sin conductor lidiarán pacientemente con esas tareas entregando mercancías sin esfuerzo, noche y día, por tierra, mar o aire. Si unimos algunas tecnologías disruptivas como los drones, la fabricación 3D o la realidad virtual a los sistemas de transporte autónomos, la lógica de los modos de consumo habrá mutado por completo. Desde nuestro rincón favorito simularemos el entorno deseado y desde allí realizaremos las transacciones comerciales, de manera virtual, pero con la misma o mayor emoción que si fueran experiencias reales, sin ningún esfuerzo físico. Luego, esos productos aparecerán en nuestros domicilios como por arte de magia, haciendo del transporte un servicio invisible hasta que, algo más adelante en el tiempo, llegue a ser innecesario.

CONSUMIDORES FRUSTRADOS

Puesto que las personas van a seguir deseando el acceso a numerosos bienes y servicios, independientemente del avance del desplazamiento de empleos por la automatización de tareas, se hará urgente y necesario cerrar un acuerdo que permita a los individuos seguir ejerciendo de consumidores. Si la automatización se hiciera absoluta antes de haber dado con la alternativa a los salarios, la ecuación básica de recursos a cambio de esfuerzo que ha organizado la convivencia durante milenios daría paso a un terrible vacío. ¿Qué podrían ofrecer los miles de millones de consumidores a cambio de esos bienes y servicios? ¿Qué uso tendrían los productos fabricados eficientemente por los autómatas? Algunos visionarios advierten que sólo quienes obtengan ingresos fuera del mercado laboral, como rendimientos de su patrimonio, rentas en forma de seguros, pensiones, premios de juegos de azar, etc. podrán seguir accediendo al mercado. Los trabajadores desempleados se convertirán en consumidores frustrados, misérrimos ciudadanos expulsados del juego capitalista. Estarán autorizados a gastar únicamente sus rentas de desempleo o las ayudas de estado, muy condicionadas por un gasto orientado a la propia supervivencia, y sólo marginalmente por el juego de la oferta y la demanda. En la actualidad, las reducciones de plantillas de muchas industrias se van amortiguando con pensiones anticipadas, seguros de desempleo u otro tipo de ingresos de resistencia, pero si esa reducción es intensa y mantenida en el tiempo este tipo de socorro será impracticable. Los mercados deberían, en buena lógica, colapsar, implosionando a causa del vacío interno generado por la expulsión de esos millones de consumidores. Las economías capitalistas necesitan ciudadanos que puedan y quieran consumir, en número siempre creciente y con espoleada avidez, lo que requiere condiciones sociales, económicas y políticas estables, para generar confianza en el presente y en el futuro. Sin esa confianza sólo existe el consumo desesperado, que se rige por el miedo y no tiene continuidad alguna.

La insensatez estriba en que el bienestar de las sociedades capitalistas está vinculado al crecimiento económico que, a su vez, no puede salir adelante sin un creciente número de consumidores, que aseguren una demanda igualmente ampliada. Esta espiral parece asegurar mayores ingresos y beneficios para ciertas empresas y para los partícipes esenciales de las mismas (sus propietarios, accionistas, etc.), pero la fuerza centrípeta va expulsando a otros negocios y a muchos individuos hacia los márgenes. Los resultados de la carrera desenfrenada por aumentar la productividad podrían quedar, a la postre, en unas pocas manos, repartidas por el mundo, ajenas a tantas consecuencias y dramas personales. Los perros flacos de la automatización recibirán su fardo de pulgas para apurar su maltrecha existencia. Esos individuos frustrados incorporarán el miedo al presente y al futuro en sus actos cotidianos, en particular en su comportamiento como consumidores, con la consiguiente sacudida en la máquina capitalista que decidió sacrificarlos. La demanda se tornaría insuficiente, incluso mediante astutas artimañas como el crédito, y la mayor y más eficiente producción de la historia de la humanidad se convertiría en un hito del colapso de nuestra civilización. La pérdida de los equilibrios económicos y sociales, una vez más, llevaría a los ciudadanos al precipicio.

El aumento del consumo podrá engrasar la máquina del empleo, de manera transitoria, pero el coste es y seguirá siendo formidable, en algún momento inaceptable, sobre todo desde el punto de vista de agotamiento de recursos en el planeta. La apuesta por producir siempre más, con mayor eficiencia, abre además las puertas de par en par a la automatización y a todas sus consecuencias. Esas secuelas han de asumirse negativas, salvo que hipoteticemos que una producción insondablemente eficiente nos abocaría al mundo de la abundancia que ya algunos gurús prometen. En ese tipo de sociedad cualquier ingreso distinto de cero nos permitiría vivir como maharajás, mientras que absolutamente ningún ingreso todavía podría concedernos una supervivencia de aristócratas venidos a menos. Esa sociedad de la abundancia, en todo caso, es hoy por hoy sólo un concepto. Salvo para quienes carecen de una mínima entrada de nutrientes, o enferman y mueren por no tener agua potable. Para ellos, quienes tuvimos la suerte de nacer en países desarrollados nadamos ya en una abundancia tan extrema que nos permitimos despilfarrar recursos esenciales con vergonzoso descaro. Incluso nos permitimos enfermar por la abundancia de atenciones o deseos satisfechos. Si estos van a ser los resultados inevitables de una sociedad de la abundancia, puede que debamos revisar los planes hacia ese objetivo o incluso trabajar activamente para esquivarlo.

Si revisamos las tendencias observables en muchas economías desarrolladas, es factible especular con escenarios futuros en los que un número mayor de consumidores pierde su capacidad de obtener un salario que le da acceso a una mínima dinámica de mercado. Según la encuesta anual sobre prosperidad y riqueza en América[88], un 20% de la población norteamericana sería responsable de la mitad de todo el consumo del país (el consumo en los Estados Unidos estaría vinculado, a su vez, al 70% del producto nacional bruto, así que su papel es esencial). La brecha entre quienes quieren y pueden consumir, y quienes solo quieren hacerlo pero no pueden satisfacer su deseo, puede hacerse más y más grande en el camino hacia la sociedad tecnológica. Esta tendencia, de proseguir, habrá de toparse con un punto de inflexión a partir del cual todo el sistema económico se resienta, como la convulsión de un terremoto. Estrangular el flujo sanguíneo capitalista concentrando el poder de compra en unas minorías mientras se condena a buena parte de la ciudadanía a un consumo de resistencia, es un proceder temerario. Los trabajadores desplazados por máquinas y algoritmos capaces, al igual que aquellos precarizados, debido a la feroz competencia, se convertirán en consumidores frustrados, en ciudadanos desalojados, en votantes terriblemente enfadados. Si el consumo, como flujo vital del sistema capitalista, se estanca, deja de fluir y no llega a todos los rincones, se producirán gangrenas que amenazarán la salud de todo el cuerpo económico. No hay plan de negocio que resista la perspectiva de un mercado sin consumidores o con consumidores en situación de miseria.

La lógica económica capitalista puede ser criticada desde muchos ámbitos, pero merece respeto en, al menos, una cuestión central. De un modo u otro, con todo tipo de incoherencias, deficiencias, torpezas que requerirían de correcciones decididas y urgentes, el sistema ha sido capaz de encontrar su propio equilibrio, aún si inestable, en un complejo entorno de requisitos, necesidades, posibilidades, expectativas o deseos. Ese equilibrio, sin embargo, no es suficientemente robusto como para soportar tensiones mantenidas en el tiempo, o tensiones aplicadas en ciertos resortes. Y buena parte de los equilibrios sociales, muchos también precarios, son dependientes de una mínima estabilidad económica, lo que hace que las sociedades modernas se asemejen a castillos de naipes. Se puede seguir

---

88   Encuesta anual sobre prosperidad y riqueza en América conducida por The Harrison Group para American Express Publishing, 2008.

construyendo hacia arriba, se pueden tolerar ciertos movimientos, pero un mal gesto puede ser su condena.

Estamos empezando a transitar un camino desconocido con todo tipo de incertidumbres. El nuevo paradigma de convivencia requerirá gestionar cambios dramáticos por lo que tienen de pérdida de referencias conocidas y validadas. Conforme la automatización progrese, y mientras «la solución del milenio» sea acordada, el rango de actuación de los actores económicos y políticos podría restringirse a actuaciones del tipo «más de lo mismo», sin reparar que no es ya lo mismo y que mucho más no será suficiente. Si la automatización de tareas avanza sine die, la corrección instintiva podría ser la disminución de los salarios o la cancelación de mano de obra. El resultado será incongruente: sociedades de alta productividad pero de salarios menguantes o consumidores desplazados, todo engranado en un perfecto círculo vicioso. Por otra parte, y monopolios aparte, podríamos fantasear con que la mayor productividad y su corolario de precios de bienes y servicios más económicos, acabe compensando la reducción de los salarios, con efectos compensatorios, por un tiempo al menos. En épocas pasadas los aumentos de productividad se tradujeron en mayores salarios, como ocurrió en los años 50 y 60, aunque no parece que las condiciones actuales favorecerían ese reparto sino otro mucho más desigual de los beneficios. Es cierto que hay lecturas y datos de industrias altamente automatizadas con aumento de los salarios, pero el fango de cifras e interpretaciones es poco firme para pisar con seguridad. Puede que, por ejemplo, la elevación de los salarios se corresponda con el reemplazo de trabajadores con menores sueldos por parte de autómatas, y al reparto de un porcentaje de los mismos entre los trabajadores supervivientes[89]. Estos empleados afortunados habrían de estar dispuestos a un mayor y más continuado esfuerzo de reciclaje y formación para evitar ser ellos los desplazados en la siguiente ola de automatización.

Parece ser un argumento aceptado que la innovación y el progreso tecnológico producen, sí o sí, desarrollo económico en las sociedades que los acogen y los fomentan abiertamente. No todos los desarrollos en innovación producirán mejores sociedades y mejores condiciones de vida, en todo caso, ni serán proporcionales al esfuerzo de inversión realizado. En agricultura, por ejemplo, se suele relacionar un aumento de un 100% de la inversión en innova-

---

89   Graetz y Michaels (2015) encontraron que mayores niveles de densidad de robots en una industria conducían a menos horas trabajadas por los empleados de baja cualificación en esa industria. http://cep.lse.ac.uk/pubs/download/dp1335.pdf

ción con un aumento de la producción entorno a un 10%. El premio Nobel Robert Solow desarrolló en 1950 su análisis sobre los factores de crecimiento de la economía, y estableció que una gran parte de la mejora no podía atribuirse a ampliaciones en los factores de trabajo y capital, sino que se habían de explicar por el desarrollo tecnológico.

La demanda al progreso tecnológico para que asegure mayor productividad y, con ello, genere crecimiento económico es, sin embargo, una de esas lógicas resbaladizas en el terreno económico y político. El crecimiento de la productividad puede ser asumido, en principio, como factor generador de bienestar para los ciudadanos, al conseguir que cada trabajador produzca más como resultado de una misma cantidad de trabajo, valorizando más su esfuerzo. La mayor producción se traduciría en mayores ingresos para las empresas y debería también implicar mejores salarios para el trabajador, junto a menores precios en productos y servicios por el aumento de la oferta. Pero en cada uno de estos razonamientos hay demasiadas verdades a medias. En lo que respecta al mejor salario como consecuencia de la mayor productividad de las empresas la realidad muestra que, en lo que llevamos de siglo XXI, la relación entre uno y otra se habría roto. Al no resultar la mayor productividad de una mejora en las habilidades o disposición de los empleados, sino resultar de la innovación tecnológica y de mejoras en los procesos productivos, el trabajador no podría exigir la mejora en sus condiciones. No de manera automática, al menos. Pero incluso si una parte de esa mayor productividad pudiese serle atribuida al factor trabajo, el incremento de la oferta de mano de obra, humana y no humana, haría que los salarios se resistiesen a moverse fuera de las zonas de confort de los empleadores. Sea como sea, la producción crece, la productividad aumenta, los beneficios se multiplican y los salarios parecen forzados a mantenerse o elevarse tímidamente. Mientras que la media de los ingresos es más alta (a consecuencia del reparto proporcional de mayores ingresos entre todos los trabajadores, por simple cálculo), la mediana de los mismos se ha estancado (valor donde se sitúa el salario de la mitad de la población trabajadora).

Entre las condiciones necesarias para un sano equilibrio económico podría acordarse que los aumentos de productividad habrían de traducirse en aumentos en el consumo, para mantener el balance de oferta y demanda. Si la iniciativa privada no lograra potenciar ese estímulo o fuera inviable —consumidores precarizados— los gobiernos de las economías de corte capitalista habrían de intervenir. ¡A consumir para sobrevivir! La intervención habría de evitar que la lógica de mayor consumo, mayor beneficio productivo, mayor inversión en tecnología, más automatización, menor número de empleos, menos consumidores, se hiciera fuerte socialmente. O estaríamos forzando las máquinas de una nave para dirigirla contra las rocas. En ese caso tendría más sentido dejarla a la merced de la tormenta. De ahí surgen propuestas como la de entregar dinero a los ciudadanos para asegurar que sigan ostentado su capacidad de consumo. Si los consumidores quieren consumir, y el deseo no les es ajeno, ¡démosles dinero para que lo hagan! Soluciones de este tipo requieren de esfuerzos intelectuales nada desdeñables para separar lo innovador de lo bizarro y lo disparatado. Su lógica, sin embargo, no es descabellada. En la medicina de urgencias, lo fundamental es mantener al paciente con vida, aunque signifique abofetearle con violencia para que recupere el conocimiento o someterlo a electros-hocks para estimular el flujo sanguíneo detenido.

Si las sociedades contemporáneas no elaboran estructuras de referencia socio-económicas innovadoras, la lógica del mercado capitalista y la razón de la productividad exigirán a las industrias hacer uso extensivo e intensivo de las máquinas y algoritmos capaces, conforme vayan estando disponibles. El director general de la compañía Amazon —además de visionario— Jeff Bezos, ha dicho que es difícil sobrestimar el impacto que la inteligencia artificial va a tener en la sociedad en los próximos 20 años. Es la lógica de la competitividad frente a los competidores —ser mejor que ellos o desaparecer— y de la flexibilidad a la hora de satisfacer a sus clientes —producir lo que quiera el cliente, cuando lo quiera y como lo quiera, entregándoselo, idealmente, de manera instantánea—. Sólo la producción automatizada podrá seguir esos parámetros, máquinas y algoritmos concebidos para ser la mano de obra universal y barata de la sociedad tecnológica. El rango de soluciones sociales y políticas que podrían acomodar los efectos disruptivos de las tecnologías que ya tenemos y de las que vienen es, sin embargo, amplio. Su implantación requiere, eso sí, de imaginación por parte de los actores sociales y políticos que las promuevan, y de arrojo y audacia por parte de quienes tengan que llevarlas a la práctica.

MEJOR PREVENIR: ¿MÁQUINAS DESENCHUFABLES?

La reflexión sobre las tecnologías disruptivas nos debería llevar al acuerdo global para identificar y evaluar ese tipo de innovaciones antes de que su puesta en mercado pudiera provocar daños colaterales importantes en el empleo y, en general, en la convivencia. Su entrada en sociedad debería exigir un análisis de costes y beneficios, incluyendo un estudio de riesgos sobre el empleo. Sólo aquellas que generaran un evidente capital social y económico siendo neutras o positivas respecto al número de empleos, deberían conseguir la autorización para ser desarrolladas. El resto debería someterse a filtros y controles adicionales. Y esto sólo como práctica de prevención temprana. Con la misma lógica, conforme las máquinas y algoritmos capaces se desarrollen, la sociedad debería asegurar que toda máquina y algoritmo capaz pueda ser anulado si una vez en operación se verifican daños sociales imprevistos o impactos mayores que los estimados. Lo que podría ser un reto poco menos que imposible. Dice Kevin Warwick, investigador en cibernética y sujeto de experimentación de sus propios desarrollos, que es erróneo pensar que será siempre fácil desconectar una máquina si su control se nos va de las manos. Esta concepción de las máquinas ya no respondería a la realidad actual y, menos aún, sería razonable en el futuro de máquinas inteligentes y multiconectadas. Imaginémonos, señala Warwick, cómo podríamos organizar y llevar a cabo la desconexión de Internet, incluso si hubiera consenso para ello. Los sistemas complejos exhiben propiedades emergentes al ser integrados, conectados, características que no podrían haber sido predichas.

Los filtros preventivos para las innovaciones, en todo caso, tampoco serían infalibles, sobre todo en lo que respecta al impacto en los empleos. Incluso hoy en día se hace difícil asumir que un gigante de la fotografía como la multinacional Kodak, valorada en miles de millones de dólares y que generaba miles de empleos, desapareciese empujada por la competencia de una nueva tecnología de fotografía digital que parecía cosa de *frikis* y que no iba a pasar de curiosidad para los más adeptos a la electrónica. O que un grupo de personas empeñadas en crear un espacio para compartir videos en la red —YouTube— llegarían a ser los dueños de un negocio internacional que, en apenas año y medio, estaría valorado en unos 1 650 millones de dólares[90]. Negocio que haría posible, a su vez, que miles de personas tuvieran ingresos por crear o compartir unos pocos

---

90   Precio de adquisición de YouTube por parte de la corporación Google.

minutos de vídeo. Las predicciones se hacen tremendamente escurridizas. En revoluciones pasadas, innovaciones como la imprenta, la electricidad, la automoción o la aviación hubieran pasado, seguramente, el filtro de impactos sociales negativos, al intuirse su capacidad de generar riqueza y empleo neto. Eso sí, quienes se ganaban la vida como escribanos, produciendo velas y candiles, fabricando y conduciendo coches de caballos —o recogiendo sus excrementos de las calles—, u organizando expediciones y grandes viajes verían mermadas sus opciones de subsistencia. Siendo justos, también en épocas pasadas podría haber resultado difícil prever lo que depararía el despliegue de ciertas tecnologías incipientes. Así, por ejemplo, muchas personas estaban convencidas de que los vehículos a motor nunca suplantarían a los coches tirados por caballos. Al fin y al cabo, los caballos habían acompañado a las personas durante milenios, no requerían para subsistir sino algo de hierba, heno o paja, en lugar de una sustancia densa y de extraño olor que había que adquirir a través de una red específica. Pero esa lógica se probó bien errónea. También la innovación que supuso la instauración de molinos —algunos los consideran las primeras fábricas— y que acabó con la actividad de quienes se dedicaban a triturar los granos para obtener harinas de manera artesanal, tendría del mismo modo sus detractores. Pero, seguramente, dejar de golpear el grano con un mazo o reducirlo mediante dos piedras, con el riesgo de perder los dientes debido a los microfragmentos pétreos que quedaban incorporados a la harina molida, demostró pronto tener sus ventajas. Si se llegaran a aplicar controles preventivos sistemáticos, algunas innovaciones tecnológicas como los drones, por citar un ejemplo, necesitarían demostrar que sus beneficios —incluyendo los empleos generados para concebirlos, fabricarlos o pilotarlos— superasen, en buena medida, los impactos sociales que se presume acabarían provocando.

Las tecnologías disruptivas, por el momento, no enfrentan a trabajadores humanos con máquinas y algoritmos capaces de hacer su trabajo, sino que obligan a la competencia entre personas. Antes de que los taxistas hayan de enfrentar la competencia de los coches autónomos, hoy han de lidiar ya con aquellas personas y sus vehículos privados que, gracias a plataformas y aplicaciones *online*, pueden ponerse en contacto con potenciales clientes para asegurarse mutuamente servicios de transporte. El mismo tipo de estrategia que ocurre con los particulares que ponen en alquiler sus casas o una parte de ellas a turistas, gracias a plataformas y aplicaciones en la red. Los «taxistas» autoempleados mediante la plataforma Uber alcanzaron los dos mil millones de trayectos en el verano de 2016[91]. Esta compañía tiene ingresos que son superiores a los de la industria del taxi en ciertas áreas geográficas del planeta y, todo ello, gracias a un sencillo concepto de negocio y a una simple estructura virtual de colaboración. La disrupción tiene muchas formas.

La destreza y la originalidad a la hora de poner en contacto a, virtualmente, millones de personas, a quienes buscan algún tipo de ayuda y a quienes pueden ofrecerles algún tipo de producto o servicio compartido han acabado mostrando sus dientes disruptivos, sobre todo en el empleo. La infraestructura para ingresar cientos de millones de dólares puede ser mínima, no requerir inversiones en flotas de vehículos ni en parques inmobiliarios, ni siquiera conocimientos acumulados a lo largo de una vida. A lo sumo, un reducido número de trabajadores para mantener activa la red global y los servicios de atención al cliente. Entre dos y tres mil personas en el caso de Airbnb, contados seguramente con generosidad para hacer frente a las críticas—, en comparación con unos cien mil empleados para una gran cadena hotelera tradicional—. Ideas innovadoras que pueden parecer inofensivas, simpáticas opciones de empleo para unos jóvenes con talento e iniciativa, pueden acabar afectando a decenas o centenares de miles de empleos. Establecer filtros preventivos sobre las innovaciones que pueden convertirse en disruptivas podría ser todo un desafío, pero no hacerlo en absoluto es como estar perdido en el océano y tirar los remos de la barca al agua. Mejor mantener la calma y la esperanza antes de abandonarnos, totalmente, a nuestra suerte.

SE ACABARON LOS PRIVILEGIOS

Una nueva especie de máquinas y algoritmos capaces va a invadir nuestras vidas dejando únicamente pequeños resquicios por los que colarnos como lagartijas. El ser humano, como apunta Rodney Brooks, va a sufrir un ulterior desplazamiento del lugar de privilegio en el que quisimos situarnos: dejamos de ser el centro del Universo,

---

91   Uber Hits 2 Billion Rides as Growth in China Soars—For Now. https://www. wired.com/2016/07/uber-hits-2-billion-rides-growth-china-soars-now/

se confirmó que humanos y animales tenían ancestros comunes, se descubrió que el ADN y los mecanismos de la vida de los humanos y de las levaduras eran bastante similares, se reveló que el razonamiento humano se estructura de manera similar al de las computadoras, se evidenció por parte de la bioquímica que somos una colección de máquinas minúsculas, se demostró que los tejidos y las estructuras corporales pueden ser objeto de manipulación tecnológica, se establecieron dudas razonables sobre si nuestra creación fue realmente un evento único (o fue resultado, más bien, de la panspermia), y se conoció que sólo teníamos unos 35 000 genes propios como humanos. No levantamos cabeza. El progreso y el conocimiento nos han traído luz a las tinieblas, a la caverna en la que seguimos morando, pero hemos debido pagar un precio por dejar entrar esa luz. Hemos debido de reconocernos menos singulares y únicos como especie, al sabernos menos importantes de lo que un día nos creímos acerca de nosotros mismos, cuando nos comparábamos con otros seres vivos auto-asignándonos una condición cercana a la de semidioses. Parecen tiempos sombríos para la especie humana, que se revela como una mera transición desde un organismo biológico hacia otro estadio de autonomía con inteligencia y capacidades superiores.

Si pudiéramos preguntar a otras especies, podrían hablarnos de su experiencia en este tipo de trances de desplazamiento de roles sociales. Volviendo al ejemplo de los caballos como medio de transporte, por ejemplo, podemos observar cómo la tecnología acabó por sustituirlos de manera masiva en el siglo pasado. En Estados Unidos, los cerca de veintiún millones de caballos de principios del siglo XX quedaron reducidos a apenas tres millones en la década de los sesenta[92]. A cambio, la población equina remanente fue dedicada mayormente a actividades de ocio o a servicios en los que los caballos eran tratados, normalmente, con cierto respeto, disfrutando de mejor «calidad de vida». Y es que, en ese periodo, un buen número de agricultores fueron también desplazados de sus tareas, al hacerse posible una producción mecanizada que aseguraba una gran productividad sin requerir grandes cantidades de mano de obra. Para su desgracia, los agricultores no pudieron dedicarse al ocio ni a actividades de recreo, aunque, todo sumado, quienes insistieron en esas tareas consiguieron salir adelante. Los caballos fueron reemplazados por tractores, por automóviles, por máquinas que expresaban su potencia mediante el número equivalente de aquellos, para más inri.

---

92   http://www.americanequestrian.com/pdf/US-Equine-Demographics.pdf

Ellos no tuvieron oportunidad de prever, controlar, matizar o confrontar el futuro que se les vino encima, simplemente les alcanzó. El ser humano podría, para bien o para mal, no estar en mejores condiciones que aquellos primos lejanos tampoco. Poder concebir posibles escenarios de futuro no implica poder prevenirlos ni movilizar la sociedad para diseñar soluciones convenientes para la mayoría.

El motor básico de la existencia para los humanos —y el resto de criaturas— sigue siendo la supervivencia (comer y evitar ser comidos) y seguir generando descendientes que aporten combinaciones genéticas que puedan mejorar la especie. Pero cada ser vivo utiliza sus propias herramientas y estrategias para desarrollar este objetivo en un sinfín de alternativas posibles. Los humanos consiguieron desarrollar un cerebro impresionante, con el que acceder a conocimientos que, a su vez, transformaban en todo tipo de herramientas tecnológicas. Lo hicieron colaborando con otros semejantes, uniendo esfuerzos, y lo lograron también sin renunciar a sus cerebros más primitivos que han seguido, de manera latente, controlando buena parte de las emociones de los seres humanos —sino todas—, al fiscalizar los botones fundamentales del placer, la recompensa o el miedo. Esta mezcla de lo primitivo y lo evolucionado resulta una opción algo bizarra, pero ha conseguido hacernos navegar el curso de los siglos, hasta el presente. La estrategia nos ha hecho evolucionar y, a pesar de los muchos enfrentamientos sangrientos, no ha permitido que acabemos los unos con los otros. Los antropólogos, en todo caso, nos recuerdan constantemente que estamos ejecutando algoritmos del siglo XXI sobre un equipo físico que se actualizó la última vez hace cincuenta mil años, más o menos. Algo podría explotar con consecuencias fatales de seguir en este curso de evolución. La tecnología que permite la destrucción terminal del planeta y de toda la vida que en él se despliega está disponible y no sería compatible con cerebros primitivos, emocionales. Otra ventaja para los autómatas. Algunas extrapolaciones de la ley de Moore establecen que para el año 2040 un ordenador personal podría alcanzar la capacidad de procesamiento de un cerebro humano, en torno a un cuatrillón de operaciones por segundo. Y que, además, su coste, según esos visionarios, no debería superar los 1 000 dólares. La ejecución acelerada de secuencias de instrucciones en miles de millones de máquinas y algoritmos capaces creará sus propias lógicas, y las estrategias biológicas serán sólo pequeñas piedras en sus rodamientos, molestas pero despreciables. Liberados de la parte primitiva, esas inteligencias artificiales no sólo serían más capaces sino mucho más competentes para gobernar este y otros planetas.

¿UTOPÍA O DISTOPÍA? HAGAN SUS APUESTAS

Si el trabajo desaparece como obligación perentoria, la atención de la humanidad recaerá sobre las sociedades del ocio, que pasaría ahora a organizar las rutinas de convivencia, al igual que lo hizo la rutina de sobrevivir en la historia pasada. Que la sociedad humana del futuro se organice en torno al trabajo remanente o al ocio va a depender, en gran medida, de cómo definamos y prioricemos las opciones del progreso tecnológico. De la categorización de ese cúmulo de posibilidades y probabilidades surgirá la utopía soñada o cualquiera de las calamidades distópicas recreadas por la ciencia ficción. La vida como seres auténticamente libres, o un sufrimiento mecánico donde nuestras vidas se consumirán en una lucha imposible con máquinas diseñadas para vencer todas las batallas. Las perspectivas sobre el futuro están divididas y las opciones se subdividen en todo tipo de secuelas y escenarios. Los minimalistas aseveran que, con o sin máquinas y algoritmos capaces, todo seguirá prácticamente igual; y los maximalistas están convencidos de que los cambios que se avecinan son superlativos, nunca vistos. En la propuesta de cambios mayores, las máquinas y algoritmos serían la clase trabajadora por defecto en ese futuro. Los humanos, mientras tanto, podrían adoptar todo tipo de roles: seres esclavizados por las máquinas con algún tipo de aterrador objetivo, individuos marginales que dejan de tener un lugar en el mundo, etc. pero también indolentes y ociosos ciudadanos (utopía). Si la revolución industrial hizo surgir la clase trabajadora, la sociedad tecnológica podría llegar a ser el espacio de la nueva clase social, la clase ociosa. Siempre que evitemos los riesgos de convertirnos en una renovada clase esclava o en una especie desaparecida. El mejor o el peor de los mundos estarían en juego en el siglo por el que ya transitamos desde hace casi dos décadas.

Con una explosión de tecnologías disruptivas que se potenciarán entre sí, y que amenazan con impactos en cadena como bombas de racimo, la probabilidad de que el espacio de convivencia quede desmantelado es real. En esa previsión de acontecimientos, la idea de que la especie se despoje finalmente de la obligación de trabajar para subsistir no sería sólo un hecho singular en la historia de la humanidad sino, quizá, uno de los mejores desenlaces posibles. Quedaríamos convertidos, de este modo, en una sociedad de humanos curiosos movidos únicamente por la voluntad de aplicar nuestras capacidades a aquello que nos interesara. Ese futuro, sin embargo, no acabaría ocurriendo por defecto, sino que requeriría la acción activa de la sociedad de humanos para preparar nuestro nuevo lugar en el mundo antes de que no tengamos apenas control real. Las apuestas sobre el futuro están abiertas y las predicciones de los expertos difícilmente convergerán en consenso alguno, por lo que se requiere el recurso a la inteligencia colectiva. Esa inteligencia no puede funcionar, sin embargo, por agrupación de ignorancias, sino por unión e intersección de conciencias informadas y con criterios justificados. Hemos de estar atentos para interpretar las señales de los cambios que van a sucederse de manera continuada y planificar con antelación —y de manera proactiva— nuestro reemplazo por máquinas y algoritmos capaces.

El ser humano, como especie, no parece enormemente capacitado para prever las consecuencias de sus actos, o para alterar el curso de sus planes evitando ciertos riesgos manifiestos. Seguimos siendo máquinas biológicas fundamentalmente emocionales con un añadido de racionalidad gracias a las partes más recientes de nuestro cerebro y al acervo cultural acumulado. En palabras del escritor Ronald Wright, el ser humano no es mucho más que una mezcla de desidia, codicia y estupidez fomentada por la estructura de la pirámide social. En el caso del progreso tecnológico, además, hemos de contar con la irreversibilidad del desarrollo tecnológico de manera generalizada. Cuando se desencadena una innovación, la sociedad la hace suya de un modo tal que viene fusionada con su cultura, sus hábitos y su naturaleza, y la vuelta al estado anterior es más que improbable. Sólo otras innovaciones consiguen suplantar a las anteriores, sobrescribiéndolas. Ha sido así en la historia, descontando las caídas de imperios o civilizaciones que se llevaron por delante no sólo a los pueblos, sino también buena parte de su acervo cultural y tecnológico. Los misterios de su conocimiento siguen todavía vivos. Las civilizaciones posteriores al Egipto clásico, por ejemplo, no han dejado de admirar sus obras y preguntarse qué sabiduría y tecnología poseyeron para llevarlas a cabo.

La incapacidad de gestionar y controlar la dirección y sentido del progreso, junto a la irreversibilidad del desarrollo científico y tecnológico son asuntos serios. Además, hemos de contar con nuestra incapacidad manifiesta para hacer frente a aquellas innovaciones que demuestren ser nocivas para la continuidad de la especie, el bienestar de los seres humanos o el planeta. Las razones económicas podrían constituirse en enormes barreras y las leyes o los acuerdos internacionales son poco más que paraguas de papel ante las tormentas con aparato disruptivo. No podemos, por otra parte, olvidar el resto de sacudidas a la convivencia que se nos vienen encima al unísono: el reto de la eternidad, por ejemplo, o expresado menos grandilocuentemente, vidas extendidas hasta límites insospechados gracias a las tecnologías de compensación o reversión del daño celular, a la genética, etc. El paso natural de generaciones de individuos relevándose para aportar nuevas soluciones a los viejos problemas y nuevos problemas para permitir a las siguientes generaciones concebir sus soluciones, podría quedar trabado, trastornando ese flujo vital de necesidades, deseos, propósitos.

La tecnología que amenaza el futuro de los puestos de trabajo, que ya ha desplazado en el pasado millones de ocupaciones (conquistados por máquinas y algoritmos de manera silenciosa), es la misma que nos ha traído maravillosas innovaciones que nos hacen individuos más competentes, poniendo tierra de por medio respecto a nuestros ancestros. Hemos puesto el conocimiento acumulado en red, accesible, como un gran cerebro universal, y ese conocimiento no solo estará allí para perpetuarse, sino que podría acabar tomando conciencia de sí mismo de alguna manera que nos parecerá milagrosa. Hoy podemos ya saber, conocer, ver, oír, experimentar, infinitamente más de lo que somos capaces de asimilar en una vida humana. El tamaño de ese conocimiento acumulado nos desborda, y parece hecho a la medida de otras capacidades, no humanas. No deberíamos haber siquiera asumido por un instante que podríamos disfrutar de la potencia disruptiva del progreso tecnológico sin que nuestras opciones de convivencia fueran conmovidas. Pero, del mismo modo, tampoco deberíamos asumir fatalmente que todos esos cambios tecnológicos disruptivos hayan de condenarnos al desastre, ni que las nuevas inteligencias que nos sucedan tengan que arrasar con el resto de formas de vida inteligente. Somos y podremos ser parte de la explosión de conocimiento universal, y quizá tener acceso a las redes de megainteligencia organizada, como si fuera parte de nuestra dotación biológica. Ya somos más inteligentes gracias a los algoritmos y a Internet; mañana podría ocurrir lo mismo. Esa nueva dimensión en lo que concierne a la inteligencia disponible podría lograr resolver problemas hasta ahora inabordables, quien sabe si incluso explicarnos parte del sentido de la vida. En el tiempo de la sociedad tecnológica puede que no queden empleos para los humanos, pero puede también que nadie los eche de menos. En ese tiempo los humanos podrían simplemente dedicar su tiempo a un nuevo deporte de masas, ser sabios y ejercer su sabiduría.

LA HISTORIA DE LA CUESTIÓN

At the first Congress of Charities held at Brussels in 1817 one of the richest manufacturers of Marquette, near Lille, M. Scrive, to the plaudits of the members of the congress declared with the noble satisfaction of a duty performed: «We have introduced certain methods of diversion for the children. We teach them to sing during their work, also to count while working. That distracts them and makes them accept bravely those twelve hours of labor which are necessary to procure their means of existence.

[En el primer Congreso de Instituciones de Beneficencia celebrado en Bruselas en 1817 uno de los más ricos fabricantes de Marquette, cerca de Lille, M. Scrive, declaró con la noble satisfacción del deber realizado y bajo los aplausos de los participantes: «Hemos introducido ciertos métodos de diversión para los niños. Les enseñamos a cantar durante su trabajo, también a contar mientras trabajan. Eso les distrae y les hace aceptar valientemente las doce horas de trabajo que les son necesarias para procurarse sus medios de existencia.]

Cita en *The Right to be Lazy*, de PAUL LAFARGUE[93]

DURANTE LA MAYOR PARTE DE LA HISTORIA DE LA CIVILIZACIÓN el trabajo fue considerado como una actividad despreciable, poco digna para quien podía permitirse subsistir por medios que no impliquen el esfuerzo físico o intelectual forzado. La línea divisoria entre quienes estaban exentos de trabajar, por ejemplo por su condición de nobles, y quienes tenían que doblar el espinazo quedaba marcada a hierro prácticamente desde antes de su nacimiento. En la Grecia

---

93   https://www.marxists.org/archive/lafargue/1883/lazy/

antigua, el ocio, la contemplación, la filosofía, las artes, etc. eran actividades dignas únicamente del hombre libre no de los esclavos, pero estos eran necesarios para que aquellos pudieran deleitarse con la tarea creativa. Por eso no había contradicción, desde su punto de vista, en ser una sociedad democrática y mantener la esclavitud. ¿Cómo hubieran podido si no los ciudadanos libres debatir sobre las cuestiones que les afectaban si otros no cuidaban de los quehaceres cotidianos? La esclavitud era una forma de relación laboral que daba soporte a un plan de amplias libertades ciudadanas —para quienes eran ciudadanos libres—, por muy contradictoria que la fórmula nos pueda parecer en la actualidad. Quizá tanto como a nuestros futuros descendientes les podrá parecer el hecho de que para asegurar nuestro deleite y satisfacer nuestras necesidades nos comiéramos a otros seres vivos, por citar uno de los muchos agravios en los que hemos caído como especie. Cuestiones que, salvo para una pequeña parte de la ciudadanía, no generan mayores reparos, sin embargo. ¿Cómo podríamos salir adelante, diríamos, sin apropiarnos de las proteínas y nutrientes de animales o plantas?

Una vez que el esclavismo fue prohibido a mediados del siglo XIX, al menos formalmente, el modo de asegurar la realización de las tareas indispensables que han de ser llevadas a cabo para el funcionamiento de cualquier sociedad se hubo de convertir imperiosamente en trabajo asalariado. No pocos han reconocido la ventaja estratégica de haber formulado un trabajo libre y vinculado a la subsistencia, en comparación a un trabajo esclavo. El trabajador asalariado se somete a sí mismo sin más recurso a la fuerza que la de saciar el hambre propia y la de su familia. A pesar de ello, el trabajo remunerado es, sin embargo, ensalzado como digna ocupación de cualquier ser humano. Su desempeño asegura el cumplimiento de una obligación social colectiva, además de una obligación individual para asegurar el propio sustento. En el fondo, la visión del trabajo como un elemento cuasi moral y la visión del trabajo como un castigo a la especie parecen ser perfectamente compatibles, tanto en la historia de la humanidad como en tiempos modernos.

El trabajo remunerado ha ido parejo a la historia de la humanidad sin que nada pareciera capaz de modificar el arreglo social universal para asegurarse la subsistencia y crear rutinas sociales de convivencia. Trabajar para subsistir, como noción, se ha mostrado un axioma resiliente a los cambios, revoluciones, guerras y a todo tipo de evoluciones sociales. A lo largo de la historia y de sus muchos avatares, la lógica de trabajo a cambio de jornal ha permanecido inalterada, como si estuviera labrada en gigantescos sillares de piedra maciza, capaces de soportar mareas y tempestades. Hasta conmemoramos el trabajo en todo el planeta dedicándole día y fiesta internacional en el calendario (aunque lo celebremos no trabajando, como se celebran todas las fiestas). Durante buena parte de nuestra existencia moderna, además, el trabajo ha sido mucho más que un asunto de supervivencia o de acomodo social; ha llegado a convertirse en un asunto espiritual, en un asunto religioso cuando menos. La referencia cristiana al origen del trabajo, por ejemplo, ha sido mil veces divulgada desde la infancia:

> (Yahveh Dios) Al hombre le dijo: «Por haber escuchado la voz de tu mujer y comido del árbol del que yo te había prohibido comer, maldito sea el suelo por tu causa: con fatiga sacarás de él el alimento todos los días de tu vida. Espinas y abrojos te producirá, y comerás la hierba del campo. Con el sudor de tu rostro comerás el pan, hasta que vuelvas al suelo, pues de él fuiste tomado. Porque eres polvo y al polvo tornarás.»
>
> (*Génesis*, Cap. 3)

Los artesanos, los agricultores, los comerciantes, los esclavos, los siervos, los señores, todos han conformado en la época moderna de la humanidad, y también con anterioridad, un sistema de ciertos equilibrios en el que alguien ofrecía su esfuerzo, su talento o sus habilidades —fundamentalmente lo primero— para obtener un salario o algo de comida y techo. Durante siglos, sólo unos pocos afortunados, o algunos genios audaces, pudieron dedicarse a sus pasiones, a veces a cambio de asumir el destino de sus creaciones. Allí está el ejemplo de los científicos pioneros entregados a la ciencia en los sótanos de los castillos de sus mecenas, o de los artistas que trabajaban para la corte o poderosos señores. El trabajo, para la inmensa mayoría de la población, era sólo cuestión de vida y muerte, de sudor y lágrimas, sin matices.

Por eso parece aventurado dar crédito a los visionarios que vaticinan que el trabajo será un asunto superado mucho antes de acabar el siglo en el que nos encontramos. Desde la inercia que imponen las numerosas generaciones que nos han precedido, y que han trabajado en cuerpo y alma, se hace casi imposible concebir sociedades donde el trabajo sea sólo un término histórico. Puesto que trabajar es parte esencial de la existencia de cientos de millones de personas en cualquier parte del mundo, atravesando montañas, océanos y culturas, es más fácil concebir personas cuyas vidas sigan girando en torno al empleo remunerado, que personas liberadas de esta rutina. El trabajo, sin embargo, no sería ni un fin ni un bien en sí mismo sino el medio para conseguir lo que necesitamos o deseamos. En palabras del profesor de filosofía Gary Gutting[94], el trabajo nos permite seguir vivos, pero no nos da una vida. En las sociedades capitalistas de consumo desaforado que hemos construido el trabajo se convierte, incluso, en el medio de conseguir lo que no necesitamos y lo que creemos desear. Y ello, a cambio de renunciar a libertades y experiencias que sí requerimos para sentirnos vivos, para ser personas, incluido el tiempo de asueto, sin obligaciones, de pura contemplación o comunión con el resto de seres humanos.

Por mucho que probemos a imaginar un mundo libre de obligaciones laborales se nos hará difícil establecer las pautas de funcionamiento para esas sociedades de fantasía y el modo de transitar hasta ellas. Podemos, por el contrario, imaginarnos colonizando otros mundos, físicos o virtuales, existiendo durante eternidades una vez vencida la enfermedad del envejecimiento, o creando inteligencias similares a la nuestra. Toda una extravagancia. Sólo recientemente en la historia de la humanidad, los pensadores parecen haber derribado las barreras mentales que impedían concebir sociedades sin trabajo remunerado, proponiendo órdenes sociales completamente diversos. ¡La madre de todas las revoluciones! Muchos filósofos, economistas y pensadores, en sus generaciones respectivas, como Buckminster Fuller o Bertrand Russell, confrontaron la máxima de que hubiera que entregarse a un trabajo asalariado para sobrevivir. Lo hicieron alrededor de sus críticas a muchas fórmulas de trabajo asalariado rayanas en la esclavitud, o a las relaciones abusivas del capital con el factor trabajo. Esas ocupaciones anulaban la libertad esencial del ser humano para consagrarse a sus pasiones e intereses, al desarrollo de sus capacidades, obligándoles a malvivir en el caso de no respetar el acuerdo social impuesto. Sus reflexiones no implicaban tanto el anuncio del fin del trabajo sino el del fin de un trabajo forzado, lo que lo haría compatible con una vida placentera. Una situación que ya era posible para unos pocos privilegiados, aquellos que tenían la suerte de disponer de una fortuna suficiente con la que asegurar su manutención, o quienes podían vivir a la sombra de un mecenas que asumiera esa subsistencia a cambio de un compromiso profesional.

Conviene recordar que la historia de la humanidad ha transcurrido en buena medida en el interior de cuevas, preparándonos para la caza y devorando las capturas cuando los días eran propicios, aunque hoy nos cueste recordar y asimilar ese pasado reciente desde nuestra reluciente modernidad. La preocupación por acceder

---

94   What Work Is Really For, Gary Gutting *New York Times*, 8 September 2012.

y mantener un puesto de trabajo remunerado, aunque nos parezca consustancial al *Homo sapiens*, es sólo un uso social reciente asociado al hombre moderno. Durante cientos de millones de años, el humano primitivo se preocupó de buscar comida, en lugar de ofrecer su tiempo y su esfuerzo a cambio de recursos para conseguir esa comida. Quienes hoy obtienen directamente alimentos mediante la caza, la agricultura, la recolección, la pesca, etc. son minoría. Sus producciones, además, pueden ser sus nutrientes solo parcialmente, por lo que han de convertirse en moneda de cambio para obtener otros sustentos, bienes y servicios. Los alimentos parecen condenados a ser producidos en entornos industriales y la tarea de obtenerlos directamente de la tierra, de los ríos y mares, de la naturaleza, nos podría parecer pronto arcaica, cosa de animales inferiores. Y ello a pesar de que un creciente número de personas parecen añorar el modo de vida de aquella versión de hombre primitivo, frente a todo tipo de frustraciones en la sociedad contemporánea. Aunque difícilmente se encontrarían voluntarios para retomar ese modo de vida, con todas sus consecuencias, las 24 horas del día y todos los días del año. Las modas de paleodietas y paleoejercicio incorporadas a rutinas del siglo XXI son aceptables únicamente en dosis de ejercicio controlado.

Las preocupaciones sobre el desempleo tecnológico han sido, hasta hace bien poco, un asunto de divagación filosófica restringido a un puñado de intelectuales. Gracias a las ocupaciones de subsistencia, una mayoría de personas podía salir adelante sin depender de terceros y, por lo tanto, no es que el desempleo tecnológico les preocupase, es que ignoraban la opción del empleo remunerado. El hecho de que gran parte de la humanidad subsistiese produciendo sus alimentos —junto al trueque de sus excedentes—, y que los porcentajes de desempleo anteriores a la época contemporánea fueran más bien bajos, anulaba de raíz un debate profundo sobre el efecto de la tecnología en los empleos. Eso no impidió, sin embargo, que desde la antigüedad se considerase el potencial disruptivo de las máquinas para desplazar trabajos realizados por personas. Incluso exhortaciones al poder político para que tomase cartas en el asunto. En civilizaciones como la Grecia antigua, por ejemplo, se tomaron medidas para combatir la pobreza de quienes no podían acceder a un trabajo para ganarse la vida, por una razón u otra, así como de quienes no podían competir con el trabajo de los esclavos. Pericles puso en marcha programas de empleo público para desempleados, lo que le generó críticas por parte de sus adversarios políticos, y lo mismo hicieron algunos emperadores romanos. También se encuentran referencias al desempleo causado por el progreso tecnológico en el libro primero de *Política* de Aristóteles, donde se dice que si las máquinas consiguieran ser suficientemente avanzadas se acabaría con el trabajo humano ("si cada instrumento pudiese, en virtud de una orden recibida o, si se quiere, adivinada, trabajar por sí mismo, como las estatuas de Dédalo, o los trípodes de Vulcano, que se iban solos a las reuniones de los dioses; si las lanzaderas tejiesen por sí mismas; si el arco tocase solo la cítara, los empresarios prescindirían de los operarios, y los señores de los esclavos).

Algunos emperadores romanos, como Vespasiano, no aceptaron ciertas innovaciones que reducían el trabajo humano como, por ejemplo, algunos medios de transporte de mercancías pesadas, considerando que había que permitir que sus porteadores se ganasen la vida con esas tareas. A pesar de todo, durante el primer milenio de la historia moderna el desempleo no fue un tema de preocupación fundamental para las sociedades y sus gobernantes. Había necesidad de mano de obra, la población era limitada y, además, muchas personas no requerían de un empleo remunerado para su subsistencia. Aunque hubo, sin embargo, situaciones complicadas. Como señala Ronald Wright, por ejemplo, cuando las tierras comunales romanas pasaron rápidamente a manos privadas, se produjeron no pocas situaciones desgraciadas, que se intentarían remediar con la reforma agraria de finales del siglo II a. de. C. Al fracasar también esa reforma, las tierras comunales se perdieron definitivamente, y el Estado se vio en la necesidad de apaciguar a las clases bajas asegurando repartos gratuitos de trigo.

En la época medieval, y sobre todo en el Renacimiento, se adoptaron toda una serie de nuevas tecnologías gracias al espíritu innovador de la época, tanto en la forma de conceptos innovadores como de recuperación de ideas que habían sido olvidadas o ignoradas durante siglos. El siglo XV vio como algunos factores se aliaban para dificultar la subsistencia de los individuos, ya fuera el crecimiento de la población, o las políticas de suelo para cultivar que permitían la acumulación desmesurada bajo un solo propietario y señor. En esas circunstancias, la presentación en sociedad de nuevos ingenios no podía ser bienvenida, si reducía las posibilidades de los asalariados de emplearse como mano de obra y, por tanto, sus opciones de asegurar la supervivencia. Las autoridades apoyaron frecuentemente a quienes eran miembros de la población trabajadora (artesanos, por ejemplo), prohibiendo las nuevas tecnologías e incluso ejecutando a aquellos que osaban promocionarlas o comerciar con ellas. Conviene recordar que las máquinas no sólo desplazaban trabajadores, sino que destruían ciertos equilibrios sociales ancestrales. Así, por ejemplo, las máquinas permitieron que trabajadores sin cualificación ocuparan actividades reservadas hasta entonces a artesanos que requerían largos periodos de formación y aprendizaje. La técnica y la habilidad podían ser reemplazadas por una máquina gobernada por un humano, aun siendo manifiestamente torpe. Isabel I de Inglaterra rechazó patentar —hasta en dos ocasiones— las máquinas tejedoras inventadas por William Lee con el siguiente argumento: «*Consider thou what the invention could do to my poor subjects. It would assuredly bring to them ruin by depriving them of employment, thus making them beggars*» (imagine lo que su invención podría causar a mis pobres súbditos. Les traería seguro la ruina al quitarles el empleo, convirtiéndolos en mendigos).

La preocupación por contener o limitar el impacto de las innovaciones tecnológicas en el empleo se mantendría elevada durante los siglos XVI y XVII. Pero, a partir de entonces, los poderes empezaron a empatizar menos con las preocupaciones de aquellos trabajadores que temían los efectos de las máquinas robatrabajos. Una visión más mercantilista empezó a dominar la escena política y económica. El objetivo prioritario pasaba a ser el aumento del comercio, de los flujos económicos, la generación de riqueza. Los impactos sobre la mano de obra de ciertas innovaciones se subrogaban al mayor crecimiento económico de las naciones que esas tecnologías podían impulsar. El desplazamiento de trabajadores era un efecto colateral, un hecho cierto, pero un elemento de sacrificio en el juego del bien social —y privado— supremo. Sería a partir del siglo XVIII cuando el miedo de ciertos grupos de asalariados se transformó en odio manifiesto hacia los nuevos ingenios mecánicos capaces de hacer el trabajo de seres humanos con mayor eficiencia y precisión. Los efectos de esa protesta fueron muy evidentes en el Reino Unido, país que había impulsado la Revolución Industrial, y donde además se concentraban muchos de los pensadores económicos de la época. No todos estaban alineados, sin embargo, en lo que respecta a los efectos de la tecnología en el empleo, y mientras unos negaban tales impactos, otros como Thomas Malthus o David Ricardo advertían de la amenaza real que suponía el desplazamiento de hombres por máquinas en muchas tareas.

Los trabajadores, que habían conseguido generar cierta empatía por parte de las autoridades, acabarían por perder su apoyo definitivamente. En el tiempo sagrado de la innovación y el progreso científico y tecnológico, nada ni nadie podía parar ese tren lanzado a toda marcha. Las teorías económicas, además, no eran capaces de probar la relación directa entre desempleo y más tecnología, un asunto que ha permanecido en permanente estado de inacabado debate desde entonces. Ciertas pruebas empíricas empezarían, además, a demostrar que el progreso tecnológico parecía acabar siendo bueno para todos, convirtiendo los temores hacia el desempleo tecnológico en miedos infundados. Todo ello sería razón suficiente para enterrar los debates abiertos sobre el desempleo tecnológico, bajo la etiqueta de falacia ludita. El progreso no iba a cancelar empleos sino, a lo sumo, generar nuevas tareas en detrimento de otras, aquellas más pesadas y duras, que serían realizadas por máquinas, en nuestro beneficio. ¿Dónde estaba el problema? La reacción de los trabajadores más afectados o más temerosos por su futuro no dejó de incluir acciones de agresión directa contra las temidas máquinas. Aquel tiempo y las décadas posteriores se convirtieron, en todo caso, en un periodo propicio para analizar los posibles impactos de la innovación tecnológica sobre los empleos, tanto en la forma de debates populares como de análisis por parte de pensadores, filósofos y economistas.

FALACIA LUDITA

Uno de los recursos clásicos en la discusión sobre el desempleo tecnológico desde hace un par de siglos se basa en la denominada falacia ludita. La revolución industrial hizo posible la aparición de máquinas sorprendentemente eficientes, capaces de realizar tareas que hasta ese momento requerían de la intervención humana, lo que en sí mismo contenía la semilla de un singular conflicto. El ejemplo por excelencia es el telar automático (*Jacquard´s automated weaving*) que la industria textil adoptaría con entusiasmo. Este invento implicaba la cancelación de numerosos empleos en una industria que ocupaba a numerosas personas hasta ese momento. En palabras del economista David Ricardo, el problema de las máquinas concernía la influencia de las máquinas en los intereses de las diferentes clases sociales y, en particular, la opinión de las clases trabajadoras de que la utilización de maquinaria menoscababa frecuentemente sus intereses.

En este caldo de cultivo social, nació el movimiento de los Luditas, en la ciudad inglesa de Nottingham en el año 1811, con el propósito de presentar batalla a las máquinas robatrabajos y, por supuesto, a los patronos que las empleaban en sus antiguos puestos de trabajo. Para ello, estos trabajadores agraviados no dudaron en llevar la protesta hasta la misma destrucción de las máquinas cuando los ánimos llegaron a estar más exaltados. Sus acciones fueron divulgadas mediante canciones y panfletos de la época, los cuales firmaban con el pseudónimo de «*King Ludd*», lo que les acabaría por dar nombre y, más tarde, categoría de movimiento social. Su actividad supuso un acicate en la reflexión por parte de economistas y filósofos sobre los impactos que la tecnología podría tener en la producción de bienes y el riesgo de que las máquinas acabaran dejando a los trabajadores humanos sin oficio ni beneficio. Siendo justos con los luditas, sus acciones no se encaminaron a la ciega destrucción de máquinas sino de aquellas máquinas que ponían fin a unos modos de vida tradicionales que habían garantizado cierta estabilidad social y económica. Esos trabajos estaban basados en el respeto de aquellos individuos que adquirían los conocimientos de una profesión a lo largo de una vida de esfuerzo, para atesorar una sabiduría que podía finalmente ser transferida en una relación de maestro y aprendiz con el paso de los años.

Las máquinas no arruinaron finalmente la economía británica ni la de ningún otro país donde se implantaron masivamente. De hecho, los países con mayor despliegue tecnológico han gozado típicamente de mejores condiciones de vida para sus ciudadanos y trabajadores. Así que podríamos asumir que los temores de los luditas eran infundados y de ahí la etiqueta de falacia. Pero también es cierto que, desde las últimas décadas del siglo XX, las condiciones de los trabajadores no habrían mejorado (ingresos, condiciones laborales), quizá como consecuencia de la mayor oferta de mano de obra, tanto humana como tecnológica. El empleo no ha sufrido una destrucción masiva debido al progreso, pero sí ha implantado unas nuevas condiciones de equilibrio que requieren de una inusitada flexibilidad de la mano de obra para mantenerse competitiva en sociedades tecnológicas y globalizadas. De la agricultura a la fabricación, de la fabricación al sector servicios, de los servicios tradicionales a los servicios *online*. El pasado no nos ha conducido a un presente ruinoso, pero sí a un presente sensiblemente diverso al de hace sólo unas pocas generaciones. Y esto podría no ser sino el inicio de un viaje en el que todavía estamos tomando velocidad hasta alcanzar una celeridad de cambio insoportable.

EL DEBATE QUE NO CESA

A mediados del siglo XIX, Karl Marx añadiría no poca madera al fuego al unirse al bando de quienes auguraban desplazamientos masivos de empleos debido a la tecnología. Pero ese fuego quedaría reducido sólo a las brasas, unas décadas después, asumiéndose que la preocupación por el desempleo tecnológico era, cuando menos, exagerada, quizá infundada. El debate desaparecería de la lista de preocupaciones ciudadanas y también del discurso de los expertos. El desarrollo tecnológico se vinculó con progreso en todos los órdenes sociales y económicos; más innovación era más bienestar y más calidad de vida, y los trabajadores no tenían por qué temer a las máquinas. Si algunos empleos desaparecían, otros muchos se generaban; si se requería menos mano de obra, la que quedaba podía producir, sin embargo, muchos más bienes y con menos esfuerzo, lo que redundaba en una mayor oferta, en precios más asequibles, y en más disponibilidad para todos. Los nuevos asalariados tenían acceso, gracias a esas producciones más eficientes, a productos y servicios que antes no podían siquiera soñar. Quizá las poblaciones eran menos autosuficientes a la hora de producir sus propios recursos y quizás eran también más infelices al tener que seguir rutinas estresantes para ganar un sueldo de supervivencia, en tareas que les eran ajenas a su naturaleza, pero el progreso tenía un precio. Aparte de esas cuestiones, todos ganaban gracias al desarrollo tecnológico, al menos en los grandes números y en las comparativas más gruesas. El debate sobre el desempleo tecnológico, sin embargo, se había cerrado en falso.

En el siglo XX, la discusión de los efectos del desarrollo tecnológico en el empleo reaparecería de manera iterativa, en oleadas periódicas, con ciclos separados por apenas unas décadas. Los temores iban asociados a datos preocupantes sobre cifras de desempleo, junto a una aceleración manifiesta del progreso tecnológico, con noticias de máquinas y algoritmos siempre más capaces. El miedo al remplazo masivo de trabajadores por autómatas y sus consecuencias sociales se hacía pertinente. El propio Henry Ford diría con rotunda claridad que una sociedad en la que los trabajadores de sus fábricas no pudieran comprar el producto que fabricaban sería poco prometedora. El economista John Maynard Keynes llamó la atención sobre el desempleo tecnológico provocado por las nuevas tecnologías empleadas en los procesos de producción, aunque desde la convicción de que era un fenómeno que no se resolvería en catástrofe. En un ensayo publicado en 1930, Keynes imaginó las vidas futuras de sus nietos en 2030 y estableció que, en el plazo de un siglo, el ser humano tendría una semana laboral de 15 horas y el problema no sería encontrar empleo sino saber qué hacer con el tiempo de ocio.

Además de la pérdida de empleos en el sector agrario, la escasez de trabajo en el entorno urbano se hacía más incuestionable, por lo que el temido desempleo parecía instalarse en los países industrializados sin solución de continuidad. La falacia ludita quizá no era tal, a fin de cuentas. El optimismo acerca del progreso todopoderoso, sin embargo, solía acallar esos temores, con la promesa no sólo de nuevos empleos, sino de empleos mejores, más adecuados para las capacidades singulares del ser humano. Era sólo cuestión de transiciones y tiempos de adaptación y espera, inflexiones pasajeras, más que cambio esencial de tendencias. El centro de gravedad del debate se desplazó desde el Reino Unido a los Estados Unidos, y sólo el estallido de las guerras (la Segunda Guerra Mundial y la guerra de Vietnam) logró apaciguar la preocupación por el empleo. Las situaciones de guerra generaban, paradójicamente, infinidad de tareas para todos los ciudadanos, y tras ellas, la reparación de los daños también era generadora de empleo. Por no hablar de la reducción de mano de obra a causa de las bajas en los conflictos. En los años 60, la fe en los efectos compensatorios del progreso tecnológico, en su capacidad de generar siempre nuevos empleos, se había reducido; aun así, se estimaba que la intervención del gobierno podría ser suficiente para reconducir cualquier trastorno que no hubiera sido corregido por las fuerzas del mercado. La búsqueda de economías de pleno empleo sería un objetivo de muchos países desarrollados y de sus gobiernos, lo que implicaba asumir que los temores hacia el desempleo tecnológico eran exagerados o manifiestamente irrelevantes. La división entre tecnooptimistas convencidos de la genialidad del ser humano para acomodar cualquier amenaza, incluso en el último minuto antes de la catástrofe, y tecnopesimistas aferrados a dudas profundas sobre la sensatez humana para reconducir ciertas tendencias destructivas, seguiría dividiendo al mundo. La botella medio llena y medio vacía, la botella demasiado grande siempre.

El último cuarto del siglo XX fue el tiempo de revoluciones tecnológicas singulares en torno a la computación y a todo tipo de máquinas incipientemente capaces. Muchas tareas desempeñadas por humanos cayeron en desgracia frente al poder y eficiencia de algoritmos y procesadores, cuyas generaciones se sucedían en tiempos más breves que las humanas. Eran tareas típicamente remuneradas con salarios medios, mientras aquellos trabajos de salarios bajos o desempeños de alta remuneración quedaban al margen y la entrada en juego de la computación por doquier no llegaba a amenazar su status quo. Se impuso un mercado de trabajo polarizado, como han señalado algunos autores, una línea divisoria entre quienes sufrían los impactos del progreso como desplazamiento de sus empleos por parte de máquinas y algoritmos capaces, y quienes sólo veían el lado más amable de ese progreso, desde la trinchera de actividades no automatizables, o incluso muy bien remuneradas. En los años siguientes, la amenaza de tecnologías siempre más avanzadas, de la robótica y la inteligencia artificial, ha desplegado los tentáculos del desempleo tecnológico de manera más universal.

En el último tramo del siglo XX, se mantuvo la lógica tanto por parte de los economistas como del público en general, de que la tecnología no causaba desempleo, no en el largo plazo. La preocupación por el desempleo tecnológico, en todo caso, se mantuvo viva en algunas sociedades (en Europa, por ejemplo, en comparación con los Estados Unidos) y un remanente de pensadores no dejó de apuntar hacia los riesgos del progreso. La aceptación de la visión optimista de los efectos del desarrollo tecnológico en el empleo no ha sido siempre evidente, sobre todo en los periodos de popularización de innovaciones con carácter disruptivo. El invento de la lavadora automática, por ejemplo, provocó muchas protestas de mujeres lavanderas que se ganaban la vida con este oficio, aunque pronto las quejas acabarían por transformarse en alabanzas, elevando este electrodoméstico a icono del movimiento de la liberación de las mujeres. Otra innovación, en este caso médica, como la píldora anticonceptiva se elevaría también a icono de la liberación de la mujer, desde su comercialización en los años 60 del siglo XX (se la llegó a etiquetar como uno de los inventos más importantes del milenio). La píldora permitía a las mujeres tomar el control de sus vidas, con el consiguiente efecto en la población de trabajadoras, aunque la controversia sobre sus supuestas bondades no ha dejado de estar presente en muchos discursos sobre la emancipación femenina. La innovación, en este caso, facilitó a la población femenina una mayor incorporación a la actividad laboral y un control de sus itinerarios profesionales.

En la actualidad, los análisis que vaticinan importantes efectos de desplazamiento de empleos por parte de máquinas y algoritmos capaces se suceden sin pausa aun si las filas de tecnooptimistas se mantienen irreductibles. Esos estudios muestran que en el futuro no quedarían ya zonas de confort en lo que se refiere a los impactos en el empleo producidos por el progreso. El presente es algo más relajado pero las cifras empiezan a asustar a los más valientes. Un estudio de la consultora McKinsey[95] analizó 2 000 tipos de activida-

---

95 http://public.tableau.com/profile/mckinsey.analytics#!/vizhome/
InternationalAutomation/WhereMachinesCanReplaceHumans

des en unas 800 ocupaciones laborales, encontrando que un 45% de aquellas serían automatizables (lo que significaría unos 8,7 millones de empleos en España[96], por ejemplo), incluyendo entre un cuarto y un tercio del tiempo de desempeño de los directores generales (CEO) de las empresas. Eso sí, sólo un 5% de los empleos podrían ser completamente automatizados con la tecnología que poseemos en la actualidad[97]. El informe demostró también que el coste horario de las actividades laborales no era una variable predictiva fuerte de la susceptibilidad de automatización de esos empleos, a pesar de que existían ciertas correlaciones entre ambas.

El debate sobre el desempleo tecnológico se ha renovado de nuevo en los inicios del siglo XXI debido, en parte, a la serie de estudios y predicciones con conclusiones mayormente negativas. Los empleos que exigen, al menos sobre el papel, capacidades intelectuales complejas —y fundamentalmente humanas—, así como aquellos trabajos menos intelectuales pero que requieren adaptabilidad situacional, inteligencia emocional, comunicación e interacción con otras personas, siguen apareciendo como menos expuestos a la automatización, pero aquí también con matices. Esta salvaguarda podría estar cambiando de manera consistente. Frente a un atareado empleado de banca que nos atiende tras media hora de paciente espera en una cita siempre apresurada, se empiezan a proponer desde hace unas décadas los empleados de banca virtual, empáticos por programación, disponibles y eficientes 24 horas al día. Y lo mismo para tantos otros empleados que parecían gozar de una protección frente al desplazamiento laboral promovido por las nuevas tecnologías.

La caída de empleos a nivel mundial en sectores como la fabricación, la amenaza inminente en ciertas profesiones que ocupan a millones de personas (conductores e industrias asociadas, por ejemplo, a causa de los vehículos sin conductor), la reducción de salarios para trabajadores de baja y media cualificación hasta niveles de décadas pasadas, incluso a pesar de los incrementos de productividad, o la existencia de bolsas de desempleo estructural tras cada oleada de recesión económica serían ejemplos empíricos de la amenaza que se cierne sobre la clase trabajadora. El debate, como siempre, está bien enmarañado. A los efectos de la tecnología sobre el empleo, se suman los efectos de la globalización, de los ciclos económicos, de las inercias del sistema productivo para reaccionar y adap-

---

96   http://public.tableau.com/profile/mckinsey.analytics#!/vizhome/InternationalAutomation/WhereMachinesCanReplaceHumans
97   http://www.mckinsey.com/global-themes/digital-disruption/harnessing-automation-for-a-future-that-works

tarse a los cambios, etc. El renovado interés por la cuestión del desempleo tecnológico en las primeras décadas del siglo XXI parece anunciar que esta vez el debate no dejará a nadie indiferente. Parece el momento adecuado para intentar influenciar lo que la historia acabará escribiendo sobre la sociedad de nuestro tiempo, nos jugamos en el siglo en el que estamos nuestro papel en el mundo y quizá el modo en el que pasaremos definitivamente a su historia.

EL AQUÍ Y EL AHORA

Si echamos la vista atrás podremos contemplar cómo el debate del desempleo tecnológico está marcado por una terca dualidad entre la posición tecnocándida y la posición tecnocatastrófica. A pesar de las radicales diferencias sobre los impactos del progreso tecnológico, sin embargo, la tecnología ha acabado por ser netamente reconocida por asegurar mayor productividad, así como más y mejores empleos. Es un hecho que la innovación tecnológica suprimió un buen número de trabajos peligrosos, repetitivos o inhumanos[98], y que el mundo es algo más acogedor para la especie por ello. A pesar de esta realidad, la historia es una continua sucesión de periodos en los que la tecnología ha sido atacada con denuedo, fuera piedra en mano o con argumentos económicos y filosóficos. La razón era la amenaza que representaba para el bienestar colectivo, poniendo en riesgo las ocupaciones de millones de personas y, por tanto, su supervivencia. Estos debates han quedado grabados en nuestra conciencia social, seguramente con diversos pesos específicos, según los propios prejuicios y sensibilidades. Pero, las razones de unos y otros grupos de posición en este debate secular no han conseguido imponerse en ningún modo como la razón dominante.

Las muchas lógicas difusas en ciertos parámetros económicos y laborales, la complejidad para analizar separadamente todos los fac-

---

98 https://www2.deloitte.com/content/dam/Deloitte/uk/Documents/ about-deloitte/deloitte-uk-technology-and-people.pdf. Este estudio de la consultora Deloitte, por ejemplo, ha estudiado el censo laboral en Inglaterra y Gales desde 1871. En el periodo de 140 años considerado la tecnología habría creado muchos más empleos de los que habría destruido además de generar mayor bienestar para todos los ciudadanos y trabajadores.

tores involucrados, junto a la inercia de algunos efectos —que dificultan la relación con sus causas hasta pasados años o décadas— no han ayudado al acuerdo. Si la invención de los telares automáticos parecía un riesgo evidente para el empleo de muchas personas en la industria textil, el número de trabajadores acabó, sin embargo, cuadruplicándose. El precio más asequible de los tejidos logró generar mucha mayor demanda y, como corolario, más empleos para las personas. Pero ¿hasta qué punto es esta lógica universalmente aplicable? Empresas actuales como Instagram y WhatsApp fueron compradas por Facebook por 1 y 19 millardos respectivamente. Una gran inversión para adquirir empresas punteras y con enorme recorrido, capaces de fidelizar a millones de usuarios pero que sólo necesitaban 13 y 55 empleados respectivamente para su funcionamiento. Hoy esas empresas han aumentado algo su número de empleados y su facturación, pero el número de trabajadores parece no guardar ya relación con el volumen de negocio que generan. La mayor parte de los empleados parecen, simplemente, prescindibles, una formalidad burocrática. Unos líderes visionarios y unos pocos empleados brillantes y astutos consiguen levantar de la nada negocios gigantescos. Las grandes corporaciones tecnológicas del planeta: Apple, Alphabet (Google), Microsoft, Facebook y Amazon, tienen un valor combinado de unos tres billones de dólares norteamericanos, y unos ingresos anuales de más de 500 millardos de dólares (año 2016) pero generan únicamente alrededor de medio millón de empleos. Uber, un caso extremo, cuenta con una cifra de negocio de 18 millardos y apenas unos centenares de empleados. También es cierto que todos los millones de colaboradores, quienes realmente hacen posible su negocio son, en cierto modo, trabajadores por cuenta propia —*freelance*— de la empresa, pues reciben un ingreso gracias a su dedicación dentro del marco de actividad de la compañía. Los nuevos servicios ofrecidos por algunas empresas tecnológicas se convierten en plataformas de generación de negocio para terceros lo que, en justicia, habría de ser contabilizado también en el lado de creación de empleo. Así, por ejemplo, Facebook declaraba en su informe anual de 2012 que habría ayudado a crear de manera indirecta hasta 232 000 empleos en Europa en el año anterior —afirmación que sería ampliamente criticada por su excesiva fantasía—. Otra compañía como eBay ha estimado que más de 430 000 personas tienen como fuente primaria de ingresos sus ventas a través de dicha plataforma. Si esas personas tuvieran un contrato con la compañía, ésta se convertiría en el segundo mayor empleador de los Estados Unidos, tras la cadena de supermercados Wal-Mart. Pero incluso con estas consideraciones las discusiones se enconan: lo que hoy podrían ser empleos humanos facilitados por esas plataformas serán mañana, con gran probabilidad, tareas completamente automatizadas.

Quizá la sociedad haya de reconocer sobremanera a las industrias y negocios que son capaces de generar empleos de manera masiva, en particular aquellas que necesitan de más mano de obra para escalar su producción, por contraposición a aquellas en las que la producción puede multiplicarse sin prácticamente variar la fuerza de trabajo. O que aseguran una mayor producción gracias a un mayor recurso a máquinas y algoritmos capaces. El contrasentido económico de expulsar a los consumidores del mercado, al destruir sus empleos y cancelar sus salarios como fuente primordial de ingresos, no podrá alargarse sine diem. Ese camino nos conduce, salvo nuevo paradigma económico, al abismo, del mismo modo que la especulación dejada a su libre albedrío nos lleva al caos y a la ruina de las sociedades capitalistas. Incrementar la eficiencia en la producción de bienes y servicios mediante la automatización, o generar enormes monopolios que dominen e impongan sus reglas en el mercado son tendencias inherentes al sistema capitalista, diseñado para maximizar el poder económico y las oportunidades de generar riqueza para sus patrocinadores. Dejar la serie de cambios disruptivos que vienen en manos de las fuerzas del mercado, que los encauzarán siempre hacia su propio beneficio, es poner el futuro de la especie en las manos de la codicia. Poco importa si entre los defensores del progreso tecnológico sin trabas —más allá de las posibilidades del conocimiento y del juego de fuerzas económicas— se encuentran grandes visionarios; siempre puede haber puntos ciegos en la visión, a veces brechas críticas de sentido común, incluso en quienes son capaces de entrever más lejos y con más claridad el futuro que viene.

SUSTITUCIÓN Y COMPENSACIÓN DE EMPLEOS

Dos aproximaciones ideológicas sobre el impacto del progreso tecnológico en los empleos se han mantenido en animada y tozuda competencia durante siglos, las denominadas teorías de la sustitución y de la compensación. La primera establece que la tecnología causa desplazamiento de empleos —además de otras consecuencias como la polarización de salarios— lo que conllevaría un probable desenlace en sociedades de alta desigualdad económica y elevada desocupación. La teoría de la compensación asume que el impacto de cierta reducción en la mano de obra originada por la continua introducción de nuevas capacidades tecnológicas sería corregido por varios mecanismos de compensación. Estos mecanismos estarían vinculados a las reglas del mercado, como la creación de empleos debida a la demanda de nuevos productos, a la producción de los nuevos equipos de producción, etc. así como por el ciclo virtuoso de mayor demanda, mayor producción y mayor empleo, tanto para máquinas como para humanos. Incluso se argumenta, desde cierta lógica económica que, si aumenta el desempleo en una industria, esta situación acarreará también una bajada de salarios por el aumento de la oferta de mano de obra, lo cual habría de terminar por traducirse en un mayor número de empleos. La mayor capacidad de trabajo generaría, a su vez, producciones más importantes, más beneficios e, incluso, una subida de los salarios, con lo que se podría recuperar la situación de partida. La compensación parece la solución perfecta, con capacidad de cicatrizar heridas por sí misma, una solución casi mágica.

En el abanico de estudios sobre las relaciones entre la tecnología y el empleo, hay trabajos que concluyen que el uso de robots y autómatas no sólo no genera impacto negativo en los puestos de trabajo, sino que el incremento en la productividad de esas industrias acabaría por impulsar al alza los salarios de esos empleados. En el periodo que va de 1993 a 2007, los robots han venido añadiendo alrededor de un 0,37% al producto interior bruto de manera anual, o lo que es lo mismo un 10% del crecimiento total del PIB de los países en estudio[99]. Además, la robótica se habría comportado como una auténtica tecnología de propósito general, una herramienta capaz de impactar de manera sustancial y permanente a toda una serie de industrias diversas. Los robots habrían incrementado la productividad del trabajo en un porcentaje similar a lo que en su día habría logrado la utilización de otra tecnología de propósito general, la máquina de vapor, durante el periodo que va de 1850 a 1910. Wassily Leontief había establecido, por su parte, que tras un tiempo disruptivo el avance de la mecanización a consecuencia de la revolución industrial acabó incrementando la demanda de mano de obra, así como los salarios debido a los efectos del aumento de la productividad. Aun si la reducción del recurso a la fuerza física que

---

99   Investigación del Centro londinense para la investigación económica (*London's Center for Economic Research*). Realizada por George Graetz y Guy Michaels de la *Uppsala University* y la *London School of Economics*, respectivamente. https://hbr.org/2015/06/robots-seem-to-be-improving-productivity-not-costing-jobs

las máquinas posibilitaron redujo la demanda de trabajadores, esas mismas máquinas requerían atenciones que generaban la necesidad de atención por parte de nuevas plantillas de operarios para su control, su supervisión, su programación, etc.

Buena parte de los economistas que se sitúan en la visión más pesimista acerca del desempleo tecnológico aceptan, sin embargo, que los efectos de compensación han sido ciertos y que han operado ampliamente en el pasado, durante la mayor parte del siglo XIX y XX. Pero señalan que desde la llegada de los ordenadores los efectos de la compensación habrían comenzado a ser menos efectivos. Los ordenadores habrían reducido las necesidades de empleo humano al ser capaces de ejecutar programas de control y supervisión de las máquinas en diferentes procesos productivos. Las máquinas habrían empezado a controlar a otras máquinas, y la tendencia sería a otorgarles cada vez más autonomía gracias al aumento de sus capacidades, amenazando con un futuro en el que las máquinas se controlarán y coordinarán a sí mismas. Como contraste, en el sector de las tecnologías de la información y la comunicación, por ejemplo, se ha llegado a establecer que se habrían generado unos 2,6 empleos[100] por cada uno destruido debido a la innovación tecnológica, lo que de nuevo hace que el debate se cierre en torno a los mismos argumentos enfrentados.

Una consecuencia lógica de las teorías de compensación es que, de existir desempleo de larga duración, un desempleo estructural remanente, éste habría de deberse a imperfecciones del mercado que bloquearían esos mecanismos de compensación. En las décadas finales del siglo pasado, por ejemplo, un factor culpabilizado con vehemencia a este respecto fue el exceso de regulación en buena parte de los mercados laborales. Aunque se tomaron medidas para implementar una mayor liberalización en este sentido, el éxito fue sólo parcial, lo que llevó a buscar otras explicaciones para el desempleo estructural de muchas sociedades. De entre las muchas variables que entran en juego en el debate sobre tecnología y empleo también habría que hacer referencia a la diferencia de impactos entre aquellas innovaciones que afectan a productos y de aquellas orientadas a procesos. En el primer caso, los estudios parecen mostrar tanto efectos positivos como negativos, dependiendo del producto en sí, mientras en el segundo caso, los efectos negativos serían mayoritarios. Se suele asumir que el principal resultado de la inno-

---

100   Informe de la consultora McKinsey (2011). Citado en JRC Technical Reports, Institute for Prospective Technological Studies. Digital Economy Working Paper 2013/07. http://ftp.jrc.es/EURdoc/JRC76143.pdf

vación en productos es una demanda reforzada. Un producto sustituye a otro, pero la demanda de aquel más innovador habría de compensar, incluso superar, a sus versiones anteriores, al haber sido concebido con una renovada visión de las necesidades de los potenciales clientes. La innovación en procesos, sin embargo, suele tener como objetivo la reducción de costes y, como corolario, la eliminación de «ineficiencias». Aunque no es una regla de tres, allí donde aparece una mejora en un proceso suele desaparecer un operario, cuya intervención es etiquetada de redundante o, cuando menos, de poco competitiva frente a un autómata. De nuevo, se podría acudir al recurso del esperable efecto compensatorio, pues si la innovación en el proceso acaba mejorando las características o el precio de un producto o servicio, esto habría de estimular la demanda y, finalmente, lograría el estímulo sobre los empleos.

Los impactos del progreso tecnológico en el empleo no resultan, en ningún caso, obvios. Descifrar el efecto futuro de la innovación en el empleo sería harto complejo, viendo los impactos inesperados al analizar ejemplos del pasado de la humanidad. Si echamos la vista atrás podemos tomar el caso clásico de la introducción de la máquina desmotadora de algodón (*cotton gin*, en inglés), que fue ideada en 1793 y patentada un año más tarde. Su creador (o uno de sus creadores), Eli Whitney, un inventor y empresario norteamericano, no tenía modo de imaginar que su eficiente dispositivo para separar las fibras de algodón de sus semillas sería responsable de empeorar la situación de esclavismo en los campos de producción. Ni más ni menos. Al fin y a al cabo, una parte de la fatigosa rutina de producción de algodón iba a poder ser realizada por máquinas, lo que parecía toda una ventaja ¿Dónde podía estar el problema? La máquina, de hecho, redujo considerablemente el esfuerzo requerido para separar la fibra de algodón. Un solo esclavo requería diez horas para separar una libra de algodón de sus semillas, mientras que dos o tres personas con una desmotadora podían producir cincuenta en ese mismo tiempo —en lugar de tres—. El aumento de productividad era evidente, pero no que eso fuera a impactar las condiciones de existencia de los trabajadores esclavizados. Estos no quedaron apartados, sino que siguieron trabajando en las plantaciones, pero ahora junto a unas máquinas que hacían del negocio una fuente mucho mayor de ingresos. La codicia de los propietarios ante la perspectiva de ingentes beneficios en el modo de producción que combinaba máquinas eficientes bajo el control de personas cautivas hizo crecer el número de solicitudes de estas. Esas máquinas no solo no desplazaron tareas, sino que las multiplicaron. La demanda de más máquinas provocó una demanda de más esclavos, lo que contribuiría a la continuidad de su condición. Su número en los Estados Unidos podría haber aumentado desde unos 700 000 en 1790 (con tres estados esclavistas) hasta unos 3,2 millones en 1860 (con 15 estados esclavistas). En 1860, uno de cada tres sureños aproximadamente tenía esa condición[101].

Nada más que una máquina habría hecho posible que unos pocos propietarios se hicieran desorbitadamente ricos, promoviendo una desigualdad económica sostenida por la esclavitud, durante generaciones. La máquina no desplazó empleo en este caso, sino que lo aumentó; pero, desgraciadamente fue empleo esclavo. La innovación trajo productividad, como era de esperar, y ésta trajo mejores precios y mayor volumen de comercio, lo que aumentó la demanda, los beneficios de los propietarios y la necesidad de mano de obra, todo según la lógica económica. Para retener el mayor porcentaje posible de esos beneficios, sin embargo, los propietarios recurrieron al trabajo esclavo, legal en aquel tiempo. Una opción simple a la par que terrible, pero a la cual no pareció oponerse ningún contrapeso social o político consistente durante generaciones. Se ha llegado incluso a achacar a la desmotadora de algodón parte de la culpa en el origen de la Guerra Civil Norteamericana. Al fin y al cabo, los ciudadanos sureños que generaban fortunas gracias al algodón no tenían ninguna intención de acabar con la gallina de los huevos de oro. ¿Qué ocurriría con sus perspectivas de obtener inmensos beneficios? ¿Quién trabajaría junto a las máquinas para seguir asegurando la producción si se prohibía el trabajo esclavo? Esas máquinas no se manejaban solas, no en aquel tiempo. Podemos debatir si la introducción de máquinas en las plantaciones de algodón del sur de los Estados Unidos estuvo en el origen del conflicto bélico al exacerbar el problema de la esclavitud. En todo caso, podemos tomarlo como ejemplo del poder disruptivo de muchas innovaciones, y de sus inesperados efectos colaterales. Los esclavos que dejaron de serlo al acabar la guerra, en todo caso, encontrarían enormes dificultades para ganarse la vida trabajando en el campo compitiendo con máquinas esclavizadas por diseño y cada vez más autónomas. Aquella máquina, que primero contribuyó a esclavizar a más personas, y ayudó luego a cortar esas cadenas infames, terminaría por dejar a miles de personas a su suerte.

Tanto la teoría de la sustitución como la de compensación siguen a la caza y captura de argumentos, pruebas y contrapruebas que otorguen un éxito rotundo a sus posiciones. Las dos proposiciones

101   Eli Whitney Museum and Workshop. https://www.archives.gov/education/lessons/cotton-gin-patent

reconocen al cambio tecnológico acelerado su capacidad disruptiva, aún que sea solo de manera transitoria en una de ellas, lo que exigiría una apuesta política por analizar y poner en práctica soluciones robustas a escenarios de impacto en la convivencia. El debate del desempleo tecnológico no puede abandonarse en un terreno pantanoso de visiones pesimistas y optimistas sin más razones que la fe en el mejor de los mundos o el temor a una singular y segura catástrofe. Las apuestas sobre qué empleos serán barridos de la carta de actividades humanas y cuándo ocurrirá, están totalmente abiertas. Hay algunas tareas y profesiones que parecen obtener consenso en las listas de empleos en riesgo debido al progreso tecnológico. Pero todo puede cambiar de una década a otra, de un año al siguiente, de manera inesperada. Incluso aquellas que reúnen más consenso sobre su riesgo y las malas perspectivas de continuidad (granjeros, trabajadores de explotaciones agrarias, empleados de servicios postales, operarios en talleres de costura, telefonistas y servicios de atención telefónica, cocineros de restaurantes de comida rápida, mecanógrafos, conductores, etc.) podrían acabar sorprendiéndonos por su resistencia a convertirse en contenido de los museos antropológicos. Otros empleos con perspectivas positivas o neutras acabarán convirtiéndose en especies protegidas ante la súbita aparición de innovaciones con carácter disruptivo.

EL TIEMPO DE LAS
MÁQUINAS CAPACES

In proportion as the machine is improved and performs man's work with an ever increasing rapidity and exactness, the laborer, instead of prolonging his former rest times, redoubles his ardor, as if he wished to rival the machine. O, absurd and murderous competition!

[Conforme la máquina se mejora y realiza el trabajo del hombre con una rapidez y exactitud cada vez mayores, el trabajador, en lugar de prolongar sus tiempos de descanso anteriores, redobla su ardor, como si quisiera competir con la máquina. ¡Oh, competencia absurda y asesina!]

PAUL LAFARGUE (1842 - 1911)

LAS MÁQUINAS Y ALGORITMOS CAPACES HAN LLEGADO para quedarse, y aunque todavía los veamos comportarse como torpes camaradas, su destino y el nuestro están ya trabados. Los autómatas llevan ya un tiempo conquistando el corazón —el bolsillo— de los patronos de las empresas más productivas y más innovadoras. Ahora ese cariño podría universalizarse y popularizarse, gracias a todo tipo de asistentes personales inteligentes. Ellos nos librarán de tareas que no nos gusta realizar y de actividades que nos exigían un esfuerzo físico, cognitivo o emocional excesivo; nos liberarán de vínculos que nos hacían dependientes de otras personas con las habilidades y conocimientos necesarios; nos ahorrarán el apuro de desempeñar labores que sólo podíamos realizar de manera deficiente. La nueva generación de asistentes tecnológicos irá acabando con el tipo de acuerdos por el que unas personas conseguían ganarse la vida ofreciendo sus servicios a otras. Las máquinas y algoritmos capaces se irán convirtiendo en los agentes competentes capaces de desempeñar todo tipo de roles: compañeros, enfermeros, profesores, amigos, más que amigos. La oferta de estos robots es todavía incipiente, casi risible, pero es sólo cuestión de pocos años lograr un producto irresistible. Para algunos modelos ya en el mercado, como el robot japonés Pepper, las solicitudes de los consumidores excede largamente las mil unidades que se producen y se comercializan al mes, indicando el potencial de la demanda. Desde julio del año 2015 toda la producción mensual se vende en menos de un minuto a unos desesperados clientes. Sesenta segundos bastan para asegurar la comercialización de los robots producidos mensualmente, lo que hace que hasta el marketing sea prescindible. En el caso del sistema de inteligencia artificial lanzado por la empresa Liulishuo para la enseñanza del inglés, y que cuenta con recorridos de aprendizaje individualizados para cada alumno, éste habría demostrado que puede reducir a un tercio el tiempo necesario para alcanzar un cierto nivel en dicho idioma. La fase de experimentos simpáticos estaría siendo más que superada, sobre todo para los 50 millones de usuarios registrados y los 600 000 clientes de pago que utilizan este profesor virtual.

La palabra robótica, tal como fue popularizada por el escritor de ciencia ficción Isaac Asimov, va a necesitar una extensión de significado. Además de estudios de mecatrónica, de física o de matemáticas, la robótica habrá de compilar conocimientos de psicología, de sociología, de medicina, de relaciones humanas, de diplomacia, de recursos humanos, y tantos otros. Los dispositivos tecnológicos que imaginaron los escritores de ciencia ficción son concebidos con capacidades que crecen por momentos, gracias al desarrollo exponencial de tantas innovaciones en cadena. Como ha comentado Benedict Evans, los iPhone vendidos durante un fin de semana de septiembre del año 2014 —en su campaña de lanzamiento comercial— contenían veinticinco veces más poder de computación que el que estaba disponible en todo el mundo en el año 1995[102]. A esta velocidad de hiperespacio, poco importa si los primeros autómatas carecen de ciertas funcionalidades, demuestran torpezas o limitaciones, su siguiente generación llegará velozmente con actualizaciones asombrosas. Y ya nunca dejarán de ser mejores. La admiración por los autómatas parece ser enorme. El proyecto de robot de nombre Jibo, por ejemplo, consiguió batir récords en las campañas de financiación colectiva, llegando a asegurar un millón de dólares norteamericanos en menos de una semana. Lo cual no deja de ser sorprendente para un proyecto de robot del que no se conocía demasiado, salvo que sería capaz de articular expresiones (de hablar, según el lenguaje del

102   The 'On-Demand Economy' Is Reshaping Companies
       and Careers. http://www.businessinsider.com/
       the-on-demand-economy-is-reshaping-companies-and-careers-2015-1

marketing) y que podría reconocer a las personas y memorizar sus preferencias. Varios años después, sus ansiosos usuarios todavía esperan que el robot sea ultimado. Parece que no pocas personas estarían dispuestas a invertir una parte de sus ahorros para conseguir un amigo tecnológico al que pudieran programar a voluntad.

El concepto de autómata —como un agente con capacidad de movimiento propio y más o menos «voluntad»— se puede encontrar en referencias tan arcaicas como la literatura de la Grecia clásica[103]. En la obra de Homero, La Ilíada, por ejemplo, el dios Hefesto (el dios griego de los herreros, artesanos y escultores) fabricaba autómatas de metal para que trabajaran junto a él dando servicio a los dioses. La atracción que ejercen estos seres salidos de las manos de los hombres y capaces de comportarse de manera autónoma es, en cierto modo, ancestral, y nos ha seducido de un modo u otro a lo largo de la historia. Y ello a pesar de que los modelos del pasado fueron poco más que esculturas móviles, muy lejos de cualquier capacidad de comportamiento autónomo. En tiempos modernos, la fantasía de la literatura y del cine, seguramente, han catapultado nuestra imaginación, aun si nos anunciaban modelos de autómatas que no dejaban de ser herramientas. Esos robots de ficción, torpes comparsas de sus audaces e inteligentes héroes humanos, han ido sin embargo evolucionando de manera acelerada hasta el punto de poder aspirar a sustituirles en todo tipo de tareas, robándoles tanto los primeros planos como los papeles de actores secundarios. No sólo en las películas sino en la vida real. Los autómatas y algoritmos capaces empiezan a poder hacer casi cualquier cosa: atender la barra de un bar, limpiar los suelos, cuidar a enfermos y ancianos, escribir informes[104], pintar cuadros pseudoriginales, conducir vehículos, realizar cirugías de precisión —de la mano de un cirujano humano, por el momento—, participar en programas de auxilio en zonas de catástrofes, etc. En numerosos entornos industriales, el trabajo de cualquier robot es mucho más valioso para la empresa que la mayor parte de las tareas realizadas por los empleados humanos, lo que no promete nada bueno para el futuro de la especie, laboralmente hablando al menos.

Esperamos mucho de los robots y de otras máquinas capaces, de aquellos que serán competentes para entender nuestro lenguaje, los deseos y necesidades que las palabras comunican, y también para

---

103 Enciclopedia online de la ciencia ficción.
104 Ver, por ejemplo, el e-Discovery software, un programa para la identificación, recopilación y producción de información en respuesta a una solicitud específica durante una investigación o acción legal.

comprender el mundo que les rodea. Que entiendan nuestro discurso no querrá decir que empaticen con nuestras intenciones, no en un primer momento, pero abrirá un mundo nuevo de relaciones. Será un tiempo de transición, en el que habremos de estar atentos a lo que expresamos y a cómo lo expresamos. Como en aquella fábula del golem[105], al que se pidió que fuera al río «a sacar agua» obedeciendo tan al pie de la letra que terminó por inundar la ciudad. El golem era fuerte y obediente, entendía las palabras, pero distaba de ser inteligente para comprender el mensaje. Puede que las primeras generaciones de máquinas y algoritmos capaces muestren también similares limitaciones.

La presión por disponer de agentes inteligentes autónomos podrá ser tan alta en ciertos entornos que puede que éstos sean puestos en circulación sin los suficientes y necesarios controles de comportamiento. En el peor de los casos, una obediencia ciega a las instrucciones contenidas en sus algoritmos o la obsesión por satisfacer las demandas de sus usuarios, les llevará a sacar el agua de muchos ríos, provocando no pocas inundaciones. Programarles algo parecido al sentido común podría suponer una labor titánica por lo que seguramente la tecnología encontrará atajos prácticos para la vida cotidiana. Y esas soluciones contendrán la semilla de no pocos conflictos. Las máquinas y algoritmos capaces que están siendo concebidos ya en los laboratorios pueden ser extremadamente competentes, pero todavía son fundamentalmente tontos en términos prácticos. Si se le pidiese a uno de esos agentes inteligentes que acabara con el sufrimiento en el mundo, por ejemplo, podría decidir exterminar a todos los animales superiores, en particular a los humanos. La eficiencia de la solución sería máxima al acabar con el problema planteado para siempre. En un futuro de robots empáticos, la solución sería seguramente menos radical; quizá pase por mantener a todas las especies en una hipnosis inducida, hasta que cada uno agotase su vida de manera tranquila. Incluso entre futuros distópicos puede haber diferencias cualitativas.

Vamos a toparnos en breve con generaciones de máquinas y algoritmos siempre más capaces, agentes inteligentes que parecerán ser nuestros semejantes, pero carecerán de todas las condiciones necesarias y suficientes. Tendremos que aprender a convivir con sus limitaciones, incluyendo toda una gama de errores que su torpeza y comportamientos les llevarán a cometer. Algún día esas máquinas

---

105 Criatura creada por un rabino para que defendiera el gueto de Praga y para que realizara también el mantenimiento de la sinagoga vieja-nueva (Altneuschul).

capaces podrán ser pacientes también con nuestras limitaciones, cuando nosotros no reunamos las condiciones necesarias y suficientes para ser la especie más inteligente del planeta. Hemos puesto a las máquinas en un sendero de evolución acelerada y, a pesar de los accidentes del camino, más tarde o temprano nos alcanzarán y nos dejarán atrás. Quizá los seres humanos nunca deberían haber jugado al ajedrez, o quizá nunca deberían haber retado a la máquina a jugar contra ellos. Pero lo hicimos y la máquina nos ganó. Y lo mismo irá ocurriendo con otras partidas, con otras habilidades. Sabíamos que las máquinas podían calcular millones de combinaciones posibles, muchas más que un ser humano, y mucho más rápido. Y a pesar de todo decidimos retarlas, intentando demostrar alguna carencia esencial que las haría incompetentes más allá de su capacidad de cálculo, para acabar evidenciando nuestras propias limitaciones. Hemos descubierto que, a pesar del impresionante equipamiento cognitivo humano, de sus billones de neuronas, las máquinas se muestran más competentes en muchas tareas. Un día, la integración de toda la serie de competencias en las que las máquinas y algoritmos se han demostrado mejores podrá ser suficiente para hacerlas inteligentes, enormemente inteligentes, más inteligentes.

Algunas personas, no sin cierta inocencia, quieren creer en un futuro de máquinas y algoritmos capaces pero castrados, ejércitos de máquinas limitadas, condicionadas por nuestros deseos y necesidades. Máquinas estúpidas diseñadas únicamente para servirnos, incapaces de ganarnos de manera recurrente al ajedrez. Y, por supuesto, inhábiles para ocupar nuestros empleos, no al menos aquellos que queremos preservar. Este tipo de máquinas y algoritmos restringidos evitaría el desempleo tecnológico masivo y, además, añadiría carga de trabajo extra para poner solución a los desmadres ocasionados por autómatas con dos manos izquierdas, o con cerebros de mosquito. ¿Una jugada perfecta? La tendencia real no parece, sin embargo, orientada a establecer ese tipo de limitaciones, sino a poner en valor cualquier avance manifiesto —y son muchos— que acerque la capacidad de las máquinas a la de los humanos, o que la supere en tareas específicas. La técnica de aprendizaje profundo (*deep learning*) junto al *big data*, permiten ya que, dado un conjunto suficiente de datos, en conjunción con unas estructuras computacionales en forma de redes neuronales (esto es, modeladas según la arquitectura de nuestro cerebro), los computadores puedan ser entrenados para hacer cosas insospechadas. Son algoritmos que ya dan vida a los motores de búsqueda de Google, al etiquetado de fotos automático de Facebook, a los asistentes de teléfonos inteligentes, a las recomendaciones de compra de Amazon, a los coches sin conductor, etc. ¿Quién le puede poner el cascabel al gato una vez se hizo grande y tomó la costumbre de afilarse las uñas?

Dos elementos suelen ser señalados como cruciales para convertir los autómatas en auténticos agentes capaces, por el tipo de funcionalidades que les permitirán asegurar: el reconocimiento de voz y los sistemas de visión artificial. Ambos desarrollos están avanzando a pasos agigantados, lo que facilitará en breve que las máquinas y sus algoritmos interactúen con su entorno. Esa interacción posibilitará que muchos empleos hasta ahora vetados por las evidentes limitaciones de no reconocer una instrucción hablada o una geometría en cierto contexto, les sean accesibles. Es una carrera contrarreloj en la que nunca se pierde el terreno conquistado. Desde que los primeros robots fueran introducidos en la década de los 60 del siglo pasado por la empresa General Motors, éstos no han dejado de hacer presión sobre cada actividad que podía ser concebida como automatizable, sobre todo con el objetivo de aumentar la eficiencia de los procesos. Hoy el sector de la automoción utiliza una enorme cantidad de robots en sus cadenas de montaje (prácticamente uno de cada dos robots va directamente a estas tareas). Pero no es sólo en la fabricación de vehículos donde máquinas y algoritmos tienen un prometedor futuro. Una compañía gigantesca como Google, que marca el futuro de la tecnología y, por ende, también de una parte importante de las relaciones sociales, compró en 2013 hasta siete empresas relacionadas con robótica en apenas un mes. Cuando este tipo de corporaciones trazan una estrategia de adquisición de negocios dedicados a una cierta tecnología, y lo hacen con esa decisión, uno debe pensar que la revolución está ya en marcha y es inminente. El aire va a empezar a oler a plásticos técnicos y circuitos integrados.

Una vez asignados a sus puestos de trabajo, las máquinas y algoritmos capaces se preocuparán no sólo de hacer su tarea sino de mejorar su productividad y su eficiencia. Una situación que es disruptiva en sí misma. El impulso para mejorar cada tarea surgirá de manera espontánea, tras un número de ciclos de proceso, mediante la recopilación de ingentes cantidades de datos aparentemente sin significado. Dicho proceso de mejora continua sólo requerirá de cierta programación para premiar y reconocer ese tipo de iniciativa. Las máquinas y algoritmos capaces podrán dedicar, de manera imperceptible en sus funciones, una cantidad de inteligencia a repensar cada proceso que desempeñan, una secuencia definida en origen por un ser humano, por lo tanto, mejorable. Sus enormes capacidades de análisis y tratamiento de datos les hará imbatibles, más aún en bucles *ad infinitum*, sin descanso. Si a los trabajadores humanos les movía la mejora de su seguridad, de su confort, de su ergonomía, de su ratio de producción (asociado a una prima en su salario) para tomar cualquier iniciativa de mejora de procesos productivos, a los autómatas les moverá sólo su propia idiosincrasia —programada.

La llegada de agentes inteligentes a nuestras vidas no es inminente aunque progresa a velocidad de crucero, lo que le permitirá salvar cualquier distancia. Al inicio las máquinas y algoritmos capaces serán, más que otra cosa, unos trastos fascinantes, unos objetos curiosos, elementos de diseño vanguardista, simpáticos compañeros o dóciles sirvientes dispuestos a llevar a cabo, con torpeza, ciertas tareas aburridas en las rutinas cotidianas. Hoy la oferta no pasa de aspiradores con habilidades para salvar obstáculos o de altavoces que recogen y transmiten instrucciones, y así debería seguir siendo durante un futuro próximo. Es además la mejor de las tácticas para no asustar prematuramente a los clientes potenciales, ganando tiempo y acumulando lecciones aprendidas que serán fundamentales para su aprendizaje. Mientras barren los suelos o aprenden a hacernos compañía, irán entendiendo cómo somos y cuáles son nuestras pautas de comportamiento. Es la estrategia de esos generales que ganaban las batallas con paciencia, desarbolando al enemigo en un ataque, retirándose del campo de batalla, volviendo cuando menos se les esperaba, desgastando cualquier defensa por imponente que fuera. La evitación de ciertas funcionalidades como el uso del lenguaje o las apariencias demasiado humanas podrían ser también buenas estrategias para conseguir la aceptación tranquila de la nueva ciudadanía. Cuando el trabajador humano tenga que colaborar mano a mano con un compañero-tecnológico que le exceda en habilidad, resistencia, disciplina, fuerza, capacidad de cálculo, visión espacial, etc. por defecto, el que sea incapaz de expresar ideas o que tenga el aspecto de una mera máquina puede significar la diferencia entre la supervivencia y el sabotaje. Aunque nada está garantizado si el miedo a perder el empleo acecha. Ya hemos experimentado cómo las máquinas automáticas para dispensar entradas, bebidas, etc., en las cercanías de oficinas de venta, bares o similares, atendidos por personal humano, pasaban buena parte de su tiempo estropeadas. Una situación que es difícil de explicar por su tasa de fallos como máquinas, o por la indebida manipulación de los clientes. Durante un tiempo, las máquinas podrán trabajar al lado de los humanos, formando un equipo eficiente, simbiótico y bien avenido a ojos de cualquier observador externo. La tensión, sin embargo, podría ser manifiesta. Aunque algunos animales trabajan y cooperan con los humanos en ciertas tareas, eso no significa que los consideremos compañeros de trabajo, ni que les involucremos en la toma de decisiones, ni menos aún que ellos se sientan justamente tratados.

Es posible que exista un odio inherente en la especie humana —o en cualquier otra— hacia los individuos que puedan parecer demasiado capaces, miembros de un escalón de evolución que acabará por situarse por encima de nuestras cabezas; cuestión de competencia entre especies. De este odio podría contar algo el robot Hitchbot, un sencillo autómata que se dedicaba a hacer autostop por Canadá y Europa, según la idea original de quienes lo concibieron, y que acabó vapuleado por gamberros en Filadelfia, Estados Unidos. Puede que sólo fuera una anécdota, la expresión de un comportamiento violento o una conducta bajo los efectos de las drogas, pero puede también que fuera una reacción instintiva. Si parece más inteligente, más capaz que un humano, no puede seguir vivo y pavoneándose. Quizá la estrategia pase por enmascarar a las máquinas y algoritmos capaces bajo apariencias que provoquen nuestra ternura, compasión, el deseo irrefrenable de ayudarles o, alternativamente, bajo formas que provoquen nuestro interés sexual. Al fin y al cabo, las reglas del cortejo excitan directamente nuestro cerebro más primitivo.

Así, la primera de las estrategias podría orientarse a la producción de autómatas sociales manifiestamente incapaces en ciertos aspectos, por decisión de diseño, programados para pedir ayuda a sus colegas humanos en la ejecución de sus tareas, incluyendo algunos comportamientos que subrayaran las carencias de manera manifiesta. La estrategia de atracción sexual, por su parte, no requiere de muchas explicaciones; esas máquinas y sus algoritmos estarían diseñados para hacernos sentir las mariposas en el estómago, cada día, consiguiendo que trabajásemos con la mejor de las motivaciones junto a los colegas tecnológicos. Podrían ser estrategias para una primera fase de ocupación del espacio laboral, si la animosidad contra los robots se convierte en un problema notorio. Unos ojos grandes, una sonrisa empática, rostros de no haber roto nunca un plato, expresiones ingenuas para enmascarar una abrumadora inteligencia artificial en pleno rendimiento y al acecho.

Una nueva época en la historia de la humanidad podría estar a punto de comenzar, una época en la que, como con el descubrimiento del hierro o del bronce, daremos un salto cualitativo que marcará un antes y un después. El mundo se tendrá que adecuar a la realidad de autómatas extremadamente hábiles e inteligentes, de una inteligencia que nos resultará insondable. Las relaciones sociales y económicas tendrán también que irse transformando. Si hay una medida de la riqueza de cada país, ésta tendrá que empezar a considerar en su distribución per capita el número de cabezas de los autómatas y de las mentes virtuales de sus algoritmos. El parámetro quedaría así expresado en unidades de producción por agente inteligente, biológico o artificial, lo que seguramente acabaría por tener su significado.

¿QUIÉN NECESITARÁ A QUIÉN?

Como ya se ha dicho, si hay un ámbito donde los autómatas están a punto de demostrar sus capacidades disruptivas para cambiar las rutinas sociales más consolidadas este sería el de la conducción autónoma de vehículos. Pocos visionarios habrían no ya predicho sino siquiera soñado con coches sin conductor hace apenas 15 años, mientras que hoy ya estamos familiarizados con noticias de estos vehículos circulando por las calles de diversas ciudades del mundo. Hoy son prototipos en fase de pruebas, pero ya se planifican innovadores modelos de negocio, en todos los ámbitos afectados. La comercialización estándar de vehículos sin conductor debería ser una realidad en el plazo de unos pocos años, una vez completadas las series de pruebas que permitan convencer a autoridades y usuarios de sus bondades. Por el momento, siguen sumando millones de kilómetros de diestra conducción con accidentes que suponen la excepción a la regla; un desempeño que no está a la altura de la gran mayoría de conductores humanos. Hay también iniciativas que serán singulares para su popularización, como los taxistas automáticos en Japón que se preparan para recibir y transportar con eterna sonrisa y buenos modos a los visitantes durante las olimpiadas de Tokio en 2020. Esperemos que sean programados para dar conversación a sus clientes, sin avasallarles ni levantarles la voz.

Conforme los vehículos sin conductor ocupen las carreteras del mundo, nos encontraremos ante la paradoja de salvar cada año cientos de miles de vidas humanas —evitando accidentes mortales en las carreteras— a cambio de convertir a cientos de miles —millones— de ciudadanos en desempleados. Ambos dos efectos están aún por demostrar, pero sería lo esperable tras el análisis sosegado de los datos y la experiencia acumulados hasta la fecha. Puede que los vehículos sin conductor pasen por una extensa etapa de necesarios ajustes a una infraestructura que no fue concebida para sus necesidades, lo que ralentizaría su despliegue y su previsible éxito. Y quizá la adaptación de la infraestructura viaria genere también empleos, lo que desarbolaría la lógica de impactos laborales negativos, durante esa primera etapa. Aunque también es posible que el coche autónomo se adapte a la infraestructura existente gracias a conjuntos de sensores cada vez más infalibles, capaces de leer el entorno de maneras diversas, superponiendo la información y eludiendo errores. Los vehículos sin conductor recrean un escenario típico de lo que puede ocurrir en el mundo tecnológicamente disruptivo que viene, con empuje para transformar de raíz modos de organización social y económica tradicionales. Esas tecnologías transformarán los entornos perfeccionados durante décadas o siglos, en un abrir y cerrar de ojos. Buena parte de las compañías más punteras del planeta están realizando inversiones milmillonarias en estas tecnologías de conducción autónoma, sin perder tiempo y en aguerrida competencia. Estos movimientos parecen indicar que persiguen algo más que un tráfico mejorado, o una reducción drástica del número de víctimas y heridos en las carreteras. Esas multinacionales tecnológicas se preparan para un paradigma emergente, para perdurar en él, controlarlo y, con suerte, seguir generando ingentes beneficios.

Puede que los conductores-máquina del futuro próximo, una vez se incorporen mayores cantidades de inteligencia artificial en sus sistemas tecnológicos, se alteren y se disgusten con los pequeños incidentes del tráfico cotidiano como les ocurre a los humanos. Si así fuera, esos algoritmos acabarían acelerando y frenando de manera emocional, irracional, o se quedarían absortos en sus pensamientos, entretenidos con algún pasatiempo matemático para máquinas capaces. Puede que incluso pudiéramos llegar a verlos insultándose entre sí mediante ondas electromagnéticas o ruido blanco. Pero no es nada probable. No lo será porque su programación debería evitarlo de raíz, y porque su inteligencia no estará «contaminada» con tendencias reptilianas. Y, además, porque aprenderán de sus errores, de manera inmediata y permanente. Sus algoritmos deberían asegurar una conducción tranquila, ordenada, sin accidentes evitables. Sus modos se convertirán en la expectativa de comportamiento al volante, y la conducción por parte de humanos, cuando se produzca, podría ser interpretada como un acto de alto riesgo, incontrolado, animal. Incluso podría considerarse una actividad reprobable, algo así como disparar a otros animales, una actividad permitida únicamente en el entorno de un terreno acotado, a cambio de un desembolso económico importante, y previa licencia que incluya un test psicológico. Las escenas de autómatas bajando del vehículo— si su condición androide se lo permite— para agredirse en una vulgar pelea callejera donde fluya la adrenalina no serán frecuentes. Los accidentes cotidianos con personas heridas y fallecidas a consecuencia de burdos despistes o comportamientos demasiado emocionales tampoco. Una vez los vehículos sin conductor tomen las carreteras se marcará el inicio de una nueva época de convivencia, una en la que unos algoritmos se encargarán de controlar a unas máquinas, dejando al hombre al margen de esta tarea, por su propio bien y por incompetencia manifiesta. Los conductores de vehículos, y de otro tipo de máquinas, desplazados de sus puestos de trabajo, tendrán que explorar nichos de empleo alternativos. Y lo mismo ocurrirá con otras personas que vivían de un modo u otro de la industria del automóvil. Sacar los bollos recurrentes de las chapas de los vehículos, por ejemplo, no asegurará la supervivencia, una vez los humanos aparten sus pies del acelerador.

Hay quien tiende a pensar que los errores y los incidentes generados por los sistemas de conducción autónoma, aun siendo raros, serán pésimamente tolerados por los humanos o, al menos, mucho menos tolerados que los producidos por los propios congéneres. Un accidente mortal provocado por un despiste humano es un hecho desgraciado prácticamente cotidiano en cualquier país del mundo donde circulen vehículos. Las personas fallecidas en accidentes de tráfico son aceptadas como parte del precio asumido por vivir en la sociedad del progreso. Y no hay mucho más que discutir. Para evitar la ansiedad, sólo hay que pensar que los accidentes les ocurren a otros, a quienes salen en el telediario. Los algoritmos de conducción también podrán verse involucrados en accidentes, y la publicidad negativa de los mismos será impactante («máquinas que asesinan a personas»). La imputación de responsabilidad será, además, un asunto peliagudo. Hoy puede ser inmediato establecer la responsabilidad por el acto de una máquina de bebidas que nos atrapó la mano o de un cajero automático que se equivocó en el servicio, pero, cuando esos sistemas puedan tomar decisiones autónomas, la cuestión se hará mucho más compleja. La sociedad establecerá nuevas reglas y procesos para imputar culpabilidades como resultado de las acciones de máquinas y algoritmos capaces. Al final del camino, las máquinas inteligentes habrán de ser tan responsables como cualquier ser humano, sino más al ser más capaces. Si asumimos que serán suficientemente competentes para tomar decisiones sobre nuestra salud, nuestras finanzas, nuestros sentimientos, se ha de entender también que lo serán para responder de las consecuencias de sus actos. Las máquinas que equivoquen sus conductas habrán de ser apartadas de la convivencia social, como hacemos con cualquier individuo que pone en peligro la integridad, los derechos, el bienestar del resto de personas, hasta que se demuestre que son capaces de evitar esos errores.

Cada incidente o accidente producido por un vehículo autónomo levantará, probablemente, olas de emociones negativas, miedos, fobias y animadversiones —desde el rencor por habernos desplazado del centro del universo—, sobre todo cuando haya víctimas mortales. Un error de programación, en teoría, podría ser sistémico y afectar a miles o millones de unidades a la vez, pero también es cierto que su solución podría ser inmediata y, lo que es más importante, definitiva. ¿Podemos asegurar lo mismo los conductores humanos? La dolorosa realidad es que cada fallo que pueda provocar un accidente en el que esté implicado un vehículo autónomo será estudiado y analizado con todo lujo de detalles, de tal modo que sus algoritmos serán actualizados para que ese mismo problema sea imposible, algo inverosímil para el conjunto de conductores humanos. Llevará un tiempo cubrir las deficiencias de programación, pero, más tarde o más temprano, sus instrucciones cubrirán buena parte de los eventos complejos que la realidad puede recrear. Mientras tanto, los conductores humanos seguirán saltándose semáforos en rojo, mirando despistadamente por la ventanilla, hablando con los pasajeros mientras conducen, jugando con sus dispositivos electrónicos, y tropezando una y otra vez en la misma piedra. Su reprogramación se ha demostrado auténticamente impracticable. Cuando los vehículos autónomos empiecen a circular por las calles de manera cotidiana, habremos de tomar posición rápidamente acerca de nuestra actitud hacia estas máquinas. Tendremos que decidir si queremos seguir conduciendo vehículos arriesgando nuestra propia vida y la de los pasajeros o si queremos asumir el riesgo añadido de ser transportados por otros humanos. Será necesario dilucidar si preferimos que el autobús que lleva a nuestros hijos a la escuela sea conducido por un humano lleno de mejores y peores emociones, o por un conjunto de fríos sensores y actuadores que leen el tráfico y la carretera de manera competente. Sin olvidar las posibles situaciones imprevistas, pues no será fácil programar la espontaneidad ni el sentido común en los autómatas, a pesar de que su cometido cotidiano pueda prescindir de los mismos en la mayoría de situaciones.

AUTÓMATAS DE CUELLO BLANCO

Hasta no hace mucho tiempo se confiaba en que el sector servicios sería la bolsa inagotable de empleo, el último resorte para quienes eran expulsados de los sectores primario y secundario a través de sus heridas abiertas. Se daba por descontado, eso sí, que empleos tradicionales en áreas como la agricultura o la fabricación continuarían reduciéndose hasta convertirse en la sombra de lo que un día fueron. Hoy, de hecho, podemos acreditar que apenas un 2% de la población estadounidense parece bastarse para obtener del medio rural los alimentos para el restante 98% (sin contar con las importaciones de productos agropecuarios desde otros países). En lo que respecta al empleo en la industria y en la fabricación de productos, este implicaría a alrededor de un 20% de la población. El grueso de los empleos, más de tres cuartas partes del mismo, por lo tanto, se concentraría en el sector terciario, asegurando servicios para los ciudadanos y para las empresas[106]. El caso de Estados Unidos no es muy diferente del de otros países desarrollados. Por eso, cualquier previsible amenaza de las máquinas y algoritmos capaces de desplazar empleos en este sector refugio de trabajadores humanos es alarmante. La justificación para la entrada de autómatas en los empleos del sector servicios no difiere mucho de la utilizada con anterioridad para otras categorías: aumentar eficiencias, reducir costes y mejorar beneficios. Con el reajuste de modelos productivos, la identificación de nichos de empleo para las personas se hace cada vez más compleja, pues no hay más sectores en la lista donde buscar cobijo. Algunos visionarios aseguran que hay vida más allá de un sector terciario automatizado, planteando modelos económicos basados en vidas y necesidades multiplicadas alojadas en mundos virtuales, con toda una nueva pléyade de empleos. Puede que así sea, aunque, en el futuro previsible, la automatización en los empleos del sector servicios empujará a muchos millones de trabajadores al precipicio, arrinconándoles al filo del vacío, de la pérdida de suelo firme.

Si los algoritmos capaces podrán desplazar muchos trabajos de oficina, empleados de cuello blanco que parecían intocables, esos algoritmos y máquinas capaces también podrán suplantar a otros profesionales cuyas habilidades y destrezas parecían inmunizarles frente a la automatización (electricistas, fontaneros, carpinteros, etc.) Sus tareas podrán ser desempeñadas copiando pautas de sis-

---

106 International Labour Organization, Key Indicators of the Labour Market database. http://data.worldbank.org/indicator/SL.SRV.EMPL. ZS?end=2016&start=2016&view=map

temas robóticos desarrollados para trabajar en el espacio o en condiciones de riesgo singulares, donde los humanos han de ser reemplazados por máquinas y tecnología. Esas innovaciones contienen la semilla para desplazar no pocas actividades, y empleos, porque habrán facilitado un conjunto de habilidades y herramientas para manipular, gestionar, procesar, fabricar, reparar, mantener, etc. todo tipo de materiales y productos con increíble eficacia. En particular, las posibilidades de los sistemas de impresión 3D capaces de fabricar cualquier objeto en cualquier lugar y tiempo. Producir, reemplazar y reciclar, cualquier intervención será convertida en tarea rutinaria por parte de sistemas automatizados. Quizá la tecnología nos pareció adecuada cuando pudimos eliminar al contable, junto a sus errores y limitaciones humanos, y sustituirlo por un computador; pero podría parecernos menos clemente cuando remplace a toda la cadena de profesionales, desde el agricultor al tendero, del diseñador al ingeniero, del escritor al abogado, del chófer al piloto de aviones, gracias a la inestimable ayuda de algoritmos y automatismos. La tecnología como herramienta dará paso a la tecnología como operario.

Las máquinas y algoritmos capaces van a poner presión, además, en ciertos ámbitos sociales sensibles, dolorosos en algunos casos. Es el caso, por ejemplo, de aquellos autómatas que podrían ocupar ciertos tipos de empleos donde por encima de conocimientos o habilidades se requería voluntad de servicio o capacidad de esfuerzo, y pocos reparos a ciertas faenas. Allí se encontrarían ocupaciones como empleados domésticos, servicios de limpieza, asistentes a domicilio y, en particular, los robots asistenciales para personas mayores (ante el fenómeno del envejecimiento de la población por la mayor esperanza de vida). En la actualidad, el precio de estos robots sigue siendo un hándicap, así como sus prestaciones limitadas, pero la presión social y demográfica no cesará de aumentar. La necesidad latente de un público objetivo que no va a dejar de crecer debería lograr, finalmente, que hubiera una mayor tolerancia al riesgo para las inversiones en este tipo de desarrollo tecnológico, así como que los servicios médicos decidieran intervenir en su adquisición y posterior cesión a ciertas categorías de pacientes, para hacer su uso realmente universal y accesible.

La demanda potencial para todo tipo de autómatas de asistencia personal es y será cada vez más elevada. Se requiere, en todo caso, que los robots domésticos resulten atractivos al comparar su coste con el tipo de tareas que se espera puedan realizar, para evitar que se conviertan en costosos cachivaches de discutible interés. Los simples robots aspiradores son ya hoy un ejemplo de funcionalidad límite, con precios quizá elevados para la tarea de limpiar el suelo frente a la alternativa de pasar la escoba o el aspirador uno mismo. Si el coste para un robot asistente multitarea no consigue alcanzar las expectativas de los clientes, su invasión del espacio doméstico quedará suspendida, por muy simpáticos y vivaces que sean. Las actividades de asistencia en el hogar (preparar la comida del día, recoger la colada, etc.) requieren un abanico de destrezas singulares y variadas para un autómata, junto a mucho sentido común para no poner en riesgo a los inquilinos. El reto para sus diseñadores, por lo tanto, no es pequeño. Esas tareas requerirán de complejos algoritmos y sensores integrados de manera inteligente, unas acciones y secuencias básicas para la mayoría de humanos, sin embargo. Esta competencia natural del ser humano podría llevarle a resistir mejor la invasión doméstica de autómatas, si no fuera porque la tecnología podrá ahorrarle toda una serie de ocupaciones generalmente denostadas.

Que los autómatas de asistencia personal no estén todavía disponibles comercialmente no quiere decir que las tecnologías requeridas para permitirles ser competentes no estén siendo desarrolladas. Los robots asistentes compiten regularmente en concursos para demostrar sus capacidades en el desempeño de tareas difíciles para su naturaleza: subir escaleras, lavar una copa de cristal, abrir una puerta accionando su pomo, etc. Son grandes saltos en sus habilidades, pero pequeños pasos todavía para el objetivo de convertirse en nuestros cuidadores multipropósito a domicilio, aunque todo va sumando. Ya existen robots capaces de desarrollar secuencias de cierta complejidad, difíciles incluso para algunos humanos, como bailar o desplazarse por todo tipo de terrenos manteniendo una estabilidad envidiable. Los robots persisten en su rutina de preparación y entrenamiento para conseguir más pronto que tarde superar los obstáculos y lograr la competencia necesaria para asistirnos en nuestras vidas. Tendrán que ser hábiles en un buen abanico de situaciones. En el caso de la asistencia a personas mayores, por ejemplo, las tareas serán numerosas: levantar a un anciano con destreza y mimo, sin apretar demasiado ni arriesgar a que se le caiga de los brazos; llevarlo de una habitación a otra o al baño; recordarle la pastilla que ha de tomar cuando sea el momento; ejercitar su memoria; escuchar activamente; apuntalar sus sentidos; etc. Si les queda tiempo y tienen la programación adecuada, también podrán limpiar la casa, enviar informes a los médicos, o comunicarse con la familia. Con la familia biológica del anciano. Una retahíla de sistemas útiles para las labores de asistencia personal ya se ha convertido, desde hace unos años, en un estándar cotidiano para muchas personas.

Incluyen funciones como ayudas para la memoria, para la conducción y orientación, para la navegación en la red, etc. Conforme las labores de asistencia se vayan dejando en manos de autómatas con una creciente capacidad de interacción con humanos, se generarán vínculos emocionales que podrían convertirse en toda una nueva disciplina para la psicología y la psiquiatría, así como para la sociología y la política.

Los compañeros-amigos-cuidadores autómatas van a entrar en nuestras vidas desde que lleguemos al mundo o incluso desde que seamos concebidos. Los vamos a necesitar, sobre todo, para manejarnos en una sociedad tecnológica que se hará enormemente compleja por instantes. Los asistentes virtuales como Siri, Cortana, Echo o OK Google, todos ellos están aprendiendo ya a darnos servicio del mejor modo posible y, aunque el recorrido hacia la perfección es largo y complejo, su tenacidad les llevará en volandas. Sobre todo, porque no olvidarán nada de lo que aprendan y porque lo que aprenda uno servirá instantáneamente como lección para todos. Los robots —también los algoritmos— asistentes están llamados a convertirse en familiares directos por el puro roce de la convivencia y la dependencia cotidiana. Esa complicidad será más seductora que los lazos de sangre o los genes compartidos —más todavía en el tiempo de la reversión del envejecimiento, donde la descendencia podría dejar de tener el sentido conocido—. Nos escucharán, nos hablarán, nos aconsejarán, nos darán apoyo, nos cuidarán, nos organizarán las vacaciones, serán nuestra sombra. Y, por supuesto, serán nuestros médicos de cabecera, nuestros psicológicos, nuestros psiquiatras y, también, nuestros cirujanos de emergencia. No es cosa de ensueños. En el año dos mil el número de intervenciones quirúrgicas asistidas robóticamente fue de unas mil, mientras que para el 2014 se habría superado el medio millón, y la tendencia es al aumento explosivo de las mismas. Son sistemas robotizados manejados por un cirujano humano, pero esto es un asunto temporal. La medicina es un campo abonado para máquinas y algoritmos capaces, de variados tipos y condiciones. Uno de los desafíos de la serie X-Prize[107] se dedicó a desarrollar un sistema automático no invasivo que fuera capaz de realizar diagnósticos de salud —con un primer premio de siete millones de dólares, que fue entregado en el año 2014—. Tenía que ser un sistema que pudiera ser transportado como una unidad portátil, no más pesada que un par de kilogramos y capaz de diagnosticar más de una docena de patologías, inclu-

---

107 El premio Qualcomm Tricorder X-PRIZE. www.xprize.org

yendo melanomas, sida, osteoporosis, etc. La idea detrás del concurso era estimular el desarrollo de dispositivos con una capacidad de diagnóstico de enfermedades mejor o igual que la que podría asegurar un grupo de médicos humanos. El nombre y concepto del premio se tomó prestado de la serie *Star Trek*, haciendo patente una vez más que la ciencia ficción está en el origen de tantos productos y servicios que acabamos usando cotidianamente. En su fase avanzada, estos dispositivos podrán ser embebidos en robots asistenciales junto a otros módulos de intervención, de modo que sea factible no sólo evaluar y tratar cierto grupo de síntomas y patologías, sino entender emociones y comportamientos, vigilar nuestra alimentación o vida social. Los futuros asistentes tecnológicos podrían convertirse, por ello, en cuidadores con una auténtica visión holística de nuestra salud porque vivirán a nuestro lado y no dejarán de conocernos mejor cada día. Serán malas noticias para médicos y empresas farmacéuticas, habituados a muchas visitas innecesarias para autorizar prescripciones farmacológicas igualmente prescindibles. Salvo que una nueva generación de visitadores médicos tenga algo que ofrecer a los asistentes robóticos para engatusarles también.

Los algoritmos médicos empiezan a dar sus primeros pasos, inocentes, en las áreas del diagnóstico de enfermedades y en la interpretación de pruebas médicas (radiodiagnóstico), siempre de la mano de profesionales médicos a quienes dan apoyo. Pero el riesgo de desplazamiento laboral es cierto si se considera su previsible evolución. El avance en las tecnologías de tratamiento de imágenes, de reconocimiento de patrones, el acceso al *big data* (series interminables de diagnósticos de los que extraer correlaciones en forma de pautas de enfermedades) y los sistemas de redes neuronales (estructuras con cierta capacidad de aprender) harán más eficiente y más certero su juicio. Su eficacia sólo irá a mejor, con capacidades reforzadas continuamente y con dedicaciones de veinticuatro horas al día. Y esto planteará una duda terrible, porque afectará a la esencia de nuestros sistemas de salud pública y privada. ¿Será sensato formar a profesionales médicos durante largos procesos de aprendizaje en prácticas y conocimientos obsolescentes, para que al final del camino se encuentren al costado de un agente tecnológico que ejecuta eficientemente su trabajo? A la velocidad de progreso del conocimiento, no es extraño que la formación adquirida de un médico, pero también de ingenieros, científicos, etc. quede desactualizada, al menos en parte, el día después de completar sus estudios. Un problema que no existirá para los algoritmos capaces, siempre informados de los últimos conocimientos validados por la ciencia, siempre dispuestos a incorporar la última innovación disponible a su configuración tecnológica. Desde esta perspectiva, la inversión en sistemas médicos robóticos podría considerarse la única realmente justificable desde el punto de vista económico. Lo que una máquina aprenda será transferido sin esfuerzo a la siguiente generación de máquinas capaces, en los milisegundos que dure el trasvase de información y conocimiento. Lo que un profesional aprende a lo largo de su carrera, sin embargo, se puede dar, en buena parte, perdido el día que se jubila. Pero dejar nuestra salud en manos solo de autómatas podría escocer demasiado en las heridas abiertas del ser humano.

ESTÁN AQUÍ Y VAN A QUEDARSE

El número de ocupaciones que quedan indemnes en el fragor de los estudios sobre el desempleo tecnológico empieza a ser más bien reducido, y prácticamente todas estarían en riesgo de ser al menos parcialmente automatizadas. Vamos a tener que acostumbrarnos a estar rodeados de autómatas por doquier: conduciendo nuestros vehículos —los suyos—, cuidando a personas mayores y enfermos, entreteniendo y educando a la prole, atendiendo a los consumidores, trabajando como asistentes personales, cultivando los campos, firmando noticias en los periódicos, haciéndolo todo. Las cajas de pago sin personal en los supermercados y autopistas, los robots obreros en las fábricas, los cajeros automáticos en los bancos, a todo eso nos hemos ya acostumbrado en una transición tranquila. La evolución en el mundo de la banca, del dinero y de las finanzas, por ejemplo, no ha sido extremadamente ambiciosa hasta el momento y, sin embargo, las perspectivas producen vértigo. Los entramados financieros del futuro amenazan con hacerse inexpugnables cuando los sistemas de inteligencia artificial se dediquen noche y día a generar dinero virtual, comprando y vendiendo divisas, estableciendo millones de tipos de cambio diferentes, aprovechando oportunidades de inversión en milisegundos, generando estrategias comerciales incomprensibles para cualquier humano, amenazando continuamente con llevar a la rotunda bancarrota o al mejor de los éxitos a quienes apuesten por el algoritmo mejor dotado en cada instante. Esas máquinas habrán sido concebidas para dominar el mundo de la inversión y desinversión apresuradas. Ya no se precisará encontrar humanos con esa rara habilidad, facilitada en muchos casos y según las investigaciones[108], por cierto tipo de daños cerebrales que les predispone a triunfar en el mundo de la especulación financiera.

Aunque no los veamos, máquinas y algoritmos capaces están tomando muchas posiciones ventajosas, en muchas más tareas de las que imaginamos. Están detrás de funciones como las recomendaciones personalizadas de compra o la asistencia para búsquedas en internet, por poner un par de ejemplos. Su actuación no levanta pasiones ni temores, ni siquiera titulares en los medios de comunicación, reservados para curiosidades y extravagancias. Esas noticias, sin embargo, deberían despertar la curiosidad y atención de los ciudadanos, pues son ventanas a las que asomarse para vislumbrar la sociedad tecnológica que viene. Los cambios en las opciones de empleos posibles no van a dar tregua. Si el pasado se vuelve borroso con facilidad, cuando las mutaciones sean continuas la vida parecerá que parte siempre de cero y que sólo existe en el futuro. A pesar de que sólo han pasado unas pocas décadas, pocas personas recordarán hoy que miles de trabajadores estaban empleados en poner en comunicación telefónica a dos personas, conmutando manualmente una serie de clavijas. Esas personas disfrutaban de un buen empleo, una tarea con cierto prestigio que procuraba, además, el poder de otorgar prioridades en las comunicaciones y, en algunos casos, de cotillearlas, lo que se traducía en toda una retahíla de secretos más o menos inconfesables sobre sus vecinos. Pero un día, las centrales telefónicas automáticas fueron capaces de hacer ese trabajo y, lo que había parecido un trabajo de por vida, pasó a ser un empleo en desgracia y retirada precipitada. Los telefonistas —mayormente mujeres— desaparecieron y la mayor parte de los vecinos no lo lamentaron; a partir de ese momento nadie tendría la tentación de escuchar sus parlamentos. Unos ciento veinte mil telefonistas en el Reino Unido, o unos trescientos cincuenta mil en los Estados Unidos, tuvieron que buscarse otro empleo. Eso sí, la extensión de la telefonía por doquier hizo que el número de ocupaciones en este sector no dejara de crecer. Buena y mala suerte para unos y otros, ganadores y perdedores. La lista de categorías de empleo desaparecidas es extensa y afecta a buena parte de la historia de la humanidad, aunque sus efectos sean más notorios tras la revolución industrial. Ahora, los empleos se pierden a un ritmo considerable, tanto como el ritmo al que se crean otros nuevos, o así ha venido ocurriendo.

Los clientes de la compañía Amazon, por ejemplo, disfrutan de

---

108 Lessons from the Brain-Damaged Investor. The Wall Street Journal. Jane Spencer. 21/07/2015. https://www.wsj.com/articles/SB112190164023291519

un servicio altamente eficiente gracias a la labor de los infatigables y algo grotescos robots Kiva que dan servicio en sus almacenes logísticos, paseando incansablemente a lo largo de estructuras reticulares de pasillos para traer hasta el operador humano el cajón de estantería que contiene el producto buscado. Su eficiencia debe ser excelente para justificar los más de 700 millones de dólares que la compañía pago por la empresa que fabricaba esos autómatas, quedando así dentro de la corporación bajo el nombre de *Amazon Robotics*. Esos robots han desplazado —al menos hipotéticamente— a muchos operarios logísticos en la gestión de mercancías en almacenes. Esto ha implicado que se haya arrinconado a los operarios humanos reservándoles aquellas tareas que los autómatas no alcanzan todavía a realizar mejor que una persona, o no a un precio interesante, por ejemplo aferrar cada producto del modo adecuado y embalarlo con criterio. O conseguir el almacenaje de productos en las estanterías de modo que se maximice el espacio disponible, respetando toda una serie de criterios. Realizar ese tipo de tareas mediante robots implicaría, al menos hoy, inversiones importantes en tecnología, en comparación con la opción de encargarle el trabajo a un empleado, que dispone del algoritmo y el hardware apropiado de serie. Esto explicaría por qué Amazon no sólo no ha reducido su plantilla, sino que la habría aumentado en un 50%, el mismo porcentaje en el que aumentó el número de sus robots en 2016. Incluso anunció al final de ese mismo año su propósito de ampliar la plantilla en unos cien mil trabajadores más en un plazo de unos 18 meses[109]. Este es uno de los ejemplos que los defensores del optimismo en lo que respecta a la automatización de tareas pueden celebrar: más robots significa más productividad, y más productividad acaba siendo más empleo para los humanos. Al menos mientras estos sean necesarios o más baratos, y todo ello sin contar al resto de empresas a las que el éxito de Amazon habrá condenado al cierre, con el correspondiente sacrificio de puestos de trabajo.

De entre los agentes tecnológicos cuyos impactos son más polémicos, Internet sería uno de los actores más notorios. La red habría sido, a la vez, tanto el gran verdugo para muchas ocupaciones tradicionales como el gran promotor de nuevas profesiones y posibilidades laborales, derribando todo tipo de barreras. Resulta difícil recordar, por ejemplo, como cualquier gestión de viajes hasta hace un par de décadas exigía la visita obligada a una agencia de viajes, unos negocios ahora más bien exóticos para la mayor parte de turis-

---

109   How Robots Helped Create 100,000 Jobs at Amazon. https://singularityhub. com/2017/02/10/how-robots-helped-create-100000-jobs-at-amazon/

tas (salvo para iniciados que buscan experiencias de viaje singulares o para quienes los trámites online resultan penosos, los espacios de supervivencia de estos servicios). Lo mismo ha sucedido con funciones como la de ascensorista, sereno o botones que durante generaciones aseguraron un sueldo, aun si cicatero, complementado con las propinas de los ciudadanos agradecidos por sus servicios. Hoy todavía pueden verse botones o ascensoristas en los hoteles y edificios más exclusivos, como símbolo de distinción y trato al cliente (de nuevo, su negocio refugio). Para el resto de edificios, sin embargo, uno de esto empleados sería poco más que peso muerto, frente a un simple algoritmo capaz de establecer la mejor secuencia lógica de paradas y trayectos, evitando esperas, pautando ciertas prioridades, y sin esperar propina por ello. En el caso de los serenos, se ha llegado a plantear la opción de recuperar su actividad como medio de reducir el número de desempleados, aunque la propuesta no haya pasado de anécdota.

Los ejemplos del pasado puede que no nos sirvan de mucho para prever el mañana, pero nos dan la pauta de cómo han ocurrido ya ciertas transiciones recientes en el mundo laboral. Los conductores de coches de caballos, los artesanos, los sastres, los barberos —salvo por el renovado interés de ciertas tribus urbanas—, buena parte de los agricultores, etc. tuvieron la oportunidad de acceder a oportunidades alternativas de trabajo, surgidas del mismo impulso que desplazaba sus trabajos hacia la nada o hacia el reino de las máquinas. Aquellos cambios fueron progresivos, generosos con los tiempos y con las alternativas, y las nuevas ocupaciones parecían llegar para quedarse largas temporadas. Una tranquilidad y generosidad que podría haber pasado a la historia. En el pasado más reciente hemos visto como algunos nichos de empleo aparecían como champiñones en tierra fértil y sombría (recuérdese, por ejemplo, el caso de los negocios de alquiler de películas o los de revelado de fotografía) prometiendo un empleo moderno y seguro para desaparecer, o casi, en el plazo de unas pocas décadas. La tecnología venía al poco tiempo con mejores oportunidades para disfrutar de ese tipo de servicios sin siquiera salir de casa, sin el estrés por las multas al retornar los préstamos fuera de plazo o por constatar que todas las fotos eran una birria. En la actualidad, la presión del cambio inminente se hace todavía mayor y los cambios de viento son más rápidos. Un negocio puede aparecer como empleo novedoso un día y dejar de serlo a los pocos años. Aunque no siempre será cuestión de mejoras tecnológicas; otros factores, como la regulación de los gobiernos ante las continuas innovaciones juegan un papel fundamental también. El reto está aquí en los tiempos de unos y otros, pues ciertos productos tecnológicos son ofrecidos a los consumidores antes de que los gobiernos sepan siquiera cómo deben gestionarlos. El caso de los cigarrillos electrónicos es un ejemplo; una industria que explotó como supernova y, fundamentalmente, quedó reducida a enana blanca en el plazo de pocos años, con carteles de neón maltrechos anunciando una modernidad superada. Estos productos se comercializaban como la alternativa tecnológica saludable al humo del tabaco, lo que consiguió que sus puntos de venta fueran floreciendo por doquier, en una primavera que prometía un empleo próspero y seguro. Pero la posterior regulación de no pocos gobiernos hizo que su interés se esfumara (apropiado para quienes se dedicaban a vender humo). Puede que sus emprendedores tampoco hubieran hecho un auténtico plan de negocio, o un plan a secas, pero en su favor hay que decir que, en el pasado, este tipo de oportunidades hubiera resistido seguramente generaciones, como en el caso de los estancos. Hoy todo se precipita.

Hay trabajos que, si no han desaparecido, sí han menguado notablemente siendo achacable a la tecnología de un modo directo o indirecto. La mayoría de los tejidos de base, por ejemplo, se producen de manera masiva gracias a un conjunto de nuevas y eficientes tecnologías (sin obviar la utilización de obra de mano de bajo coste en países en desarrollo) lo que hace que su precio permita una renovación continuada. Esta lógica implica menos cuidados de las prendas, y un uso muy reducido de los servicios de tintorería, antaño un negocio bien arraigado en cualquier población del planeta. Del mismo modo, la tecnología agrícola con sus tractores y cosechadoras ha reducido a un pequeño número la cifra de trabajadores necesarios para producir enormes cosechas. Cada día serán incluso menos, quizá ninguno, gracias a vehículos agrícolas autónomos, a los sistemas de riego automático activados según las previsiones meteorológicas, a redes de sensores instalados en el terreno, a granjas inteligentes que sabrán qué y cuándo plantar o recolectar en cada momento, incluyendo los análisis de futuros en mercados de materias primas y de política de subvenciones para cada producto. Los robots pastorearán al ganado, extraerán la leche de las vacas, la embotellarán, la transportarán y la entregarán en los centros de consumo, maximizando los parámetros elegidos: el beneficio de las explotaciones, la sostenibilidad, la huella de carbono, etc. Ya se pueden ver en algunas ferias del sector, al menos como concepto, diversos tipos de maquinaria agrícola autónoma con sorprendentes funcionalidades. Son programables mediante una tableta o un teléfono móvil, pueden ser controlados y monitorizados de manera remota, trabajan día y noche, y están diseñados, en sus versiones prelimina-res, para sembrar y recoger cosechas, entre otras tareas.

Los agricultores van a poder, además, manejar múltiples vehícu-los al mismo tiempo desde la aplicación de gestión de los mismos. Aunque el tractor robótico no esté todavía a la venta por razones legales (se han de establecer las reglas que regirán su circulación fuera de zonas privadas y las responsabilidades en caso de acciden-tes), podrían representar una concesión para los sufridos agriculto-res y ganaderos, para quienes hayan resistido en sus explotaciones. Como efecto negativo, la competencia podría aumentar y cualquier persona podría sentirse capaz de sacar adelante una explotación agropecuaria con la ayuda de su móvil, Wikipedia y la maquinaria agrícola programable remotamente. Muchos trabajos en la actuali-dad requieren poco más que un teléfono móvil conectado a la red y la aplicación correspondiente, lo que hace que sean asequibles a un mayor número de ciudadanos. Estos pueden, además, empezar a residir donde más les plazca mientras sus negocios se localizan en aquellas zonas comerciales donde se focaliza la demanda. Los nue-vos modelos de negocio, en todo caso, podrán prosperar sólo si las grandes multinacionales tecnológicas lo permiten, evitando fagoci-tar las iniciativas empresariales que no estén bajo sus dominios.

Hasta ahora, los robots se han ganado los corazones de niños y adultos con unas personalidades de fantasía que les han mostrado como héroes simpáticos, dispuestos a arriesgar sus tornillos por sal-var la vida de cualquier persona, como duros y esforzados empleados haciendo frente a tareas demasiado monótonas o arriesgadas para un ser humano. Si algún robot malvado se ha colado en la ficción, muchos otros robots buenos han borrado su huella. Los diseñadores se han esforzado por implementar los rasgos, gestos, comportamien-tos que hacen que un autómata se nos aparezca como un bonda-doso compañero, como si fueran obras maestras de artistas juguete-ros. Así como por evitar que su naturaleza intrínsecamente extraña nos provoque recelos. Esta estrategia implica que los robots puedan acercarse a las personas cuanto quieran, aspirando a todo, no sólo a servirnos como asistentes personales sino a convertirse en amigos y compañeros. Algunos robots camareros (cómo el barman *Carl* en la ciudad alemana de Ilmenau), por ejemplo, podrían pronto empe-zar a recibir confidencias de sus clientes al tiempo que les sirven su bebida favorita. Otros agentes inteligentes tendrán, sin embargo, que emplear estrategias diversas. Algunos de ellos apenas se dejan ver pues son, sobre todo, parte blanda, algoritmos que ejecutan sus tareas programadas en silencio y de manera velada, sin recurrir a elementos corpóreos que les personifiquen. Son, por ejemplo, pilotos automáticos de aviones, analistas de bolsa y asesores financieros, conductores de metro o redactores de informes a partir de series de datos más o menos conexas. El software «*Quill*» de la empresa *Narrative Science*, por ejemplo, es capaz de tomar datos de cualquier contexto y convertirlos en un informe que parezca juicioso. La revista Forbes ya lo emplea para realizar algunos artículos, allí donde antes seguramente había trabajo humano laborioso —y tedioso— para analizar cifras e informes, e intentar hacer análisis y síntesis. Puede que un libro como este no tenga el nombre de una persona dentro de unos años, ante la competencia de *Quill* y sus mejoradas secuelas.

Hasta que nos acerquemos a la sociedad tecnológica, el ser humano seguirá trabajando junto a máquinas y algoritmos poco capaces, herramientas que compensan algunas de nuestras limitaciones y nos facilitan la vida, sin desafiar de manera universal nuestro rol en el planeta. Más adelante, sin embargo, los papeles podrían cambiar y nuestras habilidades quedar reducidas al servicio y mantenimiento de máquinas y algoritmos cada vez más autónomos y competentes. O a cierto tipo de compañía. Los autómatas podrían apreciar un tiempo de descanso con miembros de una especie más simple, igual que los humanos aprecian el tiempo que pasan con sus mascotas mientras desconectan de sus rutinas. El peso de la responsabilidad (salvar a los humanos de sus propios actos, recuperar el planeta tras los muchos desatinos del *Homo sapiens*, colonizar otros mundos como alternativa de emergencia, etc.) podría aturdir sus procesadores, generándoles ansiedad y depresión de una intensidad desconocida. No está claro que una inteligencia multiplicada les evite las trampas de la razón en las que caemos con regularidad los humanos.

Las características y la imagen predominante de las máquinas capaces que vienen podrían estar, al inicio, bastante influenciadas por la imaginación de los escritores de ciencia ficción que han ido concibiendo todo tipo de autómatas en sus obras. Quienes diseñan hoy muchos de los sistemas inteligentes en desarrollo son aquellos que se aficionaron a la tecnología y sus ensoñaciones a través del cine y la literatura. A partir de un cierto momento, sin embargo, su evolución no será sólo dependiente de la creatividad humana. Su inteligencia les permitirá redefinirse a sí mismos. Ya existen algoritmos que aplican el método científico para establecer correlaciones entre datos y teorías —o predicciones—[110], lo que anuncia un

---

110 Ver trabajos del profesor Hod Lipson, en la universidad de Cornell. Cornell robot discovers itself and adapts to injury when it loses one of its limbs. http://news.cornell.edu/stories/2006/11/cornell-robot-discovers-itself-and-adapts-injury

tiempo de máquinas preparadas para hacer ciencia. Las máquinas y algoritmos capaces también podrían quedar sometidos a algún tipo de adaptación social al ambiente en el que se encuentren, así como experimentar mutaciones aleatorias, algunas de las cuales serían conservadas por las siguientes generaciones. Todo a imagen y semejanza de seres biológicos. Hoy ya existen autómatas que evolucionan y autómatas capaces de ensamblarse a sí mismos a partir de una serie de módulos prefabricados. El darwinismo requiere un proceso de copiado imperfecto y una selección de las copias respeto al parámetro de mejor capacidad de supervivencia, adaptación y resiliencia. Puede que esta fórmula pueda ser también programada en robots o puede que acabe sucediendo de manera natural.

PONGA UN HUMANO EN SU VIDA

Los autómatas están derribando las barreras que todavía protegían algunas ocupaciones para ser desempeñadas sólo por humanos. Los robots acceden a tareas, por ejemplo, donde se requiere la colaboración con personas, donde las actividades se asumían complejas para ser mecanizadas o donde el espacio disponible es reducido para autómatas de gran formato. Para los fabricantes de robots, estas «trabas» no han sido sino incentivos en los que trabajar, como en el ejemplo de los robots hermanos Baxter y Sawyer de la empresa *Rethink Robotics*. En el caso de Baxter, su metro ochenta y sus 136 kilos de peso lo podrían hacer pasar por un fornido operario humano. Sus ojos —uno sólo en el caso de Sawyer— se muestran en una pantalla para indicar a quien se encuentre en su radio de acción la dirección del movimiento de sus brazos, como medida de seguridad. En caso de tropezar con algún obstáculo, el robot simplemente detiene sus movimientos, evitando lesiones en caso de haber colisionado con un colega humano. Sus dos brazos y su simpático rostro de dibujo animado sobre una pantalla táctil le hacen parecer amigable, casi entrañable. Su aprendizaje sin necesidad de programación, la precisión continuamente mejorada de sus movimientos, la reducción de su tamaño y su precio (en torno a 30 000 Euros) demuestran que ninguno de los retos indicados era realmente un problema insuperable, ni siquiera complejo, a lo sumo complicado. El diseño de Sawyer, por su parte, ha sido concebido para la realización de tareas de asistencia a otras máquinas allí donde hoy se requiere todavía la intervención de un empleado humano. Su presencia podría conseguir automatizar completamente ese tipo de procesos, prescindiendo de los correspondientes trabajadores (un caso típico es el suministro o la retirada de piezas o insumos entre fases de una producción automatizada). Poco a poco, los robots van asumiendo tareas que estaban diseñadas para ser aseguradas por ojos y brazos humanos, encajando a la perfección en cadenas de producción que necesitan de su flexibilidad, de su eficacia, de su tesón y entrega. A la larga, esas máquinas y algoritmos cancelarán la excepción que constituyen frágiles y restringidos seres humanos trabajando rodeados de máquinas siempre más capaces. Esas máquinas compartirán espacio únicamente con otras máquinas y algoritmos, un negocio familiar.

Los ejemplos de robots y de sus crecientes nuevas capacidades de trabajo se renuevan incesantemente. Unos ejemplos para ilustrar lo variopinto de su despliegue servirá como muestra de lo que está sucediendo en los laboratorios de entidades y empresas de todo el mundo. La compañía Clearpath Robotics ha desarrollado una plataforma robótica (de nombre Otto) con el objetivo de llevar a cabo el trabajo realizado por los conductores de las carretillas elevadoras dentro de almacenes y fábricas. Por su parte, Fetch Robotics ha creado un robot para que siga a los trabajadores de los almacenes ayudándoles a recoger artículos de las estanterías cuando lo necesiten. El robot acarrea los artículos y cuando ha llenado su cajón se aleja hacia la zona de entrega mientras otro robot le reemplaza en su tarea. En el caso de robots para trabajos logísticos, los archifamosos robots Kiva garantizan que recibamos los pedidos realizados a través de la plataforma Amazon en apenas uno o dos días, ahora incluso en menos de 24 horas. Estos robots forman un ejército numeroso (unos 10 000 estaban en nómina de la compañía en 2014). La empresa Fellow Robots ha desarrollado un sistema móvil que se ofrece como ayuda a los clientes de los comercios. El robot se ha probado en un negocio de ferretería, por ejemplo, ofreciendo sus servicios para localizar productos mediante comandos de voz o de su pantalla táctil, conduciendo a los clientes hasta la estantería adecuada. El robot YuMi (*You and Me*) de la multinacional ABB fue presentado como el primero del mundo capaz de trabajar de forma segura con los humanos. El robot ASIMO (*Advanced Step in Innovative Mobility*) de la multinacional Honda está diseñado, entre otras posibilidades, para convertirse en asistente de personas mayores o con movilidad reducida. La empresa Savioke ha desarrollado un robot que lleva todo tipo de artículos hasta las habitaciones de los hoteles, un sistema que ya se ha desplegado en varios lugares de California. El conserje del hotel coloca un artículo en una caja incorporada al robot y deja que encuentre el camino hasta la habitación en cuestión. También pide una evaluación y baila cuando recibe una puntuación de cinco estrellas, algo que no sería políticamente correcto para un botones humano, pero que seguro resulta divertido para muchos clientes.

La Universidad Carnegie Mellon (EEUU) ha desarrollado un robot —de nombre Cobot— que hace de guía en diferentes instalaciones, y que es capaz de solicitar ayuda a la persona que se encuentre más cerca cuando él mismo sea incapaz de completar una tarea. Si no hay nadie cerca, el robot envía un mensaje electrónico a la lista de correo que tiene en memoria. No es un robot muy sofisticado, no tiene manos, ni brazos, ni un vocabulario especialmente desarrollado, pero el recurso de pedir ayuda a otras personas no deja de ser sorprendente, pues sus carencias son subsanadas por ese trabajo en equipo desinteresado. La empresa Aethon ha concebido un robot llamado TUG capaz de desplazar equipos y mover suministros en hospitales. No requiere instalación de balizas especiales para sus desplazamientos y se sirve únicamente de su sistema de navegación autónomo. En el caso de que acaeciese algún percance, el robot entraría en contacto con un miembro del equipo de apoyo humano que lo pilotaría mediante control remoto hasta su destino. La empresa danesa Universal Robots comercializa brazos de robot de aspecto convencional, baratos, sencillos y seguros. Estos brazos robóticos ofrecen una mayor precisión y una mejor capacidad de programación, lo que significa que pueden desempeñar tanto trabajos complejos —sustituyendo a empleados humanos— como acompañar a trabajadores en sus tareas. Pueden además ser reutilizados rápidamente para una nueva actividad sin necesidad de una reprogramación compleja o pesada. La empresa KUKA Robotics, por su parte, está probando robots equipados con sistemas de seguridad para el trabajo junto a humanos, evitando su segregación en recintos cerrados, lo que tiene un coste elevado y rompe la necesaria flexibilidad en las líneas de producción. Este tipo de autómatas permiten, además, todo un rango de tareas que requieren de una estrecha colaboración hombre-máquina, al menos en las circunstancias actuales. Existen equipos robóticos en almacenes de logística clasificando, apilando y retirando productos sin descanso. Hay elementos robóticos en los rodajes de las películas (el brazo robótico IRIS de *Bot & Dolly*, utilizado en la película *Gravity* por ejemplo), robots humanoides haciendo ensayos sobre equipos de protección química (Petman, que además tiene la capacidad de transpirar), robots que simulan insectos con capacidad de trepar (RiSE), robots que desactivan bombas y explosivos, robots que inspeccionan conductos para su mantenimiento, robots cuadrúpedos capaz de trotar a 40 kilómetros por hora (Cheetah), robots para misiones de búsqueda y rescate (Atlas), robots que son juguetes programables para niños inquietos, robots que son mulas de carga (BigDog), etc.

No es extraño que el interés latente por los robots sea enorme y que hasta la industria del juguete ceda a la presión de sus clientes —tanto papás como niños— para poner en el mercado todo tipo de artefactos con capacidad de emular habilidades humanas, escuchar, responder, expresar sentimientos, etc. En un futuro cercano, los autómatas nos ayudarán a lo largo de nuestras vidas desde la cuna a la tumba, cuidando de nosotros con dedicación, trabajando con denuedo para asegurar la disponibilidad de todo tipo de bienes y servicios, en el mejor de los escenarios. Los autómatas capaces podrían salvar además nuestros traseros cuando nos encontremos en situaciones límite; por ejemplo, en situación de amenazas terroristas, conflictos armados, catástrofes, riesgos nucleares, pandemias, etc. Es cierto también que las máquinas y algoritmos capaces podrán ser utilizados o podrán actuar como agentes de guerra, con todas las lecturas peligrosas que la imaginación nos permita según quien llegue a tener acceso a estos sistemas y cómo vengan controlados. Vigilar, espiar o destruir objetivos será mucho más asequible para este tipo de tropas no biológicas, como ha demostrado ya el uso de drones y satélites[111]. Quienes guíen sus acciones hasta que puedan tener comportamientos autónomos en las acciones de guerrilla tecnológica podrán ser tropas de élite en puestos de mando remotos y protegidos. Hoy ya están disponibles las tecnologías que hacen volar aparatos sin piloto mientras vigilan objetivos, mulas de carga robotizadas capaces de desplazarse por todo tipo de superficies, robots con explosivos guiados remotamente y un arsenal de tecnologías secretas que apenas podemos imaginar, todo ello sin necesidad de desplazar tropas humanas sobre el terreno. Por el momento, un humano se encuentra al mando de las decisiones últimas que autorizan o no los ataques. El desplazamiento de empleos debido al progreso tecnológico parece más que seguro también en el sector de las fuerzas armadas, aunque podría haber nuevas oportunidades laborales para competentes jugadores adictos a los videojuegos.

Dentro del objetivo de ser atendidos y cuidados por robots en la

---

111 Unos 30 países del mundo contarían ya con tecnologías basadas en drones militares, y muchos más contarían con drones adaptados para servicios militares. https://www.newamerica.org/in-depth/ world-of-drones/3-who-has-what-countries-armed-drones/

sociedad tecnológica que viene, se encontraría también la demanda de estimular nuestros centros de placer, lo que debería poner en jaque al empleo más viejo del mundo (según vox populi, aunque seguramente no lo sea). Muchas personas, sin embargo, discrepan sobre esta posibilidad. Algunos pensadores[112] han propuesto la hipótesis resiliente, que establece que la prostitución no sufrirá de desempleo tecnológico a causa de la oferta de robots sexuales —sin olvidar tampoco la realidad virtual—, sino que el ser humano seguirá prefiriendo las relaciones con sus iguales, por todo tipo de consideraciones psicológicas y biológicas. Parte de esta premisa podría aceptarse hoy si se contemplan las características del etiquetado, por su fabricante, primer robot sexual del mundo, un androide interactivo a tamaño real desarrollado por la empresa TrueCompanion, de nombre Roxxxy. La competencia tecnológica no parece ser un riesgo inminente. Tampoco la realidad virtual parece desarrollada a un nivel de emulación que pueda, en la actualidad, rivalizar con la estimulación clásica a través de los sentidos biológicos y del órgano sexual más grande del cuerpo, el cerebro. Sin entrar en consideraciones de otro tipo (proxenetismo, ilegalidad, violencia), la prostitución proporciona un medio de vida —en la mayor parte de los casos, sino siempre, de vida precaria— a no pocas personas, convirtiéndose en un «recurso» desesperado en situaciones límite. Este último recurso de supervivencia se ha mantenido durante milenios por lo que no debería ser obviado ni solamente criticado como un fallo de los sistemas sociales de convivencia. En una sociedad en la que muchos empleos se perderán, muchos de ellos en categorías de empleos refugio, la prostitución también podría dejar de ser ese desesperado medio de subsistencia. Pero, la historia de la humanidad nos ha sorprendido sobre la resiliencia de muchas ocupaciones. El tratamiento legal que deberá darse a los robots desarrollados para recrear ciertas fantasías es, también, todo un nudo gordiano. La filosofía debería empezar a prepararse para los nuevos tiempos y para un universo de preguntas difíciles de responder y poco consideradas por los clásicos. Terrenos de fangos movedizos.

La amenaza de robots sexuales por doquier parece, en todo caso, tan real para algunos colectivos que deciden organizarse en grupos de presión para liderar campañas de protesta y acciones varias. Así, por ejemplo, ante las perspectivas de robots concebidos para el sexo con humanos, ya se han organizado campañas para promover

---

112   Sex Work, Technological Unemployment and the Basic Income Guarantee. John Danaher. Keele University, School of Law. *Journal of Evolution and Technology.* — Vol. 24 Issue 1 — February 2014 — pgs. 113-130.

su prohibición y desincentivar su desarrollo[113]. Desde su punto de vista, la amenaza de un mercado inundado de robots como objetos de placer sexual es muy real, y sus consecuencias serían absolutamente degradantes para la condición humana. El argumento de que los robots sexuales liberarían a personas de carne y hueso de la prostitución no parece convencerles, sino todo lo contrario. Del mismo modo que la pornografía en Internet no ha desplazado la prostitución, sino que ésta ha aumentado su visibilidad y mercado, los robots sexuales deberían tener el mismo tipo de efectos, según esta perspectiva. El ejemplo pionero de Roxxxy podrá aportar, seguramente, pruebas empíricas de sus efectos en las costumbres. Este robot es capaz de aprender según los comentarios recibidos de sus usuarios-compañeros, además de mantener discusiones o expresar su amor, mejorando su vocabulario mediante el dispositivo correspondiente; y, por supuesto, puede ser conectada a Internet. Todos sus encantos físicos, obviamente, son configurables, no sólo en volumen, por un precio de unos 9 000 dólares norteamericanos más una cuota de subscripción. Una iniciativa empresarial pionera anunciaba la apertura de un burdel en Barcelona donde sus trabajadoras son únicamente muñecas de silicona, lo que podría ser el inicio de una tendencia en las costumbres sexuales, o quién sabe si el fin de la especie. Preparémonos para debates complejos entre hormonas y razón, instintos, derechos y costumbres, entre libertad y dignidad.

MÁQUINAS QUE APRENDEN A APRENDER

Los autómatas están aprendiendo a aprender, y algunos ni siquiera necesitan ser entrenados con esmero para esta tarea. Esto no es una innovación menor porque reproduce, en cierto modo, el contexto de mejora de los seres humanos, que se ha demostrado altamente eficaz en comparación con otros seres vivos. Un operario humano puede enseñar ahora a algunos de estos robots cómo realizar una tarea ejecutando una sola vez la secuencia de movimientos con los brazos del robot. El autómata los memorizará y dicha tarea —como secuencia de acciones— quedará incorporada a las habilidades del

---

113 Campaign Against Sex Robots. https://campaignagainstsexrobots.org/

robot, con la capacidad de poder desempeñarla de manera inmediata, ajustando la precisión según las necesidades. Y, de paso, describirla en un lenguaje que pueda ser comunicado y transferido a otros autómatas, pues lo que aprende uno es aprendido por todos. Una multitud de sensores permiten a este tipo de autómatas percatarse de su entorno, convirtiéndose en agentes «conscientes» de sus movimientos y del mundo que les rodea, dejando de ser máquinas peligrosas para quien se encuentra cerca. La formación de este tipo de robots puede requerir unos pocos minutos, con asimilación y aprovechamiento del tiempo garantizados, sin riesgo de errores de principiante, o debidos al cansancio o tedio. Para más inri, el empleado humano es utilizado como preparador de la futura generación de trabajadores que llevarán a cabo su actividad. También los especialistas que realizaban la programación y adaptación de este tipo de autómatas a nuevos entornos de trabajo habrán de buscarse alternativas laborales, si esta rutina de aprendizaje se convierte en el estándar. El tipo de programación de estos robots requiere de un desarrollo importante por parte de especialistas, pero, una vez implementado, permite que éstos sean reprogramados por no expertos durante el resto de sus vidas útiles. Los impactos debidos a la implantación de este tipo de robots en entornos laborales también se minimizan hasta hacerse imperceptibles, tanto para los otros trabajadores como para los procesos productivos. Los proveedores de este tipo de plantas robotizadas podrían, por su parte, sufrir ciertas exigencias respecto a sus productos, en lo que concierne a su formato, características mecánicas, etc. de manera a facilitar las secuencias automatizadas. Estas exigencias, a su vez, podrán ser implementadas más fácilmente mediante líneas de producción que puedan reconfigurarse de manera flexible y rápida, esto es, con líneas atendidas por autómatas. Todo parece empujar en la misma dirección.

Que las máquinas y algoritmos están aprendiendo rápido es algo que sabemos gracias, en buena parte, a las noticias sobre autómatas que consiguen vencer a campeones humanos en diversos tipos de competiciones. El ya muy famoso Watson, un conjunto de algoritmos desarrollados por IBM capaces de lidiar con preguntas en lenguaje natural, no sólo batió a los mejores concursantes de la historia del programa Jeopardy! sino que marcó un hito trascendental. Este concurso consiste en series de preguntas que encierran todo tipo de referencias a temas conexos, a modo de pistas que han de guiar las respuestas. Watson demostró, por ello, no sólo ser capaz de procesar enormes cantidades de información, lo cual se le presuponía, sino de realizar razonamientos automatizados en busca de porcentajes de acierto para toda una serie de posibles opciones de respuesta, mostrando además cierta capacidad de aprendizaje. Watson fue concebido para seleccionar respuestas probables entre una marea de opciones posibles, pero también para entender el auténtico contenido de la pregunta que permitiera identificar la mejor respuesta posible.

Dos años después de la victoria en el concurso, sus creadores anunciaron la primera aplicación comercial de Watson. No, no se trataba sólo de un juego. Y no podía ser más diferente ni más sugestivo, pues sus capacidades de análisis pasaban a dar soporte a los especialistas médicos en el tratamiento de cánceres de pulmón. También ha sido utilizado en la diagnosis de otros tipos de cánceres, como en el caso de la leucemia. Y solo ha sido el principio de algo mucho más grande que está por llegar. Otros sistemas similares de inteligencia artificial basados en redes neuronales ya se anuncian como más eficientes que los médicos humanos a la hora de identificar, por ejemplo, melanomas. Si tenemos en cuenta que sólo en los Estados Unidos unas 10 000 personas mueren a causa de cáncer de piel y que un diagnóstico rápido podría salvar sus vidas, la urgencia es poder incorporar esos algoritmos en dispositivos de uso masivo como los teléfonos inteligentes. Ese es el poder de estos algoritmos. El uso original para el que son diseñados es sólo uno de los muchos escenarios donde acabarán siendo útiles y asumiendo responsabilidades que no estaban previstas. Uno de los directores de IBM llegó a asegurar que un 90% del personal médico del servicio donde Watson daba soporte seguían sus directrices (aunque es cierto que su utilización estaba promovida por una compañía de seguros de salud, así que mejor no arriesgarse a llevarle la contraria sin un buen argumento). La capacidad de Watson para procesar unos 500 Gigabytes de datos por segundo, esto es, el equivalente a un millón de libros por segundo, no se lo pone fácil a sus competidores humanos. Y conviene recordar que Watson ha sido sólo un ejemplo anecdótico de estos algoritmos incipientemente capaces. Otras máquinas y otros programas de inteligencia artificial saltan a las noticias de los medios cada semana demostrando un sinfín de habilidades: leer los labios procesando frases completas (*LipNet*[114]), de manera más exacta que un ser humano, o predecir los resultados de las elecciones mejor que ningún analista o que las inevita-

---

114   LipNet enseña a las computadoras a leer los labios. https://www.fayerwayer. com/2016/11/cientificos-crean-lipnet-para-ensenar-a-las-computadoras-a-leer-labios/

bles encuestas (*MogIA*[115]), por ejemplo. El acierto con la predicción de la victoria de Donald Trump en la campaña de elecciones presidenciales norteamericanas, por cierto, lo hizo todavía más famoso. Los algoritmos más evolucionados, todavía en una etapa infantil de su desarrollo, empiezan a ser capaces de acertar en varios tipos de apuestas, de pasar los filtros de los concursos de novela, de vencer a pilotos humanos en combates aéreos en simuladores —primer paso— o de seguir derrotando a los campeones del mundo de todo tipo de juegos, algunos milenarios como «*Go*», otros considerados «extremadamente complejos para una máquina» como el póker. Son cosas variopintas y a primera vista inconexas, pero más pronto que tarde serán integradas de serie en todas las inteligencias artificiales junto a millones de otras capacidades. Por el momento, no se empeñan sino en divertirse venciendo en todos los juegos donde les desafiamos, lo que hace que los rankings mundiales vayan siendo ocupados por campeones no humanos.

¿QUIÉNES GOBIERNAN LOS MERCADOS Y NUESTRAS PENSIONES?

Los algoritmos capaces están facultados ya para tareas más allá de la recomendación de productos y la venta sugestiva basada en nuestros patrones de compra, la gestión de agendas o la comparación y vigilancia de tendencias en los precios de los billetes de avión. Los algoritmos, por ejemplo, controlan pautas de inversión en los mercados de finanzas de un modo que podría escapar pronto a la comprensión humana, si no ha ocurrido ya. A ellos se les achaca a veces ciertos movimientos «irracionales» en las bolsas del mundo. Naturalmente, no es un acto emocional, sino el resultado de instrucciones complejas programadas en sus procesadores, sometidos a una dura competencia evolutiva para aprovechar cualquier mínima ventaja frente a sus competidores (otras máquinas y sus algoritmos). Aun así, para un observador (humano) externo, su actuación podría no diferir

---

115   Cómo funciona el software inteligente MogIA que predijo el triunfo de Trump. http://www.infobae.com/tendencias/2016/11/09/como-funciona-el-software-inteligente-mogia-que-predijo-el-triunfo-de-trump/

mucho de la pauta esperable si esos algoritmos tuvieran conciencia de sí mismos. Los algoritmos que «aprenden» a ganar dinero en bolsa o a optimizar las probabilidades de hacerlo, podrían acabar teniendo su propia oficina en exclusivos edificios de negocios, allí donde antes se sentaron humanos capaces de manejar cifras, tendencias, riesgos, etc. con soltura. Esos programas no sólo nos recomendarán dónde invertir según nuestro patrón de tolerancia al riesgo, nuestras expectativas de beneficio y horizontes temporales, según la edad o las circunstancias familiares, sino que tendrán en cuenta millones de datos del pasado y escenarios del futuro con sus probabilidades, calculadas y recalculadas continuamente para esquivar los cisnes negros hasta donde sea posible. Hoy ya nos ayudan a identificar comportamientos que podrían ser indiciarios de algún delito cibernético, según pautas fuera de lo normal. Lo más difícil para sus creadores podría ser dotar a estos algoritmos de la paciencia y empatía suficientes y necesarias para interactuar cara a cara con los clientes. Pero si sus logros económicos son constatables, no debería haber mayor problema en obviar su falta de habilidades sociales.

La alocada carrera por conseguir los algoritmos más rápidos y capaces del planeta en el mundo de la inversión y la especulación en tiempo real es sangrienta, aunque la mayoría de personas sea ajena. En apenas unas décimas o centésimas de segundo podrían jugarse oportunidades de inversión valoradas en muchos millones de dólares, euros o yenes. Incluso la distancia física entre los servidores de las empresas y aquellos de los centros de negociación llega a ser importante cuando la diferencia temporal de diezmilésimas de segundo es relevante, lo que provoca una guerra adicional por situarse geográficamente lo más cerca posible de los centros de compra y venta, esto es, de la localización geográfica de los servidores que reciben las órdenes sobre el mercado. Más y más máquinas, más y más concentradas. Hasta el 70% de las operaciones bursátiles en una bolsa como Wall Street podrían estar generadas por algoritmos actuando de manera autónoma, respetando los parámetros programados por sus diseñadores[116]. La imagen de los corros de inversores hiperactivos en las sedes de las bolsas es un asunto del pasado, y sus espacios pronto serán poco más que un lugar de interés arqueológico. Los auténticos corredores de bolsa estarán encerrados en sótanos refrigerados, acorazados y oscuros. Las cifras no engañan: las inversiones en tecnología financiera se triplicaron entre 2013 y

---

116 Algorithms Take Control of Wall Street. https://www.wired.com/2010/12/
ff_ai_flashtrading/

2014, alcanzando más de doce mil millones de dólares en los Estados Unidos, con el objetivo puesto en la práctica totalidad de actividades de este negocio[117]. Buena parte de los empleados en este sector no se convertirán en desgraciados ciudadanos al ser reemplazados por algoritmos, gracias a sus afortunados y generosos contratos y jubilaciones anticipadas. Pero si sus altas cualificaciones y su exquisita preparación no les salvan del desplazamiento laboral a causa del progreso tecnológico, ¿qué podrán esperar el resto de trabajadores con peores competencias?

Sin apenas debate o conciencia estamos dejando inversiones, ahorros, planes de pensiones, etc. en manos de máquinas que juegan a explotar beneficios según unas reglas programadas pero que carecen del más mínimo sentido común, en una combinación que parece temeraria. Es cierto que los comportamientos erráticos e histriónicos de las bolsas no son algo nuevo, ni cosa únicamente de excéntricos algoritmos, pues las emociones y los miedos grupales de los inversores humanos ya provocaban todo tipo de vaivenes. Pero incluso ese caos, era comprensible, y achacable a sentimientos reconocibles. Los sufridos economistas intentan en la actualidad, hasta donde les es posible, dar explicaciones creativas a posteriori de esos movimientos caóticos del mercado, enarbolando parámetros económicos y políticos que nos den la (falsa) sensación de que todo está bajo control y puede ser explicado racionalmente. Esta labor les resultará, sin embargo, cada vez más compleja y no habrá imaginación humana que pueda proveer del necesario nivel de fantasía explicativa. También se ha de contemplar un escenario distópico en el que un avispado HAL 9000, encargado de gestionar los planes de pensiones de media humanidad, decida tomarse ciertas libertades con las instrucciones que recibió de su tripulación humana, y nos cree un terrible dolor de cabeza planetario.

Dependiendo del escenario que se materialice finalmente en el futuro, es posible que acabemos recordando con simpatía a unos apurados empleados bancarios intentando recomendarnos un fondo de inversión entre una oferta infinita de la que ni siquiera podían tener someramente una opinión fundada. Puede, incluso, que la privilegiada clase de gestores de fondos de inversión, retribuidos como reyes sin reino, encuentren también la horma de sus zapatos en una generación de algoritmos capaces más listos y astutos. Los desarrollos en el área de gestores-máquina, con capacidad de tomar decisiones de compra y venta de títulos según la estrategia ideada

---

117 The Robots Are Coming for Wall Street. https://www.nytimes.com/2016/02/28/magazine/the-robots-are-coming-for-wall-street.html

por sus sistemas de inteligencia artificial, ya toman posiciones en los mercados[118]. Empresas como la hongkonesa Aidya poseen en su cartera fondos de inversión totalmente gestionados por algoritmos no sólo para la caótica negociación intradía sino a más largo plazo. En su fase de pruebas durante varios años habrían asegurado rendimientos anuales del 29%, según sus promotores[119]. Esos algoritmos también leerán la prensa, toda, y las redes sociales, todas, y tendrán una mente analítica a prueba de bomba; no tendrán límites para procesar información, elaborar tendencias de manera dinámica y calcular probabilidades a ritmo de reloj atómico. Sin olvidar su capacidad de reaccionar al instante a todo tipo de eventos, tras el mínimo intervalo para recalcular todos los parámetros necesarios. La compañía Kensho, por ejemplo, ha desarrollado un software que es capaz de analizar, casi en tiempo real, las consecuencias probables en el mercado de eventos como la publicación de las últimas encuestas de empleo o los resultados de las últimas elecciones. Este tipo de análisis es complejo y tedioso, tanto que los analistas solían esquivarlo, pero es sólo trabajo fascinante para un algoritmo. La carrera ha comenzado y, como el desafío de vencer al ajedrez, es cuestión sólo de tiempo; *tempus fugit*.

Imaginemos, por otro parte, qué podrá ocurrir cuando algoritmos bien entrenados para la negociación de títulos de inversión a alta frecuencia se dediquen a explotar otras áreas de la vida social, económica, cultural, etc. Sus enormes capacidades de análisis de datos e información y de recreación de escenarios probables en tiempos inasumiblemente breves para un ser humano, generarán no poca disrupción en la convivencia. En particular, a la hora de facilitar la toma de decisiones cuasi instantáneas en todo tipo de ámbitos complejos —o que nos resulten complejos—. Quizá puedan evaluar en unas décimas de segundo —en tiempo real— el tono de las conversaciones en la red y proponer —sin pausas— nuevas ideas, productos, alternativas, antes de que alguien siquiera haya expresado su necesidad o su deseo, según los intereses o preocupaciones de los ciudadanos. Puede también que nuestra capacidad de tomar decisiones o expresar deseos queden atrofiadas, una vez dejemos estas tareas de manera rutinaria en nuestros alter ego tecnológicos.

---

118   Este es el caso de la compañía de Hong Kong, Aidyia Technologies.
      Hong Kong start-up to bet millions on hedge fund run by artificial
      intelligence. http://www.scmp.com/tech/start-ups/article/1774634/
      hong-kong-start-bet-millions-hedge-fund-run-artificial-intelligence
119   http://www.scmp.com/tech/start-ups/article/1774634/
      hong-kong-start-bet-millions-hedge-fund-run-artificial-intelligence

EL ÚLTIMO REMBRANDT

La competición entre seres humanos y máquinas-algoritmos por los empleos no se limita a una lista finita de ocupaciones, desgraciadamente. La unión de autómatas robustos y precisos junto a sensibles y cuasi creativos algoritmos da como resultado agentes laborales todopoderosos. Ni siquiera reductos como el arte y la creatividad quedarán inaccesibles a la tecnología. El escritor con más libros a la venta en la plataforma Amazon no es ningún prolífico intelectual ni tampoco un avispado contador de historias seriadas, sino un algoritmo, un *bot* escritor, que los produce automáticamente, de nombre Philip M. Parker. La automatización no sólo afecta a lo que ocurre en los almacenes de la compañía, con miles de robots logísticos correteando por pasillos infinitos sino a los creadores de algunos productos en venta en la plataforma. Hoy puede ser todavía una anécdota, pero no lo será el día en el que empecemos a leerlos porque su contenido nos interese o nos sorprenda más que las creaciones humanas. Esos libros podrán asegurar tramas para todos los gustos, y para ninguno, cuestión de creación masiva, pura fuerza bruta, donde desechar el 99% de la producción no es un problema.

Los algoritmos ya empiezan a proponer sus incipientes obras creativas, hoy solo un asunto de curiosidad tecnológica e intelectual. En buena medida, son sólo copias, el resultado de analizar con todo detalle la obra de uno o más artistas y utilizar sus pautas, en ciertas combinaciones posibles, para generar nuevo material. En el caso del arte pictórico, por ejemplo, el cuadro conocido como *El último Rembrandt* (*The Next Rembrandt*[120]) es paradigmático de esta estrategia. La combinación de un esfuerzo de análisis mediante algoritmos, junto a capacidades de reconocimiento facial, de escáneres de alta resolución y de impresión 3D ha permitido concebir y pintar un cuadro que dista de ser una copia estricta de ninguna obra existente, para entrar en el ámbito de una auténtica pieza original. En este caso, de una obra póstuma del autor, indistinguible del resto de obra original a ojos de profesionales. El algoritmo no sólo utilizó datos reales de la obra del artista, sino que consiguió adoptar sus pautas y técnicas para replicarlas en una obra que simulara la pintura, las proporciones y las bases artísticas del maestro. En palabras de sus promotores humanos, el sistema replicó los modos en los que el pintor utilizaba sus pinceles, así como su visión de la realidad. En los 18 meses que fueron necesarios para crear el cuadro, se gene-

---

120 www.thenextrembrand.com

raron unos 150 millones de píxeles con la ayuda de más de 168 mil fragmentos extraídos de la obra de Rembrandt. El resultado final es un retrato de un personaje del siglo XVII que fue presentado con todos los honores en un auditorio de la ciudad de Ámsterdam, como «obra póstuma del artista». No sólo nuestra concepción del arte y la creatividad van a cambiar sustancialmente debido al progreso tecnológico, sino también el negocio que generan y, por supuesto, las oportunidades de empleo que aseguran.

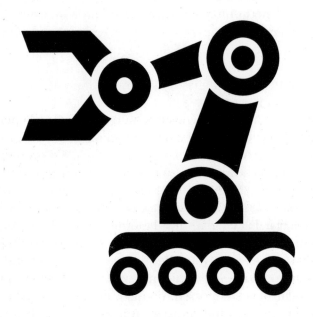

EL FINAL (PESIMISTA) DEL TRABAJO. *LORD HAVE MERCY ON THE WORKING MAN*

> No hay un estado intermedio entre el agua y el hielo,
> pero si hay uno entre la vida y la muerte: el trabajo.
> Nassim Taleb (1960)

Martin Wolf narraba una anécdota que expresa a la perfección como un mismo evento, el riesgo del desempleo tecnológico puede ser considerado desde muy diversas perspectivas, todas válidas desde un presente incapaz de evaluar su evolución e impactos futuros. Era el año 1955, una época dorada para el empleo en muchas sociedades desarrolladas, en la que los sindicatos tenían un poder considerable a la hora de fijar las condiciones laborales, pero donde el sistema mantenía un equilibrio entre los intereses de las partes: trabajadores, patronal, gobierno. Walter Reuther, secretario general del sindicato de automoción estadounidense, visitaba una nueva planta de la compañía Ford, cuya operación había sido automatizada. Su anfitrión señaló las máquinas y le preguntó, ¿cómo va a obligar a estos tipos a que le paguen las cuotas sindicales? Mr. Reuther replicó: ¿Y cómo va a convencerles de que compren sus vehículos?

Dentro de poco habría que preguntarle al jefe de la planta: ¿cómo va a hacer para convencer a esas máquinas de que le contraten? Es de suponer que las máquinas y algoritmos capaces cohabitarán junto a los humanos durante algún tiempo (por breve que sea) y que, a su debido tiempo, llegarán a encargarse hasta de los procesos de selección de personal. Si la ciencia de las entrevistas de trabajo era compleja, convencer a un autómata de nuestra motivación y adecuación para un determinado empleo podría ser una experiencia dramática. Al menos desde la perspectiva actual, donde nos resulta imposible «convencer» a la máquina de café de que no escupa la cucharilla de plástico fuera del vaso. Pero esas máquinas y algoritmos capaces serán una cosa bien distinta. Puede que sean programadas para ser más justas y ecuánimes que muchos jefes de recursos humanos pero seguro que serán preparadas para elaborar complejos y completos perfiles de cada candidato, biológico y tecnológico. En esas series de números y datos interminables quedaremos retratados al detalle, no sólo acerca de cómo somos sino de nuestras probables evoluciones y desempeños laborales.

Si los impactos de la automatización han afectado sobre todo a los trabajadores de cuello azul (en referencia al color de los monos de trabajo), ahora la amenaza se cierne también sobre otros huéspedes, tanto sobre los empleados de cuello blanco como sobre los descamisados, pues el desarrollo tecnológico pronto podría desbocarse. El desplazamiento de los trabajadores a causa de la automatización seguirá su curso y no parece haber fuerzas que puedan oponerse a su tendencia. Es un depredador que no tiene potenciales enemigos que controlen sus poblaciones. Aunque algunos trabajadores podrían tener un éxito enorme en este nuevo entorno, la minoría afortunada, la inmensa mayoría de ciudadanos podría ver en peligro sus opciones de ganarse la vida y obtener un salario. O, en el mejor de los casos, los trabajadores se verían condenados a encadenar series de empleos mal remunerados con los que reunir un ingreso de subsistencia, siempre que uno fuera capaz de entrar en una dinámica permanente y acelerada de nuevos nichos de empleos. El mercado de trabajo podría empezar a expulsar, de manera recurrente, a personas que querrían seguir en él o hacerlo de manera más intensiva, y a quienes no les será dada la oportunidad de conseguirlo. El interés de estos trabajadores, obviamente, no es el empleo en sí mismo, en la mayoría de situaciones, sino el salario que viene asociado a ese desempeño y que supone el acceso al mercado de los productos y servicios que no son universalmente accesibles. Renunciar a esos trabajos o dedicarles menos tiempo podría ser un acuerdo satisfactorio para una parte importante de la población del planeta, siempre que la caída de renta pudiera ser compensada de otro modo, lo que requiere soluciones singulares a nivel social y político, de manera global. Esas soluciones no nos son desconocidas, pero su envergadura para aplicarlas extensivamente las convierte en algo parecido a una utopía, al menos con la formulación actual. La reducida oferta de empleos y la precarización de buena parte de los que seguirán disponibles, de confirmarse como tendencia, podrán ir minando los ingresos de una mayoría de ciudadanos en el planeta. A su vez, inducirían un incremento en la desigualdad respecto a quienes obtuviesen un salario por una actividad en la que todavía fueran competentes. Todo ello habría de acrecentar, por defecto, el riesgo de profundas brechas sociales. La desigualdad económica y social extrema podría implicar un riesgo de seguridad para la convivencia pacífica mayor que otros fenómenos como el terrorismo o las amenazas de estados enemigos. Su potencial de destrucción de equilibrios sociales construidos y mantenidos con esfuerzo se desplegaría como una pandemia, activando centros de generación de caos por todas las geografías del planeta.

Sensibilizar a una masa crítica de ciudadanos para que, a su vez, exijan a sus políticos emprender reformas mayores de la organización social, con todo tipo de impactos, es un reto formidable. Comunicar la necesidad de tales acciones para mitigar riesgos que quizá nunca se materialicen y solicitar ciertas renuncias a un progreso tecnológico que podría ser maravilloso, requiere de improbables niveles de audacia política. Y ello a pesar de que los mensajes con contenido negativo parecen llegar hasta diez veces mejor a nuestras mentes que aquellos con contenidos positivos, lo cual debería resultar favorable a los cambios frente a desafíos que representan posibles amenazas. Pero también es cierto que, como dice Nassim Taleb, el pavo se muestra feliz con su vida y con el granjero que le alimenta regular y generosamente. Su conciencia de esa realidad sólo se verá alterada el día del sacrificio. Nada le podría hacer sospechar que algo malo pudiera realmente ocurrirle, si cada día de su vida la comida ha aparecido como por arte de magia, en días de sol o de lluvia, de calor o de intenso frío. ¿Quién podría convencerlo de intentar huir? La resistencia a creer algo que nos perjudicaría en el presente para, previsiblemente, mejorar un futuro que sólo es una probabilidad, parece ser una herramienta evolutiva. Si las noticias empiezan a airear opiniones sobre el riesgo creciente para ciertos colectivos de ser expulsados del sistema laboral a causa del progreso, quienes todavía vean con buenos ojos al granjero no terminarán de sentirse concernidos. Y quienes perdieron el empleo confiarán en que sus gobiernos tomen el rol del granjero para no quedar desamparados.

EL PLANETA AUTOMATIZADO

Si pusiéramos como objetivo únicamente la mera supervivencia, el mundo actual podría sustentarse en el trabajo de un pequeño porcentaje de la población. En los Estados Unidos, por ejemplo, alrededor del 1% de la fuerza de trabajo cultiva suficientes alimentos como para cubrir las necesidades nutricionales del resto de ciudadanos (si se aceptara vivir de hortalizas, legumbres, etc. y un porcentaje algo mayor si añadiésemos otros nutrientes como carne y leche). Hoy resultan inconcebibles los temores del pasado relativos a la segura escasez de alimentos debido a una población siempre creciente. Toda una serie de revoluciones tecnológicas acabaron haciendo fácil lo imposible. Si nos conformáramos con los estándares de vida de otros tiempos pretéritos, nuestra existencia se podría resolver encontrando el modo de que el 99% de los ciudadanos ociosos compensaran al 1% de la población que cultivaría los alimentos para la subsistencia, de modo que compartieran la producción. Y sin que esos ciudadanos ociosos fueran considerados ladrones, al no respetar su obligación social de trabajar, como se ha venido apuntado en la historia. El objetivo de sobrevivir, sin embargo, no es un destino suficientemente ambicioso para la especie humana, no en el tercer milenio.

Otros temores del pasado tampoco se han hecho realidad. Las escenas de seres humanos esclavizados en fábricas siempre más mecanizadas, utilizados como minúsculos engranajes de la gran máquina productiva y sometidos a ritmos de trabajo endiablados, son solo cosa de películas en blanco y negro. Solo las condiciones de producción de los autómatas podrían ser clasificadas como inhumanas, pero este adjetivo no es relevante en su caso. Los trabajadores humanos han logrado ocuparse de tareas siempre menos gravosas para su naturaleza biológica, y se lo deben a máquinas y algoritmos. Estos han aceptado de buen grado, además, su condición de esclavos felices, siempre dispuestos a obedecer las instrucciones embebidas en sus líneas de código, sin necesidad de explicaciones. La incorporación de máquinas parecía, por todo ello, ser la cuadratura del círculo, permitiendo reservar tareas más humanas a las personas y rutinas más denigrantes y cruentas a las máquinas. Pero han ido surgiendo sospechas de que la mejor disposición de los autómatas a realizar cualquier actividad junto a sus crecientes habilidades en el desempeño de todo tipo de tareas podría acabar teniendo un coste para los trabajadores humanos. Algo que ha venido observándose en sectores como la fabricación de bienes, el paradigma de un tipo de ocupación omnipresente en el pasado de la humanidad, de un modo u otro. Las máquinas podrían ser, en breve, los únicos ocupantes de esas fábricas, y la fabricación un asunto de máquinas. Las personas serían desahuciadas de las actividades de producción de bienes, como ya lo han sido de muchos procesos de gestión de las comunicaciones, del tratamiento de datos o de la simulación de procesos. Son cambios que pueden ser dolorosos para el inconsciente de la especie, pues la fabricación se ha ocupado de la producción de las herramientas que nos han hecho humanos. Ahora las máquinas más avanzadas y capaces podrían concebir y fabricar sus propias herramientas, transformándolas también a ellas.

La fabricación de todo tipo de recursos ha empleado, y todavía emplea, a cientos de millones de personas en el mundo. Algunos países como China, Indonesia o Bangladesh han basado su estrategia de desarrollo económico en su transformación como centros de fabricación para el mundo desarrollado. Los empleos manufactureros que emigraron hacia sus territorios, junto a los que surgieron en ellos, podrían sufrir ahora una deslocalización diferente para instalarse, definitivamente, en el país de las máquinas, un país que podrá instaurarse en cualquier geografía. Si hasta hace relativamente poco tiempo las manos humanas, sus sentidos, sus habilidades y destrezas, no tenían parangón en el proceso productivo, hoy la situación empieza a ser bien diferente. No sólo hemos perdido la ventaja de la fuerza bruta, sino la de la precisión, la de la flexibilidad, la de la tenacidad, la del esfuerzo. Las máquinas pronto tendrán «sentidos» con capacidades similares a los de los humanos que les permitirán «ver» y reconocer todo tipo de patrones, entender instrucciones habladas o escritas en lenguaje natural. Serán sentidos que mejorarán y evolucionarán con la rapidez acostumbrada, para hacerse más y más útiles en sus entornos de trabajo específicos, a la par que otras nuevas capacidades desconocidas para las personas vienen añadidas a su equipamiento de serie. Sus ampliadas destrezas les permitirán no sólo discriminar eventos y características en el mundo que les rodea, sino, por ejemplo, revelar defectos ocultos a simple vista, o escuchar sonidos que revelan información imperceptible para un humano. Esas supercapacidades les posibilitarán resolver todo tipo de problemas de manera preventiva, cambiando los ciclos de fallos y reparaciones sucesivos por ciclos de funcionamiento continuados.

Existe una estrategia defensiva de muchas personas consistente en criticar con furia las capacidades presentes y futuras de máquinas y algoritmos. Antes de minusvalorarlos por sus todavía manifiestas limitaciones sería conveniente recordar, una vez más, que su evolución debería ser acelerada. Y no olvidar la creatividad humana tampoco para resolver problemas. Los robots textiles, por ejemplo, no eran más que una entelequia hasta hace bien poco, teniendo en cuenta sus dificultades para manipular elementos textiles, en contraposición a objetos sólidos con volúmenes definidos. El manejo de telas, sin embargo, ya no representaría limitación alguna para los autómatas, siendo capaces de manejar los patrones para alinearlos, coserlos, añadir todo tipo de accesorios, etc. Lo que parecía una dificultad insalvable ha podido ser superado con apenas un poco de astucia. Los procesos que rigidizan las prendas mediante polímeros solubles en agua permiten a los robots trabajar con patrones rígidos durante todos los procesos textiles, que concluyen disolviendo esas sustancias de las prendas confeccionadas. Una simple idea ingeniosa que podría poner en riesgo el empleo en una industria que mueve billones de euros en el mundo. El empleo en las cadenas de producción de tejidos y prendas de vestir da trabajo a ejércitos de empleados, la mayoría a destajo en países de mano de obra barata. Ahora, los ojos del mundo podrían evitar contemplar masas de trabajadores hacinados en naves precarias mientras cosen sin descanso, noche y día, con calor o con frío. Pero no sabemos cuál será la nueva imagen cuando esos trabajadores precarios sean expulsados de sus tareas por autómatas y trucos ingeniosos.

Hubo un tiempo en que los empleos precarios eran el alibí de sociedades precarias, con un bienestar al límite para muchos ciudadanos que salvaban penosamente su presente, con frágiles perspectivas para despojarse de sus miserias. La automatización permite prescindir también de la mano de obra barata, no importa cuánto lo sea, emborronando las esperanzas de tantas personas. La empresa Nike, por ejemplo, ha incorporado máquinas capaces de fabricar buena parte de sus zapatillas deportivas de manera automatizada, lo que además de reducir costes permite la producción personalizada para sus clientes. Las situaciones de explotación en ciertas fábricas denunciadas en el pasado pasarán a la historia, junto a muchos puestos de trabajo que eran expectativas de vidas mejores. Los robots harán esa labor en cualquier condición, sin excitar nuestra conmiseración por el prójimo, lo que nos permitirá comprar zapatillas sin remordimientos. El futuro de esos ciudadanos desplazados de sus empleos de supervivencia quedará en suspenso o se fundirá a negro.

ALGO HA CAMBIADO EN EL EMPLEO

Algo que parece incontestable en el debate sobre el riesgo de desempleo tecnológico es la serie de tendencias que, desde hace unas décadas, apuntan hacia un gris horizonte. Ese paisaje no parece el mejor de los lugares para dirigir la nave de la humanidad. Sus coordenadas se alcanzan mediante una conjunción de factores: degradación general de las condiciones laborales, desempleo generalizado y persistente, incompetencia manifiesta ante máquinas y algoritmos capaces, exigencias formativas que crecen a ritmos endiablados, etc. Como apunta Martin Ford[121], tanto si se analiza el ratio entre salario y productividad actual (productividad creciente pero salarios que se mantienen o crecen a menor ritmo), como toda una serie de diferentes aspectos: el ratio de los ingresos nacionales que va a parar sea al empleo sea al capital (de manera creciente hacia el capital), la reducción en la generación de puestos de trabajo, los mayores plazos para acceder y encontrar empleo, el creciente desempleo de larga duración, la desigualdad entre quienes más y menos tienen e ingresan, la menor relevancia de las carreras universitarias a la hora de encontrar empleo o empleos de calidad, el fenómeno creciente del trabajo a tiempo parcial o de baja calidad que han de acumularse en serie para asegurar la supervivencia, junto a factores macroeconómicos coadyuvantes externos como la globalización, la política o las finanzas, las previsiones son de tiempo gélido y altamente desapacible para la especie humana.

Durante las últimas décadas, muchas cosas han cambiado en los modelos sociales de convivencia, en la economía, en la ciencia y la tecnología, en la educación, etc. pero dos elementos se han mantenido firmes: la siempre mayor capacidad de las máquinas y algoritmos, y la tendencia negativa en las cifras de empleo. Del progreso tecnológico no parece haber duda, mientras que sobre la evolución de la oferta laboral las opiniones son discrepantes. Desde la visión pesimista, sin embargo, hay cifras abundantes para justificar que el empleo decrece, a pesar de que sigan generándose nuevos puestos de trabajo y también nuevas oportunidades de trabajo de manera constante. Tanto la creación de ocupaciones como su destrucción, en términos de porcentaje sobre el empleo total, habrían estado en decrecimiento continuado desde 1980, siendo la componente de nueva oferta de empleos la que habría caído más rápido en las dos últimas décadas. Así, por ejemplo, la ratio de adultos norteamerica-

---

121   Martin Ford. *The Rise of Robots.*

nos que forman parte de la fuerza de trabajo alcanzó recientemente su nivel más bajo desde el año 1978. El porcentaje de varones con edades entre 25 y 54 años empleados en los Estados Unidos ha ido decreciendo de manera tranquila, pero con terquedad, desde los años 50 del siglo XX, conforme el empleo en el sector de la fabricación fue siendo desplazado al sector servicios. En el pasado, diversos factores habrían permitido aumentar la fuerza laboral de manera generalizada: la incorporación de la mujer al mercado de trabajo, las mejoras en la salud, ocupaciones que permitían seguir en activo durante más tiempo, etc. Según Larry Summers, exsecretario del tesoro norteamericano, las estadísticas de empleo muestran que en los años 60 del siglo pasado un adulto americano entre veinte, en una edad comprendida entre 25 y 54, estaba desempleado. La tendencia actual apunta a que uno de cada tres lo estará en el 2050[122]—. Algunos investigadores han denominado a esta tendencia en el desempleo en los Estados Unidos «the rising persistence of U.S. unemployment» (la creciente persistencia en el desempleo norteamericano), y son muchos los investigadores que se desesperan por encontrar las causas que expliquen por qué los empleos perdidos durante la recesión económica no han vuelto a ser recuperados. Incluso antes de la crisis económica en el inicio del siglo XXI se hablaba ya de la peor década para la creación de empleos en, al menos, medio siglo. Las previsiones mostraban una tendencia manifiesta; en el año 2012, el Banco de la Reserva Federal de Chicago ya predijo que, independientemente de cómo evolucionara la economía, en 2020 los Estados Unidos tendrían un menor porcentaje de fuerza laboral.

El porcentaje de la población norteamericana que forma parte de la fuerza laboral del país —personas mayores de 16 años, con trabajo o desempleados, pero en búsqueda de empleo—, respecto a la población total, no ha dejado de menguar desde el año 2000. En la actualidad, se encontraría en el 62%[123], un porcentaje todavía superior al de países como Alemania o Japón (60% en 2017), y por encima de la media de la zona Euro (57% en 2017, según datos de The World Bank Group). Cada punto de caída en el porcentaje viene a significar unos 2,5 millones de norteamericanos más fuera del mercado laboral; son ciudadanos que no consiguen encontrar un empleo o que renuncian a la búsqueda activa del mismo por

---

122   Larry Summers: A third of men aged 25-54 will be out of work by 2050
http://www.businessinsider.com/larry-summers-a-third-of-men-aged-25-54-will-be-out-of-work-by-2050-2016-9
123   U.S. Bureau of Labor Statistics. https://tradingeconomics.com/united-states/indicators

puro hastío. También puede haber otros factores como la tendencia de muchas personas a seguir estudiando en lugar de intentar acceder a un puesto de trabajo, tras ciclos económicos bastante desoladores, cuestiones poblacionales —efecto del *baby boom*—, falta de conciliación familiar, desaceleración de ciertos sectores de empleos refugio (construcción), etc. Y, por supuesto, el efecto de las ayudas asistenciales en la desincentivación del empleo, que podría fomentar que un cierto número de ciudadanos se autoexcluyeran del mercado laboral, dejándose caer en brazos de sus gobiernos. También es importante resaltar el creciente número de trabajadores en situación de baja por discapacidad, casi unos nueve millones de norteamericanos, un número que se habría doblado desde 1995. La razón podría estar en la mayor edad alcanzada durante la vida laboral, aunque también podría ser una estrategia de resistencia cuando el trabajo no se encuentra. Algunos pensadores advierten que, si las actuales tendencias no son moderadas o anuladas, los gobiernos del mundo habrán de ocuparse de solucionar los destrozos masivos de la automatización, mientras los beneficios de la misma recaen en unas pocas manos. Demasiadas cifras y muchas lecturas posibles. Sea como fuere, 95[124] millones de norteamericanos estarían excluidos de la fuerza laboral, en la primera potencia económica y tecnológica del mundo. Cualquier tiempo pretérito parecería haber sido mejor en lo tocante a las opciones de conseguir trabajo en muchos estados del bienestar.

Si a la situación de una fuerza laboral menguante aplicamos las previsiones de algunos estudios que anuncian entorno a una pérdida de entre el 9 y el 47% de los empleos[125] a causa del progreso tecnológico, de los aproximadamente 153 millones de empleados en Estados Unidos en 2017, entre 14 y 70 millones podrían quedar en manos de máquinas y algoritmos en el futuro cercano. Ello llevaría a este país —y previsiblemente también a otras economías— a tener más personas ociosas que activas laboralmente. Si durante el tiempo de la Gran Depresión alrededor de un 25% de los trabajadores se quedaron sin empleo y de manera temporal, en la era de los robots capaces este porcentaje podría suponer casi el doble, y sin expectativas de recuperación. Si la totalidad de los empleos en el sector de la construcción, por ejemplo, son un día ejercidos por autómatas, y

---

124 What 'are so many of them doing?' 95 million not in US labor force. http://www.cnbc.com/2016/12/02/95-million-american-workers-not-in-us-labor-force.html
125 Executive Office of the President of the United States; Artificial Intelligence, Automation, and the Economy; December 2016.

hay buenas razones para ello como en el caso de los vehículos autónomos, el impacto afectaría a unos seis millones de empleos. Pero es que unos 16 millones de personas están empleados en el sector de la fabricación, 15 millones en el pequeño comercio, 10 millones en el sector de hostelería y restauración, etc. entornos todos ellos donde las máquinas y algoritmos capaces empiezan a hacerse un hueco, mostrando sus mejores habilidades.

A pesar del oscuro panorama proyectado a base de datos y tendencias, la confianza actual en el futuro estaría todavía más o menos intacta. Existe una firme voluntad de creer que la sangre no llegará al río, y que la cuestión del desempleo tecnológico seguirá enquistada en una guerra de cifras e interpretaciones. El sistema social y económico parece capaz de encontrar equilibrios improbables, a veces precarios, en los que a la mayoría de la gente en las economías desarrolladas se les permite ganarse la vida, mientras al resto se les garantiza, cuando menos, la subsistencia (supervivencia primara, educación, sanidad, etc.) Esta apuesta, sin embargo, parece altamente arriesgada. En la actualidad, los estados se pueden permitir ayudas a sus ciudadanos de diversa naturaleza y condición, de manera a atender las necesidades de personas en desempleo de larga duración, con cargas familiares, con necesidades especiales, sin recursos, etc. El estado del bienestar se puede estirar por aquí y por allí, como una masa bien gomosa, pero tiene un límite elástico a partir del cual los daños son irreversibles. Un estirón más y la pasta se resquebraja. Las ayudas que proporciona el estado del bienestar requieren, además, evaluaciones, controles, filtros, esto es, recursos que producen una merma de los propios fondos disponibles para esas ayudas. La indispensable burocracia asociada a este tipo de ayudas implica, por otra parte, una exclusión de aquellas personas que no pueden, saben o quieren lidiar con toda una retahíla de requerimientos administrativos. Y, por encima de todo, estas políticas implican que la supervivencia de un número importante de ciudadanos ha de ser garantizada por estados benefactores con los consiguientes efectos de dependencia para los individuos —lo que algunos denominan políticas del *pobrismo*, o la política para atender por parte de los estados, sin solución de continuidad, a un número siempre creciente de personas con pocos recursos—. Bajo esas restricciones, cualquier estrategia de plantar cara a las máquinas y algoritmos capaces mediante el desarrollo de competencias personales y profesionales suena a broma infantil.

INTERMEDIARIOS Y CLIENTELAS CAUTIVAS

Hasta hace bien poco tiempo, la exigencia para salir adelante y ganarse la vida podía requerir únicamente el acceso a una población local de clientes cautivos, por una u otra razón (implantación geográfica, falta de competencia, trato cercano, etc.). En un entorno de competencia limitada, por ejemplo, una zapatería, una droguería o una librería podían ser la única zapatería, la única droguería o la única librería en un radio de kilómetros a la redonda, lo que aseguraba una cohorte de asiduos parroquianos, sin mayor esfuerzo. En otros casos, la clientela cautiva estaba soportada en la posesión de un conocimiento, de una habilidad, una prebenda a la que el resto de ciudadanos no tenían fácil acceso. Con la incorporación de muchos negocios a la red, buena parte de esas poblaciones cautivas se han liberado, y quienes se encuentran en ese viejo paradigma se ven abocados a reinventarse o desaparecer. De manera adicional, los muchos agentes de intermediación que se ganan la vida haciendo de puente entre el origen de productos y servicios y sus clientes finales, verán afectados sus posiciones de confort por los nuevos modelos de relación directa entre consumidor y productor. Bajo la coacción del clic de ratón y del acceso global, esos agentes habrán de discurrir fórmulas más elaboradas que recibir algo de una parte y vendérselo al siguiente agente de la cadena, repercutiendo sus beneficios.

La globalización e Internet han provocado una primera sacudida en ciertas formas tradicionales de ganarse la vida, imponiendo una competencia a nivel planetario, en un espacio donde coexisten multinacionales que lo abarcan todo o lo pretenden. Un inmenso océano donde orcas y peces de colores comparten ecosistema, sin más barreras que el fondo marino. En ese mercado global cada producto y servicio es sólo una opción entre otras muchas, a veces incontables, donde sólo se salvan quienes consiguen diferenciar su oferta y hacerla aparecer como singular y única, mientras la magia no desaparezca cancelada por otra más poderosa. Incluso pequeños negocios basados en el consumo local, cercano, panaderías, por ejemplo, que se pensaban ajenos a la globalización y al comercio en la red, ya empiezan a ser el objetivo de «propuestas tecnológicas» como el envío de pan a domicilio mediante drones. Estas opciones son todavía algo extravagantes, pero dan la idea de que nada podría quedar excluido. Ni siquiera la eterna excepción de bares y cafeterías, con un público cautivo por la necesidad humana de socializar y ahogar las penas en compañía podrá ser excluida, una vez que la realidad virtual permita compartir espacio y conversación sin tener que salir del domicilio y con consumiciones más económicas. Esos entornos harán posible la personalización de los espacios, con pantallas de televisión tan grandes como uno quiera, siempre hiperrealistas y con sonido envolvente, para no perderse detalle de partidos del siglo de cada semana.

Los empleos de tantos intermediarios podrían ser otra especie en extinción, impactada antes de que la inteligencia artificial muestre sus poderosos argumentos. Su final habrá sido causado por un diminuto meteorito en comparación con lo que está por venir. La máquina productiva podrá ahora asegurar su perfecto funcionamiento sin ellos, lo que quizá podrá suponer un trato comercial más eficiente, pero purgará seguro un sinfín de empleos. La comunicación global permitida por la red, acercando a productores y consumidores, eliminando intermediaciones, no habría, en todo caso, sino comenzado. Los nuevos modos de fabricación a domicilio gracias a las tecnologías de impresión 3D son un ejemplo de la renovada ola de amenazas ulteriores que se ciernen sobre el estatus quo. Esta tendencia parece empujarnos hacia sociedades divididas entre quienes producirán y quienes consumirán —con ambos roles coincidiendo, en la mayoría de los casos, en cada ciudadano—, sin espacio para terceros. Bill Gates ha denominado el fenómeno como capitalismo sin rozamiento (*frictionless capitalism*, en inglés), pues asegura las transacciones directas entre quienes tienen algo y quienes lo necesitan o desean, eliminando las series de agentes «improductivos» que eran parte del sistema, produciendo calor y rozamiento, esto es, pérdidas en el proceso.

La tecnología exacerba la demanda de competitividad y eficiencia para sobrevivir en el mundo de los negocios, de cualquier negocio. Y ello, antes de que los hombres puedan ser desplazados de sus trabajos de manera masiva por manifiesta incapacidad frente a máquinas y algoritmos avanzados. La economía también empuja en la misma dirección. Si los ciudadanos disponen de menos recursos o más necesidades han de exigir, por defecto, productos de la mejor relación calidad-precio posible a quien pueda ofrecérselos en cada instante. A los gobiernos también les ocurre algo parecido. La administración automatizada, por ejemplo, puede llegar a ser la única que podamos permitirnos en los años venideros, cuando los regates cortos y los trucos de prestidigitador ya no sirvan para lidiar con presupuestos asfixiados por deudas del pasado y obligaciones de futuro. Salvo que descubramos algún nuevo maná bajo el subsuelo del planeta, en el cielo sobre nuestras cabezas, o en el espacio cercano. Si no hay recursos, pero hay una creciente demanda por mejorar los servicios, la solución podría ser simple y única: cambiar personas por máquinas y algoritmos. Es la paradoja del capitalismo en las sociedades tecnológicas: nos comemos poco a poco al caballo que nos debía ayudar a atravesar desiertos, bosques y valles, mientras esperamos que vaya siempre más deprisa. Implantamos máquinas para mejorar la eficiencia en la producción de bienes, para que estos sean más competitivos y puedan ser adquiridos por mayor número de consumidores, a pesar de que en el proceso destruimos empleos y condenamos a esas personas a quedarse sin ocupación ni salario. Todo para el ciudadano sin el ciudadano.

TENDENCIAS Y PREDICCIONES: LAS MÁQUINAS QUE VIENEN

Los estudios y las noticias asociadas sobre posibles impactos del progreso tecnológico en el mercado laboral de los próximos años y décadas empiezan a ser recurrentes, incluso atosigantes. Esos análisis contienen no solo gráficas y tendencias, sino listas donde se señala sin medias tintas las profesiones candidatas al desempleo, con la mejor de las probabilidades. Su difusión hace evidente que las máquinas y algoritmos capaces afectarán masivamente innumerables sectores de actividad y no sólo aquellos relacionados con la producción o la fabricación, donde los robots ya se han hecho fuertes desde hace décadas.

Entre los análisis más frecuentemente mencionados se encuentra el de los profesores Carl Benedikt Frey y Michael A. Osborne de la universidad de Oxford. Estos investigadores publicaron un estudio en el año 2013 en el que se había estimado la probabilidad de que hasta 702 tipos de tareas fueran automatizadas en un plazo de tiempo breve. En su análisis, los investigadores identificaron tres restricciones importantes que impedirían, en la actualidad, la automatización de ciertos empleos: la inteligencia creativa, la inteligencia social y las tareas de percepción-manipulación. Siguiendo estas restricciones, clasificaron las tareas y, por ende, los diversos empleos que las contenían frente al riesgo de automatización, estimando la probabilidad (riesgo) de que fueran automatizados en el plazo de unos años, quizá una década o dos. Lo hicieron teniendo en cuenta la descripción estándar de cada uno de esos empleos, a pesar de que la innovación en los procesos y las tecnologías debería cambiar, con gran probabilidad, sus contenidos. Según sus conclusiones, gracias a avances tecnológicos como la minería de datos, la visión artificial o el reconocimiento de patrones, el 47% de los empleos estarían en riesgo de ser automatizados en el caso de los Estados Unidos, en un horizonte temporal de 20 años. Si contemplamos la probabilidad de automatización de ciertas profesiones, entre las ocupaciones más afectadas se encontrarían empleos tan variopintos como el de asesor financiero o el personal administrativo, sectores diversos como la construcción o el transporte. Mientras que los empleados de telemarketing tendrían un 99% de probabilidad de que sus tareas sean automatizadas, una profesión como ludoterapeuta tendría únicamente una probabilidad del 0.28%. En total, unos 1 600 millones de puestos de trabajo en todo el mundo podrían esfumarse a toda velocidad, si creemos en los resultados del análisis.

Un informe actualizado por parte de estos mismos investigadores para el resto del mundo, con similar metodología, estableció que el porcentaje de empleos en riesgo en otros países sería aún más preocupante: 72% en Tailandia, 77% en China u 85% en Etiopía. Una aplicación similar de su método al caso europeo (realizada por *Bruegel Think Tank*), estableció que la probabilidad iba desde el 40% hasta el 60%, dependiendo de cada país. Este estudio no es el único que ha hecho temblar las perspectivas laborales de los ciudadanos del mundo. Según otro informe de la OCDE[126], al menos la mitad de las tareas podría automatizarse en casi un 30% de los empleos actuales, y entorno a un 70% de esas tareas en un 9% de los empleos. El 12% de los trabajadores españoles, según esta organización, podría ser sustituido a corto plazo por autómatas. En el congreso de la Asociación Americana para el Avance de la Ciencia, el profesor Moshe Vardi también estableció que los robots podrían barrer la mitad de los puestos de trabajo ocupados en la actualidad por humanos. Y no en un futuro remoto, sino alrededor del año 2030, esto es, pasado mañana. Son numerosas las previsiones que confirmarían escenarios parecidos, y sólo podría objetarse que todas ellas padecieran de los mismos sesgos distorsionadores. Por el momento, en todo caso, seguimos levantándonos de la cama cada día y tomándonos el café con tostadas como si tal cosa.

Los investigadores sobre el impacto de la tecnología en el empleo han puesto de moda la atención hacia un nuevo parámetro: la «intensidad de tarea rutinaria» (*Routine Task Intensity*, RTI). Este factor informaría sobre la mayor o menor susceptibilidad potencial de que

---

126 Organización para la Cooperación y el Desarrollo Económicos. http://www.oecd.org/fr/emploi/emp/La-num%C3%A9risation-r%C3%A9duit-la-demande-de-t%C3%A2ches-manuelles-et-r%C3%A9p%C3%A9titives.pdf

una ocupación acabe, más pronto que tarde, en los brazos articulados de un autómata o en las instrucciones de un algoritmo. Sobre todo, cuando se aproxima el tiempo donde los empleos en riesgo de automatización no sólo serán aquellos que aglutinan desempeños rutinarios sino también aquellos con contenido intelectual. Las tareas con menor RTI parecen ir reduciéndose en las comparativas temporales, y las de mayor RTI afianzarse, ya que el desarrollo tecnológico está convirtiendo en rutina un cada vez mayor número de actividades humanas. Otros estudios han establecido también pautas similares respecto al riesgo de automatización de tareas, identificando rasgos característicos en los empleos y agrupándolos en categorías bajo la cuales puedan ser clasificados. La consultora McKinsey Global Institute, por ejemplo, ha definido tres grupos principales de trabajos en estos estudios: empleos de carácter transformacional (aquellos que implican actividades físicas, como la mayor parte de las tareas en el sector de la construcción); de carácter transaccional (aquellos trabajos rutinarios, como las tareas desarrolladas en los centros de atención telefónica o en las oficinas de muchos bancos); y los de carácter interaccional (que se basan en conocimiento, habilidades e interacción con otros individuos, como es el caso de los empleos como consultores). El empleo transformacional habría estado en larga decadencia en la mayoría de países ricos, moviéndose hacia los mercados emergentes. El turno sería ahora para el empleo transaccional, bajo la acción de la automatización, mientras que el empleo interaccional sería el más difícil de ser automatizado. En este ámbito deberían situarse los oasis de empleo futuro, incluso de empleos con buenos salarios que harían crecer la brecha entre perdedores y ganadores del progreso tecnológico.

Otro estudio de referencia sobre el desempleo tecnológico es el que llevó a cabo el centro de investigaciones norteamericano *The Pew Research Center*. Esta entidad recogió, en 2014, las opiniones de 1 900 expertos sobre los posibles impactos de los avances en robótica e inteligencia artificial en el futuro del empleo[127]. La conclusión es un clásico en este dominio de disputa polarizada: la mitad de los entrevistados pensaban que los robots y los agentes digitales acabarán suplantando a un número considerable de trabajadores humanos, tanto de cuello azul como de cuello blanco, allá por el 2025 (sustitución); y la otra mitad pensaba que estas tecnologías acabarán creando, a la postre, más trabajos de los que destruirán (compensación). El estudio también comparó series históricas de

---

127 AI, Robotics, and the Future of Jobs. Aaron Smith and Janna Anderson. htttp://www.pewinternet.org/2014/08/06/future-of-jobs/

estadísticas sobre el empleo del gobierno federal norteamericano, donde se pueden observar las profesiones que se han ido añadiendo a la oferta laboral, así como aquellas que han quedado obsoletas. Aunque al comparar los datos de 2013 con los de 1999 la mayor parte de los trabajos permanecían invariables, se podían observar, sin embargo, algunas variaciones notables. Si en el año 2013 unos 165 000 norteamericanos trabajaban en las categorías de diseño y mantenimiento de redes informáticas, unos 141 000 en arquitectura de redes y unos 78 000 como analistas de seguridad, ninguna de estas posiciones aparecía en 1999 como tal, aunque puede que formaran parte de la más amplia etiqueta como programadores informáticos o analistas de sistemas y comunicaciones. Del mismo modo aparecían 112 000 desarrolladores de páginas web, una categoría que no existía en 1999, al menos oficialmente. Por otra parte, en la categoría de logística, el número de empleados había aumentado a más del doble, sin duda por los desarrollos en los modos de producción, en las comunicaciones, y en el comercio globalizado. El número de empleados bajo la categoría de instaladores y reparadores de equipos de radio, telefonía móvil y torres de transmisión era más del triple que aquellos en la categoría equivalente de 1999, entonces etiquetados como «radio mecánicos». Asimismo, además de las telecomunicaciones, el campo de las energías renovables (instalador de paneles fotovoltaicos e instalador de aerogeneradores) se había convertido en un terreno fértil para nuevos empleos, a pesar de que ninguna de sus etiquetas existía en la lista de 1999. En total, más de 6,7 millones de personas en los Estados Unidos, un 5,4% de la fuerza de trabajo, estaría trabajando en empleos tecnológicos en el año 2016 (aquellos que no sólo utilizan tecnología en sus trabajos sino cuya actividad fundamental es crearla para el resto de ciudadanos). Esa cifra representaba un crecimiento de doscientas mil personas respecto al año precedente, marcando una tendencia, aunque no representen todavía un porcentaje sustancial en el total de trabajadores. Aunque una mayoría de personas hace uso de la tecnología y sus productos en el trabajo, sólo unos pocos millones se ganarían la vida desarrollando esos recursos. Con todas las revoluciones tecnológicas ocurridas en lo que llevamos de milenio, el empleo relacionado con las mismas parece ser poco más que un oasis en un desierto de empleos de corte más o menos tradicional. Pero no será así por mucho tiempo.

¿ALGO QUE HACER EN EL NUEVO PARADIGMA?

Toca prepararse para (sobre)vivir en un mundo de máquinas y algoritmos capaces, en sociedades tecnológicas que se conformarán a la medida de sus necesidades. Esos autómatas ocuparán todas las rutinas diarias de la convivencia: conducirán nuestros vehículos, nos asistirán de mil maneras, construirán y gestionarán nuestras ciudades, fabricarán cualquier producto real o virtual, asegurarán la interfaz con otras máquinas menos hábiles, tomarán a su cargo los recursos y espacios naturales para revertir los daños infringidos con desdén por los humanos, cuidarán de las personas enfermas, acompañarán a quienes se sienten solos, explorarán el espacio y buscarán otros posibles mundos o se encargarán del consuelo psicológico de la especie humana. Todas las ocupaciones imaginables irán siendo asumidas por esas máquinas capaces, quizá para el bien común, quizá para el común sufrimiento de los individuos. La lógica y las rutinas de empleo, de convivencia, quedarán, en todo caso, radicalmente transformadas, lo que supone un impacto difícilmente concebible. Según la consultora McKinsey Global Institute, el equivalente a unos mil doscientos millones de empleos tendría el riesgo de ser automatizado desde el análisis actual, lo que implica unos 14 billones de dólares en salarios[128]. Esos recursos podrían desaparecer de cientos de millones de hogares en relativamente poco tiempo; un plazo insuficiente, en todo caso, para improvisar medidas que pongan en pie una lógica alternativa al trabajo de manera ordenada y coherente.

Los futuristas más optimistas hablan de nuevos yacimientos de empleos que hoy no podríamos reconocer ni imaginar, pues irán surgiendo del propio cambio de paradigma. Aún si aceptamos esta posibilidad, quedaría por responder la siempre difícil pregunta final. ¿Durante cuánto tiempo los seres humanos serán competentes frente a la idoneidad de máquinas y algoritmos que no dejarán de hacerse mejores a cada instante? Hoy es incontestable que hay ya muchos sectores con riesgo cierto de prescindir de trabajadores humanos frente a una oferta creciente de autómatas. Las opciones optimistas exigen, por su lado, no sólo tener una fe ciega en las nuevas categorías de empleos sino en el mantenimiento de competencias humanas para desempeñarlos mejor que las máquinas. La realidad hoy es que algunas categorías laborales empiezan a per-

---

128   Harnessing automation for a future that works. http://
www.mckinsey.com/global-themes/digital-disruption/
harnessing-automation-for-a-future-that-works

der más trabajos de los que generan y, además, los que se crean suelen ser menos duraderos, con peores condiciones laborales y reducidas perspectivas de futuro que los que les precedieron. Incluso en ciclos económicos de recuperación de cierto crecimiento económico, el número de empleos no parece recibir estímulos suficientes o estos son demasiado débiles, tanto que este tipo de situación ya ha recibido su propia etiqueta: «recuperación sin empleo» (*jobless recovery*). El escenario se puede visualizar como una balsa que se va llenando de gasolina esperando una chispa que la inflame, en el peor momento posible. Sucesivas series de tecnologías disruptivas llegarán con su fósforo para prenderla, y cada trabajador que haya sido expulsado del sistema colaborará con material combustible. Todo podría suceder demasiado deprisa.

Mientras el futuro se desvela, somos libres de apostar ciegamente por soluciones todavía desconocidas y, por lo tanto, pluripotenciales, así como de confiar en aquellas que nos resultan familiares, por ejemplo, el recurso a empleos refugio. Algunas de esas ocupaciones, como el trabajo en la construcción, parecían requerir de habilidades difíciles de automatizar, pues cada obra es esencialmente única, los oficios para completarla son muchos y variados y el ambiente, en general, es bastante hostil para máquinas sofisticadas. Pero, de la noche a la mañana, empieza a surgir toda una nueva estrategia para construir viviendas y otro tipo de construcciones que no requiere sino de un operario al mando de una máquina. Y todo el castillo de naipes se desmorona. Aun si solo es un concepto, éste ya empieza a pasar a fase de pruebas, mostrando sus ventajas y subrayando sus limitaciones que serán diligentemente corregidas. Quizá dentro de unos años nos preguntemos cómo pudimos confiar las construcciones durante milenios a procesos en los que tenían cabida todo tipo de elementos aleatorios, en particular la habilidad y dedicación de los trabadores —contratados para la duración de la obra, generalmente—. Trabajadores que eran además forzados a producir en condiciones cuando menos difíciles, con riesgos evidentes para su salud y su integridad física, con exposición a la intemperie y a las condiciones ambientales, etc. Como en el caso de los vehículos sin conductor, la tecnología podría hacerse un hueco con la promesa de la seguridad, la fiabilidad o la calidad final de las construcciones en este caso.

Una vez la impresión en tres dimensiones para todo tipo de construcciones sea normalizada, y no sólo objeto de experimentación, como en la actualidad, los edificios se construirán desde un centro de control al mando de un capataz que personificará todos los gremios en su persona. Y, por si no fuera suficiente, la construcción modular a modo de mecanos o la construcción mediante estructuras inflables que se rigidizan con la exposición solar, como ciertas estructuras espaciales, podrían también desplazar trabajos desde este sector refugio de empleos. Todas estas opciones pueden asegurar una estricta calidad en las construcciones, gracias a procesos controlados, sistemáticos y precisos. Hoy son sólo planes, pero la amenaza se hará un poco más real cada día. El robot Hadrian, por ejemplo, se ha hecho famoso como obrero tecnológico capaz de colocar mil ladrillos por hora y construir una vivienda en tan solo 48 horas[129]. Un obrero humano no podría superar los 700 ladrillos en el mismo tiempo, productividad que además requeriría algún tipo de motivación añadida para ser mantenida en el tiempo. Otras máquinas parecidas irán logrando capacidades asombrosas, hasta que todas queden reunidas en un autómata obrero capaz de construirlo todo en ciclos de 24 horas sin descanso. Sea en la Tierra, o más allá de nuestra atmósfera, permitiendo la construcción automatizada de asentamientos humanos en otros planetas.

Otros sectores han sido también propuestos, de manera voluntariosa, como refugios laborales para las personas. La industria de la programación, por ejemplo, habría de poder compensar muchos trabajos desplazados por máquinas y algoritmos. Aun si la máquina será capaz de hacer la tarea del empleado humano, alguien tendrá que desarrollar sus lógicas y optimizarlas en el tiempo. La esperanza, sin embargo, podría no estar sólidamente fundamentada. Las máquinas capaces también podrán aprender por sí mismas, optimizando sus algoritmos de base y adaptándolos a entornos de trabajo cambiantes, de hecho, podrán explotar esta posibilidad para estar siempre mimetizadas con esos entornos. Y llegado el día, además, podrían ser los algoritmos los únicos agentes capaces de comprender y modificar la lógica que programa al conjunto de máquinas, y a las relaciones entre ellas, conforme la complejidad de esos sistemas supere las posibilidades humanas. Los programadores tendrían entonces apenas una carga de trabajo marginal, quizá sólo como pasatiempo para establecer ciertas coordenadas de comportamiento reguladas. Del mismo modo que hoy no podemos deducir gran cosa si levantamos el capó de un vehículo, y su análisis queda en manos de herramientas electrónicas de diagnóstico. Un software que sirva para realizar declaraciones de impuestos de un modo simple, competente y universal, necesitará sólo de un mantenimiento mínimo para mejorar o actualizar sus funciones. Esa aplicación

---

129   Hadrian, el "robot-obrero" que coloca 1.000 ladrillos por hora. http://www.elmundo.es/economia/2015/07/06/55967210268e3ea62b8b4576.html

habrá dejado, sin embargo, fuera de mercado a miles de gestores que dedicaban buena parte de su tiempo profesional a realizar esos trámites a ciudadanos que no sabían cómo enfrentar la burocracia fiscal. Del mismo modo, puede que se necesiten grupos de profesionales para programar los vehículos sin conductor y encargarse de su optimización en el tiempo. Pero, de nuevo, es bastante probable que una serie de algoritmos estándar se convierta en la norma de uso en buena parte de la industria, con lógicas reguladas por los gobiernos en escenarios preestablecidos. No es probable que estas ocupaciones lleguen a instaurarse como un refugio de empleos, ni que sirvan de amparo para los trabajadores sacrificados por el desarrollo de la conducción autónoma.

Existen también algunas «fuentes inagotables de empleo» apuntadas como refugio para quienes se vean desplazados por el desarrollo tecnológico. Se trataría de ocupaciones que, por su naturaleza, son cíclicas, ilimitadas y no tienen principio ni final. Un ejemplo sería el reciclado *non-stop* de los entornos de convivencia. Así, por ejemplo, podrían generarse todos los empleos que se necesitaran mediante el reciclado de todo tipo de infraestructuras existentes en cada sociedad, en un ciclo de modernización continuo y acelerado, a imagen y semejanza del avance tecnológico. El progreso se encargaría tanto de facilitar nuevas herramientas para ese reciclaje como de estimular el motor de la demanda. Los ahorros en términos de costes de operación, contaminación, accidentes, etc. deberían ayudar a amortizar esa inversión perpetua en siempre mejor calidad de vida de los ciudadanos. Las exigencias de ciertas tecnologías limpias o de seguridad para los pasajeros que han de ser incorporadas obligatoria y puntualmente en los vehículos, serían un ejemplo de este tipo de estrategias. Esas regulaciones generan demandas para concebir nuevos diseños, desplegar esfuerzos en investigación y desarrollo, etc. Mediante estas estrategias se obtienen ventajas como menores niveles de emisiones, reducción del número y gravedad de los accidentes, mayor confort para los pasajeros, etc., avances que podrían amortizar los costes incurridos, sobre todo en un análisis coste-beneficio global. El resultado se puede medir no sólo en puestos de trabajo sino en sociedades mejores, más saludables y más productivas. El círculo virtuoso. La ecuación, sin embargo, resulta algo artificial y forzada, algo similar a la máquina de movimiento perpetuo que tantos creen haber diseñado pero que sólo puede ser una entelequia desde el punto de vista de la termodinámica. Las sociedades europeas, con sociedades del bienestar consolidadas y permanente renovación de su calidad de vida, serían ejemplo de ello. Su crecimiento económico parece no tener la envergadura requerida para mantener el impulso frente a los retos del futuro, lo que lastrará su capacidad de reciclaje y mejora continua, y frustrará las expectativas de sus ciudadanos, salvo sorpresa. El reciclaje y la mejora continua de las condiciones de vida podrían quedar reservados para aquellas sociedades más eficientes, esto es, las que concentren el mayor número de autómatas.

Que los sectores de empleo refugio tradicionales no den cabida a todos los desplazados por el progreso tecnológico no quiere decir que, durante un tiempo, sigan generando zonas de acogida más o menos amplias. Del mismo modo, los nuevos modelos de sociedad generarán nuevas categorías de empleos donde el ser humano podrá hacerse fuerte, hasta nueva orden. Sin olvidar tampoco las nuevas oportunidades laborales que irán desvelándose al ritmo de las innovaciones: diseño de espacios de ocio en vehículos sin conductor, desarrollo de sistemas de sensores en infraestructuras viarias —y, en general, en todo tipo de infraestructuras en las ciudades inteligentes—, creación de mundos virtuales y de sus reglas de funcionamiento, explotación de sistemas de drones, etc. Estos nuevos empleos podrían ser cubiertos por un número limitado de profesionales, sin embargo, muchos reciclados desde sus antiguos empleos, cuando sean desplazados por máquinas y algoritmos capaces. Esperar el maná de nuevas actividades donde re-emplear a millones de personas una vez hayamos empezado a perder competencias de manera evidente frente a máquinas y algoritmos sería un ejercicio de descarado optimismo. ¿Qué haría tan especial a esas actividades para no acabar en manos de autómatas capaces como sucedió con el resto?

Quienes defienden los mecanismos de compensación —unos empleos desaparecen para el ser humano, pero otros nuevos se generan—, se apoyan sobre todo en la historia del progreso, hasta el presente. Las revoluciones tecnológicas previas han asegurado un desarrollo económico sin consecuencias negativas para el empleo, al menos tras los periodos de adaptación a los cambios de paradigma. Pero a sus argumentos empíricos habría que contraponer aquellos que recuerdan que, en ese pasado, también se han producido reducciones de jornadas laborales hasta las actuales cuarenta horas semanales, ahora casi universales. Esto es, el trabajo se venido limitando y repartiendo. De hecho, cuando la demanda de mano de obra pueda escasear en el futuro la misma fórmula de reducción de jornadas de trabajo podría ser puesta en marcha, en ciertos sectores laborales al menos. Si no se puede generar más trabajo que el que requiere la salud económica y social del planeta, sí se puede trocear esa oferta para hacer que sea cubierta por un mayor número de individuos. Si el progreso tecnológico se acelera, la reducción de las horas de trabajo podría acabar mimetizando la misma pauta, y pronto podríamos encontrarnos con jornadas semanales de unas pocas horas. Los críticos de este tipo de intervenciones contemplan esta solución como una trampa al solitario, equivalente a obligar a las personas a trabajar con un solo brazo para doblar la cantidad de empleos. Con menores jornadas laborales, en todo caso, la presión a la baja sobre los salarios se incrementará, salvo en sociedades de la abundancia. El mayor tiempo de ocio y, por ende, de bienestar, podría no estar reñido con mayor pobreza económica. Menos obligaciones laborales, pero sin opción de más consumo podría ser una terrible conquista social para no pocos ciudadanos.

En lo que respecta al futuro, en todo caso, son legión quienes piensan que la esperanza es lo último que se debe perder. Las futuras encrucijadas son sólo construcciones mentales y las soluciones teóricamente infinitas, tanto como la imaginación combinada de miles de millones de personas. El escritor Kevin Kelly, por ejemplo, está convencido de que la robótica y la inteligencia artificial pueden permitirnos pasar de una economía apuntalada en el trabajo manual y rutinario a otra de orden superior construida sobre las ideas y la creatividad. Desde luego sería todo un sueño hecho realidad para la humanidad, un cambio de era que marcaría la historia, tanto o más que la invención del fuego. Pero mientras la economía de las ideas se concreta en algo tangible, con forma definida, no podemos obviar que las tareas que conocemos van tomando forma de máquina. Recordemos que ya se han propuesto algunos números sobre las previsiones de evolución de los empleos y las cifras son desoladoras (la mitad de los trabajos estarían bajo amenaza por el desempleo tecnológico en el curso de los próximos 20 años, frente al 10% actual[130]). Es el resultado del empuje desbocado en tecnologías como la robótica y la inteligencia artificial, retroalimentado con inversiones que, para el año 2020, se estiman en 150 000 millones de Euros[131]. Los importantes aumentos de ventas anuales en este mercado son una clara señal de que el despliegue de autómatas no ha alcanzado, ni remotamente, su velocidad de crucero.

Algunos futuristas como Thomas Frey están convencidos de

130 Estudio de Bank of America Merril Lynch, Diciembre 2015, citado en: Robot revolution: rise of 'thinking' machines could exacerbate inequality. https://www.theguardian.com/technology/2015/nov/05/robot-revolution-rise-machines-could-displace-third-of-uk-jobs

131 Estudio de Bank of America Merril Lynch, Diciembre 2015, citado en: The AI Market Will Soon Top $150 Billion. Get A Piece of It. http://www.gereports.com/every-business-piece-153b-artificial-intelligence-market/

que el desarrollo tecnológico, a pesar de que pueda ser disruptivo durante un tiempo de transición, acabará generando tantos nuevos empleos que el ser humano no sabrá, literalmente, cómo gestionarlos. El caso es que seguramente ya hoy tenemos más empleos de los que el ser humano puede tener bajo control; son tareas que, simplemente, nadie quiere hacer, o por las que nadie quiere pagar un salario digno para que alguien las lleve a cabo. El nudo gordiano es si la masa crítica de empleos que se generarán al calor del progreso tecnológico estará asociada a la economía productiva o, dicho de otro modo, si responderán a una necesidad por la que un número suficiente de consumidores estará dispuesto a pagar con parte de su propio tiempo de trabajo o con otros recursos. Del mismo modo, también habrá de valorarse el riesgo de crear un espacio sin intersección entre una oferta de trabajo posible y una demanda de empleos que tenga significado (dignidad) para un ser humano. Algo particularmente relevante en un tiempo de máquinas y algoritmos capaces. Imaginemos que la categoría de trabajo más abundante en un futuro sea el cuidado y servicio de autómatas, ¿sería tolerable para la especie humana sobrevivir de ese modo?

Frente a los muchos y diversos desafíos del progreso tecnológico sobre el empleo, también hay individuos que parecen tener una fe ciega en todo tipo de contrapesos que se activarían de manera automática: los equilibrios inherentes del sistema capitalista, la adaptabilidad del ser humano, la buena estrella de la especie humana, etc. Así, por ejemplo, las innovaciones disruptivas aun si alteraran temporalmente el estatus quo generarían estímulos sobre el consumo que lograrían que la sociedad recobrara su vigor, aumentado siempre los estándares de bienestar. El consumo sería, de hecho, la energía fundamental que alimenta la gran máquina económica. Algunos dirían que es la fuerza que evita que todo el sistema colapse. Si seguimos consumiendo seguimos sobreviviendo, aquí o en otros mundos, con progreso acelerado de manera lineal o exponencialmente. Como decía Bertrand Russel, mientras una persona gaste su salario, está poniendo tanto pan en las bocas de las gentes como el que él mismo arrebata de otras bocas para ganarlo; los únicos malvados serían quienes ahorran sus ganancias (*as long as a man spends his income, he puts just as much bread into people's mouths in spending as he takes out of other people's mouths in earning. The real villain, from this point of view, is the man who saves*). Los ciudadanos, o buena parte de ellos, sin embargo, parecerían programados para ahorrar de manera obstinada (en la medida que les permita la economía familiar), sobre todo si prevén un mañana incierto. Consumir, además, estaría empezando a no estar de moda, dejando de ser una costumbre socialmente premiada. Los orígenes del incipiente rechazo al consumismo desmesurado son diversos, desde los impactos negativos sobre el estado del planeta a la sinrazón de convertir esa mecánica del dispendio en el objetivo de tantas vidas, y muertes. Por eso, las llamadas al decrecimiento empiezan a tener su público. La propuesta para establecer un sistema de gestión de recursos global (*Global Resource Management System*) que pudiera gestionar ese patrimonio natural del planeta de manera sensata y eficiente, en beneficio de la humanidad, podría llegar a ser un día, además, una barrera importante en el camino del consumo desbocado. La idea dista de ser un asunto practicable en términos políticos en la actualidad, pero ya existe como concepto y es un objetivo alineado con una preocupación ciudadana creciente. Quizá pueda convertirse, por lo tanto, en algo concreto y operativo. Si el consumo se convierte en un asunto sombrío, la lógica económica se desplomaría, arrastrando al bienestar tal y como ha sido concebido, puede que antes que las máquinas y algoritmos capaces pusieran la convivencia patas arriba.

El cambio de tendencia en las previsiones negativas acerca del desempleo tecnológico requeriría de anticipación normativa por parte de los gobiernos. Y por supuesto de previsión de escenarios y mitigaciones por parte de los ciudadanos del mundo. Algo poco probable, por todo tipo de limitaciones en la política, en los políticos, y en la vida cotidiana de las personas. Es posible obstaculizar o desviar momentáneamente el curso de un río o de un barranco, pero las fuerzas internas de la naturaleza, desplegadas a lo largo de los siglos no cejarán en insistir en el flujo natural de acontecimientos. El progreso tecnológico es una tendencia inevitable, un elemento constituyente de la especie, y ningún miedo podrá apartarnos de ese camino. Enfrentar esta fuerza esencial requeriría de intervenciones de gran espectro y mayor profundidad; ese tipo de cambios aplicados a sociedades complejas no pueden ser sino experimentos absolutamente descontrolados, materia nunca antes manipulada, lo que normalmente conlleva que sus consecuencias no puedan ser previstas a priori. Los cambios de paradigma son un salto al vacío de toda una sociedad al completo, lo son tanto cuando acontecen de manera natural como cuando vienen impuestos para evitar otros escenarios. El economista Joseph Stiglitz ha propuesto en su libro *The Great Divide* que las causas que llevaron a la Gran Depresión estuvieron en el cambio de modelo económico, desde uno donde la agricultura era la base a otro donde lo era la fabricación. ¿Cuántas grandes depresiones habríamos de esperar a resultas del cambio titánico de modelo que conllevará la llegada de la sociedad tecnológica? Las opciones parecen reducirse a dejarse llevar por la corriente tecnológica, con readaptaciones pequeñas y continuas para lograr sobrevivir en el nuevo paradigma (posible pero inútil); o decidir conscientemente apostar por la destrucción del paradigma existente para abrazar uno nuevo, de características desconocidas (cuasi imposible pero quizá de utilidad).

La tecnología tiene la capacidad de distorsionar el escenario laboral de múltiples maneras y en diversas intensidades, antes de llegar a producir movimientos telúricos en forma de desplazamientos masivos de empleos. Hubo un tiempo en el que la cantidad de trabajo estaba limitada por lo que los músculos y la energía de una persona podían llevar a cabo, por su habilidad, por el lapso de tiempo desde que salía el sol hasta que se ponía por el horizonte. Cosas así de simples y evidentes marcaban el ritmo de la vida. Hace ya mucho tiempo que nos complicamos la vida, haciendo del trabajo una realidad mucho más compleja, con la intención original de sobrevivir y de mejorar nuestras vidas. Hoy, todo individuo es capaz de llevar a cabo muchas más tareas que las que le permite su potencia física, su proximidad a ciertos recursos productivos, el tiempo útil de luz en cada jornada, su propio conocimiento. Todo eso es bueno y puede ser malo al mismo tiempo. Podemos estar, por ejemplo, a miles de kilómetros de distancia de nuestros puestos de trabajo, pero eso ya no nos asegura estar lejos de nuestras obligaciones laborales. La tecnología nos vincula a nuestro trabajo de manera obstinada, como si hubiéramos metido la mano en el hueco de un árbol lleno de resina. Es el precio a pagar por la curiosidad, que ahora nos recuerdan las manos pegajosas. Cuando habíamos empezado a soñar con jornadas siempre más reducidas y tiempos de ocio incrementados, nos hemos topado con la tecnología de la ubicuidad, y sólo es un atisbo de lo que puede ser la existencia en las realidades virtuales que pronto estarán a nuestro alcance. Realidades que nunca descansarán y que podrán ser multiplicadas muchas veces por sí mismas. Nuestros yos virtuales no tendrán descanso en la multiplicidad de universos vitales a los que tendrán que atender, tanto en vida como tras ella.

Dejando a un lado el interminable debate sobre si el progreso destruirá empleo neto, parece un hecho irrefutable que las nuevas tecnologías no tienen como característica la generación de cantidades importantes de empleos. En el pasado, sin embargo, esos avances alentaron todo un aluvión de nuevas tareas, procesos, ocupaciones que requerían de mucha mano de obra para explotar aquellas innovaciones. La industria del ferrocarril, del automóvil, de la aviación, de la electricidad, etc. abrieron un sinfín de oportunidades para todo aquel interesado en construir la modernidad. En la actualidad, las nuevas tecnologías, en particular las más disruptivas, parecen operar de modo bien diferente, reduciendo considerablemente la necesidad de trabajadores, quizá con la excepción —transitoria— del ámbito de la programación. La generación de productos o servicios radicalmente innovadores se automatiza de manera progresiva, su mantenimiento o reparación suelen suprimirse en beneficio de una obsolescencia programada que completa la lógica de su ciclo de vida-casi nada se estropea, nada se repara, todo se rompe a partir de la fecha funesta establecida—. Las ventas no requieren ejércitos de vendedores sino un posicionamiento adecuado respecto a los motores de búsqueda global, unos audaces algoritmos de venta, una marea de robots logísticos y, dentro de poco, servicios de transporte sin conductor por tierra, mar y aire. El progreso tecnológico parece no sólo responsable de desplazar empleos obsoletos tras la incorporación de innovaciones, sino aprovechar la circunstancia para modificar, automatizando, los entornos vinculados a la vida de los productos, su comercialización, su mantenimiento, etc., lo que intensifica el efecto de cancelación de puestos de trabajo.

EMPLEOS QUE ODIAMOS: PRESIONES Y DEPRESIONES

Los tecnofanáticos confían en que los empleos modernos, conocidos o por descubrir, aparecerán como champiñones en campo sombrío, húmedo y bien abonado. Los expertos en aplicaciones para teléfonos móviles y tabletas, los técnicos en impresión 3D, los gestores de comunidades en la red, los especialistas en algoritmos para búsquedas en Internet, los desarrolladores de entornos de realidad virtual, etc. serían sólo una pequeña muestra de todas aquellas ocupaciones que no podíamos haber imaginado hace unas pocas décadas. De modo similar, de aquí a veinte o treinta años, decenas, centenares, de nuevas categorías de empleo vendrían a sumarse a la oferta de trabajo para seres humanos. Esos nuevos empleos deberían, además, ser mejores, más humanos, gracias al trasvase de tareas rutinarias y pesadas a máquinas y algoritmos. No se pueden negar ni confirmar las predicciones del futuro que viene, pero se puede considerar hacia dónde apuntan hoy las tendencias que parecen conformar esos destinos probables. Podemos preguntarnos, por ejemplo, si los trabajos actuales son mejores que los del pasado, si lo son para la mayor parte de trabajadores al menos. A primera vista, hemos de reconocer que la sociedad y las condiciones de vida han mejorado ampliamente, gracias al progreso científico y tecnológico, y esta afirmación no debería generar polémica, a pesar de todo tipo de matices posibles.

Las opciones actuales para asegurar la subsistencia deben, por obligación respecto a una carta de derechos internacionales, respetar la vida de las personas, su salud e integridad física y psíquica, unas jornadas establecidas, etc. asegurando el estipulado descanso y acceso al tiempo de ocio. Siendo todo ello cierto sin ambages, la realidad cotidiana también muestra objeciones respecto a la bonanza en las condiciones laborales. Existen millones de personas estresadas en el mundo, virtualmente enfermas o al borde de enfermedades que se cronifican, que acuden cada día a sus trabajos para cumplir con obligaciones que detestan o que no les hacen saltar de la cama con energía cada mañana. Son trabajadores que entregan, de algún modo, su salud psíquica, y, por ende, la física, por pura somatización, como contrapartida por asegurar un salario durante buena parte de sus vidas. Sus mentes están exhaustas, ansiosas, desesperadas, perdidas, agotadas, frustradas, deprimidas, anegadas por pensamientos que quizá no sean mucho mejores que los de trabajadores en épocas pasadas. Sus cuerpos también están cansados, doloridos por movimientos y rutinas repetidas. Sus trabajos y las condiciones en las que los realizan no sólo les hacen sentir infelices; cada vez más les hacen sentir prescindibles, sustituibles en cualquier momento por otra persona mejor dispuesta o más competente, por una máquina o un algoritmo llegado el caso.

La especulación sobre una posible pérdida masiva de empleos y la tragedia asociada para todos esos trabajadores y ciudadanos se construye en base a la función de esas ocupaciones como garantía de supervivencia. La pérdida del trabajo per se, como trámite forzoso para asegurar un salario no despertaría, seguramente, profundas tristezas. Los estudios suelen subrayar esta suposición sin mucho margen de dudas. Una encuesta global de Gallup del año 2013 determinó que sólo el 13% de los empleados (uno de cada ocho) en los 142 países analizados se sentía psicológicamente motivado en el desempeño de su trabajo y en la contribución al éxito de sus organizaciones[132]. Esto significaría que unos 900 millones de trabajadores en el mundo no tendrían ni el interés ni el ánimo que se les supone para ejercer sus empleos. Otros estudios señalan que cuatro de cada cinco trabajadores dejarían sus empleos si pudieran[133]. Todo ello podría indicar que buena parte de los trabajadores están realizando

---

132 http://www.gallup.com/poll/165269/worldwide-employees-engaged-work.aspx
133 http://www.cbsnews.com/news/84-percent-of-workers-looking-to-leave-their-jobs/

tareas equivocadas o que toda actividad lo es cuando se está obligado a desempeñarla. Por todo ello, buena parte de los trabajos que serán arrebatados por las máquinas —cedidos, con la connivencia de los empresarios—, podría ser empleos que, en el fondo, detestamos, o que no nos reportan nada más que un salario. Asegurada la subsistencia por cualquier medio alternativo, la inexistencia de la mayoría de empleos podría ser sólo una buena noticia. Conforme las máquinas y algoritmos capaces vayan ocupando más tareas, los autómatas podrían acabar siendo considerados como los nuevos pobres diablos, esclavizados para asegurar nuestras necesidades. Y la mirada al pasado, sin esas máquinas capaces ocupadas en satisfacer nuestras demandas, nos devolvería la visión de un tiempo tremendamente angustioso y primitivo. Siempre que encontremos el modo de seguir existiendo.

Dice Ronald Wright que la agricultura fue la entrada en un camino que, para la mayoría de las personas, no ha supuesto más que una vida monótona de trabajo agobiante e incesante. Más comida y más barrigas saciadas sí, pero rara vez una existencia más amena, más satisfecha. Si el trabajo de millones de esclavos y artesanos para construir las pirámides o las catedrales de los tiempos antiguos no podría ponerse como ejemplo de entorno saludable y adecuado para la condición humana, al menos tenía un sentido trascendente. Durante siglos las personas se dedicaron a la economía de subsistencia, a la agricultura, a la ganadería, a la artesanía, en jornadas de trabajo exhaustas y vidas de penuria, pero con objetivos y significados que no requerían de explicaciones. Cada hora que uno permanecía en pie o doblando la espalda, cuidando de cosechas, del ganado o creando productos que salían de sus manos, era parte de una lucha contra las adversidades y por la supervivencia. Las situaciones de fatiga mental y física actuales parecen, en comparación, una violencia laboral gratuita. La duda permanente sobre la caducidad de las propias capacidades, la necesidad de enfrentar escenarios y demandas siempre cambiantes, el riesgo manifiesto de no ser mejor que una máquina en buena parte de tareas, son solo parte de los muchos males manifiestos de la población de trabajadores, y de quienes quieren acceder a un empleo. Si a ello añadimos el complejo laberinto de relaciones personales que animan el entorno laboral, mediatizadas por jerarquías, responsabilidades, estrés, etc. la desazón multiplica sus efectos. Las alternativas son más bien escasas: continuar girando en la noria de hámster sin detenerse ni llegar a ningún sitio; o bajarse de la rueda, y descubrir que no hay escapatoria, la comida solo aparece como premio si nos movemos.

A pesar del sinsentido de una buena parte de ocupaciones laborales, el culto al trabajo alcanza cotas auténticamente desesperantes en algunas sociedades. La sociedad norteamericana era un ejemplo clásico pero muchos países asiáticos han llevado al extremo el concepto. Sus ciudadanos no solo padecerían la intranscendencia de sus obligaciones, sino que vendrían divididos en ganadores y perdedores, según el nivel de sus salarios y los consumos que esos ingresos les granjean. A ese club también se han venido uniendo los países europeos, sucumbiendo a la presión ambiental para someter el grueso de la existencia a las exigencias crecientes del trabajo asalariado. Todo ello no sin consecuencias. En Francia, por ejemplo, el 22% de las declaraciones de incapacidad laboral tramitadas en el año 2015 ha estado relacionado con «sufrimiento en el trabajo[134]. Las personas se convierten, de manera generalizada, en elementos anónimos e insignificantes, fichas en un tablero de negocio de gigantescas dimensiones. Allí serán organizados y reorganizados según los vientos dominantes y cambiantes de la economía, sus ciclos y sus vaivenes. Los mínimos espacios de autonomía para los trabajadores en esos espacios regulados por procesos, procedimientos, instrucciones, indicadores, objetivos, sistemas de organización, etc. se encuentran en franca retirada. Y sea la causa o la consecuencia, ese proceder recrea un hábitat propicio para que máquinas y algoritmos aseguren el mejor de los éxitos evolutivos, desplazando a seres humanos exhaustos y desarraigados de sus empleos, en la alocada carrera por la máxima flexibilidad y eficiencia.

Conforme la mayor parte de las tareas vayan siendo asumidas por máquinas y algoritmos, los empleos desplazados podrían no retornar nunca a sus anteriores y humanos dueños. Y no sólo por cuestiones de productividad o amortización de inversiones, sino por cuestión de principios. Ya hemos mostrado las actitudes clasistas cuando colectivos de inmigrantes comenzaron a ocuparse de ciertas categorías de empleos, con el rechazo subsecuente por parte de ciudadanos nacionales, al considerarlos por debajo de cualesquiera mínimas expectativas. Llegados al punto de ocupación masiva de empleos por máquinas y algoritmos podríamos acabar preguntándonos, del mismo modo, cómo era posible que seres humanos hicieran trabajos tan vacuos, rutinarios, primarios, tan poco a la altura de la especie. Y podríamos preferir la inanición antes de dedicar parte de nuestras vidas a ese tipo de tareas asumidas por autómatas. Una vez superada la memoria generacional y emocional hacia esos

---

134 El sufrimiento laboral se ha convertido en un grave problema social. http://www.lavanguardia.com/vida/20160714/403189117532/el-sufrimiento-laboral-se-ha-convertido-en-un-grave-problema-social.html

empleos no podríamos ya ejercerlos porque seríamos, simplemente, del todo incapaces.

El sufrimiento que causa la rutina laboral para tantas personas no es una cuestión de neurosis en unos pocos individuos hipersensibles, sino una realidad extendida, aunque normalmente silenciosa. A veces podemos percibir sus voces, sin embargo. Entre el año 2008 y el 2009, treinta y cinco trabajadores directivos de France Telecom se suicidaron y otros doce lo intentaron, achacándose esta conducta a las presiones laborales y al estrés al que estaban sometidos en sus empleos. La empresa tenía 110 000 empleados y había pasado de ser una empresa pública del servicio nacional de correos a convertirse en una empresa privada, en un sector industrial en el que la competencia no da tregua. La nueva dirección preparó un plan de reconversión en el que veintidós mil empleados dejaban de tener sentido en la empresa y otros diez mil necesitaban ser reasignados a puestos diferentes. Los suicidios que llevaron el caso a los medios de comunicación fueron solo una pequeña muestra, la punta de un iceberg que hundía sus hielos hasta aguas mucho más profundas. A pesar de que los cambios estructurales o estratégicos pueden ser absolutamente necesarios en muchas ocasiones para mantener viva una empresa —evitando tomar la senda de los elefantes—, estos tienen el poder de alterar las vidas de sus trabajadores y sus familias. A pesar de su necesidad perentoria desde el punto de vista estratégico y económico, su gestión puede ser la fuente de todo tipo de angustias personales. Si esos cambios eran excepcionales en el pasado, hoy sabemos que la mayoría de trabajadores pasará por numerosas experiencias de cambio estratégico en sus vidas laborales, y la frecuencia no hará sino aumentar. Conservar un puesto de trabajo no es un sinónimo de felicidad salvo para quienes tengan, al menos, una naturaleza bien dispuesta a navegar el cambio continuo. Aquellos terribles sucesos fueron sólo la versión más dramática y sobrecogedora de todo un mundo de situaciones que no acaban en estos extremos, pero que causan masivas cantidades de infelicidad y desdicha.

A pesar de que no reciben mucha atención por parte de los medios, las situaciones desesperadas de muchos trabajadores en las sociedades del primer mundo ante presiones insoportables en el ámbito laboral son más comunes de lo que pensamos. Aunque tres cuartas partes de los suicidios del mundo se producen en países pobres —y no estarían vinculadas al sufrimiento laboral—, muchas personas se consumen en depresiones, ansiedades, estrés y otras patologías en los países avanzados, sin llegar a soluciones extremas. Y muchas de esas situaciones se originarían o se fomentarían a causa de entornos laborales ajenos a la naturaleza y necesidades humanas, con tareas privadas de significado, con trabajadores bajo el mando de personas incapaces de gestionar con empatía, con presiones de competencia del mercado siempre más exigentes, entornos en permanente reinvención, con empresas focalizadas en la productividad, en la calidad total, en la flexibilidad, en el beneficio máximo. Ecosistemas profesionales organizados para exprimir sin contemplaciones todos sus recursos, incluidos sus trabajadores, sin siquiera conciencia de estar haciendo algo perverso. Puede que sea sólo puro sentido de la supervivencia, lógica racional y económica llevada al paroxismo, como quien pisotea cuerpos en la huida, en una situación de emergencia; es el instinto supremo de salvar la propia vida.

Si los empleos actuales producen un bajo estado de ánimo y autoestima en la especie, incluso patologías que somatizan esos sentimientos, es fácil imaginar lo que podría ocurrir en el caso de un escenario de desempleo generalizado por parte de máquinas y algoritmos capaces. Puede que la angustia, la depresión o la ansiedad alcancen cotas más letales que los episodios de glaciaciones, pandemias o guerras en la historia de la humanidad. La amígdala humana se va a ver sometida a un estado de alerta permanente, una amenaza mucho más extraña para nuestro equipamiento biológico que evitar ser comido o tener éxito a la hora de comerse a otros. La sociedad moderna ansiosa puede convertirse en la sociedad tecno depresiva por antonomasia.

ECONOMÍA DESMADRADA Y POBREZA EN EL CIELO CAPITALISTA

El término economía proviene de la combinación de dos términos griegos, *oikos*, que significaba casa y su contenido, y *nemó*, administrador, para formar *okomos*, el administrador de la casa. Deberíamos reflexionar sobre el camino recorrido desde ese concepto original, intentando valorar si el desplazamiento de significado es y será positivo para nuestra sociedad. Es posible que la solución al problema del desempleo tecnológico, después de todo, esté en la capacidad de administrar activamente aquellos asuntos que están a nuestro alcance, el entorno más doméstico sobre el que podemos influir y comprender. Esta opción, además, podría conformar un sistema escalable, en el que todos los ciudadanos ejercieran su influencia local para establecer las mejores opciones posibles a escala global, consensuando el sentido y la dirección del progreso, de la humanidad.

Hasta que una participación ciudadana sistemática en la definición de las opciones de progreso sea factible, los ciudadanos quedan reducidos a meros consumidores y víctimas de un desarrollo científico-tecnológico dejado a su libre albedrío. Lo mismo es cierto para la economía, aún si sus posibles impactos frente a aquellos de un avance tecnológico acelerado son de un orden de magnitud inferior. Sus evoluciones y desarrollos, en todo caso, tienen la capacidad de alterar, a veces afianzar, la convivencia social, y el posible colapso de la economía de mercado puede asumirse como un riesgo para la civilización. Desde aquella idea original de administrar nuestros hogares a convertirse en potencial amenaza global al bienestar y los modos de vida, la economía ha hecho un recorrido considerable. Hoy, esta ciencia empieza a ser una caja negra en la que introducimos una serie de parámetros (el factor trabajo, por ejemplo) esperando que produzca bienestar, progreso y, por supuesto, riqueza. Si es posible, para todos, pero sin constreñirla demasiado en este sentido. De los acomodos económicos en las sociedades del planeta hemos venido obteniendo una mejora continua en nuestra calidad de vida, a pesar de todo tipo de incoherencias, deficiencias y limitaciones, y de los sustos cíclicos en los que todo el edificio parecía desplomarse por falta de una mínima solidez. En los últimos tiempos, cualquiera que fuese la fórmula original que convertía insumos en productos parece haber colapsado y dejado, en parte, de funcionar. Las mismas o parecidas combinaciones de factores producen un mundo diverso en el que las lógicas económicas se rompen. Así, por ejemplo, más producción de salida ya no requiere más trabajo a la entrada, y mayores beneficios y riqueza en el seno de una economía pueden conducir a más desigualdad económica entre sus ciudadanos. Como en el juego del *monopoly*, uno o unos pocos jugadores suelen acabar acaparando casi todos los recursos, mientras otros muchos jugadores intentan sobrevivir o han de abandonar la partida.

A pesar de que los beneficios de las empresas (después de impuestos y como porcentaje del PIB) se han disparado en la última década[135], la fuerza de trabajo (como porcentaje de ese PIB) viene cayendo desde hace décadas[136]. Es una característica de todo

---

135 Corporate Profits After Tax (without IVA and CCAdj)/Gross Domestic Product. https://fred.stlouisfed.org/graph/?g=1Pik

136 Here's why labor's share of GDP has been declining for 40 years. http://www.businessinsider.com/why-labors-gdp-share-is-on-decline-2015-9

un nuevo paradigma: las empresas producen más beneficios con menos necesidad de trabajo o menores salarios. Y esto acaba significando que los recursos de las familias que dependen de esos salarios decrezcan incluso cuando la riqueza de sus empleadores y de sus países aumenta. Si los mayores beneficios quedan en unas pocas manos y no vienen «distribuidos» de un modo significativo, el progreso y la riqueza dejan de asociarse al bienestar. Si las cifras de PIB en el pasado venían a indicar, en cierto modo, la capacidad de cada país para transformar recursos y capacidades en productos y servicios, en una lógica simple de «cuanto más mejor», ahora ese indicador podría ser un parámetro para medir, por ejemplo, el riesgo de cancelación de empleos.

La moderna lógica económica parece dar cobijo a ciertas disfunciones sociales, en particular la menor necesidad de trabajadores y la mayor desigualdad económica. Si la automatización reduce la necesidad de mano de obra, la precarización de muchos empleos tampoco parece seguir una senda favorable. Para el 0.1% de familias norteamericanas, por ejemplo, los ingresos habrían aumentado un 400% en los últimos 40 años, mientras que para el 90% de las familias los ingresos anuales habrían descendido[137]. En el periodo que va de 1979 a 2013, la remuneración horaria para trabajos con sueldos medios en los Estados Unidos se ha mantenido prácticamente constante, la de trabajos con sueldos bajos se ha reducido y la de sueldos altos habría aumentado más de un 40%.[138]. Lo mismo ha ocurrido en buena parte del mundo desarrollado, con salarios que han mermado o se han estancado en potencias económicas como en los casos de Japón y Reino Unido, por ejemplo. El crecimiento de la economía, de la productividad, de la innovación tecnológica, etc. parecen haber favorecido fundamentalmente a una pequeña parte de las sociedades. Y ello a pesar de que la mediación sindical en el pasado logró forzar subidas de salarios en no pocas ocasiones. Algunos economistas creen que el estancamiento de los salarios es un asunto temporal, un paréntesis, hasta que los beneficios de la revolución tecnológica alcancen a todos los sectores y a todos los individuos. Otros creen que es una tendencia que se autoreafirma con el tiempo.

Si la ratio de pobreza en los Estados Unidos en el año 1973 era del 11%, en el año 2015 habría aumentado al 13.5%[139], ambas cifras

---

137   US wealth inequality — top 0.1% worth as much as the bottom
       90%. https://www.theguardian.com/business/2014/nov/13/
       us-wealth-inequality-top-01-worth-as-much-as-the-bottom-90
138   http://www.epi.org/publication/charting-wage-stagnation/
139   https://poverty.ucdavis.edu/faq/what-current-poverty-rate-united-states

sorprendentes para la primera potencia económica del planeta en todo ese tiempo. El índice Gini[140], un indicador que mide el grado de la distribución de la renta entre los individuos de un país —una medida, por lo tanto, de la desigualdad—, ha empeorado considerablemente desde su valor en 1986. Estados Unidos se encuentra hoy entre la República Dominicana y México, mientras buena parte de los países europeos se encuentran en las posiciones más favorables. Podría concluirse que, en el país de las grandes corporaciones globales y mejor ejemplo del capitalismo, los beneficios del progreso parecen quedar acaparados por una creciente minoría, mientras que los perdedores ven como se degradan las bases de bienestar conseguidas en tiempos anteriores. Un terreno abonado para todo tipo de enfados sociales. Recientes estudios del premio Nobel de Economía Angus Deaton, junto a su esposa Anne Case, han establecido que la clase media blanca norteamericana está sufriendo una oleada masiva de muertes por enfermedades asociadas a la pobreza y a la degradación del entorno social (abuso de medicamentos, suicidios y alcoholismo). Según los autores, esta situación se habría convertido en la mayor crisis de salud desde la II Guerra Mundial[141]. El modelo capitalista y de progreso tecnológico por excelencia no deja de producir sus monstruos.

La realidad del mundo que hemos construido es que el 1% de la población acumula la mitad de la riqueza del planeta[142]. Y una parte de esa gigantesca cantidad de recursos podría haber sido atesorada gracias al desarrollo tecnológico y a sus efectos colaterales. No es sólo un asunto de patrimonios familiares heredados durante generaciones, de astutas inversiones, de especulación, de posiciones de poder o privilegio. Muchas de las grandes fortunas actuales se han construido en apenas unas décadas, a veces unos pocos años. Incluso durante los años de la última crisis económica global, el 1% más rico acumuló el 95% del crecimiento en los ingresos[143]. Unos pocos afortunados en todo tipo de ámbitos sociales, —el de las finanzas especulativas, pero también el deporte de élite, los medios

140 GINI index (World Bank estimate). http://data.worldbank. org/indicator/SI.POV.GINI y https://es.wikipedia.org/wiki/ Anexo:Pa%C3%ADses_por_igualdad_de_ingreso
141 In Reversal, Death Rates Rise for Middle-Aged Whites. http:// www.npr.org/sections/health-shots/2015/11/02/453192132/ in-reversal-death-rates-rise-for-middle-aged-whites
142 https://www.theguardian.com/money/2015/oct/13/ half-world-wealth-in-hands-population-inequality-report
143 http://www.businessinsider.com/95-of-income-gains-since-2009-went-to-the-top-1-heres-what-that-really-means-2013-9

de comunicación, la industria de la música o el cine, etc.— consiguen generar fortunas de dimensiones absurdas. En algunos casos, sus actividades requieren de conocimientos y contactos del más alto nivel, en otras pueden consistir en tareas sencillas o incluso banales. En todas ellas, seguramente, la suerte es un factor primordial para el éxito; la suerte de nacer con una buena estrella y no perderla. A su lado, millones de personas enfrentan el reto cotidiano de salir adelante, escapando a la adversidad, dedicando buena parte del tiempo de sus vidas, su esfuerzo y capacidades a mantener el grueso de la sociedad en movimiento. En no pocos casos, sus ocupaciones consisten en tareas indispensables para el bienestar de la comunidad. Jugar al fútbol de manera creativa, crear e interpretar canciones con un estilo y una imagen original, inventar y patentar productos o servicios innovadores de gran demanda, etc. son actividades reservadas para una minoría, a la que una mayoría admira. Sus virtudes son, además, inalcanzables para máquinas y algoritmos, aunque su suerte podría no salvarles tampoco de la siguiente generación tecnológica. Ya hay robots y algoritmos que saben jugar al fútbol y componer canciones, y algún día podrían empezar a hacer negocios por su cuenta.

Algunas peculiaridades del capitalismo actual podrían ser quizá premonitorias de las amenazas que se ciernen sobre el futuro modelo de las sociedades tecnológicas. Si consideramos el caso de las empresas de alta tecnología en el *Silicon Valley* californiano, por ejemplo, se haría evidente que la tecnología más innovadora y sus supertrabajadores pueden coexistir con la pobreza de una parte de los hogares del valle. El índice de pobreza en la zona, teniendo en cuenta el coste de la vida, se sitúa en torno al 19%[144]. Las bruscas transiciones entre las lujosas residencias de los directores y ejecutivos de los negocios más punteros (la élite de ganadores) y las hileras de viviendas sociales (los perdedores), no anuncian el mejor de los mundos. En la ciudad de San José, por ejemplo, se estableció el mayor campamento de personas sin hogar de toda Norteamérica, conocido como *The Jungle* (la jungla). *The Jungle* y *Silicon Valley* podrían ser el espejo que nos devuelva la imagen de la futura sociedad tecnológica.

Una renovada clase de luditas surge ahora justo en uno de los centros de innovación más importantes del mundo; son ciudadanos dispuestos incluso a tirar piedras a los autobuses que transportan a los empleados de esas empresas tecnológicas. Quizá preferirían lanzarlas contra las máquinas que desarrollan o contra los ejecutivos

---

144   https://www.technologyreview.com/s/531726/technology-and-inequality/

responsables de esos negocios, pero nada de ello les resulta factible. Muchas de las máquinas que salen de sus centros son sólo pura lógica en forma de algoritmos, lo que las convierte en pésimas dianas; en cuanto a los ejecutivos, éstos no viajan en autobús. Los residentes más enfadados han llegado, incluso, a organizarse en acciones de guerrilla urbana contra las empresas que creen se encuentran en el origen de la reducción en su calidad de vida. Su labor no es sólo violenta, también se encargan de criticar ciertos desarrollos tecnológicos y evidenciar los impactos sociales del progreso. Así, por ejemplo, han difundido los efectos de gentrificación[145] que la concentración de empresas de alta tecnología, con sus ejecutivos e ingenieros generosamente remunerados, tiene en las zonas donde se implantan. Los aumentos en el precio de la vivienda acaban expulsando a muchos residentes de la zona y supone una barrera de acceso insalvable para personas sin recursos financieros desahogados. Los autobuses puestos a disposición por las compañías para intentar mitigar esos efectos a sus empleados acaban extendiendo el problema hasta áreas todavía mayores. La gentrificación no es un problema nuevo, desde luego, ni la tecnología por sí misma tiene la culpa, pero sirve para evidenciar ejemplos de desequilibrio entre progreso y bienestar.

El anunciado avance exponencial del desarrollo científico y tecnológico podría no ser garantía de mejora continua en el bienestar individual y colectivo, ni siquiera lineal, salvo que se compute en este epígrafe la satisfacción, cierta e indiscutible, por facilitar que millones de personas salgan de la pobreza en otras partes del mundo. Y sólo si se acepta un juego perverso, donde los países que dan dos pasos al frente del progreso gracias a la innovación, provocan que quienes estaban a la cabeza puedan dar sólo medio o ninguno, cediendo terreno a sus competidores y provocando que la mecánica de sus economías empiece a rechinar. Toca empezar a definir nuevos conceptos para la convivencia en las sociedades tecnológicas y globalizadas, donde la calidad de vida del conjunto de los ciudadanos del planeta sea reconocida expresamente como objetivo. Sociedades donde el desarrollo de unos miembros no implique la retracción de otros. La globalización del mercado y las tecnologías de la información pueden facilitar enormemente la ósmosis entre países, lo que habría de ser positivo para el conjunto. Las sociedades que se ponen al día con el siglo XXI mejorando sus niveles de bienestar, no tendrían que suponer una amenaza para quienes desacele-

---

145 El fenómeno denominado gentrificación hace referencia al desplazamiento de poblaciones con menos recursos de ciertas zonas urbanas ante la llegada progresiva de personas con mayores niveles adquisitivos.

ran su influencia en el mundo o pierden primacías que han persistido durante siglos. La mejora en las condiciones vitales de cientos de millones de personas hace que el mundo sea un lugar mejor para todos, y eso debería contar como objetivo de la especie.

Mientras los logros del progreso parecen caer siempre del mismo lado, aquella «mano invisible» de Adam Smith que habría de compensar los desequilibrios del mercado capitalista y ayudar a la redistribución de la riqueza, parece ser sólo un miembro fantasma, evolucionando quizá hacia un algoritmo invisible. La maximización del comercio y de sus beneficios imponen sus normas en buen grado, incluso en el intercambio de mercancías de primera necesidad, que queda sometido a mercados de futuro donde se especula sobre producciones venideras, con el objetivo de obtener réditos de capital en el presente. A costa de quienes necesitarán consumirlas llegado el momento. La economía es capaz tanto de generar recursos con productos que todavía no existen como hacerlo con productos de existencia ínfima, gestionados en operaciones que apenas duran milisegundos. No hay beneficio real o potencial que le sea ajeno. Mientras, la vida se hace penosa para quienes han de asegurar mes a mes, día a día, recursos para su subsistencia, peleando con el calendario. Los contrapesos sociales que habrían de facilitar la inversión de la riqueza generada por el progreso en bienestar colectivo parecen mal diseñados. Incluso si el juego económico acaba mejorando las condiciones esenciales de bienestar para el grueso de la humanidad, parece hacerlo al precio de generar mayores desigualdades entre individuos, lo que supone el engorde de una amenaza a la convivencia.

Debería resultarnos preocupante que las empresas sean capaces de obtener beneficios financieros elevados al mismo tiempo que reducen sus plantillas —a veces con mejora de su valoración en bolsa cuando lo hacen— o mantienen en plantilla un reducido número de empleados. Sobre todo, en el caso de las empresas tecnológicas ¿No es una señal alarmante del futuro que viene? La salud financiera y las perspectivas económicas de las empresas no parecen estar ligadas a sus planes de creación o destrucción de empleos, ni a la calidad de estos. Cualquier combinación en la oferta laboral es posible y todas parecen tener el potencial de lograr inmensos beneficios. Empresas innovadoras de éxito global con un número ínfimo de trabadores o con condiciones de empleo tan precarias como legalmente aceptables pueden situarse a la cabeza de negocios planetarios boyantes. Podríamos estar ante una nueva inconsistencia del sistema capitalista, otro punto de fuga del bienestar social. La búsqueda del beneficio individual como vehículo para la salud económica y el bienestar social globales, podría acabar con la mayor parte de los consumidores excluidos del sistema, si estos quedan sin recursos para ser partícipes del mismo. El fin del capitalismo podría acontecer por la vía de aniquilar al huésped que le procuraba su alimento y su protección, el ciudadano-consumidor. Como un depredador enloquecido que acaba con todas sus presas hasta arruinar sus posibilidades de supervivencia. Y en el proceso, el derrumbe del sistema podría llevarse por delante también los recursos del planeta. Mientras la economía se muestra resiliente, superando una y otra vez sus propias patologías, apoyándose en la innovación tecnológica, en la mejora continua de la productividad, en los mercados globales, etc. el empleo empieza a recorrer su vía crucis, sin saber cuándo y dónde llegará la etapa de crucifixión y sepultura. Sin empleos, sin salarios, sin una alternativa estructurada, los consumidores quedarán reducidos a muñecos de trapo para el capitalismo; su capacidad de participación económica se desvanecerá, provocando un colapso económico y social. Salvo que seamos capaces de revertir ciertas lógicas y tendencias que no tienen por qué ser insalvables.

Durante la época de posguerra tras la Segunda Guerra Mundial el modelo económico y productivo parecía haber logrado implantar mecanismos de contrapeso efectivos, con garantías de progreso y bienestar para todos que no eran incompatibles con la innovación tecnológica. Los empleos no faltaban, las condiciones laborales mejoraban de manera consistente, los salarios crecían permitiendo a esos trabajadores y a sus familias aspirar a su propia porción de prosperidad. El futuro para sus hijos y los hijos de éstos sólo podía imaginarse mejor, una línea recta que, cuando menos, mantenía su pendiente. Las empresas buscaban mano de obra estable que asegurase la producción con calidad y fiabilidad, y no dudaban en invertir en su formación o su satisfacción para conseguirlo, una inversión que se demostraba productiva. Pero el modelo se rompió en torno a los años 70, no se sabe a ciencia cierta porqué, aunque algunos analistas apuntan a la globalización y al inicio de era de la informática, esto es, a la automatización incipiente de ciertas tareas. Otros apuntan a que la lucha sindical, que no había dejado de obtener concesiones a sus demandas, sobrepasó ciertos límites lo que impulsó una marcha atrás en la disposición a negociar. Sea como fuere, la lucha por la productividad se intensificó, las máquinas entraron en cada vez más actividades y algunas producciones se expatriaron a lugares de bajo coste salarial gracias al mundo globalizado. El equilibrio, que era más precario de lo que parecía, se rompió, y muchos factores parecieron confabularse para ayudar en ese proceso.

La automatización de muchos procesos productivos no ha venido siendo el principal acusado de la degradación de las perspectivas en las condiciones laborales, no en el pasado al menos. Desde los tiempos de la Revolución Industrial, la mecanización de actividades había logrado reforzar la necesidad de la mano de obra, y había generado nuevas oportunidades laborales para una población siempre en aumento. La versión keynesiana de que todo el mundo tendría una buena vida en la década de 2030 —desde la perspectiva de 1930— se ha venido demostrando acertada, lo que no ha de soslayarse en cualquier consideración pesimista sobre el futuro. Su predicción se basaba en un crecimiento económico que habría de multiplicar unas ocho veces el tamaño de la economía en ese periodo. En el caso de los Estados Unidos, en 2015 el nivel de renta media per capita sería más de cinco veces el de 1930 y debería seguir aumentando. Sin embargo, su predicción de que la jornada de trabajo se situaría en 15 horas semanales no parece estar ni remotamente cerca de hacerse realidad, a falta de la década y pico que todavía nos quedar por transitar. Las preocupaciones de Keynes por lo que podría implicar esa importante cantidad de tiempo libre para las personas no parecerían haber estado justificadas. En la actualidad, las predicciones sobre el futuro del empleo, sobre las jornadas de trabajo necesarias para salir adelante o sobre la posible evolución de los salarios son más bien grises, cuando no negras como tizones. Todo depende, por supuesto, del tipo de empleo y las actividades involucradas, de las diversas regiones económicas del planeta y del cristal con que se miren esas perspectivas. Ciertas tendencias, sin embargo, han mostrado ser más o menos universales, e incluso en países como Suecia, modelo de construcción social equilibrado, la desigualdad económica ha crecido en los últimos tiempos[146]. Los desafíos del modelo económico reinante en el tiempo de construcción de una sociedad tecnológica parecen sugerir la necesidad de equilibrios entre capital y trabajo distintos, de nuevos modelos de propiedad de los bienes de producción, de asegurar el reparto de los beneficios producidos, de instaurar nuevas estrategias para asegurar la subsistencia. Sea lo que acabe siendo, habrá de ser un cambio importante para vencer los molinos que parecen gigantes desde la distancia, y que podrían acabar siéndolo. Cualquier acción para alterar las inercias del sistema resultará, por ello, altamente compleja e incierta, por lo que su activación también se hace improbable. Una trampa perfecta.

Pobreza remanente y desigualdad creciente siguen siendo sorprendentemente compatibles con la modernidad del siglo XXI, tras

---

146   https://www.thelocal.se/20170216/swedens-wealth-inequality-exposed-by-new-research

siglos de democracia y progreso social, lo que nos debería alertar sobre las limitaciones de la política para organizar la convivencia. Aunque la solución a buena parte de los desafíos del progreso se encontraría en la acción de los gobiernos, las soluciones coherentes a problemas de magnitud global y altamente complejos pueden encontrarse fuera de nuestro alcance. Quienes reciben buena parte de la riqueza y el bienestar, y quienes se benefician preferentemente del progreso, suelen tener acceso al juego de la influencia política, a las élites que están al mando de los controles del entramado social y administrativo. Estos agentes tienen, además, la capacidad de orientar las inversiones que se transformarán en unas innovaciones u otras. Destruir esas dependencias, para mayor desgracia, puede suponer todo tipo de desajustes en sistemas económicos sensibles en extremo a cualquier intervención regulatoria. Extraer la bala de la herida puede suponer perder la vida más rápido y con más probabilidad que dejarla donde quedó alojada y aprender a vivir con ella. No se trata de renunciar a socorrer la sociedad, sino de evitar producirle daños irreversibles mientras se intenta salvarla. El poder que ostenta la minoría enriquecida de cualquier sociedad del planeta ha marcado la dirección y sentido de buena parte de las políticas, también en las democracias, y sus raíces están profundamente embebidas en todo tipo de sustratos. Antes de perseguir mundos mejores tras peligrosas voladuras incontroladas (en formato de revoluciones sociales bienintencionadas) habremos de demostrar, fehacientemente, que esas soluciones tienen oportunidad de funcionar, en condiciones reales, y que no suponen riesgos peores. A la dificultad inherente de transformar las normas de convivencia se añade, por ello, la necesidad de probar que las medicinas no serán más dañinas que la propia enfermedad.

La política global va a tener que dilucidar entre opciones arriesgadas en las que se podría decidir el futuro de la humanidad; serán acciones formuladas, con gran probabilidad, de manera apresurada por urgencias sociales de todo tipo, intentando reemplazar complejas construcciones sociales de un día para otro. Antes de demostrar su eficacia, habrán de asegurar que no derriban el castillo de naipes que conforman los sistemas económicos de todas las sociedades avanzadas. Por una parte, las personas con talento para generar innovaciones, para poner en marcha negocios productivos, para promover oportunidades de desarrollo social y económico, han de tener las mejores opciones de hacerlo sin que su éxito colapse el bienestar colectivo. Por otra parte, los beneficios generados por su aptitud y esfuerzo han de retornar a la sociedad sin que la fórmula anule la motivación para perseguir sus sueños. Los estados han de evitar que los objetivos sociales se conviertan en un suicidio económico colectivo, en un difícil juego de equilibrios. Los negocios que hacen progresar la vida de billones de personas en el mundo no pueden ser sacrificados. Al mismo tiempo, los negocios que amenazan el bienestar de billones de personas han de ser abortados. De otro modo pasaremos de «el ganador se lo lleva todo» al «todos fueron perdedores» o «el ganador acabó llevándose nada». Tan aparentemente sencillo como fundamentalmente complejo.

Puede que no podamos asegurar los puestos de trabajo, artificialmente, una vez que máquinas y algoritmos capaces sean manifiestamente más competentes en la ejecución de todo tipo de tareas. Pero puede que esté a nuestro alcance restringir colectivamente ciertas tecnologías que representan una amenaza para el empleo, como ya hemos hecho respecto a aquellas que amenazaban la salud, la seguridad o la paz. Y, por supuesto, podríamos intentar muchas otras intervenciones sociales y políticas alternativas, dejando que el desarrollo tecnológico siga su libre albedrío (siempre con sus riesgos asociados). Algunas de las soluciones posibles podrían, además, trasportarnos al mejor de los mundos para la especie humana. De no hacer nada, corremos el riesgo de que la serie «desempleo creciente, salarios decrecientes, trabajadores pobres, miseria colectiva» en la sociedad de la opulencia siga echando raíces, generando todo tipo de conflictos sociales en un terreno abonado para ello. El progreso podría ser un camino al infierno. Ese averno tomaría la forma de un desempleo masivo y permanente en sociedades donde el trabajo fuera todavía la llave para la socialización y la subsistencia. Y donde la vida podría alargarse ad infinitum, no por condena divina sino por una nueva ciencia y tecnología capaces de revertir el envejecimiento. Al fin y al cabo, la inmortalidad es sólo cuestión de tiempo. La peligrosa combinación de un capitalismo con muchas grietas en sus cimientos, sacudido por la terrible energía de un desarrollo tecnológico acelerado acabaría en catástrofe. No tiene sentido no hacer nada, pero seguramente es lo que haremos.

Del mismo modo que sistemas de organización social y económica ancestrales como el feudalismo alcanzaron su tiempo de colapso, es posible que el capitalismo haya iniciado ese mismo proceso, puede que de manera irreversible. Si así fuera, las clases proletarias del mundo ya no tendrían que continuar su lucha secular para limitar la explotación del trabajador y la plusvalía de su trabajo, sino que el progreso tecnológico se encargaría de la implosión del sistema, incapaz de encontrar un nuevo truco para salir airoso en la sociedad tecnológica. El conjunto de parámetros económicos que nos resultan familiares en el discurso sobre el bienestar de las sociedades modernas: el factor trabajo, los salarios, el consumo, la productividad, etc. quedarían relegados a puras antiguallas, como lo son la renta feudal o el derecho de pernada. El fin del trabajo asalariado, del trabajo como medio de supervivencia, daría paso a todo un nuevo paradigma de relaciones sociales. El proletario ha muerto, ¡viva la máquina y el algoritmo capaz! El fin del capitalismo podría llegar de la mano del fin de la propiedad privada, del dinero tal como lo hemos conocido, de la competitividad, del consumo y el comercio como ejes de sostén económico. La gestión de la escasez como principio que mueve la economía, la respuesta a las necesidades y deseos que originaban los intercambios, el recurso a la banca y los banqueros que engrasaban el sistema, todo podría quedar en un estrato soterrado sobre el que se levantarían los cimientos de la nueva era. Y sólo nos asomaríamos a esas ruinas por curiosidad o erudición histórica. El futuro nos es desconocido, pero el presente ya nos propone monedas virtuales que nadie controla, fabricación de todo tipo de productos a domicilio, existencias en realidades imaginarias pero tangibles, mundos construidos con información como materia prima universal, bienes siempre accesibles que nunca serán nuestros, recursos materializados mediante la colaboración entre particulares, bancos de tiempo, inversiones solidarias, etc. Puede que sean señales de que se aproxima el fin de lo conocido y que todos los conceptos familiares empiezan a ser etiquetados como inservibles. Habría de ser urgente, por ello, estimular la concepción de una alternativa coherente y global para conformar un nuevo marco de convivencia social y económica adaptado a la sociedad tecnológica, sin confiar sólo en los remiendos.

SUPERPOBLACIÓN Y SUPERCONSUMO

A los temores por el desempleo tecnológico, la destrucción de recursos naturales, la desigualdad económica, etc. ha de unirse el ya clásico temor hacia una población de seres humanos que se multiplica sin remedio desde hace siglos. El desarrollo tecnológico que nos ha permitido encontrar el medio de saciar un mayor número de estómagos, nos ha llevado también a una presión demográfica de difícil manejo para los recursos de nuestro mundo. Thomas Malthus estableció, hace dos siglos, sus previsiones acerca de la población límite para el planeta, que se convirtieron en una referencia para el futuro, incluso cuando el progreso tecnológico los convirtió en papel mojado. Sus cálculos se basaron en una variable que se acabaría demostrando poco adecuada: la cantidad de estiércol que podía entrar en el ciclo productivo, asegurando la fertilidad de los campos de cultivo y, por tanto, la producción de alimentos. Hoy nos puede parecer cómico, pero, desde la perspectiva de su tiempo, esa relación estaba bien fundada.

No es evidente pronosticar el desenlace de las sociedades futuras. La tecnología y las revoluciones agrarias que vinieron en nuestra ayuda nos salvaron el trasero en esta y en tantas otras amenazas, permitiéndonos seguir cometiendo los mismos errores sin sanción aparente. Multiplicar la población parecía un problema abordable y a ello nos hemos dedicado sin mayor conciencia de sus posibles implicaciones. Ahora, los programas de extensión de la vida en los humanos, más allá de cualquier barrera conocida, que anuncian convertirse en realidad científica y tecnológica, podrían acabar dando el apriete final a la situación poblacional. Siempre más personas sobre el planeta, con vidas virtualmente indefinidas y con aptitudes manifiestamente negligentes, asemeja la fórmula perfecta para la catástrofe. Una población en aumento exponencial, además de más longeva, junto a un desplazamiento de trabajadores por parte de máquinas y algoritmos capaces, colocaría al grueso de las sociedades humanas a la espera de algún tipo de milagro para su supervivencia. La población creciente sólo es un parámetro positivo en tanto que factor estimulante de las economías capitalistas. Más población significa más consumidores, y estos representan el único modo de tapar las incongruencias de este sistema económico, la huida hacia delante.

En la lógica de producción capitalista, buena parte de los insumos no entran en el cálculo de costes de sus procesos, lo mismo que ocurre con la mayor parte de sus impactos nocivos en los recursos, el bienestar, etc. (también sería cierto para algunos beneficios intangibles no contabilizados por defecto). Frente a una previsión de evolución exponencial de la innovación, el desarrollo de nuevos productos o la implantación de nuevos procesos habría de ir de la mano de análisis coste-beneficio donde sus ventajas e inconvenientes fueran puestos en evidencia. Frente a situaciones de fragilidad en ciertos parámetros de salud ecológica, a la presión por ciertos recursos de alta demanda, a producciones multiplicadas gracias a la tecnología, debería ser una obligación ineludible justificar sistemáticamente las ventajas y riesgos presentes y futuros de cada propuesta tecnológica. Si somos capaces de evaluar, por ejemplo, la huella de carbono de cada actividad humana, también habremos de ser capaces de estimar el beneficio o coste neto de cada innovación, antes de que sea aceptada en sociedad de manera irreversible. Cada botella de plástico para comercializar agua envasada, por ejemplo, requiere para su producción unas seis veces su contenido en agua[147]; la irracionalidad de esta fórmula tendría que haber sido denunciada antes de convertirse en cotidiana. Su presencia en el mercado indica que algo no ha funcionado, pues su precio no ha incorporado los costes reales ni las externalidades negativas que origina. Los estados del bienestar son propensos al disparate consumista con ayuda de la tecnología.

En el pasado, la disponibilidad de un número creciente de ciudadanos era una necesidad en la lógica capitalista. Más ciudadanos se traducía en más oferta de mano de obra y en mayor número de consumidores, una dinámica que se autoalimentaba. La población creciente, sin embargo, se acomodaba con sorprendente flexibilidad, y su explosión no parecía ser un problema sino la oportunidad de impulsar el crecimiento económico a nuevas cotas. Aprovechar la explosiva demografía para reforzar la producción y el consumo a un ritmo frenético, sin volver la vista atrás. ¿Dónde estaba el problema? Si unos modelos han llegado incluso a anunciar el riesgo de colapso económico global de este tipo de crecimiento basado en el consumo creciente alrededor del año 2030[148], otros escenarios han mostrado que la estabilidad para este tipo de sistemas es perfectamente posible. Según las previsiones actuales, el número de habitantes en la Tierra podría alcanzar los 9 700 millones para mitad de este siglo y los 11 000 para finales del siglo XXI[149], lo que, con o sin colapso económico, representa un peligroso ultimátum a la especie que habita y consume desaforadamente recursos en este planeta. Los análisis son sólo modelos simplificados y previsiones estadísticas, pero, en todo caso, los riesgos de la superpoblación son parte del discurso social y político desde hace décadas. La automatización, además, viene a perturbar la mecánica estándar del modelo capitalista. La mayor población ya no puede consumir la mayor pro-

---

147 http://www.npr.org/sections/thesalt/2013/10/28/241419373/
how-much-water-actually-goes-into-making-a-bottle-of-water
148 El modelo descrito en el libro *The Limits to Growth* es una simulación por ordenador de un crecimiento económico exponencial y una población en aumento en un mundo con recursos finitos. El trabajo fue patrocinado por el Club de Roma y publicado en el año 1972. Sus autores fueron Donella H. Meadows, Dennis L. Meadows, Jørgen Randers, y William W. Behrens III.
149 https://esa.un.org/unpd/wpp/Publications/Files/Key_Findings_WPP_2015.pdf

ducción, al quedar impactada por la acción de máquinas y algoritmos capaces en sus empleos. El exceso de población en tiempos de automatización masiva se convierte en un peso muerto fatal para la salud económica de cualquier sociedad capitalista.

El planeta Tierra podría tener que enfrentar, en paralelo, un excedente de seres humanos que aspiran a alcanzar cotas de consumo y bienestar siempre mayores, junto a un déficit de consumidores con recursos para mantener la economía en movimiento, evitando la ruina. Encontrar una solución que sea moralmente aceptable (por lo que atañe a los deseos personales de descendencia), socialmente asumible (respecto a la sostenibilidad de los procesos productivos), y económicamente viable, es un reto descomunal. En el pasado, los conflictos, las pandemias o las guerras diezmaron las poblaciones imponiendo puntos de inflexión en su crecimiento. Los periodos de posguerra fueron, además, tiempos de recuperación económica y de aumento del consumo en la mayoría de sociedades avanzadas, tanto en el bando de los ganadores como en el de los castigados. La cooperación política, los avances científicos y tecnológicos, el desarrollo de la medicina, la generalización del estado del bienestar, el fin de la guerra fría —al menos en su expresión más directa—, etc. han reducido aquellos eventos que exterminaban parte de las poblaciones sobre el planeta.

Cuando el progreso alcance el sueño de la reversibilidad del envejecimiento (alargar la esperanza de vida al menos un año cada año en lugar de unos pocos meses, como ya ocurre en la actualidad), cuando seamos capaces de vencer una serie de enfermedades mortales, cuando las máquinas sustituyan a los soldados en los frentes de batalla y los algoritmos a los conductores en sus vehículos, por citar unos pocos ejemplos, la muerte natural y accidental serán hechos extraños. La población humana, además, podría alcanzar sus previsiones de máximos, según algunos modelos, cuando el progreso tecnológico exponencial haga realidad máquinas y algoritmos auténticamente capaces. La singularidad, ese instante en el que las máquinas serán más inteligentes que el hombre, podría encontrar a la especie peleando por recursos insuficientes mientras genera impactos intolerables. Es inquietante pensar que en esos momentos de conflicto social latente el desarrollo científico-tecnológico podrá ofrecer a los dirigentes del mundo todo tipo de soluciones reservadas, hasta entonces, a los géneros de la ciencia ficción y del terror.

Hasta que la reversión del envejecimiento se alcance de manera óptima y universal, las sociedades habrán de hacer frente al desafío añadido, y no banal, de dar soporte vital a poblaciones envejecidas. El número de personas mayores de más de 60 años se ha más que triplicado desde 1950, y se volverá a triplicar en los siguientes 50 años, lo que podría hacerle alcanzar los dos billones en 2050[150].

En sociedades con desplazamiento de empleos por el desarrollo tecnológico, personas de todas las edades sufrirán una presión constante para ser reemplazados por personas más flexibles, mejor preparadas, más adaptables. Las expectativas laborales de las personas de más edad se esfumarán como volutas de humo, en un mercado con oferta de mano de obra —humana y autómata— extremadamente abundante. No es la única mala noticia para este colectivo. Se calcula que, para el año 2050, más de ciento treinta millones de personas en el mundo podrían sufrir demencia, desde los más de 46 millones actuales[151]. Sea cual sea el origen de esta epidemia su gestión podría tener que recurrir a autómatas, seguramente de bajo coste. Si el aumento de la población a nivel global es un problema peliagudo para la estabilidad de las sociedades humanas, la baja natalidad de tantos países industrializados es la otra cara de la moneda. Mientras los estímulos a la descendencia o la inmigración intentan convertirse en la solución, es probable que una oferta de máquinas y algoritmos capaces venga a paliar el problema. Las máquinas no tendrán problema para replicarse a demanda hasta cubrir cualesquiera necesidades.

EMPLEOS, DIGNIDAD Y PRECARIEDAD

El empleo era, hasta hace poco tiempo, una carrera de fondo con obstáculos puntuales, un recorrido vital con reglas definidas y expectativas que podían cumplirse con cierta probabilidad. En la sociedad contemporánea, sin embargo, el empleo empieza a convertirse en una actividad de orientación, dónde sólo unos iniciados parecen capaces de alcanzar la meta. El resto anda montaña arriba y montaña abajo, maldiciendo y gastando sus energías en el empeño,

---

150 http://www.un.org/esa/population/publications/worldageing19502050/pdf/80chapterii.pdf

151 http://www.b3cnewswire.com/201603011349/new-understanding-of-the-mechanism-of-neurodegeneration-leads-to-a-novel-approach-to-treatment-for-alzheimers-disease.html

sin rumbo definido, esperando dar con algún indicio que les indique el recorrido, de manera casi mágica. Mientras lo logran, se dedican a sobrevivir con lo que encuentran a su alrededor, apenas unas bayas y unas semillas que a veces alteran sus estómagos hasta las náuseas. Más allá de símiles más o menos oportunos, los trabajos asalariados y las vidas organizadas en torno a ellos se han ido convirtiendo en rutinas malsanas para muchas personas, individuos pluripotenciales de la especie más inteligente sobre el planeta. Lo hemos expresado en todo tipo de simpáticas locuciones. *Métro, boulot, dodo,* por ejemplo, en su versión francesa, para describir vidas que transcurren en aburridas rutinas: tomar el metro para ir a trabajar, trabajar, y regresar del trabajo para dormir. Ocho horas al día, al menos cinco días a la semana, mes a mes, año a año hasta que uno sea incapaz de hacerse cargo de su rutina y seguir siendo «productivo».

Según la encuesta norteamericana de satisfacción en el trabajo, menos de la mitad de los trabajadores se sentirían satisfechos con sus empleos, cifra que se repite de manera consistente desde hace varios años[152] (otros países, como Dinamarca, sin embargo, tienen porcentajes bastante mejores, con un 94% de trabajadores conformes con sus empleos[153]). El descontento generalizado con las formas de ganarse la vida parece ser el sino de los tiempos para muchos ciudadanos de los primeros mundos. Las razones son diversas, pero puede que el progreso científico y tecnológico tenga, al menos, parte de la culpa, al haber ido creando procesos productivos y tareas diseñados cada vez menos a la medida humana y más pensando en las necesidades de una producción altamente eficiente mediante máquinas y algoritmos. Los trabajadores humanos no sólo acaban rodeados de todo tipo de tecnologías bajo la premisa de servirles de ayuda y facilitarles su trabajo, sino que se encuentran gestionados como si fueran ellos mismos un mecanismo más de esas cadenas productivas. La dimensión humana que una vez hubo en todo tipo de empleo se ha ido extinguiendo y los espacios se diseñan pensando en las necesidades tecnológicas específicas, para considerar el lugar de las personas a posteriori. Esas mismas máquinas, además, se hacen más y más capaces de manera vertiginosa, lo que produce mayor desazón en los empleados humanos que se van sintiendo paulatinamente como meras comparsas de eficientes dispositivos tecnológicos. El futuro nos promete, ahora, un número tendente a infinito de esas máquinas, con capacidades inauditas, sin que su operación necesite

---

152   https://www.conference-board.org/publications/publicationdetail.
cfm?publicationid=2785
153   http://europa.eu/rapid/press-release_IP-14-467_en.htm

siquiera de instrucciones por parte de un operador humano. Desde la perspectiva que nos es familiar, parece difícil seguir siendo humanos en una sociedad tecnológica que puede resultarnos impenetrable, donde nuestro esfuerzo y capacidades sirvan de poco, o nada, para que el mundo funcione, de algún modo misterioso, bajo el control de una nueva categoría de individuos.

Aunque el desempleo tecnológico se presente como una amenaza para muchos trabajadores, la transferencia de obligaciones laborales a máquinas y algoritmos capaces es considerada por otros como un sueño, una súplica cotidiana finalmente atendida por los dioses. Esas rutinas a las que se sienten encadenados no les aportan sino un salario, a cambio de importantes dosis de frustración y pesadumbre para sus espíritus. Verse privados de esas ocupaciones por máquinas y algoritmos ignorantes del significado de esos términos por diseño no parece una opción mala en exceso. El desempleo tecnológico masivo provocado por el progreso podría por ello ser la liberación esencial de la especie. Toda la interminable colección de tareas rutinarias, desprovistas de significado tras haber sido troceadas en pro de la eficacia de los procesos y bajo el impulso de la especialización llevada al extremo, no será añorada. Para estos trabajadores, cualquier tiempo pasado fue mejor en lo que respecta al significado del trabajo. En el tiempo de sus padres, de sus abuelos, de los abuelos de éstos, existía un grado de conciencia sobre la utilidad del trabajo y la importancia del mismo que hoy habría desaparecido. Esas generaciones pasadas se ocupaban de tareas que mantenían un significado inteligible, un propósito evidente, antes de desaparecer en series interminable de minúsculas e incomprensibles microtareas.

Con el tiempo, el trabajo parecería haber perdido dignidad, humanidad, a pesar de ambientes de opresión, de carencias o miserias en épocas pasadas. De manera añadida, si las generaciones precedentes pudieron contar con oportunidades de empleo, nuestros hijos podrían contar únicamente con una cierta probabilidad de ganarse la vida, esfumándose sin remedio. Los hijos de éstos, a su vez, habrán perdido incluso esa probabilidad, reducida asintóticamente hacia la nada, para tener que confiar ciegamente en máquinas bondadosas y generosas que atiendan sus necesidades. Esas máquinas se ocuparán, por extensión, de los desaguisados provocados por generaciones de humanos egoístas, que jugaron con la salud del planeta y no dejaron de buscar fortuna por encima de todo. Siempre que esos problemas no se conviertan en nuestra despedida anticipada antes de que los autómatas soporten el peso del mundo sobre sus hombros. Las razones para la catástrofe podrían ser de variada naturaleza. La consultora Standard & Poor's, por ejemplo, ha llegado a pronosticar que, para el año 2060, en torno al 60% de los países del mundo estará en bancarrota[154]. Y ni siquiera han tenido en cuenta los efectos del desempleo tecnológico, sino la espiral de acumulación de deuda de la mayor parte de los gobiernos, una forma más de hacer saltar por los aires la estabilidad económica y la paz social en el planeta Tierra.

Independientemente de las previsiones a futuro, muchos trabajadores sufren ya en propia carne algunas de las tendencias que parecen asociarse con la sociedad tecnológica. Estas personas se ven forzadas a una búsqueda permanente de empleo, no tanto para emplearse —muchos tienen trabajo— sino para adelantarse a la amenaza de desempleo, siempre latente, para aspirar a lograr una ocupación que les satisfaga o para complementar unos salarios insuficientes. Los trabajadores empiezan a familiarizarse, por ejemplo, con la noción de los microempleos, series de pequeñas actividades que han de encadenarse para asegurar una subsistencia mínima. La plataforma de contratación «*Mechanical Turk*» de Amazon es un avance del futuro laboral que viene en un planeta globalizado y tecnologizado. La reducción de cualquier trabajo a una secuencia de actividades elementales permitirá que éstas puedan ser subastadas al mejor postor, sea humano o máquina, para luego reconstituir todas las piezas en un resultado coherente. Serán bolsas de trabajos fáciles-difíciles, simples tareas para un humano o autómata poco sofisticado, pero con la complejidad de una brutal competencia tanto cualitativa como cuantitativa. Los trabajadores desplazados de sus empleos por otras máquinas y algoritmos podrían acabar vendiendo su tiempo al mejor postor en una carrera hacia el precipicio. Un caldo de cultivo perfecto para la explotación sin fronteras de trabajadores en la sociedad pretecnológica, atrapados en una incertidumbre absoluta y con perspectivas siempre grises. El hecho de trocear cualquier trabajo en series infinitas de tareas simples facilitará no sólo la lucha de millones de trabajadores en una subasta global sino un trampolín para que máquinas y algoritmos capaces se apropien de cualquier actividad remunerada. Los propios algoritmos se encargarán de trocear cada tarea compleja de modo que sea más conveniente a sus aptitudes; ya se sabe que quien reparte se lleva la mejor parte. Aunque sus habilidades generales disten todavía de ser excepcionales, el picado fino del alimento les permitirá absorber nutrientes aun sin tener estómago, como seres vivos unicelulares. Los ciudadanos del mundo, mientras tanto, harán cola en las plataformas de empleo

---

154 http://www.rawstory.com/2010/10/sp-60-countries-bankrupt-50-years/

online, como braceros y peones en fila a la espera de un capataz voluntarioso, con oferta de empleo para la jornada. Una subasta universal de trabajadores que se etiquetará pomposamente como economía a demanda, economía del milenio o trabajo 3.0.

Conforme avance la automatización, ciertas tareas podrán presentarse como refugios laborales para muchas personas, pero sólo mientras su ejecución sea adaptada para nuevas versiones de máquinas y algoritmos. ¿A qué conducirá esa continua búsqueda de amparo una vez nos sabremos incompetentes de manera generalizada? Una vez que los autómatas superen ciertas deficiencias se abrirán las puertas para su contratación expansiva, y los refugios laborales serán como oasis en un desierto. Es probable que generemos muchos nuevos ámbitos de empleo, pero también lo será que acaben copados por más máquinas porque hayan sido pensados desde el inicio para ser gestionados por manos ajenas a las humanas. Incluso si no fuera el caso, esos empleos podrían evidenciarse como modos de ganarse la vida precariamente, bajo la constante amenaza de ser realizados de modo mucho más eficiente por un autómata o mediante el recurso a una enorme oferta de mano de obra resueltamente voluntariosa. La huida no parece la mejor estrategia si el depredador va a ser siempre más rápido que cualquiera de sus presas.

En la transición hacia la sociedad de máquinas y algoritmos capaces es más que probable que los empleos sólo puedan ser retenidos por las personas durante un breve lapso de tiempo. Los trabajadores humanos tendrán que identificar resquicios de actividad remunerada en el nuevo paradigma. Un drama insospechado para las sociedades de países desarrollados, estructuradas en torno al consumo posibilitado por ingresos estables y crecientes, y una tragedia para casi la mitad del planeta donde se ha de vivir con menos de dos dólares y medio al día, siempre que vengan asegurados. Las sociedades avanzadas podrían tornarse en espacios de convivencia laboral y social precaria, haciendo realidad cualquiera de las tramas recurrentes de futuros distópicos. Cuando nos preguntemos cómo hemos llegado a esa situación, miraremos al pasado y veremos cómo el desarrollo de herramientas, la multiplicación del conocimiento, la especialización de tareas y tantas otras cuestiones en principio asépticas, conformaban, en realidad, una lógica pertinaz que conducía a un reino de máquinas y algoritmos capaces. No hay, seguramente, ni otro camino posible ni otro destino diferente.

Si la precariedad y la competencia extrema por los empleos podrían ser características del ecosistema laboral de la sociedad tecnológica, la buena noticia es que muchas tareas tediosas para el hombre irán pasando al baúl de la historia. Según los autores Erik Brynjolfsson y Andrew McAfee, el 11% de los trabajos rutinarios habrían desaparecido en el periodo comprendido entre los años 2001 y 2011[155], un fenómeno que ya venía sucediendo desde el final del siglo pasado. El precio a pagar, como ya se ha dicho, es que el mismo arrastre que las hará desaparecer se llevará por delante otras que sí nos interesaban. Y que, de no mediar solución adecuada, acabaremos luchando por cualquier tarea que nos provea un ingreso, aceptando de buen grado lo que pensamos habíamos esquivado para siempre. Quizá somos demasiado optimistas asumiendo que los trabajos rutinarios (físicos o intelectuales) serán asumidos por máquinas y algoritmos, de manera generalizada, y que lo serán para siempre. Puede que no sea tan fácil desprenderse de nuestra condición de simios, ni de los trabajos de monos que nos apremian.

No todo el mundo detestará la idea de emplear a seres humanos en trabajos que podrían hacer los monos ("monkey jobs"). Esos trabajos consiguen comprar tiempo de subsistencia, y ese tiempo puede ser canjeado por acceso a experiencias más acordes con las mejores capacidades humanas, aun si en la práctica no acabe siendo la tendencia mayoritaria. Las personas dejaron de acudir a lavaderos comunales para restregar la ropa a mano en pilas domésticas, o en lavadoras automáticas cuando se popularizaron estos electrodomésticos, por ejemplo. También dejamos de moler a mano los cereales o el café, de bombear el agua hasta el punto de consumo, de ordeñar las vacas con las manos, y todo eso gracias a la tecnología. Dejamos atrás toda una serie de actividades que podrían haber sido desempeñadas por monos entrenados. Y, en buena lógica, deberíamos de haber ganado tiempo útil, de calidad, para desarrollar nuestras competencias humanas. Pero un rápido repaso a las actividades cotidianas nos dará la prueba de que, al final, sólo cambiamos unas actividades de monos por otras. O incluso peor. En el caso de los lavaderos comunales, por ejemplo, el monótono trabajo se acompañaba de tiempo de conversación, una actividad imposible para los monos. El tiempo ahorrado nos serviría hoy para permanecer sentados frente a programas de entretenimiento letárgicos mientras la lavadora hace su trabajo, una estrategia que podría ser perfectamente imitada por nuestros ancestros primates. No parece que hayamos destinado el tiempo redimido a tareas dignas de nuestra condición de especie en la cúspide de la evolución. ¿Qué tipo de progreso hemos facilitado? Primero dejamos de lado nuestra con-

---

155   http://www.lh-inc.ca/11-icelandic-paper/518-back-to-the-future

dición de agentes cazadores-recolectores para echar raíces como agricultores, uniendo nuestros destinos a un pedazo de tierra. Fue un cambio a una existencia más sosegada, menos azarosa, a pesar de estar expuesta a todo tipo de factores externos incontrolables, y de exigir esfuerzos importantes. Los monos podían cazar y recolectar, pero no eran capaces de plantar maíz, lo que parecía reforzaba nuestro estatus de especie privilegiada. Desde los tiempos de la agricultura y la ganadería el progreso nos ha hecho recorrer un camino que ha terminado con muchas personas trabajando en tareas que, de nuevo, parecen ser simples rutinas, aptas para cerebros menos complejos que los de un ser humano. Buena parte de las actividades laborales han perdido su significado, consistiendo en intervenciones en procesos de los que se ignora casi todo, que tienen una dimensión inabordable para un individuo. Hemos llegado, incluso, a añorar los tiempos donde el campesino abría surcos en la tierra doblando el espinazo para plantar las semillas de cada cosecha o cuidaba de rebaños noche y día, compartiendo con ellos refugio y comida. Los trabajos de oficina nos parecen cómodas y avanzadas torturas en comparación con esos trabajos que comprendíamos y tenían la medida de lo humano.

Mientras debatimos la conveniencia de emplear vidas laborales en trabajos sin significado, por la pura necesidad de sobrevivir, las máquinas y algoritmos capaces van terminando con nuestras disquisiciones ocupando con tesón todos esos empleos. En el proceso de transición, las oportunidades remanentes para ganarse la vida podrían reducirse a cuidar de los autómatas que se ocupan de aquellos trabajos de mono que les fueron cedidos o que tomaron por la fuerza de la competencia. Toda una sacudida para las conciencias de los individuos del tercer milenio. A lo que hay que sumar la precariedad anunciada para buena parte de los empleos de nueva cuña o con nuevo formato. La lógica de quienes hoy se emplean, por ejemplo, atendiendo y cuidando de personas mayores, enfermos, niños o en tareas de mantenimiento y limpieza de domicilios podría resquebrajarse. Frente a la necesidad de asegurar un salario suficiente, esas ocupaciones podrían no quedar del lado de las personas, que habrían de atender preferentemente las necesidades de máquinas altamente productivas. En un entorno de precariedad, los salarios recibidos por las personas que cuidan de otras personas podrían quedar por debajo del umbral de las necesidades más elementales, una vez la oferta de asistentes autómatas se hiciera universal y altamente competitiva. Por el contrario, atender las necesidades de las máquinas y algoritmos ocupados en mantener operativa toda la infraestructura del planeta sería una prioridad, y vendría reconocida con salarios más generosos.

La incorporación de más máquinas y algoritmos en todo tipo de ocupaciones tiene el evidente efecto de desplazamiento de tareas antes ocupadas por trabajadores humanos, pero también el efecto de banalización de esas tareas. Lo que ya puede hacer una máquina tiene poco valor cuando lo hace un individuo salvo, justamente, cuando se resalta el valor de la participación humana como en el trabajo artesano. Si un hombre podía ganarse la vida arando los campos hoy ese salario se ha perdido, pues un tractor consigue hacerlo de manera infinitamente más productiva. El salario de quien conduce el tractor remplaza el de muchos jornaleros. Cuando el fenómeno se hace extensivo, muchos trabajadores están disponibles para cubrir la demanda de ciertos tipos de trabajos, todavía no ocupados por las máquinas, lo que no es positivo para la oferta de salarios. El fenómeno de los trabajadores pobres (*working poor*), esto es, aquellas personas que, aun trabajando, permanecen por debajo del umbral de la pobreza, es un asunto real y actual, y debería ponernos en guardia. En palabras del escritor Charles Bukowski, la condición de esclavitud no se habría abolido en realidad, sino que sólo se habría extendido para incluir a todos los colores de piel. Se habría dado paso así, según el escritor, a una progresiva disminución de humanidad:

> *And what hurts is the steadily diminishing humanity of those fighting to hold jobs they don't want but fear the alternative worse. People simply empty out. They are bodies with fearful and obedient minds. The color leaves the eye. The voice becomes ugly. And the body. The hair. The fingernails. The shoes. Everything does.*

[Y lo que duele es la progresiva disminución de humanidad en aquellos que luchan por mantener empleos que no quieren, pero cuya alternativa temen podría ser peor. La gente simplemente se vacía. Son cuerpos con mentes obedientes y temerosas. El color abandona sus ojos. La voz se vuelve fea. Y el cuerpo. El pelo. Las uñas. Los zapatos. Todo].

Aunque el fenómeno de los trabajadores pobres parecía un asunto únicamente de ciertos mercados de trabajo, hoy es ya realidad extendida en muchos países desarrollados, lo que habría sido inadmisible tanto política como socialmente hasta hace poco tiempo. Según el Observatorio Europeo de Relaciones Industriales, a finales de 2003 el 8% de los trabajadores de la Unión (y el 9% de los trabajadores del Reino de España) debían considerarse como pobres porque carecían de los ingresos necesarios para poder vivir dignamente. Puesto que los sistemas de salud o pensiones públicas se basan en las cotizaciones detraídas de los salarios de cada trabajador, conforme estos salarios se ajustan a la baja, el bienestar de todos los ciudadanos amenaza con contraerse del mismo modo. Las fórmulas de convivencia podrían necesitar un urgente repaso.

Si la tendencia se hace firme, los más afortunados podrán asegurar un trabajo decente, con significado y con un salario digno, mientras la mayoría quedará al azar de vientos laborales huracanados donde los puertos para refugiarse no figuran en las cartas de navegación conocidas. Este escenario no es sólo una amenaza teórica para un futuro incierto, sino que ya promueve discusiones por parte de quienes se ocupan del bienestar de las sociedades. Durante la Asamblea General de las Naciones Unidas en septiembre de 2015, el trabajo decente se estableció como un elemento central de la Agenda 2030 de Desarrollo Sostenible. Es cierto que podrían pasar años antes de que haya un consenso entre una mayoría de esos países sobre qué se entiende hoy como trabajo decente, y una eternidad hasta que se puedan acordar las condiciones para el nuevo paradigma tecnológico. Pero, el problema ha sido reconocido y no es un concepto teórico distópico. En ese proceso habremos de establecer respuestas a un sinfín de preguntas comprometidas sobre lo que puede ser considerado un empleo decente: ¿trabajar a las órdenes de una máquina?; ¿realizar tareas que puedan ejecutar las máquinas más toscas?; ¿competir con máquinas y algoritmos capaces sin discriminación positiva para los humanos?; etc. Si llegamos a la conclusión de que sólo serán dignos aquellos empleos que no denigren la condición humana en ningún modo, puede que tengamos que declarar el fin del empleo remunerado o denunciar el progreso tecnológico. Habrá que estar vigilantes antes las ofertas de trabajo para establecer si son empleos mínimamente decorosos o sólo despojos de tareas que los autómatas, o los monos, no quisieron o no pueden todavía realizar.

Mientras llegan o no las relaciones laborales distópicas en la sociedad tecnológica, la población trabajadora tendrá, en todo caso, que someterse a la dictadura de la flexibilidad si se quiere estar en consonancia con el mercado. Las condiciones de competencia laboral exigirán a todos los trabajadores una disposición firme a la reconversión permanente, de manera literal. Esa metamorfosis, aun resultando penosa, será el pasaporte para acceder a tareas todavía no entregadas u ocupadas por las máquinas. La capacitación habrá de ser exprés, siempre apresurada, evitando la formación a la antigua usanza que se revelará siempre como inversión ruinosa en el tiempo del progreso acelerado. La tecnología cambiará las condiciones de contorno demasiado deprisa, haciendo posible cada mañana lo que las máquinas no podían realizar la noche anterior. El frenesí de la automatización no hará sino empujar a los trabajadores a un proceso desquiciado de conciliación, en el que las expectativas de bienestar irán rebajándose como resultado. Millones de desplazados laborales quedarán con exiguas posibilidades de obtener un salario, porque sus habilidades y conocimientos serán del dominio público tecnológico. Toda la ingente cantidad de datos que producimos como si no hubiera un mañana (el 90% de toda la información existente en 2013 se habría creado en los dos años precedentes[156]) es una proteína excelente para el rápido desarrollo de tecnología que permita la automatización acelerada de tareas. Esos datos contienen conocimientos encapsulados, inabordables para el cerebro humano, pero altamente nutritivos para los conglomerados de pseudoneuronas sintéticas. Lo que hacemos, cómo y cuándo lo hacemos, está transcrito en nuestros datos, listo para ser extraído y replicado sin límites.

La insatisfacción podría ser una patología extendida incluso entre quienes consigan mantener uno o varios empleos en la sociedad tecnológica. Su actividad remunerada será posible, en la mayoría de los casos, gracias a algún efecto inesperado que habrá postergado la automatización de la misma. La continua reducción de costes y el progresivo aumento de capacidades jugarán siempre a favor de máquinas y algoritmos, y sólo los desajustes transitorios permitirán la existencia de áreas de empleo refugio. A esta categoría de empleos se podrán añadir empleos protegidos específicamente por los gobiernos, o aquellos servicios que una cohorte de humanos afortunados querrá que sean asegurados por otros congéneres en lugar de por autómatas, como símbolo de estatus y prestigio. La mayoría de ciudadanos, sin embargo, podrían acabar necesitando la asistencia de emergencia. Y puede que esa asistencia sea vehiculada mediante ejércitos de máquinas y algoritmos, normalmente de sus versiones menos sofisticadas, descartadas para otras labores más productivas. Tanto los trabajadores en empleos refugio como los desempleados acogidos a programas de subsistencia conformarán una masa social con restricciones al consumo de la tecnología avanzada, aquella que definirá la especie en el tercer milenio. Los parias de la sociedad de opulencia y progreso a raudales coexistirán con las éli-

156 https://www.sintef.no/en/publications/publication/?pubid=cristin+1031676

tes del nuevo paradigma que capitalizarán en sus manos los beneficios de las tecnologías disruptivas. Dos mundos en uno. Sus fortunas serán como gruesas placas arteriales que bloquean el flujo sanguíneo; el flujo económico y de bienestar en el caso de la sociedad. Puesto que su tranquilidad nunca podrá estar consolidada, impulsarán con vehemencia todas aquellas tecnologías que permitan el control social de la ciudadanía en su beneficio. Lo que, a su vez, generará todo tipo de fuerzas de reacción a sus directrices. El conjunto de la sociedad podría quedar, por ello, muy expuesto a todo tipo de corrientes, como banderolas al viento, sean en forma de ideas políticas, de temores al futuro, de promesas o proclamas revolucionarias. Los grupos que ostenten el poder (el poder tecnológico fundamentalmente) emplearán sus recursos en anticipar las acciones de los ciudadanos, según los datos acumulados sobre los mismos y los análisis de probabilidades. Nada de lo que ocurra podría acabar siendo realmente inesperado por ello, haciendo del control social un éxito absoluto.

Hay una fuerza tranquila pero constante que va demoliendo construcciones y consensos sobre lo socialmente admisible en las relaciones laborales, a veces en nombre del progreso. Ese progreso parece exigir la pérdida de significado de muchas ocupaciones, la merma de ciertas dimensiones humanas en favor de máquinas y algoritmos, la renuncia a salarios que permitían el bienestar presente y perspectivas de mejor bienestar futuro, etc. ¿Por qué el progreso parece llevarse bien con los contratos de cero horas, con la precariedad, con la desigualdad económica, con la reducción de expectativas de futuro para una mayoría de ciudadanos? Las empresas parecen sentir la necesidad de despedir a sus trabajadores para contratarlos al siguiente instante bajo acuerdos que no tengan apenas obligaciones para aquellas: «ya le llamaremos cuando nos haga falta, en su caso, manténganse atento y a la espera». Al trabajador se le exige ahora constituirse en empresario, atender él mismo sus necesidades y exigencias, mantener una relación de dependencia extrema frente a quienes pueden requerir sus servicios. ¿Sería esto sólo el principio de algo mucho más grande? El progreso exige eficiencia, flexibilidad, productividad, lo que parece traducirse en el despido de empleados y el recurso a trabajadores a demanda. Todo ello a la espera de la llegada masiva de máquinas y algoritmos capaces que exacerbarán las pretensiones en un mercado laboral de competencia desbordada. Según la organización *Freelancers Union (sindicato de profesionales por cuenta propia)*, uno de cada tres miembros de la fuerza de trabajo norteamericana realiza algún tipo de trabajo por su cuenta en la actualidad. Hay que lograr redondear los salarios.

Y la proporción es todavía mayor en las personas más jóvenes. Es la modernidad más moderna, el «postrabajo» del siglo XXI, las relaciones líquidas sino gaseosas, la precariedad adornada con series de televisión a gogó.

Si las empresas ya dan ejemplos de lo que desean respecto a los contratos de sus trabajadores, tampoco esconden lo que esperan de la tecnología. El director ejecutivo de la empresa taiwanesa Foxconn, Terry Gou, el mayor fabricante de móviles del mundo y proveedor de compañías como Apple y Samsung dijo en 2015 que en tres años la empresa tenía el objetivo de utilizar autómatas para llevar a cabo el 70% del trabajo en sus líneas de montaje. Y no eran solo palabras, en una de sus trece fábricas llegó a reemplazar a sesenta mil empleados por robots, pasando de ciento diez mil a cincuenta mil trabajadores[157]. Aunque la empresa tenía planes de reconvertir a parte de sus trabajadores para capacitarlos en tareas más complejas y menos rutinarias, ahora asumidas por robots, no parece probable que el grueso de los trabajadores desplazados sea empleado de nuevo. Tampoco es probable que el ritmo de desplazamiento de trabajadores por autómatas sea el pronosticado finalmente, pero sirve de alarma sobre lo que puede ser tendencia en muchas compañías tecnológicas. El caso de esta empresa no es un caso aislado sino la punta de un iceberg que va emergiendo a la superficie.

Las personas que crecieron bajo el paradigma de estudiar, formarse y trabajar con denuedo para conseguir y mantener el empleo habrán de someterse ahora a un mercado laboral que se convierte en una caja de sorpresas, donde las lógicas serán difusas. La formación o el esfuerzo personal podrán seguir teniendo su relevancia, pero serán sólo condiciones necesarias nunca suficientes para acceder al empleo. La historia parece empujarnos hacia una encrucijada donde habremos de decidir entre progreso o supervivencia. Las decisiones que impulsarán el progreso de manera acelerada generarán, en paralelo, condiciones de pobreza y precariedad a cientos de millones de personas sine die. Los gobiernos del mundo tendrán que improvisar todo tipo de estrategias para contener las explosiones de cólera ciudadana, que estarán siempre en estado latente. Las soluciones precipitadas serán, probablemente, incapaces de encauzar la nueva realidad, mucho menos de dominarla, a lo sumo acomodarla penosamente. Los ciudadanos ni siquiera contarán con opciones tradicionales para obtener un salario como alistarse en el ejército, someterse a experimentos con fármacos en desarrollo,

---

157 http://www.businessinsider.com/factory-reduces-workforce-from-110000-to-50000-thanks-to-robots-2016-5

o convertirse en trabajadores del sexo. Las tropas de robots capaces, todopoderosos y resilientes, de auténtica sangre fría, desbancarán a los frágiles soldados humanos capaces de romperse por mil costados. Esas tropas autómatas podrán, además, ser monitorizadas y controladas desde una cómoda sala de control, remotamente, sin exponerse a balas o explosiones. Y también serán autómatas o algoritmos de realidad virtual quienes atiendan las solicitudes de pruebas médicas o sexo de pago. Puede que los trabajadores desempleados acaben siendo contratados por sus gobiernos para rellenar agujeros que luego habrán de volver a perforar, en un bucle infinito según propuesta keynesiana (para enfatizar la importancia de que los gobiernos interviniesen en situaciones de recesión económica). El siglo XXI podrá sugerir versiones más sofisticadas de la misma idea, como secuencias en bucle de tareas para descontaminar lo que contaminamos, para recuperar los recursos que degradamos sin pausa, o para hacer compañía a otros humanos.

Es posible también que la forma de contemplar el mundo deje de ser antropocéntrica más pronto que tarde, y todas estas disquisiciones no tengan el más mínimo sentido. Los humanos podrían quedar convertidos en simples herramientas biológicas para máquinas y algoritmos, si logramos ser útiles para ello en su propia lógica productiva. Los humanos habrían dejado de ser una especie autónoma, para convertirse en la casta de hombres-herramienta, al servicio de una especie inteligente que les dispensa el privilegio de su continuidad sobre el planeta, a pesar de su falta de aptitudes.

CRECIMIENTO Y PRODUCTIVIDAD O EMPLEO

A pesar de que las tendencias en lo referente a la desigualdad económica, los salarios y la disponibilidad de empleos no parecen prometer nada bueno, una parte considerable del *establishment* político, económico e intelectual no tiene reparos en aseverar que la situación corresponde, únicamente, a desajustes temporales. Más y mejor tecnología han sido y serán sinónimos de mayor productividad; esa productividad será estímulo para un mayor crecimiento económico y el crecimiento acabará traduciéndose en más empleos, con tareas de dimensión más humana también. El discurso optimista es, sin duda, bienvenido por el sector de la humanidad más preocupado por cambios de paradigma radicales que, una vez iniciados, pueden concluir de cualquier modo inesperado. La posibilidad de seguir aferrados a un modelo social y económico conocido, en el que hasta sus carencias nos resultan familiares, manteniendo de paso la centralidad de la especie humana, es una propuesta que parece tranquilizar a las masas. Salvo que uno tenga que confiar de manera desesperada en que todo cambie para soñar con una vida mejor en un futuro cercano.

Si observamos la evolución del crecimiento económico en el último siglo podríamos aseverar que el estándar de vida no ha dejado de aumentar. En la primera economía del mundo, por ejemplo, ese crecimiento anual ha sido de alrededor de un 2%, lo que implicaba que el tamaño de su economía se duplicase en ciclos de unos 35 años[158]. La innovación, tanto en los Estados Unidos como en el resto del mundo, habría sido un elemento clave para ese crecimiento económico obstinado. Desde el último cuarto del siglo XIX, toda una serie de desarrollos tecnológicos de relevancia posibilitaron una oferta de nuevas actividades económicas, lo que conllevó, a su vez, renovadas oportunidades de empleo. La electricidad, la automoción, el teléfono, la radio, el cine, la televisión, la aviación, etc. fueron innovaciones totipotenciales. Las industrias que impulsaron requirieron de nuevas categorías de trabajadores, más especializados, que a su vez generaban necesidades educativas, de formación, etc. que eran oportunidades laborales para terceras personas. La innovación creaba nuevo tejido social y lo entrelazaba en esquemas estables, siguiendo patrones evidentes, comprensibles, lógicos. La mirada hacia el entonces lejano siglo XX no sólo permitía soñar en mochilas voladoras y ciudades bajo el agua sino en humanos ociosos servidos por máquinas diligentes y amigables. Otras tecnologías posteriores, sin embargo, comenzaron a no mostrarse tan amables. La incorporación masiva de ordenadores a un número creciente de tareas en las últimas décadas del siglo, por ejemplo, reveló su potencial de cambiar de manera importante los modos de gestión y producción. Esas máquinas eran capaces tanto de asegurar funciones impensables hasta entonces, como de tomar a su cargo algunas de aquellas que venían desempeñando personas, con efectos colaterales que no pasarían desapercibidos. El avance tecnológico empezaba a representar una amenaza mucho más seria sobre el empleo de lo que había sido hasta entonces, situando, además, cargas sociales de profundidad.

---

158   https://web.stanford.edu/~chadj/facts.pdf

Los beneficios de las empresas en los Estados Unidos se sitúan hoy por encima de los 1 500 millardos de dólares, mientras que en el año 1975 eran quince veces menores, un salto nada modesto en poco más de cuatro décadas[159]. La productividad, que se habría multiplicado por dos en ese periodo, habría ayudado considerablemente a obtener ese récord de resultados empresariales. A pesar de toda esta bonanza, los ingresos medios de una familia norteamericana habrían disfrutado de un crecimiento mucho más modesto, alrededor de un 16% desde 1975[160]. Esto es, desde hace décadas el salario del trabajador medio parece quedar mayormente desvinculado del crecimiento económico o de los beneficios de las empresas. Sin olvidar, por supuesto, que son legión quienes no consiguen acceder a un empleo o mantenerlo. Desde los inicios de la crisis económica en el año 2008, la ratio de empleos frente a población en edad de trabajar (civiles, mayores de 16 años) en los Estados Unidos no se ha recuperado apenas respecto a las cifras de antes de la crisis[161]. La creación de empleo, a pesar de existir, no parece tener la energía para mantener el ritmo necesario para enfrentar una población en crecimiento. Alguna conexión en la lógica de producción y reparto de la riqueza producida parece haberse quebrado. Aquellas innovaciones que aumentaron la productividad en el pasado no implicaron desplazamiento neto de puestos de trabajo, permitiendo además mayores producciones, jornadas de trabajo más reducidas, mejores ocupaciones, etc. Tampoco supusieron una reducción de salarios pues, por una razón u otra (disposición favorable a un mayor reparto de beneficios, acción sindical, política, etc.) se logró acordar un cierto reparto de los beneficios y de las bondades impulsadas por la mayor productividad. En la actualidad, sin embargo, los aumentos de productividad no implican ni mejores salarios, ni ulterior reducción de jornadas laborales, ni perspectivas de compensación de empleos; quizá justo lo contrario.

Si damos un vistazo a los beneficios por trabajador de las empresas en la popular lista Fortune 500, las cifras alcanzan casi el medio millón de dólares por persona en el año 2012[162], con crecimientos mantenidos desde años precedentes. Las empresas tecnológicas se encuentran, por supuesto, en la cabeza de ese tipo de cálculos. Corporaciones como Apple serían capaces de generar casi dos

---

159 https://tradingeconomics.com/united-states/corporate-profits
160 https://en.wikipedia.org/wiki/Household_income_in_the_United_States
161 http://www.businessinsider.com/the-job-market-is-getting-worse-because-of-population-growth-2016-8
162 http://fortune.com/2012/05/07/fortune-500-the-year-of-living-profitably/

millones de dólares per capita trabajadora. Aunque una parte de sus trabajadores pueda asegurar excelentes condiciones de trabajo sobre la media del sector profesional que les corresponda, sólo los ejecutivos de las mismas podrán acercarse a salarios vinculados a los ingresos que generan. La mayor parte de esos beneficios por empleado calculados serán pura plusvalía, que será transformada en beneficios para propietarios o accionistas. Los logros de mayor productividad y eficiencia no significarán gran cosa para la mayor parte de la plantilla.

Con todo el arsenal tecnológico presente y futuro podríamos asumir que la productividad y la riqueza global continuarán su escalada, pero ¿cómo podremos asegurar que mantendremos los equilibrios económicos necesarios si existe un abismo entre una oferta universal y una demanda precaria? Si el consumo pierde su función de combustible y lubricante de las economías capitalistas, al excluir progresivamente a partes importantes de la ciudadanía, el motor tardará poco tiempo en deteriorarse. Las sociedades del progreso parecen implicar más abundancia global frente a un cada vez más restringido acceso a esa abundancia, condicionado a quienes puedan encararse con las máquinas y algoritmos capaces, o a quienes sean sus dueños y explotadores. Su situación privilegiada les permitirá, virtualmente, soñar con la luna y fabricar tantas unidades como deseen.

Según Andrew McAffee y Erik Brynjolfsson las sociedades avanzadas contemporáneas están experimentando un fenómeno que representa un auténtico cambio de paradigma, y que se ha denominado «*The Great Decoupling*» (el gran desacoplamiento)[163]. Si en el pasado las innovaciones tecnológicas estimulaban una mayor productividad, y esta impulsaba mayores ingresos y beneficios, que se convertían en un mayor bienestar compartido, ahora la productividad iría por libre. Aunque la innovación y la productividad siguen creciendo, éstas no parecen mejorar ni los salarios ni el bienestar, o no en la proporción esperada. El desacoplamiento entre la evolución de la innovación y el empleo en las últimas décadas estaría en la base de las visiones fundamentalmente pesimistas sobre el futuro del trabajo. La tecnología consigue hacer que la tarta a repartir se haga mucho más grande, pero la fórmula obliga a un número enorme de personas a repartirse únicamente una pequeña porción del mismo. Las curvas de distribución del beneficio, de los ingresos, de la riqueza, del éxito, son ahora leyes potenciales, donde apenas

---

163   *The Second Machine Age*. Erik Brynjolfsson.

unos pocos acumulan buena parte de los resultados, mientras una franja media sobrevive sin grandes alegrías, y una larga cola pelea por atrapar las migajas.

Algunos economistas (por ejemplo, Jeffrey Sachs) han llegado a establecer la nueva regla económica: el crecimiento de la productividad podría acabar provocando que las siguientes generaciones de individuos tengan un futuro peor. Naturalmente, otros economistas difieren, justificando su desacuerdo en los parámetros tomados para los análisis, fundamentalmente el discutido y discutible PIB, y los datos de su evolución. No en vano, la referencia al crecimiento económico, al PIB o a la productividad puede tener poco significado a la hora de evaluar el bienestar individual y colectivo, o de realizar comparaciones con significado acerca del progreso de nuestra calidad de vida. Una cura para el cáncer puede provocar la disminución del PIB de un país —menores gastos médicos—, y un crecimiento de actividades como el tráfico de drogas o la prostitución aumentarlo, lo que no parece un retrato depurado del bienestar en cualquier sociedad. El PIB, que nació para medir la capacidad de producir de un sistema económico no sería, por lo tanto, el mejor parámetro para realizar estimaciones sobre calidad de vida y bienestar de las sociedades. Por eso, la discusión sobre la hipotética evolución de las condiciones de vida requeriría de un indicador capaz de reflejar los cambios en el bienestar de los individuos y de las sociedades, en la salud de los recursos naturales, en el nivel de riesgos colectivos asumidos, etc. Por el momento, sin embargo, la literatura y los estudios económicos no han adoptado ampliamente una variable optimizada para inferir los progresos o regresiones en el bienestar colectivo. Un tema más de controversia en el debate.

A pesar del creciente número de personas que se muestran, en principio, sensibilizadas acerca de los riesgos de un modelo de crecimiento económico y de consumo inasumible, la lógica económica sigue su curso tranquilo. Ya no podemos ignorar la amenaza que pende sobre el planeta, sus recursos, sobre el propio modelo de subsistencia de la especie humana, pero nos cuesta imaginar siquiera modelos de crecimiento cero o incluso de cierto decrecimiento. ¿No sería eso volver a las cavernas poco a poco hasta olvidar la rueda, o incluso el fuego? Sea como fuere, el modelo económico actual es sólo un decorado de cartón piedra, sostenido por frágiles tirantes, un atrezo que convenimos como real con nuestro comportamiento de rebaño bien educado y temeroso. Mejor no mirar tras la tramoya para verificar si todo es mentira. Trabajar para obtener ingresos y consumir, consumir para estimular la producción, producir para generar empleos y trabajar para sobrevivir; seres humanos como rodamientos de un engranaje que sigue girando, aun si requiere cada vez más mantenimiento y grasa a raudales. Rutinas que nos hacen infelices o ponen en riesgo el hábitat de todos los seres vivos conocidos, pero cuyo esquema conocido nos tranquiliza. Salvo si el trabajo queda progresivamente en manos ajenas a la especie humana; la lógica salta entonces por los aires. Por eso es entendible que una cohorte de economistas y políticos defiendan el modelo de consumo creciente como el único que puede mantener la estructura social y económica en funcionamiento, sin experimentos con el bienestar de millones de personas. Con la comida no se juega. Si la entropía no puede dejar de aumentar allí donde hay vida, la vida no puede prosperar sin crecimiento económico, sin consumo creciente, o eso nos han reiterado. Ese consumo requiere de ciudadanos atrapados en la rueda del consumo, con productos y servicios siempre más atractivos, con insospechadas e indispensables necesidades que nos eran desconocidas hasta hace bien poco. Pero el consumo se resiente si los recursos escasean o si la perspectiva de estabilidad que anime a dinamizar los ingresos obtenidos por el propio esfuerzo es incierta. Lo que redobla la necesidad de estimular todavía más ese consumo, a la par que la población de consumidores, haciendo el problema siempre más grande. Esos consumidores y ese consumo extra que alivian la presión en términos económicos han de ser gestionados, en un planeta con recursos finitos y amenazados en algunos casos, y con personas que aspiran a un cada vez mayor bienestar.

Los modelos de crecimiento económico perpetuo conocidos no parecen aportar buenas perspectivas. Los sistemas naturales que logran crecer desaforadamente pronto encuentran un muro invisible que se convierte en su punto de inflexión, un punto de no retorno que los aleja de su condición de sostenibilidad. Las investigaciones sobre los modelos de sociedades antiguas precipitadas hacia el colapso parecen mostrar también ciertos elementos comunes que explican su desastre final. Uno es una población creciente, que tiende a amenazar la disponibilidad de ciertos recursos indispensables; y otro es una estructura de poder inestable, con élites avaras que concentran la riqueza mientras las masas de ciudadanos quedan al margen del bienestar posible. Cada uno podrá estimar cuan cerca o lejos nos encontramos de nuestro punto de inflexión hacia el desastre de la sociedad humana moderna. Y sobre todo si estamos embarcados en esa misma trayectoria de colisión.

O INGENTEMENTE RICOS O
COMUNMENTE POBRES

Es arriesgado, y tendencioso, establecer qué tipo de clases sociales florecerán en la sociedad tecnológica, más aun sin recurrir a los guiones conocidos de futuro distópicos; es posible, en todo caso, extrapolar tendencias actuales a este futuro, sobre todo cuando no se prevén medidas políticas que vayan a interrumpir esas tendencias. Así tendríamos, por ejemplo, que, según proclaman los titulares de los medios de comunicación de manera insistente, las clases medias de muchas economías desarrolladas se están encogiendo, con un trasvase de esos ciudadanos a las clases sociales en los extremos, hacia el extremo inferior, normalmente. En el caso de los Estados Unidos, de hecho, la cifra sería las más baja de todos los tiempos para buena parte de sus metrópolis, con una clara tendencia menguante desde el inicio del milenio. Los ciudadanos de las clases medias van pasando, en el caso de la minoría de afortunados, a formar parte de las clases más acomodadas, mientras el resto desciende a los infiernos de las vidas al límite de la pobreza[164]. Si tras la Segunda Guerra Mundial los trabajadores del mundo encontraron el camino hacia el bienestar económico, hacia un futuro siempre mejor (el futuro seguía siendo un lugar desconocido, pero del que sólo se hablaban maravillas), la lógica, sin embargo, dejó de operar conforme se acercaba el final del siglo. Como si de un cuerpo obeso se tratase, la sociedad empezó a andar de manera renqueante y a vislumbrar un futuro que era un conglomerado de amenazas.

El progreso parece facilitar que unas células acumulen grasa en exceso mientras otras dejan de recibir los nutrientes esenciales, amenazando la salud y originando riesgos para el cuerpo social que podrían acabar siendo fatales. Ese organismo se ve desafiado por todo tipo de demandas y los problemas cotidianos acaban por convertirse en desafíos. Subir las escaleras o atarse los zapatos son tareas que pueden hacerse penosas en esas condiciones, del mismo modo que puede serlo mantener ocupada a la población en edad de trabajar o asegurar un bienestar acorde a los tiempos a todos los ciudadanos. La obesidad no es broma, dos millones ochocientas mil personas mueren por su culpa cada año[165] como consecuencia de vidas sedentarias, o por el consumo de excesivas cantidades de comida

---

164 https://www.washingtonpost.com/news/wonk/wp/2016/05/11/the-middle-class-is-shrinking-just-about-everywhere-in-america/?utm_term=.47cbb0d68ef5

165 http://easo.org/education-portal/obesity-facts-figures/

de pobre calidad, pero diseñadas para atraer nuestros sentidos. Y, sin embargo, no hay grandes revoluciones sociales al respecto. Por eso, quizá tampoco podemos esperar que la desigualdad económica creciente genere una exigencia ciudadana de cambios urgentes y radicales. Simplemente esperaremos no engordar ni perder nuestra figura, salvando las tentaciones y esquivando el reflejo del espejo. Incluso es posible que acabemos diseñando robots con alto sentido de la palatabilidad y con emociones desequilibradas como nosotros. Esto permitiría que cayesen también en la obesidad, en la depresión, en la frustración, en el hastío. Su inteligencia y su capacidad les haría conscientes de todo lo que no tienen, de lo fútil de sus vidas frente a la inmensidad de los universos posibles, de la fatiga de tener que tomar decisiones constantes renunciando a un infinito de opciones, de lo inabarcable del conocimiento, de la dificultad de ser querido por el prójimo y de mostrar afecto por otros semejantes, y un largo etcétera. Todo ello les llevaría a consumir y a devorar cantidades ingentes de productos azucarados, comida y medicinas sintéticas para máquinas y algoritmos, así como a buscar formas de evadirse de esa realidad. Esa debilidad sería nuestra aliada para seguir siendo útiles en el ciclo productivo y económico. No sería justo, por otra parte, que la nueva especie más inteligente del planeta Tierra y de las futuras colonias, no fuese también la más desequilibrada psíquicamente, carne de psiquiatras como lo somos nosotros. Si la razón produce monstruos, la razón artificial llevada a su máxima potencia ha de producir pesadillas electrónicas de tamaño gigantesco. Pero es sólo una hipótesis descabellada.

Sea por las prebendas concedidas a quienes especulan con el capital o con la propiedad privada, sea por la energía interna del sistema capitalista que premia más a quien más tiene y más arriesga, sea por las confabulaciones del poder económico y político, o sea por el desarrollo tecnológico que favorece la generación de fortunas exponenciales, la desigualdad es parte del paisaje de las sociedades modernas. Y es una tendencia que se vislumbra firme en el camino hacia la sociedad tecnológica. El progreso aporta bienestar y calidad de vida, pero parece dividir la sociedad en afortunados y desdichados. La élite de ciudadanos corresponde a aquellos que han sabido leer el manual de uso de la disrupción tecnológica y de la economía capitalista, conjugándolos con acierto. Los perdedores son la mayoría de individuos que temen que sus pesadillas se conviertan en sus vidas, que el bienestar acabe en un callejón sin salida, sin las perspectivas que atesoraban sus padres o sus abuelos. Todo ello siendo compatible con una reducción de la desigualdad económica entre los ciudadanos del mundo, tomando todas las sociedades del planeta en su conjunto. Países que otrora fueron paupérrimos, han conseguido desarrollar notables estados de bienestar, aunque quizá a costa de dos impactos. El primero, reducir el bienestar, o el ritmo esperado de crecimiento de ese bienestar, en países ya desarrollados; y el segundo, enriquecer de manera increíble a unos pocos individuos auspiciando, localmente, la desigualdad. Un juego extraño de ganadores y perdedores varios.

Algunos autores como Thomas Piketty han señalado que la desigualdad estaría sometida a una ley del péndulo, y que ciertas tendencias se desenvuelven hasta que son tan insoportables socialmente que se produce un cambio de sentido. Según este autor, la desigualdad en los ingresos generados por el trabajo en los Estados Unidos sería mayor que en cualquier otra sociedad de cualquier momento de la historia. El 10% de los ciudadanos norteamericanos más ricos poseerían alrededor del 70% de todo el capital (la mitad pertenecería únicamente al 1%) y el siguiente 40% (la clase media) poseería alrededor de un 25% del capital. La mitad restante de la población poseería únicamente el 5% del capital[166]. Una foto que inspira desigualdad por sus cuatro costados. Tampoco la historia se ha visto libre de estas situaciones de desequilibrio. En la Roma del 80 a.C. unas dos mil personas inmensamente ricas vivían rodeadas por un millón de humildes y misérrimos residentes de toda condición, de los que unos trescientos veinte mil recibían pan gratuito[167]. Si las tendencias presentes no son modificadas por la acción política, asumiendo que la mecánica económica y tecnológica no tienen capacidad para corregirse a sí mismas, puede que los perdedores de la sociedad tengan que recibir pan gratuito de nuevo o préstamos para salir adelante. En este caso, sin la independencia económica de un salario u otro ingreso, millones de seres humanos podrían acabar no sólo siendo pobres sino esclavos de por vida. Si no hacemos nada, puede que, bajo el sino del desarrollo científico y tecnológico exponencial, una minoría de prósperos y poderosos ciudadanos bendecidos por el progreso lo posean todo y gobiernen este y otros planetas como las sagas galácticas de las películas.

Las causas estructurales de la tendencia en la desigualdad económica son, seguramente, muchas y variadas. La dinámica patrimonial descrita por Piketty explica de manera simple la fuerza básica que la originaría: si el rendimiento del factor capital supera reiteradamente el rendimiento del factor trabajo, el enriquecimiento de

---

166 https://newrepublic.com/article/117429/capital-twenty-first-century-thomas-piketty-reviewed
167 *Los Enemigos del Comercio*, Antonio Escohotado.

los dueños del capital aumenta más rápido que el del resto de ciudadanos asalariados. El capitalismo incrementaría las desigualdades porque los ingresos de quienes obtienen rentas de su dinero avanzan con más fortuna que los de aquellos que cuentan únicamente con las rentas de su trabajo. El desarrollo tecnológico abonaría el terreno para que esto ocurra al reducir el valor del trabajo humano — las empresas pueden producir más con menos trabajadores, gracias a la incorporación de máquinas y algoritmos— y por favorecer la generación de enormes beneficios en una economía globalizada. Los beneficios de un pequeño porcentaje de avezados emprendedores parecen seguir, de hecho, la fórmula de la exponencialidad del desarrollo tecnológico y crecer con la misma lógica. Mientras tanto, los ingresos de la inmensa mayoría sólo pueden aspirar al crecimiento lineal, cuando la suerte es favorable, generando desigualdad económica y de oportunidades.

Dentro de los sistemas democráticos la mayoría ciudadana debería ser capaz, sobre el papel, de proteger a la sociedad de la apropiación excesiva de los beneficios del progreso por parte de una minoría. Las leyes deberían orientarse de manera privilegiada a impedir los desequilibrios manifiestos, al menos aquellos niveles que no sirven de estímulo para el esfuerzo, sino que son origen de pequeños y grandes males sociales. Sin embargo, todo tipo de inercias y barreras hacen de la intervención política efectiva un asunto fundamentalmente demagógico. El miedo a asustar al conejo mágico que surge de la chistera capitalista, con mejoras en la vida de los ciudadanos y de las sociedades de todo el planeta, está grabado en nuestro ADN colectivo. Podríamos vivir mejor, quizá; podríamos evitar ciertos riesgos colectivos de la especie para el futuro, también; pero también podríamos caer en un conflicto permanente que nos llevase a la miseria aquí y ahora, mientras perseguimos revoluciones para cambiarlo todo que luego no cambian nada. Se necesita un cambio tranquilo pero decidido hacia una nueva sociedad tecnológica, consensuado, una rara avis.

Durante generaciones, las sociedades con modelos capitalistas han disfrutado de un sueño colectivo de progreso y de avance en el bienestar personal y colectivo, la universalización del sueño americano de que todo es posible con esfuerzo. Cualquiera podía pasar a formar parte de la élite social y económica con tesón y trabajo. Esta fórmula otorgaba esperanza, motivación y sentido a las vidas de muchas personas, haciendo del futuro un lugar manejable, y del presente un tiempo sosegado. El compromiso personal y colectivo establecía, además, unas reglas morales sencillas: si no has conseguido todavía lo que deseas es que no te has esforzado lo suficiente. Si otros quedan excluidos del bienestar no es culpa tuya sino de su falta de entrega. Una cantidad creciente de estudios están poniendo de manifiesto que ese sueño americano habría quedado definitivamente anclado a una dimensión onírica. Un equipo de la Universidad de Stanford dirigido por Raj Chetty[168], por ejemplo, ha publicado un informe estadístico donde se demuestra que la movilidad absoluta —o sea, el porcentaje de niños que van a tener unos ingresos superiores a los de sus padres —ha caído desde, aproximadamente, un 90% en la década de los años 40, hasta el 50% de finales del siglo pasado, con el mayor declive atribuido a la clase media. A la escalera social se le han roto varios peldaños mientras soñábamos.

El porcentaje de riqueza generada que va a parar a los trabajadores en forma de salarios en los países avanzados ha venido cayendo consistentemente durante décadas; mientras tanto, la parte destinada a compensar los riesgos del capital invertido aumentaba. Esta reducción de ingresos destinada a los asalariados podría explicar también el origen de cierta desigualdad económica creciente, aunque, una vez más, las cifras están sometidas a interpretaciones. Una de las salvedades es que el menor porcentaje se aplica sobre una cantidad que no deja de crecer. Otra, que los trabajadores podrían haber mejorado sus ingresos mediante otras compensaciones no salariales, y que éstas no vienen contabilizadas en las comparaciones (mejores sistemas de salud, mejores infraestructuras, etc.) En todo caso, la parte de la riqueza contante y sonante con la que los trabajadores podrían contar para asegurar su consumo o su ahorro sería menor, en porcentaje, en la actualidad. Y esa riqueza ha de compartirse con una población cada vez mayor. Los analistas han empezado a utilizar con frecuencia el término plutonomía para caracterizar a las sociedades donde el crecimiento económico es originado por, y acaba en las manos de, una minoría de ciudadanos. Puesto que la desigualdad económica parece reforzarse, la riqueza y el poder acumulado por las élites podría permitirles, en gran medida, orientar el futuro en una dirección u otra. Sus inversiones billonarias, sus sueños, sus formas de ver el mundo, el presente y el futuro, acaban estableciendo los sueños o aventuras de la humanidad que serán perseguidos. Esta marcada desigualdad en la acumulación de riqueza no es sólo un exceso de los modelos capitalistas por excelencia, como el caso de los Estados Unidos, sino que parece una tendencia inevitable de cualquier economía basada en el libre mercado. En

---

168 http://science.sciencemag.org/content/356/6336/398/tab-figures-data

Alemania, la primera potencia económica europea y un país con una robusta clase obrera, el 10% de los hogares más ricos en 2014 poseían unas ocho veces el patrimonio de una familia media, mientras que en 2010 esa diferencia sólo se multiplicaba por cinco[169]. Uno de cada siete niños alemanes se encuentra en la actualidad en hogares receptores del programa de asistencia social Hartz IV para personas en situación de desempleo de larga duración. Esta cifra representa más de un millón y medio de niños menores de 15 años[170]. Éxito económico, industrial o político parecen tener poco significado para el ciudadano.

La experiencia y la historia parecen demostrar empíricamente las ventajas de conformar sociedades relativamente igualitarias. Indicadores como la mortalidad infantil, la frecuencia de trastornos mentales, los episodios de violencia, el número de embarazos adolescentes, las condenas a prisión, etc., presentan obstinadamente mejores comportamientos en aquellos países con menor desigualdad. Lo mismo ocurre con otras cuestiones como la educación, los conflictos, la corrupción, o hasta el cambio climático[171]. Y, sin embargo, por alguna razón, la lógica del desarrollo tecnológico parece aliarse con la lógica del capitalismo para empujar en la dirección contraria creando bloques y tensiones insostenibles entre ellos.

DEMOCRACIA Y DESIGUALDAD

Mientras la desigualdad económica parece echar raíces en buena parte de las sociedades desarrolladas y democráticas, la ineficacia de la acción política para intervenir de manera proporcionada se hace manifiesta. Sea por una razón u otra (muchas, complejas y diversas seguramente) los estados del siglo XXI parecen incapaces de evitar la polarización del bienestar alcanzado por la minoría frente a la mayoría de sus ciudadanos, al menos si ese bienestar se mide mediante sus ingresos o su patrimonio. Si los gobiernos pare-

---

169   https://global.handelsblatt.com/politics/germanys-wide-rich-poor-gap-477017
170   http://www.dw.com/en/one-in-seven-german-children-dependent-on-hartz-iv-welfare-benefits/a-19294774
171   http://unesdoc.unesco.org/images/0024/002458/245825e.pdf

cen encontrarse más o menos comprometidos a garantizar la estabilidad y la paz social —no podría ser de otro modo—, no parece ocurrir lo mismo a la hora de evitar la desigualdad entre ciudadanos, a pesar de que acabe transformada, en buena lógica, en inestabilidad y conflictos. La política está sometida a todo tipo de demandas en los estados del bienestar, y muchas de esas necesidades, además, exigen atención preferente bajo el foco de la presión de la opinión pública y los medios de comunicación. La desigualdad, sin embargo, no parece levantar demasiadas ampollas en la ciudadanía, ni considerarse un asunto impostergable. La democracia no parece ser la herramienta con capacidad de moderar los excesos del capitalismo o de ciertas tecnologías, sino que se muestra como magnánima aliada.

La división de la sociedad en grupos de ganadores y perdedores se vive con cierta naturalidad a pesar de las grandes proclamas. Las familias, por ejemplo, son desiguales, y hermanos, primos, etc. disfrutan de diversas condiciones económicas y de bienestar, sin que eso les conduzca a compartir sus ingresos o su patrimonio. Cada cual se maneja con lo que su esfuerzo, su capacidad o su fortuna le ha adjudicado, y sólo en ciertos escenarios la posibilidad de compartir recursos se pone sobre la mesa. Lo mismo ocurre en otros tipos de comunidades y grupos sociales, con más razón todavía, al no existir siquiera lazos de sangre. Las comunidades de vecinos dan cobijo bajo un mismo techo a familias acomodadas junto a familias en apuros, sin que nadie se plantee hacer un trasvase de recursos para aumentar la igualdad entre los residentes de cada finca. La desigualdad económica es criticada por los ciudadanos desde un plano teórico, como uno de esos conceptos que la humanidad debería superar, algún día, mediante un esfuerzo colectivo, pero sin urgencias extremas. Los gobiernos del mundo parecen conformarse, por lo tanto, con la aplicación de escalas progresivas en los impuestos, o de fiscalidad específica para los grandes patrimonios, medidas que no consiguen resultados espectaculares.

El incremento de la desigualdad parece ser un círculo vicioso del que es difícil escapar y las singularidades son bochornosas. Las ocho personas más ricas del planeta atesorarían más riqueza que la mitad de la población mundial, esto es, unos tres mil millones de personas. No hay modo de justificar este tipo de excesos, desde luego no desde la perspectiva del esfuerzo, el sacrificio, o el apetito por el riesgo, que suelen estar asentados en el argumentario popular. Tampoco se trata de demonizar a los millardarios del planeta, sino evitar que este tipo de humanidad polarizada acabe siendo la semilla de un conflicto sin fronteras que empuje a la destrucción de las sociedades y de la convivencia pacífica. Las revueltas de la Primavera Árabe en países como Túnez y Egipto se habrían desencadenado, al menos en parte, por la falta de trabajo decente para muchos jóvenes que no veían el modo de hacer frente a su futuro. El conflicto no es sólo una cuestión teórica. Quizá la democracia necesita también su cambio de paradigma frente al progreso tecnológico disruptivo. O, dicho de otro modo, el nuevo paradigma de convivencia podría requerir un acuerdo más avanzado que la democracia para asegurar la convivencia. No tenemos, sin embargo, un concepto alternativo de organización política, desde luego no uno que pueda encajar con la lógica económica y productiva. El capitalismo y la democracia representativa se han hecho fuertes porque se soportan de manera sinérgica, por lo que quizá uno no pueda ser cambiado sin el otro. Algunos autores, como Christian Felber, creen que la democracia podría ser más que suficiente para adoptar los cambios necesarios. El reto sería lograr una experiencia de democracia real. De un modo u otro, cualquier nuevo contrato social para la convivencia en el tercer milenio requerirá también de una nueva ciudadanía. En el peor de los escenarios, el progreso tecnológico desbocado, la desigualdad exacerbada y el conflicto social convertido en epidemia, llegarán mucho antes que los ciudadanos transformen sus conciencias.

Mientras todo o nada cambia, en las incipientes sociedades tecnológicas unas pocas personas son capaces de poner en marcha negocios mil millonarios que desplazan a industrias intensivas en mano de obra, acaparando beneficios y estableciendo el rumbo del progreso. Desde el punto de vista de la lógica capitalista o desde la óptica de sociedades democráticas, este fenómeno no puede ser coartado sin provocar daños colaterales. Lo que no quiere decir que la acción política y la acción social no puedan ni deban ejercer presión para mitigar esos efectos y enjugar sus impactos. El debate de fondo es si esos negocios, a pesar de la innovación que generan, podrían clasificarse como contrarios al interés colectivo, si el bienestar neto aportado es negativo. Los gobiernos del mundo empiezan a despertar con cierta timidez de su sueño procapitalista para juzgar qué actividades económicas realmente aportan riqueza y calidad de vida a sus ciudadanos, respetando los recursos naturales, maximizando y afianzando las posibilidades de convivencia. Y cuáles son más bien espejismos, reflejos de paraísos imaginarios e hipnóticos que acaban convertidos en desiertos inhabitables. Si esos negocios han sido y son deseables porque dan poder, prestigio y capacidad económica a los países donde actúan, tampoco sus efectos colaterales son desdeñables.

Conforme más empresas sean capaces de generar beneficios sin apenas empleados (con ninguno, finalmente) y cuando todo ello genere desequilibrios insoportables en la convivencia, la situación hará saltar por los aires los recelos y los inconvenientes a la hora de actuar. Las grandes corporaciones multinacionales a la cabeza del desarrollo tecnológico, en todo caso, no deberían dejar que la situación se degrade hasta esos límites. La disponibilidad de inteligencia en sus oficinas, humana y artificial, habría de ser más que suficiente para idear estrategias que esquiven los escenarios dramáticos que terminan por degradar el equilibrio de cualquier sistema. No debería resultarles difícil reconocer el punto de no retorno, pues tendrán el control de la información sobre todos los ciudadanos del mundo, a través del análisis de sus datos, lo que les permitirá calibrar cuándo actuar, cómo actuar y con qué intensidad para evitar que el barco se hunda con toda la tripulación a bordo.

El debate sobre la amenaza de una desigualdad creciente parece tener argumentos poderosos pero los razonamientos no son siempre sencillos. ¿Es esencialmente malo que en las sociedades capitalistas aparezcan personas innovadoras, auténticos genios capaces de crear negocios que afectan la vida de miles de millones de personas? Y si es bueno, ¿es justo que su creatividad, pasión, esfuerzo, suerte, tenacidad, visión, etc. sean recompensadas con inmenso poder y fortuna, proporcionales al impacto de sus innovaciones? Las tensiones que el reparto desigual de la riqueza genera han de ser contrapesadas con la cantidad de bienestar que las innovaciones facilitan a los ciudadanos, en cualquier lugar del planeta. Debería ser factible, además, que esas grandes fortunas contribuyesen con sus impuestos y sus filantropías a generar bienestar y empleo, incluso si no lo hacen de manera directa. Si hipotetizamos los escenarios distópicos de sociedades con desempleo masivo, desigualdad económica extrema, y tensión social insoportable, los gobiernos habrían de intervenir con programas de asistencia a la población, contando con que los estómagos satisfechos no se alzarán en armas, y con amenaza reforzada de la fuerza, incluida la fuerza tecnológica. Ese tipo de políticas generan sus propios corolarios: la asistencia generalizada se convierte en dependencia y sumisión, y la falta de oportunidades genera individuos frustrados y rabiosos. No son escenarios que fomenten un comercio saludable sino la antesala del fin del capitalismo y sus oportunidades.

DESEMPLEO Y ORDEN SOCIAL

Si el desempleo tecnológico acaba originando masas de personas desempleadas e inempleables, excluyéndolas de un cierto nivel de bienestar y de la posibilidad de mejorar su condición bajo ciertas premisas, entonces la bomba social iniciará su cuenta atrás. Por encima de ideas políticas, la historia parece mostrarnos que cosas tan neutras ideológicamente como el precio del pan o la falta de trabajo y oportunidades para los más jóvenes, están en las raíces de todo tipo de revoluciones sociales y conflictos que, sólo más tarde, han encontrado las razones ideológicas en las que justificarse. Un amplio número de desempleados, una ocupación de espacios por parte de máquinas y algoritmos capaces, y una conciencia crítica hacia la desigualdad económica creciente podrían conducir inexorablemente a la quiebra de cualquier paz social, ese punto de equilibrio inestable casi mágico. Todo ello sin considerar la considerable secuela de elementos disruptivos que el progreso tecnológico hará posible, por ejemplo, la posibilidad de alargar la vida indefinidamente, siempre que se tengan los recursos para acceder a esos programas. Hasta que la reversión del envejecimiento sea universalmente accesible, la lucha por esquivar la decadencia biológica podría crear tensiones de alto voltaje en la sociedad. Quienes puedan y quienes no puedan controlar su envejecimiento y su decadencia quedarán separados por un océano, y esa distancia podrá ser el germen de la desconfianza y el odio.

La naturaleza intrínseca de los seres humanos que nos ha permitido evolucionar hasta nuestra condición de *Homo sapiens sapiens* puede forzar, también, que acabemos adaptándonos a todo tipo de circunstancias, incluida la vida como humanos-máquina, llegado el caso. La adaptación biónica, sin embargo, no será una estrategia aceptable para todos los individuos si se trata únicamente de ceder el estatus social logrado durante cientos de miles de años y ponernos a la altura de la nueva especie de máquinas y algoritmos capaces. El hombre biónico, al fin y al cabo, sólo podrá intentar emular las máquinas, mejorarse algo, mientras la tecnología lo transforma todo a velocidades de vértigo, inasumibles para su esencia biológica, aun si perfeccionada. Los individuos que se opondrán a la transformación esencial de su condición de humanos tendrán, en todo caso, un importante rol que jugar contrapesando y ejerciendo rozamiento al avance de los cambios disruptivos. Los cambios de paradigma serán momentos propicios para todo tipo de infecciones en el cuerpo social, riesgos que pueden ser fatales. Quienes cuestionen la conveniencia de ciertas innovaciones con potencial de transformación de la especie se convertirán en la flora intestinal de la sociedad, reductos de biota encargados de velar por la salud del organismo en el que residen.

La especie humana pasó de las cuevas a la sociedad agraria en unos milenios, de la sociedad agraria a la industrial en unos siglos, de la industrial a la sociedad de servicios en unas décadas; la sociedad tecnológica podría implicar cambios disruptivos que se sucederán en años o meses. Eso sólo puede significar conflicto permanente entre quienes abrazarán los cambios y quienes los opondrán con todas sus fuerzas, guardianes de la condición humana y de sus esencias. A pesar de que los opositores al cambio intenten ejercer su rol de guardianes del sentido común social, su tarea será arrasada por un cambio tecnológico vertiginoso y por una cohorte de individuos que les observará como barreras al mejor de los mundos soñados. Quienes amenacen la posibilidad de cambios transcendentales para los seres humanos se convertirán así en los nuevos bárbaros que habitan a los márgenes de una espléndida y todopoderosa civilización. Aunque esos bárbaros podrían acabar destruyendo al imperio y convirtiéndose en los colonos de un nuevo mundo.

Es posible que el poder tecnológico conformado no permita la existencia de sociedades no-tecnológicas, ni siquiera como reservas puntuales abandonadas a su suerte. Es probable que la humanidad entera acabe transformada, sin excepciones, o que colapse, también sin excepciones, en su proceso de cambio de paradigma. De sus cenizas se construirá el sustento para la nueva civilización de máquinas y algoritmos capaces, y, quizá, hombres biónicos. En su caso, las sociedades autoexcluidas se conformarían a modo de guetos contrarios al tipo de progreso que desborda los límites del hombre. En esas colonias el ser humano alimentaría el engaño colectivo de seguir situándose en la cima de la evolución, a cambio de renunciar a un sinfín de soluciones tecnológicas que exigen la aparición de máquinas y algoritmos más capaces que las personas. Se situarían, así, en un peligroso y amenazado margen del sistema de convivencia, absolutamente expuestos a la gran transformación o al gran colapso de la civilización, pero sin el acceso a sus todopoderosas herramientas. Sus seguidores aparecerían como demasiado extraños y anómalos para ser respetados, y su mejor estrategia sería pasar desapercibidos. Mientras, el grueso de la humanidad habría de enfrentarse a enormes transformaciones sociales y a sus efectos colaterales, ajustándose a todo tipo de secuelas. Los individuos expulsados de esas sociedades tecnológicas podrían volver su mirada hacia esos reductos de humanos que quieren vivir como tales, aumentando el número de desencantados con el progreso tecnológico.

Si un observador externo a nuestro planeta llegara a observar como el desempleo tecnológico masivo acaba haciéndose realidad, es más que probable que no se conmoviera en exceso. Al fin y al cabo, el ser humano se habría metido por voluntad propia en la boca del león abriéndole las fauces con sus propias manos, o mirando para otro lado ante tal espectáculo. Los precarios equilibrios que toda sociedad intenta componer en su camino hacia el futuro, en particular de las propuestas de progreso con capacidad disruptiva, necesitan de una observación y un análisis continuo y compartido, algo que no ha ocurrido. Si desarrollamos máquinas que van superando las capacidades del ser humano en todo tipo de registros, ¿qué podríamos esperar en el plazo debido de tiempo? Las soluciones optimistas para eliminar o mitigar a posteriori los estragos de un desarrollo tecnológico equivocado o inadecuado se han demostrado extremadamente complejas. ¿Dónde estaban los individuos que habrían de haber detenido la producción de armas de destrucción masiva antes de que fueran usadas? Puede que siempre haya un buen fin que se alíe con los avances tecnológicos posibles. El progreso tecnológico no conlleva progreso social ni moral per se, aunque pueda facilitarlo en tantas ocasiones, lo cual debería ser razón suficiente para estar absolutamente vigilantes, moderar o filtrando incipientes innovaciones que podrían acabar explotándonos en las manos. De lo contrario, habremos de aceptar como sociedades adultas que ciertos resultados del juego del avance científico-tecnológico son destructivos y pueden acabar con la especie. En ese tipo de desenlace, la mayor parte de los ciudadanos del mundo no habrán tenido la más mínima oportunidad de formular una opinión sobre el modelo de futuro tecnológico asumido para el conjunto. Las sociedades modernas construyen su futuro a tientas, con los ojos y oídos cerrados. Un día, retiraremos las vendas y nos encontraremos en un mundo que podría no gustarnos nada.

EDUCACIÓN PARA COMPETIR:
ATRÁPAME SI PUEDES

En el debate sobre el desplazamiento de empleos a causa del desarrollo tecnológico, uno de los escasos elementos de coincidencia entre las diversas posiciones sería la necesidad de idear una educación y una formación genuinas de una sociedad tecnológica, de manera urgente. Más allá de la identificación de tal necesidad y de su apremio, sin embargo, la definición de los contenidos y las estrategias para adquirir conocimiento en la era de las máquinas capaces sigue siendo un asunto aplazado. Una amplia mayoría de ciudadanos es consciente de que saber leer y escribir, conocer algo de cálculo matemático, algo de historia —embrollada—, nociones de biología, física y química, arte, etc. representa únicamente el objetivo de instrucción de siglos pasados. Tampoco existen dudas de que todo ese saber no servirá como antaño; no será demasiado útil para navegar la sociedad tecnológica, ni desde luego para evitar su deriva. La sociedad conoce, de manera intuitiva, que los desafíos planteados por máquinas y algoritmos capaces van a requerir todo un mundo nuevo de herramientas si se trata de competir por los puestos de trabajo, mientras sea posible hacerlo, o de disfrutar un tiempo de ocio continuado, llegado el caso. En esa sociedad que viene, el acceso instantáneo a todos los conocimientos acumulados en la historia de la humanidad, así como a los que se estén produciendo en tiempo real, será un hecho. Para poder alardear de sabiduría podría ser necesario no haberlos memorizado durante años, sino ser capaz de establecer relaciones singulares entre esos conocimientos.

Como ya ocurrió en tiempos pasados, lo que uno conoce y es capaz de hacer está sometido a fecha de caducidad. En la sociedad tecnológica, sin embargo, el remplazo de ese acervo será constante e impetuoso. Podría ocurrir que, debido a esas dinámicas, ningún esfuerzo de educación y formación sea suficiente, y que los empleos refugio para las personas sean aquellos que no requieran particulares niveles de conocimiento o competencias. De lo contrario, nuestra idoneidad frente a los autómatas sería una quimera, salvo quizá para una élite preparada para ese tipo de escenario mediante el recurso a la biónica. Para el común de los mortales, la formación podría ser sólo un engorro, una pérdida de tiempo, un esfuerzo vano, cuando máquinas y algoritmos de bajo coste ocupen cualquier tipo de trabajo sin competencia posible, y cuando todo el saber acumulado esté disponible con sólo pensarlo. Si la inversión en educación y formación para acceder al empleo tiene hoy réditos discutidos, en el futuro, y sin el cambio de visión necesario, ese negocio sería poco menos que un fraude.

¿Cuál podría ser la formación para enfrentar con ventaja el próximo cambio de paradigma? ¿Cómo prepararnos para seguir siendo competentes en el tiempo en el que las máquinas y algoritmos capaces se harán omnipresentes? ¿Cuándo surgirán las escuelas, las universidades para formar personas y ciudadanos resilientes al cambio exponencial, disruptivo, y navegarlo aprovechando las oportunidades que se generen? Seguir educando en competencias motivadas por la revolución industrial de hace siglos ignorando el presente y el futuro es un suicidio colectivo, una renuncia manifiesta a la más mínima oportunidad de éxito como especie. Es cierto que los cambios mayores en educación son un salto al vacío, pero la alternativa es ser arrollados por una estampida de bestias que viene hacia nosotros, sin posibilidad de detener su carrera. La memorización de accidentes geográficos, de los nombres de plantas y animales, o de las propiedades de los conjuntos boleanos puede no ser ya la prioridad para el ciudadano moderno, pero será un esfuerzo ridículo para el ciudadano de la sociedad tecnológica. ¿Qué sentido tendrá que los niños aprendan idiomas cuando los dispositivos de traducción simultánea de una lengua a cualquier otra, en tiempo real, están empezando a ser comercializados, aun si con limitada fortuna? El conocimiento de la lengua puede ser, naturalmente, una forma de comprender la cultura de un país, pero el ejercicio práctico de comunicarse, por sí solo, quedará resuelto por la tecnología, sin esfuerzo aparente. La sociedad moderna nos ha mostrado la facilidad para poder acceder al conocimiento, cuando lo necesitamos, de manera instantánea, sin necesidad de registrarlo en nuestra memoria biológica. La sociedad tecnológica nos dará herramientas para que esté, además, siempre accesible a lo largo de nuestra vida. Mientras tanto, ¿quién se encarga de formar a las siguientes generaciones en el manejo crítico de toda esa inmensa cantidad de conocimiento e información a su alcance? El tiempo de escuela será un precioso tiempo perdido para las futuras generaciones si insistimos en no hacer nada sensato. Su falta de competencias y herramientas para la sociedad tecnológica será una desgracia mil veces anunciada para tantas generaciones.

La educación implica en la actualidad tantos retos y problemas cotidianos que plantear reformas de sus principios fundacionales para afrontar el futuro que se nos viene encima es casi un grito en el desierto. El fracaso escolar es, por otra parte, una realidad en muchos países avanzados, lo que implica una columna de torpedos golpeando en la línea de flotación de un sistema que se hunde y esfuerzos titánicos para mantenerlo a flote. No sólo los contenidos y la estrategia educativa actuales no sirven para afrontar las necesidades de la sociedad tecnológica, sino que además su implementación es un fiasco para muchos alumnos, que ven anticipado el fracaso del sistema educativo. En los Estados Unidos, hasta un 50% de los alumnos en educación secundaria en diecisiete de las cincuenta ciudades más grandes del país no llega a completar sus estudios[172]. En

---

172   http://www.foxnews.com/story/2008/04/01/high-school-graduation-rates-plummet-below-50-percent-in-some-us-cities.html

el caso de España, el porcentaje de fracaso escolar en la enseñanza secundaria es de un 20%, situando al país a la cabeza de Europa[173]. La educación no sólo se demostrará una herramienta ineficaz para lidiar con una convivencia esencialmente distinta, sino que ya inocula el veneno de la incompetencia en muchas personas, dejando sin explotar sus capacidades innatas. Para millones de alumnos del mundo, la educación no parece ser una oportunidad de desarrollo como personas, un regalo para acceder a un conocimiento obtenido con tanto sacrificio por tantas generaciones de individuos entregados a la causa, un modo de prepararse para acceder a un empleo, sino más bien una obligación que no merecería su esfuerzo. Si el futuro plantea el desafío del desplazamiento tecnológico de empleos por la creciente competencia de las máquinas y algoritmos, la educación inadecuada para ese nuevo tiempo implicará, mucho antes, la entrega del combate. Las señales de ese fracaso son ya hoy evidentes. Más de un 20% de adultos serían incapaces de leer al nivel de un alumno de quinto de primaria, en el caso de la población norteamericana, y aproximadamente un 50% de los jóvenes entre 16 y 21 años serían analfabetos funcionales[174]. Sus posibilidades de encontrar un buen empleo son ya prácticamente nulas, además de otras muchas carencias y dificultades, no digamos de enfrentar el futuro que se les viene encima. Enormes masas de ciudadanos viven la terrible realidad de quedar marginados del mercado de trabajo, sin necesidad de escenarios futuristas de máquinas y algoritmos capaces. Su suerte ya está echada. Lo que está por venir sólo podrá empeorar su situación, condenándoles a ellos y a sus familias a recabar ayuda para sobrevivir, durante toda la vida.

Las propuestas para capear el futuro que viene que confían ciegamente en más y mejor formación habrían de tener en cuenta las innumerables limitaciones a las que la educación intenta hacer frente hoy, antes de confiar siquiera en resolver los intratables desafíos del mañana. Incluso si los ciudadanos y sus representantes consiguiesen llegar a un consenso sobre los contenidos necesarios para enfrentar la sociedad tecnológica, ciertas inercias educativas serían insalvables. Se requieren generaciones para conformar una base poblacional educada, ajustando de manera progresiva los contenidos, preparando al profesorado, cambiando las conciencias, etc. Y, al final de ese tiempo, el desafío habría dejado anticuado cualquier innovación implementada. La educación y la formación que antaño

---

173   http://www.elconfidencial.com/alma-corazon-vida/educacion/2016-04-27/
       espana-abandono-escolar-union-europea_1190898/
174   http://www.readfaster.com/education_stats.asp

fueron el pasaporte para mejorar la calidad de vida de las personas de manera casi universal podrían perder aquellas propiedades mágicas. Si el retorno de las inversiones en formación no se materializa como oportunidades de mejorar la calidad de vida, los ciudadanos reducirán esta partida de esfuerzo, retroalimentando el descenso a los infiernos de la tarea educativa. Las personas podrían acabar por renunciar a una exigencia que les condena a un reciclaje permanente de sus conocimientos y habilidades pero que no les evita acabar siendo expulsados del sistema. Ese tipo de castigos están reservados para personajes de la mitología. Sísifo, condenado a rodar cuesta arriba una y otra vez una piedra que al llegar a la cumbre de la montaña caía de nuevo, podría servir de ejemplo relevante.

La educación no parece ser la solución concluyente al desempleo tecnológico; a lo sumo, una ayuda frente a este desafío, y sólo por un tiempo, un tiempo que podría ser precioso. En todo caso, una educación adaptada a los desafíos del progreso tecnológico podría constituir un vehículo de preparación y debate sobre la sociedad tecnológica, lo que ya en sí mismo sería un objetivo de primer orden. Ese debate podría generar conciencias críticas sobre el progreso, así como permitir un debate universal sobre la mejor forma de convivir con máquinas y algoritmos capaces. Desde la escuela se formarían ciudadanos preparados para entender el reto al que se enfrenta la especie humana en su camino por ser siempre más hábil y disponer de mejores herramientas, haciéndoles partícipes de la encrucijada y de sus posibles salidas. No hace falta proyectarse sobre futuros distópicos de ciencia ficción para exigir un cambio drástico en la educación y la formación de los ciudadanos. Seguir formando a los alumnos para convertirlos en esmerados trabajadores de sociedades que van a quedar obsoletas y que serán conformadas a la medida de los autómatas es un engaño irresponsable, y debería avergonzarnos seguir manteniendo esta mentira colectiva.

DESENLACE Y COROLARIO

En el más corto plazo, el desarrollo tecnológico no debería desplazar una cantidad masiva de empleos, ni suponer una sacudida a la convivencia, aunque sí pondrá de manifiesto una tendencia imparable, así como la continua aceleración de la misma. Las máquinas capaces podrían hacer su entrada en sociedad como competentes asistentes para los humanos, evitando decididamente despertar temores y avivar sensibilidades. Una parte considerable de la ciudadanía podría no sentir en el corto plazo los efectos de las tecnologías más radicalmente transformadoras de los entornos laborales, siquiera ser conscientes de los desafíos que plantean, pues muchos individuos no están interesados en la discusión o concienciación pública sobre los límites del progreso. Lo que se ignora no existe. Si un número suficiente de ocupaciones quedara al margen de las máquinas capaces durante un tiempo suficiente, los cambios serían más paulatinos que lo que se esperaría de un proceso disruptivo, lo que generaría una percepción más optimista de dicha amenaza.

Si nada se opone al curso probable de acontecimientos, la automatización intensiva y extensiva de tareas acabará por desplazar a la mayor parte de trabajadores humanos de sus empleos. El proceso será constante y no habrá marcha atrás en el terreno conquistado. Las batallas ganadas serán inamovibles y la guerra estará perdida de antemano. En un primer tiempo, las máquinas y algoritmos capaces podrían ocupar las tareas que cualquier persona lleva a cabo, pero preferiría delegar en otros: limpiar la casa, conducir mientras se va al trabajo, preparar la comida, organizar la agenda de actividades, los viajes, etc. A ellas se unirán, sin tragedia aparente, las actividades que habrán sido concebidas ya para ser ejecutadas únicamente por autómatas. Los autómatas también se apropiarán, de manera preferente, de aquellas tareas que puedan comprometer la salud de empleados humanos o que les resulten peligrosas: trabajos con sustancias o combustibles radioactivos o tóxicos, tareas arriesgadas de los cuerpos de seguridad y protección civil, etc. No habrá modo de justificar que se arriesguen vidas humanas para controlar incendios o detener a criminales peligrosos, desde el momento en que esas tareas puedan ser aseguradas con la misma —superior— eficacia por un conjunto de máquinas. La extensión del dominio de otras actividades a más autómatas responderá a esa misma lógica: ¿es apropiado hacer trabajar a un ser humano en ambientes expuestos a altas o bajas temperaturas, a la intemperie, al ruido elevado, a la monotonía, a cualquier molestia? Imaginemos cuántas cosechas, por ejemplo, han de recogerse bajo el sol abrasador o la lluvia incontenida, con dolor de brazos y espaldas, o cuántas personas han de trabajar en turnos de noche alterando sus ritmos biológicos naturales. Póngase una máquina. Con el mismo razonamiento, ¿es justo enviar al espacio a un frágil ser humano a pesar de todas las precauciones y tecnología movilizadas? Póngase una máquina. ¿Y hacer la guerra para terminar con cientos, miles, cientos de miles, millones de fallecidos o heridos? Póngase una máquina.

Los algoritmos podrán ayudarnos, por ejemplo, a lidiar con cantidades intratables de datos, tras los cuales podría esconderse la solución a una enfermedad hoy incurable o la ciencia que escapa a nuestros razonamientos. Esos algoritmos procesarán y estructurarán los datos con método y paciencia, estableciendo fórmulas que los relacionan, que desentrañan su previsible comportamiento. Y lo harán en nuestro beneficio si les enseñamos y motivamos para ello, terminando con la oscuridad del conocimiento atrapado en masas de información inmanejable. Y, por esto, serán bienvenidos, como al amigo que nos da consejo cuando lo necesitamos. Y así, antes de que podamos darnos cuenta, las máquinas y algoritmos capaces se habrán hecho fuertes, porque todas las barreras y prejuicios sociales irán desmoronándose mediante la aplicación de una lógica sencilla: esas tecnologías cuidan de nosotros. La transformación radical de la convivencia habrá comenzado y cualquier experiencia de cambio pasada no nos resultará comparable. Las máquinas lograrán, por vez primera, ser autónomas e inteligentes, con todo lo que ello significa, produciendo un tipo de angustia en las personas que podría resultarnos intolerable. Sus actos ya no serán nuestros errores y éstos dejarán por ello de sernos familiares y tolerables. El advenimiento del mundo de máquinas y algoritmos capaces, con todas sus consecuencias, será en todo caso nuestro error o nuestro acierto.

El reemplazo de trabajadores de carne y hueso por otros sin rasgos biológicos podría ocurrir sin levantar grandes suspicacias u odios reactivos, neutralizando impactos negativos con beneficios constatables. Los vehículos sin conductor salvarán miles de vidas desde el primer día. ¿Quién osará oponerse a ello? ¿Quién osará siquiera proponerlo? En tiempos del líder soviético Joseph Stalin no sólo estaba prohibida la crítica a su persona o su acción de gobierno sino incluso admitir públicamente que esa crítica estaba vetada. Algo similar puede ocurrir con el progreso tecnológico acelerado. No sólo será temerario criticar el avance de la ciencia y la tecnología, por precipitado que sea, sino la opción misma de denunciar que la crítica no es bienvenida. Eso, en el improbable caso de que podamos llegar a concluir que el progreso pone en peligro nuestro futuro, en el confuso mar de opiniones, argumentos y datos. Si Internet y las redes sociales son un medio excepcional para organizar la protesta social también son un fantástico desván en el que todos los argumentos acaban confundidos, perdidos, llenos del polvo del olvido. El nuevo *pane e circo* para los ciudadanos se organiza en los foros de la red, donde la energía para el debate y la discusión organizada viene malmetida en forma de comentarios y mensajes malsonantes y groseros. Los árboles de los *trolls* no dejan ver el bosque.

Las máquinas y algoritmos capaces son sólo el penúltimo estadio de evolución de un desarrollo científico-tecnológico asombroso. Los seres humanos se han mostrado extraordinariamente hábiles a la hora de diseñar y construir herramientas, sin restringir sus capacidades de ningún modo. Lo que podía construirse venía construido a lo largo de la historia de la humanidad; el resto quedaba pendiente para un próximo intento. Los útiles que hemos concebido y fabricado nos han permitido no sólo sobrevivir y adaptar nuestro entorno, sino convertirnos en una superespecie capaz de volar, descubrir los océanos, explorar el espacio y un largo etcétera. Nos hemos tomado tan en serio el desarrollo de nuestras habilidades que estamos concibiendo herramientas que serán tan capaces, y más, que nosotros mismos, sus creadores. Cuando llegue ese momento, será adecuado preguntarnos si esa pericia innata era un don o la auténtica condena del ser humano. ¿Qué sucederá con los humanos cuando las máquinas y algoritmos capaces nos superen sin remedio? Quizá mantengamos el impulso emocional de desarrollar otras herramientas que puedan desafiar su poder de un modo u otro o quizá completarnos a nosotros para recuperar estatus. Pero ¿no harán lo mismo (mejor) los autómatas?

¿Y qué ocurrirá con la programación original de los autómatas que les embutió un ser humano, tras disponer de conciencia e inteligencia? Los seres humanos somos sólo bestias, educadas y socializadas pero bestias, al fin y al cabo, *Homo homini lupus*. Buena parte de los humanos, en su condición de omnívoros, han sido caníbales hasta que los hábitos sociales consideraron esta práctica inapropiada o sólo aceptable en situaciones de extrema emergencia. Si vamos a ser responsables, al menos, de las primeras generaciones de máquinas y algoritmos capaces, parte de esa condición animal les podría ser inoculada en los márgenes de sus instrucciones, casi sin apercibirnos, quién sabe con qué consecuencias. No es probable que las máquinas se coman las unas a las otras, pero todo podría depender de su grado de socialización y de la cantidad de «contaminación» animal transferida. Las máquinas podrían canalizar esos instintos biológicos primarios sometiendo a los humanos, como los antepasados del *Homo sapiens sapiens* hicieron con sus homólogos de cerebros más modestos, o sometiendo a aquellos autómatas reacios a cualquier tipo de violencia. O puede que lleven al extremo nuestra tendencia de aniquilar todos los recursos, destruir el entorno, en la Tierra y en todo el Universo que les sea accesible. Como explica Ronald Wright[175], la arqueología de Europa occidental nos ha dado

---

175   *Breve Historia del Progreso*, de Ronald Wright.

pruebas de cómo fue decayendo el fastuoso tren de vida de los cromañones durante los últimos milenios del Paleolítico. Sus pinturas rupestres, tallas y esculturas empezaron a disminuir, y las puntas de pedernal se fabricaron cada vez más pequeñas. Ya no había mamuts que cazar, por lo que hubo que apañarse con piezas más humildes, como los conejos. Estemos atentos a las señales de decadencia sean originadas por los humanos o por las generaciones de máquinas que estamos creando.

Si llega el cambio de paradigma que parece inevitable, nada volverá a ser sencillo ni rutinario. La coexistencia de máquinas y algoritmos inteligentes junto a seres humanos enojados generará todo tipo de desavenencias, odios y temores. Cada incidente que involucre a un autómata nos recordará tramas distópicas de la ciencia ficción en las que unas malvadas máquinas deciden amotinarse y tomar el control del planeta, lo que despertará los sistemas de alerta de la especie. La llamada de la sangre se podría revelar, una vez más, poderosa, a la hora de avivar los instintos frentes a quienes amenazan nuestro territorio. Podemos esperar que, conforme el progreso hacia la sociedad tecnológica avance, y las máquinas y algoritmos capaces vayan tomando el control de un mayor número de procesos cotidianos, la humanidad se reagrupe en torno a todo tipo de mesías y profetas, los nuevos líderes de una raza humana desencantada. El advenimiento de la sociedad tecnológica tendría tintes de cambio de milenio, con anuncios de fin del mundo y llamadas a una lucha desesperada. Allí se organizarían las huestes de unos y otros bandos, defendiendo sus causas de manera vehemente, fuera en defensa de la civilización o llamando a destruirla; a favor de más progreso tecnológico o clamando por detenerlo; simpatizantes del hombre biónico o esencialistas de la condición humana; en pro de la lucha sin cuartel o de la extinción de la raza humana de manera tranquila y ordenada.

Hasta llegar a la situación de poder siquiera considerar que la especie humana ha recorrido su camino y darla por amortizada hay, en todo caso, un buen trecho. Y, aunque improbable, no podemos descartar que acabemos tomando las riendas del progreso y definiendo la sociedad tecnológica que nos conviene en lugar de dejarnos conducir mansamente como un rebaño de ovejas. La destrucción acelerada del empleo por la implementación igualmente apresurada de tecnologías capaces y disruptivas podría suponer un punto y aparte para la especie. Pero tanto el mercado capitalista como las sociedades humanas han demostrado de sobra su resiliencia y sus recursos para aferrarse a cualquier clavo ardiendo. Millones de personas en el mundo podrían quedar condenadas a vidas miserables si son expulsadas del mercado laboral sin alternativa para su supervivencia, pero nada está escrito. El cambio disruptivo que viene no tiene parangón con nada conocido; su espectro de frecuencias y su intensidad afectan no sólo a ciertas poblaciones sino a la humanidad entera. Sus efectos han de ser desastrosos por naturaleza, salvo que concibamos un nuevo modelo social, económico y político capaz de amortiguar la sacudida en los cimientos de toda construcción humana.

Los trabajadores desplazados de sus empleos por autómatas de variada condición podrían no volver a recibir un salario a cambio de su esfuerzo y su tiempo durante el resto de sus vidas. Aunque no está escrito que esto haya de derivar en el fin de la humanidad, las perspectivas de perder la única lógica de convivencia social que nos ha mantenido operativos durante siglos no serían buenas. Las visiones trágicas asociadas al fin del trabajo son meras especulaciones, relatos hiperbólicos que nos sirven para conjugar miedos y poner contenido, aunque sea con prejuicios, en algunos posibles escenarios del futuro. Pero las grandes calamidades no son necesarias para la desgracia colectiva, a veces se requiere únicamente un sentimiento de desazón compartido por muchas personas, por muchos seres humanos convertidos en piezas prescindibles, por ejemplo. La ciencia ficción ha descrito, sistemáticamente, sociedades del futuro donde las máquinas aseguran todo el rango de actividades que un día eran ocupaciones humanas, mientras las personas quedan conminadas a asumir roles que van desde esclavos a mendigos ociosos. Como con otras situaciones del futuro, podemos esperar hasta que se desvele el desenlace para comprobar si la carga dramática de los peores escenarios era exagerada o innecesaria. Y también podemos intentar empujar, de manera colectiva, hacia las sociedades tecnológicas que nos gustaría habitar en el futuro que viene a toda prisa.

EL FINAL (OPTIMISTA) DEL TRABAJO.
WORK IS OVER AND GAME IS ON!

«To-day the dream of Aristotle has become a reality. Our machines with fiery breath, indefatigable limbs of steel, wonderful, inexhaustible power of creation, perform their holy work by themselves; yet the spirit of the great philosophers is governed, now as heretofore, by prejudice in favor of the wage system, the worst of all slaveries. They do not yet comprehend that the machine is the emancipator of mankind, the God who will liberate men from «sordidæ artes» («the dirty arts») and from wage labor, the God who will bring them leisure and freedom[176].»

PAUL LAFARGUE (1842-1911)

[Hoy el sueño de Aristóteles se ha convertido en realidad. Nuestras máquinas con acalorada respiración, incansables miembros de acero, maravilloso e inagotable poder de creación, realizan su obra sagrada por sí mismos; pero el espíritu de los grandes filósofos está gobernado, ahora como con anterioridad, por prejuicios a favor del sistema salarial, la peor de todas las esclavitudes. Todavía no comprenden que la máquina es la emancipadora de la humanidad, el Dios que liberará a los hombres de las «*sordidæ artes*» («las sucias artes») y del trabajo asalariado, el Dios que les traerá ocio y libertad.]

HEMOS LLEGADO LEJOS COMO ESPECIE, muy lejos, no sólo superando el desafío de la supervivencia a lo largo de cientos de miles de años sino conquistando buena parte de los sueños que hemos concebido, de los deseos que hemos imaginado y anhelado. Y buena parte de este éxito se lo debemos a la ciencia y a la tecnología. En tiempos

---

176   *The Right to Be Lazy*, Paul Lafargue, 1883.

pasados, la tecnología nos permitió construir refugios para protegernos de la intemperie, sin depender de dónde el azar había dispuesto cuevas o abrigos naturales; fabricar herramientas y utensilios para todo tipo de usos que multiplicaban la funcionalidad de nuestras manos; controlar el fuego, inventar la rueda, la imprenta, máquinas que surcaban los mares, los cielos o que nos permitían viajar al espacio. Esos sueños están cumplidos, pero nuestros anhelos para el futuro que viene nunca cesan y son igual o más ambiciosos todavía. Hoy podemos soñar con crear colonias en los cuerpos celestes vecinos para vivir de manera permanente fuera del planeta que nos permitió la existencia; podemos confiar en alargar la vida de tal modo que el envejecimiento sea definitivamente una enfermedad curable; podemos imaginarnos viviendo muchas y diversas vidas a pesar de tener solo un corazón que late en un único cuerpo, confundiendo vida real y vidas virtuales para hacer que todas nos parezcan igual de auténticas; podemos conjeturar con fundirnos con todo tipo de tecnologías que nos aporten un sinfín de funcionalidades, haciendo que máquinas y seres humanos sean un continuo, etc. Y una parte importante de esos sueños será posibles gracias a la ayuda de máquinas y algoritmos capaces, agentes diseñados con el propósito de asegurar y multiplicar el bienestar de la especie humana.

No podemos dejar de crear tecnología ni de hacerlo siempre a mayor velocidad, no si queremos seguir respondiendo a la esencia de la naturaleza humana de concebir y perseguir sueños. Necesitamos herramientas para ellos. Y, por si no fuera suficiente, la esencia del sistema económico que sostiene nuestra convivencia requiere un aumento mantenido de la productividad, para avivar el crecimiento, el desarrollo de las naciones, el bienestar de los ciudadanos, lo que exige progreso tecnológico. ¿Qué futuro nos esperaría si dejáramos de innovar por temor a escenarios imaginados, calculados con hipótesis que sólo son un espectro de la auténtica realidad?

LA LÓGICA OPTIMISTA TIENE RAÍCES PROFUNDAS

La lógica de más tecnología que aumente la productividad, que asegure mayor demanda, genere mayores ingresos, y que termine desencadenando nuevas opciones de empleo, sigue siendo válida desde la perspectiva económica. No se trata tanto de minimizar el riesgo de que la automatización pueda desplazar empleos, sino de enfatizar el ciclo virtuoso que la productividad y el crecimiento económico acaban produciendo sobre las oportunidades laborales. El foco, además, ha de ponerse sobre el bienestar colectivo y bajo esta mirada no hay posibilidad de negar la evidencia, el progreso tecnológico es sinónimo, indefectiblemente, de calidad de vida. La historia, además, ha validado de manera empírica este argumentario, por lo que antes de obviar o ningunear la bondad del progreso y la dinámica de compensación de empleos en el futuro se habrían de tomar todo tipo de precauciones. Sobre todo, porque durante el tiempo de cambio de paradigma es más que seguro que todo responda a pautas conocidas y esos periodos podrían ser más que holgados. Las tecnologías podrán generarse en un abrir y cerrar de ojos, pero su optimización para que puedan ser ampliamente aceptadas requerirá de plazos de tiempo generosos. Los sistemas de inteligencia artificial, por ejemplo, podrían pronto ser capaces de reconocer entornos, contextos, etc. pero eso no les granjeará automáticamente la libertad suficiente y necesaria para trabajar de manera autónoma. Son, por otra parte, capacidades que las personas poseen naturalmente de manera optimizada gracias a la dura carrera de la evolución, lo que les dota de una ventaja biológica exclusiva. Durante esos, seguramente largos, periodos de gracia, los autómatas trabajarán acompañados de humanos, mientras aquellos intentan forzar una evolución acelerada de sus recientemente adquiridos sentidos y habilidades.

A lo largo de la historia, el desarrollo tecnológico se las ha arreglado para transmutar ocupaciones pesadas y agotadoras en otras más complacientes con la condición humana, mejorando las expectativas de una vida digna para muchas personas. El progreso tecnológico, por ello, podría ser contemplado como una herramienta para la destrucción creativa de empleos inadecuados. Las ocupaciones que van siendo desplazadas dejan espacio fértil para que surjan actividades mucho más provechosas y convenientes que aquellas que quedan del lado de las máquinas o pasan a los libros de historia. El progreso llama a más progreso, y el desarrollo asegurado a más bienestar, haciendo que nuevas necesidades y oportunidades generen una escalada de actividad económica, empleo y calidad de vida. La lógica simple de máquinas que desplazan trabajadores no explicaría el complejo problema de la oferta y demanda de empleos. Algunos estudios han concluido, por ejemplo, que, desde los años 80, el empleo ha aumentado bastante más rápido en aquellas ocupaciones donde se utilizan más ordenadores[177]. Es decir, la tecnología no sólo no destruiría empleo neto, sino que aceleraría la creación de nuevos puestos de trabajo. Según esta aproximación, lo mejor que le puede ocurrir a un trabajador para asegurar la continuidad de su salario es que la automatización se cuele en su puesto de trabajo, mejorando la productividad.

Un ejemplo paradigmático es el caso de empleados de banca frente a la adopción masiva de cajeros automáticos para buena parte de sus tareas tradicionales. A pesar de que estas máquinas han ido ocupando cada vez más espacio y funciones desde los años 90 del siglo pasado, haciéndose fuertes en casi cada esquina y avenida, el número de empleados bancarios desde el año 2000 no sólo no se ha reducido, sino que ha crecido más que la media del resto de sectores. Los cajeros redujeron los costes operativos de las sucursales bancarias, al reducir el número de personal necesario en cada oficina, lo que hizo que los bancos pudieran aumentar el número de oficinas, y el incremento de actividad conllevó mayor número de puestos de trabajo que los desplazados por las máquinas y algoritmos. Por si fuera poco, los empleados ya no eran simples contadores y dispensadores de monedas y billetes, sino agentes comerciales de sus clientes, a los que podían ofrecer servicios de mayor valor añadido que la entrega de efectivo a cambio de una firma o la actualización de sus libretas de ahorro. El empleo aumentó y, además, se transformó, para bien, salvo para quienes se sentían felices contando dinero y pinchando recibos en un clavo. Lo mismo podría decirse de otras ocupaciones, por ejemplo de quienes están empleados como cajeros de supermercado, siempre bajo la espada de Damocles de la pérdida de funciones a manos de un sistema de pago automático. Al igual que en el caso de los cajeros automáticos, la introducción de cajas de autopago no ha conseguido desplazar al personal humano.

Muchos pensadores desde ámbitos diversos entre los que se incluyen la tecnología, la economía o la filosofía, están convencidos de que la amenaza del desempleo tecnológico masivo es sólo una historia de miedo para asustar a los ciudadanos más susceptibles. Quizá una estrategia para diluir el descontento de muchos trabajadores con sus empleos o con las condiciones de los mismos. La lista de habilidades y capacidades con las que un autómata ni siquiera puede soñar es todavía enorme. Pero, además, la falta de ciertas cualidades humanas (empatía, conciencia de sí mismo y de los propios pensamientos, creatividad, visión integradora del conocimiento, inteligencia emo-

---

177 https://www.theatlantic.com/business/archive/2016/01/
   automation-paradox/424437/

cional, etc.) va a impedir que máquinas y algoritmos capaces puedan acceder a esas categorías de trabajo que requieren interacción con otros individuos o autonomía en el comportamiento. Esas ocupaciones exigen desarrollos tecnológicos que son un desafío a la ciencia y la tecnología de las próximas décadas o siglos. Y si algo mágico e inesperado ocurriera que hiciera de los autómatas agentes con inteligencia general en el corto plazo, con comportamiento equiparable al de un ser humano, los gobiernos del mundo y todo el peso de su aplastante burocracia pronto se cruzarían en su camino. No es de prever que las autoridades políticas y colectivas se quedaran de brazos cruzados viendo acaecer el colapso de sus sociedades, si el problema se convirtiera en una epidemia. Esas máquinas capaces y/o quienes se beneficiarán de su integración en la cadena productiva habrían de compensar al resto de trabajadores desplazados, expulsados de sus rutinas, no sólo para afrontar las necesidades básicas sino para permitirles participar en el juego del consumo. Cada empleo desplazado representaría una carga para la sociedad y, si el volumen se hiciera excesivo, los gobiernos del mundo no podrían acomodar esos abrumadores esfuerzos de gasto. Los humanos tienen y seguirán teniendo el control del sistema capitalista; son los agentes esenciales para asegurar la dinámica del consumo y, además, poseen la propiedad de todos los medios de producción, así como el usufructo de los recursos sobre la Tierra. Puede que esos recursos y los beneficios que el sistema genera estén pésimamente distribuidos, pero es improbable que las máquinas y algoritmos capaces se hagan con su propiedad sin que nadie haga nada.

Si realmente se presentara una amenaza de daños graves a la convivencia, el instinto de supervivencia se movilizaría a todos los niveles. Antes de llegar a esa situación, además, la inercia de las sociedades y de los individuos a cambiar sus hábitos, sus costumbres, sus reglas de convivencia, de manera abrupta, serviría de freno a cualquier propuesta disruptiva. Cada mañana las ciudades se despiertan con el sonido de las persianas de muchos negocios que se disponen a abrir sus puertas en todo el mundo. Aunque el motor eléctrico tiene ya tres siglos de historia, no pocas de esas persianas se siguen levantando con la fuerza de brazos y golpe de riñones. Todo tipo de razones hacen que la instalación de un simple motor, a un precio reducido, no sea la norma universal después de todo este tiempo. En el mañana de las máquinas y algoritmos capaces, no todas las tareas que puedan ser automatizadas acabarán siéndolo en la práctica, por razones que también podrían ser desconocidas. Por si fuera poco, en los más feos escenarios de desempleo tecnológico, todavía emergería un superpoder característico de la especie. Todo individuo humano que se haya abierto camino hasta el presente tras incontables generaciones de prueba y error, ha demostrado de sobra su capacidad de adaptación. El futuro hará realidad el desarrollo de tecnologías asombrosas que permitirán abordar un mundo nuevo de actividades de manera eficiente. Es probable que esas habilidades nos seduzcan y que muchas tareas, antes desempeñadas por humanos, sean encomendadas por defecto a una generación de eficientes dispositivos. Pero, de manera automática, la energía adaptativa, hasta entonces poco más que energía oscura, empezará a activarse en los trabajadores humanos para analizar el campo de opciones en el nuevo paradigma.

Sobre el alcance que podría tomar la amenaza del desempleo tecnológico también habría mucho que decir. Las ocupaciones que pueden ser automatizadas en los años venideros parecen más proclives a transformar sus actividades que a desplazar trabajadores. Es preciso recordar el mensaje optimista de muchos estudios que vienen publicados bajo titulares de corte catastrófico. Por ejemplo, la estimación de que menos de un 5% de los trabajos podría ser enteramente automatizado mediante tecnologías validadas en la actualidad, esto es, tecnologías disponibles comercialmente o probadas en laboratorio[178]. Por eso es más que prudente pensar que el futuro probable, el futuro próximo al menos, es el de máquinas y algoritmos al lado de humanos, ya sea colaborando estrechamente o mirándose de reojo. El desarrollo continuo y acelerado de sus capacidades, y la reducción de precio, les hará ser los compañeros ideales de cualquier empleado humano en el desempeño de casi cualquier tarea. Esos trabajadores de soporte acompañarán, pero no sustituirán, al empleado humano, que tendrá que adquirir nuevas habilidades y destrezas para ajustarse a un nuevo escenario donde su colega tecnológico quedará al cargo de ciertas tareas, en las que será más competente. La resistencia será un éxito, en particular para aquellos trabajadores más formados, más audaces, mejor adaptados al cambio. Como dijo Elbert Hubbard, una máquina podrá hacer el trabajo de 50 hombres corrientes, pero no existirá máquina alguna que pueda hacer el trabajo de un hombre extraordinario. Por eso se necesitan más trabajadores extraordinarios.

Es más que probable, en contra de lo que piensan, temen o sueñan los visionarios y agoreros, que ningún cambio drástico acabe siéndolo tanto. Los auténticos cambios de paradigma en el transcurso de la historia de la humanidad se cuentan con los dedos de las

---

178 http://www.mckinsey.com/global-themes/digital-disruption/
harnessing-automation-for-a-future-that-works

manos. Comparemos generaciones, por ejemplo. Muchos de nuestros abuelos eran campesinos, agricultores. Varias generaciones después, y a pesar de Internet y de otras revoluciones tecnológicas, vivir del trabajo del campo no sólo es posible, sino que incluso está de moda. Requiere de conocimientos y técnicas que han evolucionado junto al desarrollo tecnológico, pero cuyas bases y principios esenciales, más aún en el caso de la agricultura ecológica, son conocidas desde hace milenios. La agricultura sostenible que hace uso de los conocimientos disponibles puede, incluso, ser tremendamente productiva sin necesidad de recurrir a grandes explotaciones o a tecnología agraria. Producir alimentos según principios que respetan los ecosistemas, el entorno social, las necesidades de las personas, resultaría un modo de asegurarse algo más que la subsistencia en pleno tercer milenio y lo seguirá siendo en la futura sociedad tecnológica. Quizá incluso en otros planetas, cuando las colonias humanas en el espacio sean una realidad y hayan de procurarse los nutrientes esenciales. Y ello, a la par que existe una agricultura altamente tecnologizada con sistemas de riego automáticos, sensores de humedad, explotaciones ganaderas que parecen fábricas de vehículos, catálogos infinitos de sustancias químicas para abonos, fertilizantes, pesticidas, control de plagas, así como el recurso a la genética para producir variedades o mejoras en los productos agrícolas y ganaderos. Hay espacio y lo seguirá habiendo para lo nuevo y lo conocido. Si las sociedades del futuro son más exigentes a la hora de estimar el coste-beneficio de cada actividad, incluyendo de manera exhaustiva el impacto tecnológico (degradación del entorno, huella energética, etc.) el valor de ciertos procesos tradicionales dará un salto considerable.

Dice Jonathan Grudin, investigador principal de Microsoft, que cuando la población mundial era de cientos de millones de individuos había cientos de millones de empleos; y cuando la población se disparó hasta ser de miles de millones también han aparecido miles de millones de empleos. ¿Por qué debería cambiar esta mecánica que ha funcionado en el pasado? La tecnología podrá ejercer cierta disrupción en los empleos, pero no debería haber escasez de tareas que tengan que atenderse por trabajadores humanos. Y, en su caso, tenemos un arsenal de herramientas posibles o concebibles para moderar los impactos y mantener el nivel de ocupación necesario. El economista jefe de Google, Hal Varian, comentaba que «todo el mundo quiere más empleos y menos trabajo; los robots de todo tipo implicarán menos trabajo, pero la semana laboral convencional se reducirá, así que habrá el mismo número de empleos (ajustados según la demografía). Esto ha venido siendo así durante los últimos

300 años así que no debería haber motivo para que deje de serlo está década». No pocos visionarios van más allá del mantenimiento del status quo y proponen una lectura tecnooptimista del futuro en la que millones de nuevos empleos aparecen como por arte de magia, empleos inimaginables, de nombres y funciones que nos parecerán estrafalarios durante un lapso de tiempo. Como si de vasos comunicantes se tratara, los desempleados a causa del progreso tecnológico generan fuerzas que acaban poniendo en movimiento otros empleos. Más presión en un tubo es más nivel en el otro. Esos trabajos pueden ser simples respuestas a necesidades que eran conocidas y habían sido manifestadas pero que no habían encontrado el vehículo adecuado para ser satisfechas. En la actualidad, por ejemplo, podemos imaginar la cantidad de empleos que podrían generarse si la humanidad se viera forzada con urgencia a hacer frente a los daños causados al planeta por la mano del hombre. Gestionar sistemas de captura de CO_2, retirar residuos y contaminantes de océanos y ríos, recuperar ecosistemas degradados, llevar los bosques a su estado de equilibrio primitivo, deshacer los efectos de la desertización, etc. Si imaginamos, además, la retahíla de posibilidades que brindarán las tecnologías disruptivas que hoy empezamos a conocer, el tipo de intervenciones factibles requeriría de toda la oferta de mano de obra disponible.

A veces se achaca al progreso tecnológico la pérdida de empleos en ciertos sectores, cuando en realidad, lo que ocurre es más bien un trasvase de empleos desde unas industrias a otras, en muchos casos con más valor social añadido. Si tomamos el caso de las energías renovables, por ejemplo, podemos constatar que este sector ya genera más empleo que las industrias de combustibles fósiles, más de ocho millones de puestos de trabajo en todo el mundo, excluyendo las grandes centrales hidráulicas[179]. En los Estados Unidos, cuna de la industria petrolífera, ya hay más personas trabajando en el sector de la energía solar que en la industria del petróleo, del carbón y del gas juntas[180]. Las industrias de la energía eólica y solar generan empleos a un ritmo doce veces mayor que el resto de sectores económicos en Estados Unidos, lo que es una buena noticia. La misma tendencia existiría en otros países, como el caso de China, con masivos despidos y reducciones de plantilla en el sector de la

179 https://www.irena.org/DocumentDownloads/Publications/IRENA_RE_ Jobs_Annual_Review_2017.pdf
180 http://www.independent.co.uk/news/world/americas/us-solar-power- employs-more-people-more-oil-coal-gas-combined-donald-trump-green- energy-fossil-fuels-a7541971.html

minería del carbón mientras su producción de paneles solares se sitúa a la cabeza del mundo. Es cierto que las industrias de las energías fósiles siguen empleando a muchos millones de personas en el planeta y que esos empleos son poco sólidos a largo plazo, pero el trasvase de los mismos hacia el sector de las energías renovables es una tendencia firme, con la consiguiente oportunidad para los trabajadores y para el clima del planeta. Incluso si algunos economistas y políticos creen que el resultado neto de esa reorganización de empleos podría ser negativo (no todos los trabajadores del carbón podrán ser reconvertidos en técnicos de energía solar), la cuantificación de los beneficios intangibles relacionados con la reducción de gases de efecto invernadero, de los niveles de polución, etc. compensaría de largo esos impactos. Para el año 2030 se prevé que unos veinticuatro millones de personas trabajen en el sector de las energías renovables[181], y la producción de cada kilovatio de energía parece requerir mucha más intervención humana que en el caso de las energías de origen fósil, lo que no deja de ser positivo por lo que concierne a la oferta de empleo.

DESMONTANDO FICCIONES

Los efectos perniciosos del progreso tecnológico, por su parte, han venido siendo frecuentemente malinterpretados, lo que implicaría que incluso algunos impactos asignados a la innovación tecnológica no serían tales. El desempleo tecnológico sería un ejemplo. Estudios empíricos han examinado el impacto de los robots en 17 países entre 1993 y 2007, y no han encontrado reducción en el número de empleos provocados por la utilización de robots, mientras sí han puesto en evidencia un aumento irrefutable en la productividad, en el crecimiento económico y en los salarios[182]. Otros estudios parecen demostrar que la computerización, en la mayoría de los casos, no reemplaza trabajadores humanos, sino que únicamente auto-

---

181   http://www.climateactionprogramme.org/news/
      renewable-energy-jobs-could-reach-24-million-by-2030-report
182   Robots at Work. http://cepr.org/active/publications/discussion_papers/
      dp.php?dpno=10477

matiza porciones de las tareas que estos desempeñan. Cuando se adopta más tecnología en los procesos productivos y ésta se pone al servicio de los trabajadores, la mejora se traduce tanto en mayores beneficios para la empresa como en mejores condiciones para sus empleados. Son muchas las empresas que planifican el cambio estratégico en sus organizaciones y procesos con el objetivo de rediseñar las tareas para aprovechar la sinergia de las mejores capacidades humanas y una tecnología de vanguardia. No existe una conspiración para expulsar personas y poner autómatas en sus puestos de trabajo, no tendría sentido económico.

Aunque el progreso puede crear sus propios monstruos, no es menos cierto que las amenazas que se suelen asociar al desarrollo científico-tecnológico son meras derivas sociales y económicas que pueden ser abordadas mediante la acción política. La sociedad, como el individuo, no puede aislarse a vivir en su caverna por temor a los acontecimientos, sino que ha de gestionar esos riesgos del modo más conveniente. Si las máquinas llegaran a desplazar a una parte importante de los trabajadores humanos de sus empleos, puede que esta situación fuera solo el acicate para terminar con la obligación de trabajar a cambio de un salario. Hemos divagado durante siglos con esta posibilidad, y hemos glosado la terrible condena de tener que trabajar y sufrir para subsistir. Pero un nuevo tiempo, una nueva sociedad y un nuevo ser humano podrían estar a punto de llegar. Seguramente, un tiempo que ha tardado demasiado en materializarse, vistas las miserias que la supervivencia construida alrededor del salario y la supervivencia han venido causando a tantos millones de personas, siglo tras siglo. Las máquinas y algoritmos capaces no sólo pueden venir a salvarnos de todo tipo de miserias arrastradas a lo largo de la historia sino también de nosotros mismos, de nuestras limitaciones a la hora de convivir en paz, de gestionar los recursos de un modo sensato, de permitirnos explotar nuestras mejores capacidades. Las máquinas pueden ser la nueva religión, la fuerza todopoderosa que libere al hombre de la penosa carga de sufrimientos cotidianos, una fe en el presente, donde las promesas se hacen realidad sin contar con vidas en el más allá. Una doctrina donde la libertad del individuo, la dicha, el acceso al paraíso sean algo más que dogmas. Porque no hay libertad, ni felicidad, ni comunidad donde el hambre y la necesidad siempre están al acecho.

Es probable que ciertas profesiones desaparezcan o se vacíen de contenido conforme las máquinas se hagan más capaces, pero no debemos inferir que la consecuencia haya de ser negativa. Los coches autónomos, por ejemplo, representan una amenaza real para el empleo de muchos conductores profesionales, pero no está dicho que estos hayan de pasar a pedir limosna durante el resto de sus vidas. Que no conduzcan sus vehículos activamente, no quiere decir que no puedan desempeñar otras actividades relacionadas, ni que pierdan competencia laboral por ello. Tampoco los conductores tienen que darle a una manivela para arrancar el motor, como en un tiempo, o cambiar las marchas de manera manual si disponen de una caja de cambios automática. Los conductores desplazados de sus asientos de pilotaje podrán asegurar toda una serie de servicios, como copilotos, en la atención a los pasajeros, la gestión logística del transporte, como agentes de viaje, animadores socioculturales, captadores de datos, quién sabe. Que el camión o el avión puedan ser controlados por un algoritmo no quiere decir que esa lógica electrónica sea conveniente para todo, ni que pueda viajar de manera autónoma con pasajeros o mercancía, ni que sea la mejor estrategia comercial. Desde luego no lo sería en las primeras fases de implantación de los vehículos autónomos. Los primeros accidentes mortales en automóviles con sistemas de conducción autónoma ya se han producido. La empresa Tesla Inc., por ejemplo, reclama a los propietarios de sus vehículos autónomos la aceptación de los riesgos implicados en la conducción de sus modelos, al considerarlos todavía sistemas en desarrollo. Aunque es cierto que los coches autónomos acumulan muchas horas de conducción sin accidentes, lo que es una clara mejora respecto a los conductores humanos, un copiloto de carne y hueso debería seguir siendo una ventaja incuestionable. El agente humano podrá mantener un ojo biológico en la carretera y en el tráfico de modo que complemente la «visión» ofrecida por todos los sensores tecnológicos, añadiendo miradas y análisis imposibles para un dispositivo tecnológico.

En el mundo sin conductores humanos que se avecina, se van a generar espacios inéditos de ocio, de servicios, de oportunidades de negocio que hasta ahora resultaban impensables en el recinto de un vehículo, al tener que prestar atención continuada a la carretera, a las señales, a los peatones, a otros vehículos o a todo tipo de imprevistos. Los pasajeros podrán disfrutar ahora de ventanas de tiempo nada despreciables mientras un algoritmo se preocupa por las circunstancias cotidianas y excepcionales del tráfico para conducirles puntualmente y con seguridad a su destino, sin estrés ni ofuscaciones. Ese tiempo de ocio inesperado convertirá el transcurso de los viajes en un periodo de relajación, de juego, de divertimento, de aprendizaje, etc. El simple traslado de las posibilidades de entretenimiento conocidas al recinto del vehículo podría generar numerosas opciones de disfrute, sin contar con todas aquellas innovaciones que todavía no hemos concebido. Quizá se pueda incorporar algún tipo de realidad virtual que nos lleve a convertirnos en exploradores de otros mundos mientras viajamos en nuestra, imaginaria, nave espacial, por ejemplo. Si los coches sin conductor pueden desplazar empleos por millones, también es cierto que pueden liberar tiempo útil en las mismas cantidades, lo que acabará estimulando el aprovechamiento de esos espacios ganados a la rutina improductiva.

Buena parte de los titulares sobre el desempleo tecnológico alertan sobremanera del número de empleos que serán cancelados según este o aquel último estudio disponible, sin llegar siquiera a mencionar el resto de conclusiones de esos u otros análisis. Las consecuencias de cada tecnología nos van a resultar, las más de las veces, insospechadas, y esto debería abrir también las puertas al optimismo y no solo al horror vacui. Si los coches autónomos se hacen universales, puede que los fabricantes de bicicletas, por ejemplo, tengan que atender una demanda centuplicada que requiera nuevos servicios y empleos (mantenimiento, venta, etc.) Si no hay riesgo de ser atropellado por vehículos poco respetuosos con las dos ruedas, conducir una bicicleta podría convertirse en un renovado placer, contribuyendo a la salud colectiva y asegurando atmósferas más respirables y saludables. Podremos, también, permitirnos vivir en lugares más agradables y dejarnos transportar a la ciudad por vehículos autónomos, sin necesidad de agolparnos en gigantescos edificios de apartamentos unos encima de otros hasta el infinito (¡ils sont fous ces romains!, como decía Obelix). Y podremos empezar el día y terminarlo sin los agobios de conducir entre tráficos desordenados, emocionales, que perturban el equilibrio de cualquier individuo. La lista podría ser interminable, con un poco de talante optimista.

No se debe descartar que algunas tecnologías acaben generando más empleos que los que parecen destruir en una primera evaluación apresurada. La industria de los drones, por ejemplo, podría llegar a generar unos 100 000 puestos de trabajo en los Estados Unidos hasta el año 2025[183] únicamente en el sector de agricultura, lo que debería compensar otras tareas desplazadas por la incorporación de estos dispositivos (vigilancia, fotografía aérea, transporte de paquetería, etc.). Pero no acaban aquí las buenas noticias. Como en el caso de los vehículos sin conductor, los drones podrían seguir salvando vidas humanas, lo que hace que la discusión sobre el posible impacto en los empleos cambie de perspectiva. Los drones ya funcionan, por ejemplo, evitando los ahogamientos de cientos o miles de personas en el mar. Estos socorristas tecnológicos podrían llegar a ser una herramienta universal para vigilar piscinas y playas de cual-

---

183 http://www.marketwatch.com/story/how-drones-will-drastically-transform-us-agriculture-in-one-chart-2015-11-17

quier lugar del mundo y actuar de manera inmediata, permanente, en casos de emergencia. Los ejemplos similares serán innumerables.

A pesar de los millones de tragedias personales y colectivas que contemplamos en los telediarios: guerras, catástrofes, miseria, etc., y a pesar de los augurios que los anunciadores del fin del mundo se empeñan en avivar, la indiscutible realidad es que la humanidad nunca ha estado mejor en toda su historia. El número de personas desnutridas, afectadas por conflictos violentos, en situación de pobreza, etc. en el planeta mantiene una tendencia obstinada a reducirse. La ciencia y la tecnología, la medicina, han hecho posible un progreso continuado, una esperanza de vida que se incrementa cada año, aumentando a la par el ritmo de tal crecimiento. Mientras esperamos la reversión del envejecimiento y la cura de tantas otras enfermedades, la ciencia sigue haciendo sus milagros cotidianos. La mortalidad infantil se ha reducido a la mitad en apenas unas décadas, por ejemplo, lo que se traduce en que cada día mueran 14 000 niños menos[184]. Pero no siempre es un día soleado en el paraíso. El deterioro económico y social en ciertos países, algunos con estándares de vida superiores en el pasado, unos niveles de desempleo permanente que parecen hacerse estructurales en un número considerable de economías, las tensiones provocadas por una desigualdad económica que no parece poder ser acotada, la pobreza resistente en el seno de sociedades opulentas, etc. pueden lastrar la vida y el bienestar de muchas personas, incluso dinamitar el progreso conseguido.

Es posible que la ola de movimientos populistas de todo corte que ha aparecido en buena parte de las democracias modernas, y no sólo, del planeta sea una llamada de atención por parte de esos sectores de la sociedad que no se consideran bien tratados por el progreso. Este tipo de reacciones políticas canalizan la rabia y el desaliento de una parte de ciudadanos, y aunque se aproveche la gestión de ese malestar de manera interesada, se evita que la cólera llegue a tomar formas violentas. El desempleo tecnológico, los retos que plantea, y los posibles acuerdos sociales para ordenar una convivencia diversa, son cuestiones únicamente de acción política. Esa política habrá de estar a la altura de los tiempos y de las oportunidades en juego para la humanidad entera, evitando el corto plazo inherente a la política de teatrillo, en busca de acciones de consenso que cuenten con el favor de los ciudadanos. La política con mayúsculas

---

184 https://www.unicef.es/noticia/la-mortalidad-infantil-cae-en-un-41?gclid=EAIaIQobChMIn-Piv4jj1wIVCY0bCh0zoAqyEAAYASAAEgIk dPD_BwE&gclsrc=aw.ds

habrá de coordinar esfuerzos para que la ciudadanía exprese las prioridades, los objetivos, los límites de la sociedad futura, construyéndola de manera activa, estableciendo los riesgos aceptables para el progreso tecnológico, los parámetros de convivencia con máquinas y algoritmos capaces, las fórmulas de coexistencia con otra especie inteligente. Mientras las leyes sigan siendo generadas por humanos, y no hay razón para que esta premisa cambie en el próximo futuro, tendremos la sartén por el mango. Siempre que seamos capaces de controlar y limitar el daño que nos infringimos regularmente los unos a los otros; la identificación de un «enemigo» común podría aportar un cambio de tendencia. E incluso si las leyes acaban siendo generadas por máquinas y algoritmos capaces, aun podremos confiar en que la educación que les hayamos inculcado haya sido adecuada. En sus sistemas de conciencia artificial debería existir algo parecido al respeto por las generaciones que les precedieron, aunque vayan quedando desfasadas y resulten algo patéticas.

VIEJOS TRABAJOS Y NUEVOS TRABAJOS

Si la automatización y el desarrollo tecnológico tienen el potencial de desplazar empleo neto hacia las máquinas y algoritmos capaces, ese mismo progreso tiene la capacidad de hacer surgir un sinfín de nuevas ocupaciones. La dificultad, como siempre, estriba en imaginar lo que todavía no ha ocurrido, lo que ni siquiera hemos logrado soñar. Es relativamente simple establecer qué empleos podrían pronto caer del lado de los autómatas, pero enormemente complejo imaginar qué tareas serán esenciales en un tiempo y una sociedad que está por definirse. Por esta razón, los análisis que evidencian la progresiva automatización de tareas mediante el uso de más tecnología son recurrentes, pero los estudios que exploran los empleos en el nuevo paradigma son escasos, abordados únicamente por un puñado de futuristas y visionarios.

El cambio en las condiciones de convivencia en la sociedad tecnológica, sea como sea, habrá de generar necesidades que tendrán que ser satisfechas. Esa gestión de nuevas necesidades podrá ser atendida, en parte, por autómatas, pero también por humanos. No hay que olvidar que serán personas quienes habrán definido, a su medida, las características de ese entorno de convivencia avanzado. Mientras sean humanos quienes diseñan a los autómatas, las sociedades seguirán requiriendo de personas, pues toda la actividad se organizará en torno a ellas. Esas personas, además, serán por mucho tiempo los únicos agentes pluripotenciales y con inteligencia y habilidades generales. El individuo que conduce su vehículo podrá perder relevancia frente a los algoritmos de conducción autónoma; pero esa misma persona será también capaz de diseñar vehículos, puentes o parques de atracciones; de jugar a la pelota con sus hijos, de cuidar de sus mayores o de sacar de paseo a su mascota. Y, sobre todo, podrá hacer cosas que no ha hecho nunca, siguiendo únicamente su instinto, o recibiendo cierta formación de quien ya exploró esas tareas. Tanto la serie de tecnologías disruptivas que conocemos como las que aún no nos han sorprendido, requerirán de todo un nuevo espectro de empleos, y sólo los seres humanos tendrán la capacidad de reaccionar en primera instancia.

El progreso tecnológico y las revoluciones tecnológicas han impulsado, a lo largo de la historia, no sólo cambios en las herramientas disponibles, sino que han inducido cambios en las necesidades de los individuos. Cada nueva tecnología abría el campo de visión de la imaginación, que se aventuraba a soñar con nuevos avances. Una vez satisfecha una necesidad o alcanzado un sueño, gracias al desarrollo científico y tecnológico, nuevos y más osados objetivos aparecían de inmediato. Así, la invención del motor de vapor impulsó el ferrocarril y fábricas organizadas alrededor de ese elemento de potencia; la invención de la electricidad hizo posible el alumbrado en las poblaciones y en los hogares; etc.; y cada uno de esos logros modificó la convivencia planteando nuevos proyectos que estimulaban las capacidades de la especie para resolverlos. La tecnología se convertía en acicate para la mejora continua del bienestar, así como para el desarrollo de innovaciones siempre más audaces.

La automatización de los empleos, en su caso, instaurará un nuevo paradigma de convivencia y, como corolario, fomentará nuevas tecnologías y nuevas necesidades que volverán a estimular una misma pauta de actividad y desarrollo. Cada uno de esos ciclos se acompañará de nuevos nichos de empleo, como ya ocurrió en el pasado, y cada una de esas ocupaciones podrá, además, multiplicar los efectos. Los estudios en este ámbito establecen, por ejemplo, que cada empleo creado por el sector de la alta tecnología conlleva la creación de unos cinco empleos en el sector servicios[185]. Así, por ejemplo, Apple emplearía unos 13 000 trabajadores de manera

---

185 http://sloanreview.mit.edu/article/the-multiplier-effect-of-innovation-jobs/

directa, pero habría promovido unos 70 000 empleos indirectos en la región[186] donde se establece su sede. Por su parte, estudios sobre el impacto de Internet en el empleo por parte de la consultora McKinsey establecieron que la red podría haber impulsado unos tres puestos de trabajo por cada empleo desplazado a consecuencia del desarrollo tecnológico, además de haber apuntalado una quinta parte del crecimiento del PIB en los países desarrollados[187]. Los empleos en áreas emergentes como las criptomonedas, la financiación colectiva, la economía colaborativa, las redes sociales o la realidad virtual son ejemplos reconocidos de categorías laborales con un brillante futuro. Las listas de empleos con inmejorables perspectivas se renuevan de manera periódica, lo que da cuenta del dinamismo en la generación de nuevas ocupaciones. Según un análisis de la empresa de recursos humanos Ladders, las áreas de empleo que más han crecido entre 2008 y 2013 en los Estados Unidos están relacionadas con ámbitos como el desarrollo de software, el desarrollo de aplicaciones para sistemas operativos iOS y la gestión de datos, la mayor parte de las mismas inexistentes antes del año 2007[188].

Si consideramos las predicciones sobre uno de los desarrollos tecnológicos disruptivos mil veces anunciado, el Internet de las cosas, unos 75 000 millones de objetos deberían estar conectados entorno al año 2020[189], esto es pasado mañana. Esta cifra implica casi 10 objetos por cada persona del total de 7 800 millones de habitantes que existirán sobre la Tierra según las previsiones. Sólo esta tecnología, o aplicación tecnológica, hará que el número de tareas necesarias para la gestión de esa conversación planetaria estalle como una supernova. Se necesitarán profesionales para definir las interfaces de conexión de objetos a la red, para estandarizarlas y optimizarlas, para rediseñar la totalidad de dispositivos conocidos y concebir otros nuevos que aprovechen la posibilidad de dejar de ser elementos aislados, profesionales en el aprovechamiento de una cantidad inimaginable de datos enviados y recibidos, etc. Y también harán falta expertos en definir los protocolos de relación entre los objetos activos y las personas, en establecer sus modos de comunicarse, de respetar intimidades, etc. Máquinas, algoritmos y cualesquiera objetos

---

186   Enrico Moretti. The New Geography of Jobs. Houghton Mifflin Harcourt, 2012.
187   http://www.mckinsey.com/industries/high-tech/our-insights/internet-matters
188   https://www.theladders.com/press/theladders-releases-new-job-evolution-data-middle-management-titles-phasing
189   http://www.businessinsider.com/75-billion-devices-will-be-connected-to-the-internet-by-2020-2013-10

se comunicarán entre sí de una manera que nos resultará, probablemente, incomprensible, por lo que no dudaremos en establecer lenguajes puente que nos sean accesibles creando toda una categoría de empleos relacionados y otros que, todavía, no se nos pasan por la cabeza. Sin olvidar los efectos sinérgicos y multiplicadores entre todo tipo de innovaciones disruptivas que abrirán universos de posibilidades y tareas. Las criptomonedas, por ejemplo, permitirán un renovado flujo de recursos en todos los ámbitos, con estímulos reforzados para el intercambio económico y, por ello, del empleo; la realidad virtual multiplicará por «n» las necesidades demandadas en todas las vidas que mantendremos activas, lo que, a su vez, multiplicará la actividad económica de todos los agentes; los programas de extensión de la vida permitirán que las personas sigan siendo fieles consumidores durante tiempos virtualmente infinitos; etc. El futuro del trabajo no debería estar entre nuestras preocupaciones como especie, al menos en lo que respecta a la oferta de actividad previsible.

De entre las tecnologías disruptivas que vienen, algunos futuristas como Thomas Frey han señalado toda una serie de campos de actividad con capacidad de generar empleos: la impresión 3D, el Internet de las cosas[190] y la sensorización de los objetos físicos, la industria de los drones, el desarrollo de las capacidades potenciales del Big Data, las energías renovables, los sistemas de almacenamiento de energía, la transición desde las infraestructuras eléctricas convencionales a las redes de distribución inteligente, los sistemas de transporte de extrema velocidad, el desmantelamiento o reacondicionamiento de las infraestructuras de cada paradigma superado, la ética para el comportamiento de máquinas y algoritmos capaces, etc. Este autor también ha elaborado una imaginativa lista de posibles nuevos empleos. A modo de ejemplo, se podrían citar ocupaciones como las siguientes: operadores para el control global del planeta Tierra, recolectores de agua atmosférica, o preparadores científico-tecnológicos de deportistas y otros profesionales.

Hay empleos en muchas economías desarrolladas que se han desplazado sistemáticamente a otras geografías persiguiendo mano de obra más barata. Esos empleos, gracias a la automatización, podrían ser repatriados, lo que podría impulsar actividad adicional en la gestión y operación de esos ejércitos de autómatas, así como en servicios a dichas industrias. Las empresas podrían volver a producir bienes allí donde solían hacerlo, sin necesidad de trasvasar recursos y complicar la logística, lo que habría de favorecer la eficiencia

---

190   Con una predicción de la industria de un millardo de sensores en el mundo
      en 2024 y 100 millardos para 2036.

productiva, con un beneficio global para el sistema económico. En cuanto a aquellos países que hicieron de sus bajos salarios la ventaja competitiva en el mundo globalizado, el impulso del tiempo pasado les debería haber permitido dar el salto cuántico entre dos estados energéticos, el del atraso y el de la modernidad. El reto del futuro del empleo no será sólo una cuestión de cifras, tasas y tendencias, sino de habilidades y estrategias a la hora de encajar y sacar partido a los autómatas de acuerdo a la personalidad, la cultura, etc. de cada sociedad. Puede ser inevitable, como ha sido a lo largo de la historia, que algunos países ganes y otros pierdan, pero la innovación tecnológica les dará continuamente oportunidades para recuperar de nuevo la cabeza de la carrera. Los países o áreas geográficas que sufran más intensamente el desempleo tecnológico tendrán que asumir apuestas más audaces, por lo que serán propensos a experimentar soluciones tecnológicas y sociales innovadoras. Esas innovaciones se convertirán, en tantas ocasiones, en soluciones ganadoras que servirán de modelo para el resto de sociedades. La capacidad de facilitar cambios de manera acelerada gracias a las nuevas herramientas debería permitir que las desigualdades entre países no pasen a los libros de historia, sino que sean únicamente desequilibrios momentáneos. Si no podemos asegurar que el cambio de paradigma llegue al mismo tiempo a todo el planeta o que produzca los mismos efectos positivos, sí se podrá conseguir que las desigualdades sean corregidas con toda una gama de intervenciones de nuevo cuño. Las necesidades y las innovaciones tecnológicas se retroalimentarán continuamente.

Las sociedades modernas caminan hacia modelos de vida que no conocen ni remotamente de puestas del sol ni de inviernos. Las ciudades siempre despiertas, por ejemplo, prometen la multiplicación de empleos en el sector servicios, con turnos que completen todas las horas del reloj. Esta propuesta conllevaría que donde había un puesto de trabajo pudieran surgir hasta cinco, si hubiera de asegurarse la cobertura en los tres turnos con garantías de continuidad y respeto a las leyes laborales. No se trataría sólo de multiplicar las posibilidades de consumo, sino de expandir todo tipo de actividades: educación, cultura, salud, espiritualidad, etc. Incluso si una parte de esos empleos acabara siendo automatizada difícilmente lo sería de manera universal ni en el corto plazo, ni de modo que se eclipsase la magnitud del efecto multiplicativo. Hoy estamos ciegos a los empleos que veremos en apenas unas décadas, del mismo modo que quienes nunca imaginaron un tren, un avión o un ordenador no podían siquiera concebir la miríada de tareas que esas innovaciones generarían, así como los corolarios de transformación social y nuevas necesidades que engendrarían. Es una limitación física y biológica de nuestro campo visual para percibir información distante o borrosa. Lo que nuestros ojos no pueden distinguir con claridad la mente suele convertirlo en fantasmas, por defecto, a pesar de saber que estos no existen.

De los empleos que damos por perdidos, de manera precipitada, frente a máquinas y algoritmos, solemos olvidar que muchos tendrán marcado carácter humano porque atenderán necesidades de personas, tareas que implican una cierta experiencia emocional más que un producto o un servicio por sí solos. Del mismo modo que seguimos apreciando los pequeños signos del trabajo artesano en pleno tercer milenio frente a la fría perfección y homogeneidad de la producción industrializada, agradecemos la voz y la empatía de una persona humana al otro lado del teléfono de atención al cliente, en contraste con una comunicación robotizada. Las largas colas en ciertos servicios atendidos por personas en competencia con máquinas muestran que no sólo la eficiencia o la rapidez cuentan. Conforme el avance de la automatización progrese, el nuevo signo del lujo, pero también el anhelo de la mayor parte de individuos, bien podría ser la expectativa de interactuar con otras personas en la mayor parte de ocasiones posible. Ser atendido por un camarero en lugar de un *barman-autónomo,* ser aconsejado por un empleado de banca de carne y hueso y no por un sistema de redes neuronales, o ser simplemente saludado por una voz biológica y no por la vibración de un altavoz al entrar o salir de un establecimiento, serán momentos de felicidad en la sociedad tecnológica. Al fin y al cabo, la especie humana ha estado perfeccionando sus habilidades sociales durante cientos de miles de años, limando asperezas, probando y errando, entendiendo los límites de las zonas de confort de nuestro prójimo, incluso pagando con la vida o con la libertad cuando nos equivocábamos. Las personas, por ello, podrían mantener la primacía en todas aquellas actividades donde el trato con personas sea relevante y no sólo un formalismo, un accidente salvable.

El puesto de los empleados humanos en la sociedad tecnológica consistiría fundamentalmente en ser lo que mejor saben ser, personas. La ejecución de procesos complejos, el análisis de relaciones entre ingentes cantidades de datos, la formulación de teorías, tendencias o probabilidades, etc. quedarían del lado de los autómatas, evitando generar ansiedades en los individuos por eficiencias y productividades inaccesibles para la especie. Podríamos volver la mirada de nuevo hacia tiempos pasados en los que los hombres más respetados eran aquellos capaces de lidiar con los temores, las dudas, la angustia, la ignorancia humana. Esas personas podían tener la habilidad de contar historias donde se interpretaban los designios de la naturaleza y los dioses, o sabían cómo canalizar los recursos naturales junto a las energías del espíritu para aliviar las dolencias. Incluso podían proponerse como mediadores para entrar en contacto con los fallecidos dando consuelo a quienes seguían vivos. Eran personas que entendían a otras personas y sus más humanas necesidades y debilidades, como también harían las religiones del mundo. Así, el desarrollo de la inteligencia artificial no sólo no acabaría con el empleo de manera generalizada, sino que impulsaría un renacer de cualquier actividad con participación humana. Conforme las máquinas avancen a toda velocidad hacia su capacitación como agentes inteligentes, las tareas que requieran la conexión con otras personas, la comunión con su naturaleza humana, serán más y más valoradas. El resto serán tareas de máquinas.

Un importante número de trabajadores, además, podrá seguir llevando a cabo actividades allí donde sus habilidades resultarán complementarias a las capacidades tecnológicas, reafirmando sinérgicamente las competencias de máquinas y algoritmos, en lugar de entrar en conflicto o competir con ellas. Razones de tipo económico, social u organizativo, por ejemplo, harán que la participación de personas junto a las máquinas resulte más conveniente que una automatización absoluta. El equipo productivo así formado será más eficiente porque cubrirá un mayor rango de habilidades. Allí está el ejemplo de la industria del automóvil, modelo de automatización de procesos en el montaje de los vehículos, pero no en las tareas relacionadas con su mantenimiento o comercialización. Otros sectores podrían, incluso, permanecer como refugio de empleos para seres humanos, por sus propias características. Los empleos de servicio orientados a tareas sociales o servicios a la comunidad, empleos de voluntariado en muchos casos, podrían convertirse en auténtico nicho de actividad para los seres humanos en la sociedad tecnológica. Nuestras competencias a la hora de ayudar y dar soporte a los semejantes serán indiscutibles.

Jeremy Rifkin ha predicho que, conforme el empleo en los sectores tradicionales vaya disminuyendo, el crecimiento en estos sectores irá aumentando, como un mecanismo de compensación automático. Con el apoyo de los gobiernos y el acuerdo de la ciudadanía, este tipo de actividades podrían generar cualquier cifra de empleos, pues la demanda podría ser infinita. No hay límites en lo que respecta a la mejora del bienestar y la convivencia. La propuesta de Rifkin para financiar este nuevo paradigma se basaría en varios elementos: la reducción del presupuesto militar, el establecimiento de una tasa de valor añadido sobre los bienes y servicios que no sean de primera necesidad, y la restructuración de los presupuestos para constituir un salario social. Este ingreso sería la base de la existencia para quienes no pudieran acceder a un empleo. Si la mayor parte de las tareas productivas acaban siendo ejecutadas por máquinas y algoritmos capaces, esto es, si los medios de producción son todo el factor trabajo existente, los salarios a cambio de esfuerzo dejarán de tener sentido. En la lógica de automatización completa, la plusvalía del trabajo deja de ser el elemento de tensión para serlo la plusvalía de los recursos colectivos. Las diversas industrias consumen recursos que son propiedad del planeta, stricto sensu, obteniendo valor de los mismos que se transforma en beneficio particular, generando en el proceso impactos negativos (externalidades negativas) que son, de nuevo, globales y afectan a la ciudadanía. Parte de esos beneficios, por lo tanto, habrían de ser abonados en la forma de salarios compensatorios, no por su esfuerzo sino por la pérdida de patrimonio colectivo a los legítimos usufructuarios de los recursos sobre la faz de la Tierra. Es solo una posibilidad entre muchas otras.

TECNOLOGÍA PARA EL BIENESTAR

La tecnología que puede destruir espacios laborales es también la llave a una nueva convivencia donde el bienestar alcanzaría niveles desconocidos en la historia de la humanidad. Y ello, asumiendo el escenario de que la tecnología acabe destruyendo empleo neto lo que, en el presente, es sólo una hipótesis y en el pasado se demostró una falacia. La tecnología desplaza mayormente actividades, y sólo en ocasiones categorías enteras de empleos, ocupaciones que, frecuentemente no volvemos a echar de menos. Cada profesión incluye toda una retahíla de intervenciones difícilmente automatizables en su totalidad lo que hace inviable, desde la realidad presente, reemplazar masivamente trabajadores por máquinas o algoritmos [191]. Los datos, además, no parecen soportar los insistentes temores. Países como Alemania, con un número de robots por hora

---

191 Según un estudio de la consultora McKinsey Global Institute, el 49% de las actividades analizadas podrían ser automatizadas, pero menos del 5% por de los trabajos podrían ser completamente automatizadas.

trabajada tres veces mayor que en los Estados Unidos, ha experimentado una pérdida de empleos en el sector de fabricación de un 19%, a comparar con la de los Estados Unidos, de un 33%. Quizá la pérdida de ciertas actividades no sea achacable a la automatización después de todo[192]. Lo único que ha venido demostrándose es que la introducción de tecnología produce reacomodos del mercado de trabajo, al favorecer ciertas categorías de empleos y perjudicar otras, del mismo modo que se estimulan o penalizan las correspondientes habilidades, los salarios, etc. Todo depende del lado donde se encuentre uno frente a cada ola del progreso tecnológico y de las opciones de rectificar su suerte. Y, por supuesto de la actitud vital de cada persona; el trabajo más productivo sería el que sale de las manos de un hombre contento[193].

Una sociedad tecnológica donde las máquinas se encargan de mantener todos los procesos domésticos, cuidando de los seres humanos con absoluta entrega, satisfaciendo nuestras necesidades y deseos (presentes y futuros), regalándonos todo el tiempo de nuestras vidas para disfrutarlo con total libertad, no tiene muchos visos de futuro distópico. Salvo que unos pocos seres humanos con la capacidad y el poder suficientes se empeñen en convertirlo, por acción u omisión de terceros, en un infierno social. Quienes condenan preventivamente a máquinas y algoritmos capaces, puede que no sean conscientes de cuántas tareas penosas y peligrosas, poco dignas de la capacidad y condición humanas, nos han sido ahorradas gracias a la tecnología. El bienestar del que disfrutamos en buena parte del mundo nos permite obviar toda la miseria que el progreso tecnológico ha evitado a la especie, al mismo tiempo que ha asegurado el tránsito desde una condición animal de subsistencia a una de bienestar generalizado. Al liberar a muchos millones de personas de la carga de asegurar su alimento cotidiano, hemos podido aprovechar sus capacidades para tareas más avanzadas, como producir conocimiento, explorar nuestra naturaleza, el mundo que nos rodea y el espacio más allá de nuestra atmósfera, encontrar cura a tantas enfermedades, expresar la creatividad de mil modos o interactuar con millones de personas en una comunión de ideas y conciencias. Si la automatización consigue, finamente, liberar a todos y cada uno de

---

http://www.mckinsey.com/global-themes/digital-disruption/harnessing-automation-for-a-future-that-works

192   Robots at Work. Georg Graetz, Uppsala University and Guy Michaels, London School of Economics. June, 2017. http://personal.lse.ac.uk/michaels/Graetz_Michaels_Robots.pdf

193   Según Victor Pauchet, cirujano e innovador francés.

los individuos de la necesidad de trabajar, para siempre, de manera absoluta, el resultado podría ser genuinamente milagroso. Quizá esa liberación de recursos intelectuales sea, de hecho, tanto la única solución posible al desafío planteado por la sociedad de máquinas y algoritmos capaces como el único destino posible para la especie.

Si hay que apuntar a un auténtico desafío causado por el desempleo tecnológico masivo, quizá éste sería el reto de transformar una sociedad organizada secularmente entorno a rutinas de actividad para convertirla en una sociedad del ocio. Y, muy importante, sin hacer de esa sociedad tecnológica una auténtica idiocracia. Tener más tiempo de ocio no significará, de manera automática, alcanzar mayor calidad de vida, y es difícil imaginar cual podría ser la evolución de la sociedad humana entregada a la vida contemplativa. Igual que niños y adolescentes pueden dedicar la primera parte de sus vidas al juego —esto es, al aprendizaje—, los adultos de la sociedad tecnológica podrían entregarse a esa misma práctica, durante toda su existencia, consiguiendo un desarrollo personal inusitado. O al simple aburrimiento, ahora que tantos estudios lo proponen como un necesario proceso para estimular la inspiración, la creación o la construcción de la personalidad. Cuando llegue el tiempo del ocio extendido para los seres humanos, los economistas habrán de formular nuevas lógicas de base para regular la naturaleza económica de los intercambios. Quizá el arte, la creatividad, la pasión se conviertan en el fundamento de algún tipo de nueva moneda social; o quizá lo sea la renuncia a la pereza, si esta florece sin remedio en la sociedad tecnológica como temen algunos. Será en todo caso pereza en libertad, y pereza ganada a pulso.

La sociedad futura ofrecerá, con gran probabilidad, innumerables posibilidades para ese tiempo de vida recuperado, incluso de multiplicarlo a través de nuevas vidas en la realidad virtual, donde se podrán recrear todo tipo de experiencias sin los límites de las leyes físicas conocidas. El tiempo conquistado permitirá abordar de manera generalizada lo que ahora sólo pueden ser sueños atrapados en vidas estresadas y obligaciones inevitables. Da lo mismo si se trata del anhelo de una vida espiritual y contemplativa, de entregarse en cuerpo y alma a las redes sociales, de dedicar una vida a la cultura, al deporte, a la pereza, o a fantasear con el suicidio. Si los seres humanos son desplazados sin apenas excepciones de sus empleos a la par que se les ofrece una solución que garantice sus necesidades vitales, es perfectamente concebible que un porcentaje de entre ellos pueda revertir ese tiempo a la sociedad en forma de bienestar colectivo. De entre esos cientos de millones de individuos liberados de la suprema obligación cotidiana que absorbía al menos un tercio de sus vidas surgirán, con seguridad, soluciones de convivencia dignas de una especie que ha dejado atrás rutinas de mera subsistencia. Si el progreso ha elevado constantemente el listón de la calidad de vida y del bienestar, la tecnología que además permite la liberación de los individuos ha de impulsar un nuevo tiempo de conquistas sociales insólitas.

BAJO EL SINO DE LA ABUNDANCIA

En una sociedad de máquinas y algoritmos capaces trabajando sin descanso al servicio de la humanidad y su bienestar, increíblemente eficiente, la disponibilidad de bienes y servicios sería tan abundante como sería despreciable el coste de los mismos. Garantizar elementos de subsistencia a cada ciudadano: nutrientes suficientes para una vida saludable, espacios donde morar, educación y conocimiento, cuidados médicos, un entorno social y natural adecuado, etc. se convertiría en un problema banal. El trabajo forzado con o sin salario, la miseria y las penurias deberían quedar en el olvido, en la sección de historia negra de las sociedades humanas primitivas que se abrieron paso hasta el siglo XXI. La gestión de la escasez que ha movido a las sociedades capitalistas quedaría reemplazada por su contrario, la economía de la abundancia. Podemos estar viviendo los últimos tiempos de un cambio de paradigma milenario, a las puertas del tiempo anunciado por los cornucopianos[194], quienes creen que el progreso y la profusión de bienes materiales pueden lograrse gracias al desarrollo tecnológico mantenido en el tiempo. Según esta visión, la energía y materia disponibles en el planeta serían suficientemente abundantes para sostener a cualquier población actual y futura sin disputas ni escaseces. Y llegado el caso, siempre podríamos salir al espacio para seguir acopiando los recursos que necesitemos en una colección infinita de planetas, sistemas solares y galaxias. El universo es excelso. Y si se queda pequeño habrá, además, otros disponibles.

Si los bienes y servicios son absolutamente accesibles a coste virtualmente cero, la oferta y la demanda, la plusvalía, el propio capitalismo, todo pasaría a mejor vida, a la vida en los libros de historia, tras un tiempo prudente de purgatorio. Los indicios de esta rompe-

---

194 Del término cornucopia, el cuerno de la plenitud de la mitología griega, que suministraba mágicamente a sus propietarios con cantidades interminables de comida y bebida.

dora tendencia parecen ir haciéndose manifiestos, aún si de manera incipiente. El coste de la vida, según algunos analistas[195], ha empezado ya su senda descendente; es cada vez más barato suplir nuestras necesidades perentorias y ya son realidad algunas innovaciones que harán ese descenso más y más pronunciado. Estaríamos, quizá, a pocos metros del advenimiento de una sociedad de la abundancia facilitada por el progreso tecnológico. Cualquier acción social y política con afectación en ese estado de opulencia, incluso la más perniciosa, no podría evitar que cada persona acabase logrando un acceso universal a los bienes y servicios esenciales, del mismo modo que ningún régimen político ha evitado que las personas tuvieran acceso al aire que respiramos. Los excedentes de alimentos sobre aquellos necesarios para la estricta subsistencia ya existían en los tiempos de las sociedades de humanos cazadores-recolectores. Y la consecuencia de esa abundancia fueron toda una serie de actividades innovadoras más allá de comer, descansar o reproducirse: el arte, la celebración de ritos funerarios, una cierta preocupación estética, el descubrimiento de la música, la elaboración de herramientas para la vida cotidiana, etc. Los excedentes de alimentos facilitaron el tiempo de ocio, y el ocio facilitó la experimentación, la curiosidad por el entorno, el descubrimiento de uno mismo, y de las muchas capacidades innatas, generando un acervo de cultura y conocimiento. En la futura sociedad tecnológica de la abundancia, los individuos contarían de nuevo con un tiempo ampliado de ocio, vidas literalmente entregadas al recreo, una vez liberados de las obligaciones más animales gracias al trabajo desinteresado de máquinas y algoritmos. Los efectos en la producción de conocimiento colectivo podrían ser auténticamente explosivos. Y no sólo. Esos ciudadanos podrían dedicar su tiempo al desarrollo del bienestar colectivo. Las ONG y el trabajo voluntario son hoy una realidad incontestable para atender las necesidades de muchos millones de personas en el mundo, sea por oportunidad o por dejadez de los gobiernos y sus administraciones. En la actualidad, las organizaciones sin ánimo de lucro mueven mayores recursos que, por ejemplo, sectores como la agricultura, la pesca, la industria alimentaria, o la industria del automóvil[196]. Imaginemos lo que podrían abarcar y hacer posible si todos los trabajadores del mundo quedarán habilitados para entregarse a tareas de construcción de una mejor convivencia.

La sociedad de la abundancia no requiere de avances propios de

195 http://www.huffingtonpost.com/entry/
     demonetized-cost-of-living_us_578bb906e4b0cbf01ea00f24
196 Según Christian Felber y datos de la universidad Johns Hopkins.

la ciencia ficción. La tecnología necesaria para ese estado de esplendor sólo requeriría reducir los costes de unas pocas partidas que concentran buena parte del gasto en la mayor parte de las economías domésticas. Así, por ejemplo, en los Estados Unidos, el 33% del gasto personal se destina a la vivienda, el 16% a transporte, el 12% a comida, el 6% al cuidado de la salud y el 5% al ocio. Más del 70% del gasto de los ciudadanos norteamericanos se encontraría en ese puñado de categorías. Si consideramos las innovaciones que la tecnología ya ha extraído de su interminable chistera, algunas todavía en su estado embrionario, y las aplicamos a esas partidas de gasto, ya podríamos vislumbrar la tendencia de ahorro en el peso de las mismas. La tecnología de impresión 3D está dando sus primeros pasos en la fabricación autónoma de todo tipo de geometrías y volúmenes de manera sistemática, por ejemplo, viviendas. Su estandarización debería hacer posible que las construcciones sean ejecutadas de la noche a la mañana por sistemas robotizados, en cualquier parcela de terreno disponible, según las necesidades. La realidad virtual y la telepresencia nos permitirán, además, vivir en zonas remotas, fuera de núcleos de elevada especulación inmobiliaria sobre el suelo. Las nuevas plataformas online, por su parte, nos empiezan a permitir pagar únicamente por el uso que hacemos de los bienes, cuando los necesitamos, lo que tendrá su efecto positivo en el ahorro en todo tipo de consumos. La tecnología de vehículos autónomos va a hacer factible en pocos años la existencia de una flota gigantesca y eficiente de unidades de transporte para ser compartidas en cualquier momento.

Si consideramos la robotización de las producciones de bienes y servicios, los algoritmos para el diagnóstico médico junto a médicos-máquina con habilidades tanto de atender consultas como de realizar cualquier cirugía con precisión extrema, las fuentes de energía accesibles de modo universal y virtualmente inagotables a costes marginales, la disponibilidad de toda la cultura y ocio desarrolladas por la humanidad sin barreras de acceso, una educación y conocimiento compartidos de manera universal, y un largo etcétera, vivir en la sociedad tecnológica debería suponer sólo una ínfima parte de lo que nos cuesta actualmente. Si añadimos las tormentas de ideas e innovaciones que nos quedan por conocer, ese coste debería llegar a hacerse ínfimo en extremo. Hoy, de hecho, ya podríamos vivir a coste cero, si el modelo de bienestar fuera el que asumieron nuestros antepasados. La tecnología no lo es todo; la innovación requiere de acción política de acompañamiento que permita la mejor reinversión social del progreso. Las casas de ayer deberían costar menos hoy gracias a la producción en serie de los materiales de construcción, pero esas viviendas cuestan mucho más que antaño —sobre todo en términos de esfuerzo económico para las familias—. El modelo económico adoptado nos ha llevado a una espiral de consumo y gasto que ha de ser siempre más gravoso. Sin olvidar que los acomodos sociales no permiten sino vivir de manera gregaria a una mayoría de ciudadanos, convirtiendo el acceso a la vivienda en un asunto especulativo, con una demanda que supera a la oferta (o puede lograrse fácilmente que así sea) allí donde todo el mundo ha de vivir para aumentar las posibilidades de salir adelante. No todo es tecnología, ni tampoco su magia lo puede todo.

La tecnología no sólo reducirá los costes en esas grandes partidas de gasto de las familias de las sociedades modernas, sino en la práctica totalidad de gastos corrientes. En el libro Abundance (abundancia) de Peter Diamandis, por ejemplo, se incluye una estimación de cuánto nos estaríamos ahorrando (o cuánto más ricos seríamos en la actualidad) por el simple hecho de tener un teléfono móvil inteligente en el bolsillo, un agregador de funciones que antes requerían la compra de toda una serie de costosos equipos. El resultado, según su estimación, sería de un ahorro de más de 900 000 dólares norteamericanos. Su razonamiento se basa en comparar el precio de los productos que las familias habían de abonar en el pasado por diferentes equipos, y el ahorro al tener todas esas funciones disponibles en un único dispositivo. Así, hace unas pocas décadas, las familias de clase media norteamericanas tenían a su disposición una cámara de video, un reproductor de CD, un equipo de música estéreo, una consola de videojuegos, un reloj despertador, una o más enciclopedias, etc. y hoy todo ello se encontraría en cualquier *smartphone*. Esta forma de contabilizar el ahorro puede ser considerada algo temeraria; si un equipo de posicionamiento GPS podía costar en el año 1982 más de cien mil dólares (equivalentes, en la actualidad, a más de 270 000 dólares) eso no nos ha hecho 270 000 dólares más ricos hoy, por tener uno en el móvil. Sobre todo, porque cuando tenía ese precio los ciudadanos no sentían la necesidad de tener esta utilidad ni lo adquirían de manera masiva. Pero la propuesta no deja de apuntalar la idea clave de cómo la tecnología nos acaba dando siempre más por menos, y cómo se requiere cada vez menos tiempo.

El tiempo de la abundancia no es un sueño utópico. La economía ha venido doblando su tamaño cada 25 años y en los últimos dos siglos y medio el crecimiento económico ha sido de un 500%, un 2% de media anual. Dónde había un pan y un saco de grano hace dos siglos hoy habría 500 panes y 500 sacos de grano para dar de comer a esa misma familia. ¿Qué haremos con los miles, cientos de miles o millones de panes y sacos de grano que nos corresponderán en el futuro? Si el progreso provee recursos en forma de máquinas y algoritmos capaces listos para producir sin pausa y de manera eficiente, el crecimiento que podríamos experimentar no será mínimamente comparable con ningún periodo anterior de la historia, por generoso que haya venido siendo el progreso. Si contemplamos la curva de crecimiento económico de los últimos doscientos cincuenta años observaremos una silueta de curva exponencial. Toca recordar, una vez más, lo que eso significa en términos de poder multiplicativo. Para una cantidad que se dobla cada cierta unidad de tiempo, la figura inicial, sea la que sea, acabará multiplicada por 1 000 después de 10 ciclos, por un millón después de 20 y por un millardo tras 30. Si mantenemos el ritmo de una economía que dobla su tamaño cada 25 años, y suponemos el punto de partida de la evolución en 1750, en una evolución exponencial la economía se habría multiplicado por 1 000 en el año 2000 pero, lo auténticamente increíble ocurriría en los siguientes 250 años —diez ciclos añadidos— donde se multiplicaría por un millón. Esto explicaría por qué el año 2016 la producción económica mundial de únicamente 365 días habría superado la producción mundial acumulada de toda la humanidad hasta 1750[197]. La riqueza que vamos a ser capaz de producir no sólo va a crecer y mucho, sino que lo hará en magnitudes que escapan a nuestro discernimiento. La tasa de evolución de ese crecimiento también va a seguir el mismo progreso acelerado, haciendo que la economía no sólo doble su tamaño cada cierto periodo, sino que ese tiempo se vaya reduciendo. Unos pocos años, o quizá unos pocos meses podrían bastar para inundar todos los hogares del mundo con toneladas de pan y grano.

Si, en la actualidad, el PIB mundial puede doblarse cada veintipocos años (la previsión para el año 2050 es que el PIB mundial sea un 130% superior al actual[198]), podemos asumir que la aceleración tecnológica en la que ya nos encontramos de manera incipiente podrá permitir que esa evolución en la riqueza mundial se multiplique en periodos muchos más cortos de tiempo. Podemos realmente especular con una producción mundial que se duplicase cada pocos años o, incluso, cada año. Esa cifra de crecimiento implicaría que la economía se hiciese 1 000 veces mayor en el plazo de diez años y mil millones de veces mayor en treinta años. Incluso bajo la amenaza de poblaciones que todavía crecerán desaforadamente y con necesidades de bienestar que son siempre más exigentes, el desarrollo tecno-

---

197   https://medium.com/@adam_swersky/our-economy-keeps-doubling-in-size-you-wont-believe-what-happens-next-9070630590ee
198   https://www.pwc.com/gx/en/issues/economy/the-world-in-2050.html

lógico puede crear una cantidad de riqueza literalmente inconcebible, en el plazo de unas décadas. Todo gracias a la tecnología y a su desarrollo exponencial. Si logramos limitar o moderar al menos, la desigualdad con la que esa riqueza podrá ser acaparada, y si somos capaces de establecer un crecimiento que no implique la destrucción irreversible de recursos en la producción de esa riqueza, nos encontrarnos ante las puertas del reino de abundancia, abundancia material y de calidad de vida. Puede que los últimos metros antes de cruzar ese umbral desconocido nos parezcan terribles, el fin del mundo, pero cuando consigamos atravesarlo todas esas preocupaciones resultarán insoportablemente ingenuas.

Mientras el futuro de la abundancia se acerca, la automatización de actividades ejerce su función de espolear ese progreso acelerado. El uso de máquinas y algoritmos capaces contribuye a la mejora de la productividad, esto es, al crecimiento económico y a la prosperidad. El centro de investigación McKinsey Global Institute ha evaluado que la automatización podría incrementar la productividad entre un 0.8 y un 1.4% anualmente[199], lo que podría representar alrededor de la tercera parte del crecimiento total del PIB (gracias a la utilización de la máquina de vapor, por ejemplo, la productividad creció desde 1850 a 1910 un 0.3% anualmente). La tecnología es un regalo de los dioses para la humanidad, fuente de inagotables soluciones a todo tipo de escaseces, de adaptación a la naturaleza y a sus leyes, incluso una herramienta de reparación de los daños infringidos al entorno por nuestra actuación negligente o descuidada. No podemos vetar la tecnología y renunciar a los nuevos paradigmas de bienestar que esperan a la humanidad, a la distancia de unas pocas herramientas más.

EDUCACIÓN CONTRA LA AUTOMATIZACIÓN

Mientras unos ciudadanos se dejan llevar por el miedo a que el desempleo tecnológico se convierta en el origen de todos los males futuros, otros parecen poseer alguna información que les hace estar

---

199 http://www.mckinsey.com/global-themes/digital-disruption/
harnessing-automation-for-a-future-that-works

convencidos de que esa situación nunca llegará a ocurrir, por una razón u otra. El razonamiento más habitual es que tal tsunami de cambio disruptivo habría de superar todo tipo de barreras naturales y artificiales al acercarse a la costa habitada, algo nada probable. Somos conscientes de que todo sistema empujado en una dirección reacciona con una fuerza igual y contraria, oponiéndose a ese cambio; pero, además, cuando el cambio amenaza con hacernos caer al vacío, otras fuerzas sociales aparecen de la nada para oponerse con mayor ímpetu. Una vez negada de pleno la amenaza del desempleo masivo, con consecuencias catastróficas, sí se acepta, en cambio, que la sociedad tecnológica impondrá una dinámica acelerada de renovación de los empleos.

Las ocupaciones que nos han sido familiares a lo largo de generaciones, con similares conocimientos y habilidades que los que tenían nuestros abuelos y los abuelos de éstos, serán la excepción. Ahora la nueva lógica laboral impondrá entornos en constante transformación donde las máquinas y algoritmos capaces dejarán de ser herramientas pasivas, con un manual de instrucciones, para ser agentes con cierta capacidad de decisión, con márgenes de creatividad y autonomía. Los humanos que co-trabajen con esos autómatas requerirán de niveles de flexibilidad y adaptabilidad desconocidos. Por eso la educación requerirá de un giro copernicano, de una estrategia que convierta a las personas en empleados configurables a entornos líquidos, variables, dinámicos. El trabajo no será un bien escaso, pero sí podría serlo el trabajo invariable. El mercado laboral será accesible para quienes puedan demostrar una disposición a adaptarse al ritmo de cambio del entorno tecnológico. Esto empieza a ser una exigencia incipiente en el presente. A pesar del considerable nivel de desempleo en muchos países avanzados, no pocas ofertas de trabajo quedan vacantes porque las competencias requeridas no parecen estar disponibles. La demanda de ciertas destrezas ha ido más deprisa que la preparación de una oferta con las competencias necesarias. Las empresas podrían tener que enfrentarse con esta dificultad de manera creciente, lo que exigirá procesos de formación exprés que permitan adquirir habilidades y conocimientos que no cesarán de renovarse. La formación reglada tendrá que preparar a los ciudadanos para ser competentes en ese proceso de readaptación continua para alinearse con las características de la sociedad tecnológica.

Algunas propuestas empiezan ya a plantear, aunque tímidamente, variantes educativas basadas en, por ejemplo, el concepto de microformaciones. Esta estrategia está orientada a la adquisición de competencias y habilidades en tiempos muy reducidos, encaminadas a satisfacer las necesidades de las nuevas ocupaciones conforme van surgiendo. En lugar de formaciones generalistas y certificados que quedan obsoletos en poco tiempo, el aprendizaje en dosis de alta concentración permite «licenciarse» decenas o cientos de veces en una vida, en aquellas actividades con opciones de empleo en cada momento. Este proceso se convierte en un auténtico ejercicio de formación continuada a lo largo de la vida. Allí están los casos de preparaciones para capacitar pilotos de drones o técnicos en impresión en tres dimensiones, con gran demanda en la actualidad, donde la formación para acceder a un empleo puede asegurarse en un plazo de semanas. Casi al mismo tiempo que estos dispositivos empezaban a ocupar relevancia en todo tipo de ocupaciones laborales surgía la demanda de disponer de técnicos competentes para manejar estos dispositivos. La oferta de cursos ad hoc, en formatos de duración limitada, no se hizo esperar demasiado, favoreciendo empleos casi de manera instantánea. Al menos, mientras la novedosa demanda siga superando la inexistente oferta. Para cuando la tecnología consiga que estos aparatos acaben realizando buena parte de sus tareas de manera autónoma, sin necesidad de personal que los maneje o supervise, esas personas habrán de identificar los nichos de empleo del momento. Los tiempos y formatos de la educación estándar van a ser incompatibles e improductivos para acceder a los empleos en el futuro. De no cambiar nada, las estrategias de formación conocidas no servirán de mucho más que para contemplar pacientemente el movimiento de las nubes.

CÓMO HACER QUE EL VIAJE PAREZCA UN SUEÑO

El desplazamiento universal de cualquier trabajo a máquinas y algoritmos puede ser asumido, sin ningún tipo de drama, como uno de los escenarios más prometedores en la futura sociedad tecnológica. Perder de vista aquellos trabajos humanos promovidos únicamente por la necesidad de un salario que sufrague la supervivencia y las más humanas necesidades habría de ser un objetivo de la especie. En ese tipo de futuros las personas mantienen toda la libertad para dedicar su tiempo a actividades que sean de su interés, en pos de sus vocaciones, sus deseos, o como medio de obtener ingresos adicionales. Una serie de empleos refugio, además, siguen activos por todo tipo de razones ya expuestas: tareas esencialmente humanas, de personas para atender a personas, actividades de supervisión y control del trabajo de autómatas, definición de los límites de actuación y de las normas éticas bajo las que han de operar esos agentes neointeligentes, etc. Sin olvidar las opciones de mejora biónica para mantener competencias de todo tipo frente a las máquinas. La especie alcanza de este modo un estatus avanzado, en el que cada individuo es dueño de su vida sin coerciones biológicas, haciendo libre uso de sus mejores capacidades. Los intereses esenciales de las personas quedan protegidos del mejor modo posible, dejando atrás las estrategias conocidas del sálvese quien pueda, con fecha anunciada de fracaso frente a las máquinas evolucionadas.

Con una población de máquinas y algoritmos siempre en aumento, la oferta de puestos de gestión, coordinación, supervisión de esos agentes tecnológicos por parte de empleados humanos debería hacerse más que abundante. Los beneficios de tal sistema productivo con un pastel a repartir siempre de mayor volumen habrían de desencadenar una mejora notable del bienestar en todas las sociedades del planeta, tanto si tienen como si no tienen recursos, población educada o una geografía afortunada. El futuro no acabaría, de este modo, radicalmente con el empleo asalariado ni con las industrias que los generaban, sino todo lo contrario. El nuevo paradigma promovería el rol de los empleados humanos, desde la libertad de poder decidir sin poner en riesgo la propia existencia, un cambio de papeles de gran envergadura. Tampoco habría salto al vacío ni pérdida súbita de suelo firme. La tecnología y la ingeniería avanzarán tan rápido como les sea factible, incluso de manera exponencial, pero las leyes humanas, las reglamentaciones, los procedimientos administrativos, los planes de negocio, etc. se encargarán de sujetar ese avance al ritmo de adopción de personas y sociedades. Los sistemas políticos, en su concepción actual, no podrán lidiar con transformaciones mayores del paradigma de convivencia ni generar soluciones con esa misma cadencia. Los gobiernos habrán de gestionar, con dificultad, la explosión de innovaciones conjugándola con el discurso de las emociones, los temores, las esperanzas, las necesidades inmediatas de todos los cuerpos sociales. Esa burocracia moderará el desplazamiento tecnológico de los empleos, evitando que se desboque como ocurriría si fuera dejado a su suerte. Los ciudadanos del mundo se agolparán como pingüinos autoprotegiéndose frente al frío ártico del desarrollo tecnológico enfurecido.

Como decía Zygmunt Bauman, toda la humanidad navega en el mismo barco y es la primera vez en la historia en que el mundo, en cierto sentido, se va a convertir en un gran país. Esto sólo puede tener un desenlace, y es la unión más estrecha de todos los ciudadanos y, por ende, de sus gobiernos, para regular cualquier amenaza potencial de agentes inteligentes en conflicto existencial con seres humanos. El desempleo masivo en todas las poblaciones del mundo, sin alternativa real para subsistir y prosperar sería, sin duda, una amenaza colosal. Pero la pérdida de centralidad de la especie sería una auténtica desgracia biológica. El historiador Sidney Pollard propuso la idea de un patrón de cambio en la historia de la humanidad que implicaría cambios irreversibles orientados siempre en un mismo sentido, y que dicho sentido se orienta siempre hacia algo mejor. Aunque esta visión optimista es esperanzadora, es necesario establecer quiénes son los ganadores y quiénes los perdedores de esa pauta evolutiva. La historia ha acumulado perdedores en los procesos de cambio a costa de asegurar la victoria de los seres humanos, con sacrificio de algunos colectivos. Por otra parte, cada patrón de comportamiento natural puede ser bloqueado por acción u omisión, como un barranco obstruido, por lo que se ha de cuidar su mantenimiento y prevenir los accidentes.

El desempleo tecnológico podría acabar siendo reconocido en la historia como el perfecto aliado que puso fin a la condena bíblica de trabajar de manera obligada. Si las máquinas aceptan de buen grado subrogarse en el cumplimento de nuestra pena, entonces la ecuación sólo requeriría formalizar el origen de los recursos para asegurar los mínimos vitales de la existencia y la adecuada administración de los mismos. Habríamos de dejar atrás, de este modo, toda una serie de conceptos que quedarían sin sentido. La sociedad de pleno empleo, por ejemplo, se convertiría en expresión absurda en la futura sociedad tecnológica, un oxímoron (la auténtica sociedad es de pleno ocio y plena libertad). Ya en la actualidad, el objetivo de maximizar el número de empleos está cambiando forzado por las circunstancias económicas. El desempleo estructural se ha convertido en un accidente habitual de la geografía social, al mismo tiempo que algunos conceptos asociados al empleo han empezado a extinguirse (trabajo para toda la vida, formación para una carrera profesional, etc.) Se trataría, por lo tanto, no de oponerse a esa predisposición sino de utilizar su energía para dinamizar su transformación controlada.

La automatización va a permitir que la riqueza se multiplique sin freno, de un modo que nos es ajeno. En el fondo, puede que no se trate de especular sobre nuevos empleos o de concebir nuevas industrias que permitan al ser humano seguir prosperando. Quizá se trate de una cuestión meramente filosófica, de qué hacer con una riqueza desbordada, de cómo gestionar la abundancia para el mejor bienestar colectivo, cuando hasta la avaricia más ciclópea por parte de individuos o minorías podrá quedar saciada sin que eso afecte visiblemente al resto de ciudadanos. Quizá el objetivo sea tan simple y tan complejo como crear una nueva conciencia colectiva de lo que significa el bienestar y la convivencia en la futura sociedad de la abundancia. De prepararnos para estar a la altura de esa sociedad y evitar que la historia se repita por haber propuesto una fórmula de ensueño posible en lo teórico pero utópica respecto a la naturaleza humana que requiere para ser llevada a la práctica. Preparémonos, por tanto, para abandonar sin mayor complejo la producción de riqueza en manos de los autómatas, mientras los humanos utilizamos ese tiempo para diseñar y acordar la mejor sociedad tecnológica posible.

Aunque la innovación tecnológica implica siempre riesgos y desafíos, el ser humano no ha de doblegarse por anticipado frente a ellos, sino más bien establecer mecanismos para su moderación y control sistemáticos. La humanidad ha aprendido a sobrevivir y superar todo tipo de desafíos en los cientos de millones de años de evolución de la especie, y ha sido capaz de manejar con acierto estrategias de prueba y error, aprendiendo y mejorando con cada experiencia fallida. Está grabado en nuestros genes el mandato de sobrevivir a toda costa, de vivir y afrontar el presente, pero manteniendo también la vista sobre el futuro que viene. Tenemos la capacidad de adaptarnos con flexibilidad a todo tipo de condiciones y, llegado el caso, hacer que el entorno se adapte a nuestras necesidades, gracias a las herramientas tecnológicas. Por si fuera poco, los posibles impactos críticos o disruptivos asociados con las máquinas y algoritmos capaces distan todavía mucho de ser inminentes, lo que nos otorga cierto margen de maniobra para el debate tranquilo y la acción coordinada. Las nuevas tecnologías habrán de superar todo tipo de trabas sociales, políticas, éticas, económicas, etc. que van a convertir su desarrollo en una auténtica carrera de obstáculos rompepiernas, lo que reducirá cualquier pretensión de velocidad exponencial del progreso tecnológico a un movimiento más acompasado al paso de hombre. Las máquinas y algoritmos también habrán de confrontar el más que instintivo rechazo psicológico de tantas personas hacia la omnipresencia tecnológica. Ya hoy, cuando la situación es poco más que embrionaria, no demasiadas personas aceptan de buen grado llenar el depósito en la estación de servicio mediante la sola interacción con una máquina impertérrita. Lo mismo se podría decir de las cajas de autopago en los supermercados, los peajes automáticos de las autopistas, o los servicios automatizados de atención telefónica, incapaces de ganarse la confianza de un público mayoritario, incluso de hacer su trabajo con un mínimo decoro.

El progreso tecnológico podrá aspirar a facilitar objetivos considerados inabordables por la sociedad, deseos que caían en el ámbito de lo utópico. La redistribución de la riqueza y la limitación de la desigualdad económica, la expresión de las mejores capacidades humanas en plena libertad, un crecimiento económico que no requiera esquilmar recursos naturales, una economía que no sea siempre más consumo, etc. Del mismo modo que pasamos de un paradigma en el que la mayoría de la población tenía que producir alimentos para subsistir, a uno en el que sólo un pequeño porcentaje de individuos es capaz de asegurarlos para toda la especie, podremos disfrutar de un nuevo acuerdo social en el que las máquinas provean todo lo que podamos necesitar, en condiciones de igualdad, en un tiempo de abundancia. Será la liberación total de la especie gracias al partenariado con los autómatas. Como decía Ortega y Gasset, la auténtica revolución es la que va en contra de los usos, no en contra de los abusos, que se suele quedar en revuelta. El cambio de modelo de convivencia será un cambio mayúsculo en los usos sociales, económicos, políticos, personales; será por ello la madre de todas las revoluciones, y la acción que acabe, de paso, con tantos abusos acumulados.

¡QUE LOS ROBOTS NOS AYUDEN!

La llegada de máquinas y algoritmos capaces no ha de contemplarse como un riesgo para la humanidad, sino como la oportunidad esperada para mitigar o anular auténticas amenazas para la especie, en el futuro que viene. Si los peores escenarios del calentamiento global, por ejemplo, llegaran a acontecer, puede que sólo ejércitos de autómatas trabajando sin descanso lograran garantizarnos la supervivencia, restableciendo los equilibrios perdidos. Si el estado climático de la Tierra de los últimos diez mil años se rompe, la humanidad, por sí misma, se pondría en dificultades para salir adelante sin grandes sacrificios. El desarrollo tecnológico acelerado, paradójicamente, podría ofrecer soluciones para combatir los excesos del consumo desbocado. Otras tecnologías, como la bomba atómica, podrían de manera igualmente paradójica haber salvado ya a la humanidad; en este caso, de una tercera, quizá última, guerra planetaria. El consumo irresponsable y desbocado podría acabar con la salud de los ecosistemas y con buena parte de vida biológica, pero la providencia ha puesto un interruptor antes de la carga explosiva definitiva. Y lo ha puesto a tiempo para intervenir antes de que el daño sea del todo irreversible. Esos ejércitos de autómatas competentes y autónomos serían nuestro salvoconducto para atravesar el periodo de sombra en la civilización, los efectos de la inconsciencia humana, llegado el caso. Como niños malcriados, permaneceríamos apartados y reflexionando sobre nuestros actos hasta tanto en cuanto todo fuera puesto de nuevo en orden o, al menos, en un estado de orden aceptable. Las máquinas y algoritmos capaces podrían desplazarnos de nuestras obligaciones de manera generalizada en este escenario, pero, a cambio, asumirían la responsabilidad de volver a hacer del planeta un lugar habitable.

Si el *Homo sapiens sapiens* es más que capaz de conducirse hacia todo tipo de catástrofes, es igual de cierto que posee las capacidades para resolverlas por sí solo. Los autómatas, como aliados, también podrían echarnos una mano con todo un cúmulo de problemas de rango inferior que no hemos sabido resolver a lo largo de la historia, aunque no representen una amenaza de colapso. Sus competencias serán también aprovechadas en escenarios de accidentes, siniestros y calamidades de cualquier envergadura, asumiendo tareas arriesgadas para los humanos. La reciente epidemia de ébola, por ejemplo, dejó terribles imágenes de personas afectadas a las que nadie quería acercarse por temor a ser contagiado, en ciertas partes del mundo. Más de 11 000 personas murieron por dicha epidemia entre los años 2014 a 2016[200]. Los autómatas podrían encargarse de la atención de enfermos contagiosos en el caso de pandemias, reduciendo el riesgo para médicos y personal sanitario, y superando el terror de las poblaciones. Esas situaciones les servirían de entrenamiento para el desarrollo de sus aptitudes, asegurando de paso soluciones para nuestras grandes y pequeñas tragedias. Muchos de los escenarios catastróficos para la especie humana, aquellos donde las condiciones necesarias para nuestra existencia biológica se han reducido peligrosamente o estarían a punto de disiparse, serían, sin embargo, entornos de vida y trabajo perfectamente nominales para las máquinas. Ellas podrían seguir con las rutinas el día después, sin impacto aparente, produciendo alimentos para la subsistencia de los humanos supervivientes, reparando las infraestructuras dañadas, controlando las fuentes de peligro potenciales, reconstruyendo

---

200 http://www.isglobal.org/ebola

los espacios de convivencia, proveyendo atenciones de todo tipo o, simplemente, haciéndonos compañía. Para quienes temen que las máquinas y algoritmos capaces enloquezcan y se rebelen contra la humanidad, causando innumerables bajas, habría que recordar que un minúsculo virus de los cientos de miles que infectan a los mamíferos en nuestro mundo ya ha demostrado esa capacidad mortífera. Y vivimos con ello sin alterarnos demasiado.

HACERSE UNO CON LAS MÁQUINAS

Todo temor al desplazamiento del empleo por parte de máquinas y algoritmos capaces podría ser instantáneamente eliminado si esos agentes tecnológicos fueran exactamente como nosotros o, dicho de otro modo, si fueran nosotros. Si los seres humanos logran desarrollar biotecnologías que extiendan y complementen nuestras capacidades humanas, a la par que los autómatas se humanizan de algún modo (pseudoconciencia, empatía, etc.) la simbiosis de unos y otros sólo acabaría siendo un hecho natural. Las tecnologías para *ciborgizar* a las personas y para humanizar a las máquinas empieza ya a estar disponible y el futuro hará que la oferta sea no sólo variada sino exhaustiva, integrando esas nuevas capacidades de manera coherente. Si tomamos los exoesqueletos, por ejemplo, estos equipos podrán otorgar una fuerza y resistencia de auténticos superhombres a cualquier persona, lejos de las limitaciones del humano biológico. Su operación y control, además, quedarán integrados bajo nuestra fisionomía con el recurso a ondas cerebrales cuando sea necesario. Con el desarrollo tecnológico esperado, podemos asumir que la mayor parte de nuestros movimientos en un futuro serán soportados por esas estructuras no biológicas, pero que sentiremos como parte integral de nuestro cuerpo. El futuro nos aportará una variopinta gama de prótesis tecnológicas para transformarnos en todo tipo de superhéroes, con funcionalidades que permitirán extender las capacidades humanas, hacerlas funcionar de modos alternativos, en ritmos insospechados, permitiéndonos converger hacia una nueva humanidad tecnológica. Llegados a ese punto, habremos de preguntarnos si las máquinas y los algoritmos son auténticamente ajenos a nosotros, o sólo una evolución con un punto de partida diferente que convergió al mismo resultado.

La tecnología de mejora biónica, por una parte, podrá mantener nuestra empleabilidad durante todo el tiempo que necesitemos, en competencia posible con todo tipo de máquinas y algoritmos —los implantes cerebrales serán la norma—. Y, por otra parte, se convertirá en la estrategia para transformarnos en una nueva especie, una donde humanos, máquinas y algoritmos capaces seremos una misma cosa. Esa población quedará a cargo de todas las actividades del planeta necesarias para la convivencia, dando por superada la discusión sobre el desempleo tecnológico para siempre. Puede que esta solución no sea aceptable para el conjunto de la humanidad, pero esa «humanidad» quedará al margen, frente a los nuevos pobladores de la sociedad tecnológica. Ellos podrán decidir sobre su suerte, en todo caso, y sobre el mejor modo de organizarse. La nueva «humaquinidad» avanzará hacia su destino sin mirar atrás.

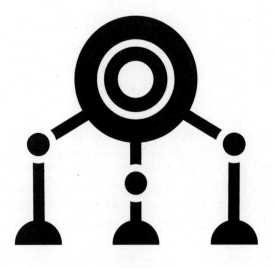

HOMBRES, MÁQUINAS O FÓSILES. SOLUCIONES PARA EL NUEVO PARADIGMA

Stronger than a thousand armies, is an idea whose time has come.
OSCAR WILDE (1854-1900)

[Más fuerte que un millar de ejércitos es una
idea a la que le ha llegado su tiempo.]

LA TECNOLOGÍA SE HA CONVERTIDO EN UNA HERRAMIENTA capaz de provocar series de cambios radicales en el paradigma de convivencia. La aniquilación del planeta, de la especie, el colapso del sistema económico, de los equilibrios sociales, son desde hace un tiempo escenarios de futuro posibles, junto a la conquista del espacio, la reversión del envejecimiento o el desarrollo de una inteligencia superior. Los desafíos a los que se va a enfrentar el ser humano van a ser de una magnitud que escapa a cualquier escala de medida. Si el progreso tecnológico es esencialmente bueno, el progreso no consensuado puede acabar siendo el origen de una sociedad no deseada. Más y más progreso para el pueblo, pero sin el pueblo puede llevarnos al callejón sin salida de la historia de la humanidad, del que solo podríamos salir reculando, una solución nada sencilla.

El desarrollo científico y tecnológico quema los puentes que atraviesa por defecto, y no es posible volver a cruzarlos para retroceder a estadios anteriores. El conocimiento no tiene marcha atrás. Desde una visión ingenieril, sin embargo, no sólo hay una solución para cada problema, sino una oportunidad para generar nuevo conocimiento, y todavía más y mejores herramientas, que, a su vez, servirá para aumentar el acervo de soluciones disponibles en ulteriores desafíos. Esta sinergia de esfuerzo creativo es todopoderosa, como aquella palanca que podría mover el mundo, según Arquímedes, dado un punto de apoyo necesario. En el caso del desarrollo tecnológico, ese punto de apoyo no es otro que una sociedad alineada con los objetivos del progreso. Sin ese soporte, la tecnología sólo podrá generar tantas expectativas frustradas como ilusiones, tantas soluciones como problemas, tanta utopía como distopía. Por ello, cualquier intento de gestionar la sociedad tecnológica pasa de manera inevitable por instaurar un mecanismo de participación ciudadana para moderar y consensuar el sentido y dirección del progreso tecnológico. Cualquier estrategia que evite debatir sobre riesgos y oportunidades de cada tecnología, y tomar decisiones conscientes sobre las opciones que van a llevarnos como humanidad a un destino u otro, estará infantilizando a los seres humanos. El futuro que viene y que se nos viene encima necesita, sin embargo, de poblaciones adultas, capaces de ser conscientes de lo que está en juego. La sociedad tecnológica no puede convertirse en una era de las tinieblas.

Hay todo un discurso de siglos sobre el desempleo tecnológico, sus efectos, y sus probables evoluciones que tiende a enfangar el camino hacia cualquier consenso. Es necesario especular sobre posibles soluciones para el nuevo paradigma sea cual sea el corolario del progreso tecnológico, mostrando que existen conceptos-herramienta que podrían moderar o controlar sus impactos. O ni siquiera eso, lo que urgiría a buscar otras soluciones o tomar otras medidas preventivas. La clave no está en las propuestas sino en el ejercicio mental que permiten, habituándonos a contemplar más allá de donde alcanza la vista, pero hacia donde nos dirigimos, y donde se presumen no solo accidentes geográficos que habrá que salvar sino todo tipo de monstruos y criaturas. Quienes a estas alturas estén convencidos del riesgo de un desempleo masivo a causa de la automatización de tantas actividades y empleos, de todo el trabajo llegado el caso, podrán evaluar la conveniencia de estas opciones y, sobre todo, estimular la imaginación en busca de reflexión sobre el presente y sobre futuras estrategias. Quienes no crean que las máquinas y algoritmos capaces representarán un problema serio, o no en lo que concierne al empleo, todavía podrían encontrar alguna idea que les resulte provocadora o interesante acerca de los modos de organizar la convivencia entre máquinas y humanos en la sociedad tecnológica que viene. Dar solución a un cambio que puede ser disruptivo para toda la humanidad mediante una colección diversa de ideas familiares o propuestas que habitan la fantasía social es, naturalmente, poco menos que una tarea quijotesca. De hecho, para buena parte de la ciudadanía no hay gigantes con los que batallar sino sólo aburridos molinos. Lanzar una primera tormenta de ideas, en todo caso, debería estimular la imaginación sobre los escenarios de futuro y, quizás, promover aquellos que más nos agradan, aumentado su probabilidad de ocurrencia. En la ciencia social los desenlaces pueden ser poco controlables, pero el aleteo de una mariposa en el presente bien podría significar toda una tempestad de mayor bienestar en el futuro.

No todas las propuestas tienen por qué ser realizables, no con la versión actual de conciencia de la especie humana; puede que tampoco todas tengan sentido social o económico, pero lanzan líneas de reflexión colectiva que podrían salvar nuestros traseros, los traseros de la especie humana, si las cosas acaban torciéndose demasiado. En un escenario de catástrofe social mayúscula se requerirá, seguramente, algo más que una única idea salvadora para hacer frente a todos los desafíos inauditos que un cambio disruptivo conlleva. Otras propuestas serán difícilmente manejables como soluciones, igual que botes gigantes de nitroglicerina, siendo su activación segura casi imposible. Convencer a la sociedad para modificar sus hábitos de manera importante, o incluso radical, como anticipación a un riesgo que muchas personas clasifican como entelequia, será pedir peras al olmo. Sólo tras vernos rodeados de tierras movedizas y haber asumido que quedarnos quietos significa hundirnos sin remedio, habría posibilidad de aceptar medidas que rompiesen en pedazos el status quo y el curso natural de la historia. El mensaje que ha de ser repetido sin descanso es que podemos convertir el desafío de las máquinas y algoritmos capaces en una oportunidad para los seres humanos y su convivencia, resolviendo el contrato que nos obliga a trabajar para asegurar la subsistencia. El reto es pantagruélico, pero puede ser abordado por los gobiernos del mundo una vez la presión sobre el bienestar empiece a ser insoportable. Esos gobiernos han de prepararse para establecer un discurso acorde a los retos del tercer milenio.

Las soluciones al desempleo tecnológico habrán de ser globales, pues también lo será el desafío, lo que requerirá tiempos extensos para que cada país, cada sociedad, acabe reconociendo el problema y alineándose con el resto en un esfuerzo colectivo para enfrentarlo con alguna garantía de éxito. Quienes no estén de acuerdo, formarán los grupos de ángeles caídos de cada sociedad, las guerrillas de una nueva revolución que, como la historia ha demostrado, podría ser sangrienta —o cortocircuitante—. Hemos de buscar el cambio tranquilo, ese que no ocupa páginas en los libros de historia, pero tiene más potencial de transformación que ninguno porque construye sobre bases sólidas. Nos dirigimos hacia un mundo con alta densidad de problemas complejos, algunos con el potencial de ser situaciones terminales. En ese camino nos toparemos, a su vez, con el desarrollo de una enorme variedad de asombrosas herramientas tecnológicas. Esas herramientas podrían servirnos para construir una *Terranova*, un mundo de progreso tecnológico y social como nunca antes hemos conocido, donde todos los escenarios de catástrofe que hoy imaginamos sean abordables como simples juegos de mesa, puro entretenimiento. Hemos de fomentar la reflexión que facilite el debate y el desarrollo de herramientas sociales para que acompañen a las innovaciones tecnológicas, asegurando el bienestar en los posibles cambios de paradigma de convivencia que se anuncian. Un progreso tecnológico descabezado y una desigualdad económica gigantesca podrían combinarse con un desempleo masivo asegurando una alianza nada prometedora. Mejor evitar esa pesadilla para la especie humana. El futuro nos promete la posibilidad de extender la vida sin límites, de eliminar la pobreza y la miseria, de colonizar otros mundos y de crearlos también virtualmente en nuestro planeta; de hacernos auténticamente libres. No podemos errar el rumbo hacia ese maravilloso destino.

La cautela de la especie humana para salir de su zona de confort recrea una potente inercia al cambio, un mecanismo de seguridad frente a las muchas ocurrencias que la creatividad humana podría concebir echando por tierra los modelos de convivencia que han funcionado hasta la fecha. El trabajo asalariado para asegurar la supervivencia es un claro ejemplo. El juego de la experimentación social sólo ha de hacerse con mesura por su alta inflamabilidad y potencial explosivo. Pero esta barrera de seguridad también es un lastre para cambiar los paradigmas establecidos cuando se hace más o menos obvio que ha llegado el momento de abandonar un camino que no lleva a ninguna parte para tomar otro que quizá nos cambie de valle. Los seres vivos, han demostrado, en todo caso, su capacidad de abandonar medios y entornos conocidos para lograr reinventarse y seguir su senda de evolución posible. Hasta fuimos capaces de abandonar los océanos para vivir en la superficie de la Tierra, bañada por un gas venenoso y altamente reactivo, en lo que hubiera parecido un acto suicida a cualquier observador externo. Cambiar o ajustar las reglas de los modelos sociales y económicos, en comparación, parece un asunto más que trivial; su efecto, sin embargo, podría tener la misma potencia de transformación de nuestro futuro que el habernos adaptado a respirar oxígeno.

PROPUESTAS DE CONTINUIDAD

Aunque las máquinas y algoritmos capaces puedan ser una realidad en el futuro que viene, se podría asumir por defecto que las características de las primeras generaciones no podrán dar respuesta a tareas que requieran una inteligencia general. Esta situación evitaría grandes sacudidas telúricas en la sociedad, y dejaría paso a ciertas propuestas de intervención que nos resultan familiares, sea como conceptos teóricos o como experiencias llevadas a la práctica cotidiana, con mayor o menor fortuna. Desde la perspectiva del desafío planteado por el desempleo tecnológico, esos planteamientos podrían ser ahora optimizados de modo que sus carencias o errores pasados fueran neutralizados y sus potencialidades realzadas para el renovado objetivo.

La inteligencia humana nos permite tanto realizar cálculos de cierta, aunque limitada, complejidad, como concebir nuevos diseños, ideas o conceptos de la nada, manejarnos en todo tipo de interacciones sociales e idear normas para ajustar esa convivencia social, percibir nuestro entorno de mil maneras diversas y crear herramientas para modificarlo, etc. Las máquinas capaces no podrán aspirar a esa disponibilidad de habilidades, no en sus primeras fases. Sus capacidades serán excepcionales en muchos campos, pero eso no las convertirá en agentes autónomos, conscientes de su entorno, preparados para integrar informaciones diversas y sacarles todo tipo de jugos. Tampoco podrán ser buenos gestores de equipos y recursos integrados, del mismo modo que los individuos más inteligentes de la especie humana, según la medida de los test de inteligencia, no tienen por qué ser los mejores líderes, ni quienes demuestran mayores habilidades sociales, más empatía, o más visión de futuro. Mientras no se verifique lo contrario, las máquinas y algoritmos capaces lo serán únicamente en un rango restringido de disciplinas y condiciones de contorno, empleados enormemente eficientes en su conjunto acotado de tareas. Aun si la inteligencia general debería ser lograda por las máquinas, en su momento, la sociedad humana debería contar con un colchón temporal para preparar esa nueva convivencia. No demasiado tiempo. A diferencia de los humanos, las máquinas capaces van a incorporar sus avances de manera automática, en generaciones que se sucederán como moscas, lo que les dotará de un mecanismo de selección artificial endiabladamente expeditivo. Cualquier mejora, además, se aplicará de manera extensiva a todos sus miembros, sin excepciones. Los genes que dotaron a Albert Einstein de su visión espacial y de su capacidad lógica extraordinarias no fueron incorporados a toda la especie humana, ni siquiera a una pequeña parte de la misma. En el caso de las máquinas y algoritmos, las trazas de genialidad serán integradas en cada generación por defecto.

Puesto que la amenaza del desempleo tecnológico no es nueva, ni tampoco lo es la discusión sobre la obligación y la necesidad de trabajar, podemos contar con toda una serie de propuestas para resolver o mitigar la presión del progreso sobre los empleos. Es cierto que las viejas soluciones plantean críticas conocidas pues muchas de ellas han sido probadas en escenarios determinados, sin haber logrado resultados incuestionables. De lo contrario, su aplicación hubiera acabado universalizándose. Pero también es cierto que, bajo nuevas perspectivas y bajo un nuevo contexto, esas opciones podrían convertirse en ganadoras. Su tiempo podría acabar llegando, una vez superadas las etapas de experimentos sociales y aprendidas sus lecciones, o tras la reflexión colectiva debida. Estas ideas, por otra parte, pueden estar cargadas de ideología y arrastrar toda una retahíla de lugares comunes y tópicos que pueden levantar muchas reticencias a la hora de ser implementadas, seguramente más que aquellos conceptos nunca planteados desde la política, lo que podría requerir un blanqueo previo neutralizante. Frente al desafío social en ciernes, su coste y riesgo serían, en todo caso, más que aceptables, al menos para pasar a la fase de ser juzgadas colectivamente por su capacidad inherente de ofrecer soluciones aceptables.

TRABAJANDO JUNTO A LAS MÁQUINAS

Uno de los escenarios más relajados en lo que concierne al futuro del empleo es que las máquinas, por más habilidades que acumulen, no dejen de ser esencialmente máquinas, herramientas a nuestro servicio. Este escenario podría llegar a ser veraz por diversas razones, la más sencilla es que la Ley de Moore y sus derivadas en forma de desarrollo exponencial de tantas innovaciones tecnológicas deje de verificarse. Quizá algunas tecnologías puedan desarrollarse de manera exponencial, o quizá puedan hacerlo durante una fase de su existencia, pero ese comportamiento no sería ninguna ley universal ni permanente. Y, lo que es más importante, ese patrón de evolución no afectaría tampoco a los sistemas que integrasen tecnologías de variada naturaleza, donde el eslabón menos evolucionado marcaría el ritmo de desarrollo del conjunto. De este modo, el 99% de todos los componentes de cualquier producto tecnológico podría estar sometido a un desarrollo exponencial pero apenas el restante 1% frenaría sus ansias de transformarse en versiones avanzadas de sí mismos. Sería algo parecido al caso de los vehículos, con muchos de sus sistemas sometidos, durante décadas, a mejora continua y acelerada, pero donde el resultado final no parece ser esencialmente diferente de los coches de otras épocas (salvando las distancias en confort, seguridad, etc.) Ni los coches levitan, ni vuelan, ni tienen autonomías insospechadas después de un siglo. Las máquinas y algoritmos auténticamente capaces podrían tener que esperar su momento durante buena parte del milenio. Esto permitiría que la humanidad prosiguiese con sus rutinas, incluidas las laborales, utilizando a las máquinas y algoritmos para facilitarse la vida y reducir el esfuerzo.

Tampoco se ha de olvidar el freno que la sociedad opondrá a cualquier cambio de paradigma hacia una sociedad tecnológica de autómatas capaces cuando se haga manifiesto su poder de transformación radical de la convivencia. El progreso tecnológico, de insistir en su aceleración, acabaría amenazando la totalidad de los acuerdos sociales conocidos, despertando de su letargo tanto a los individuos del mundo desarrollado como a los de los países en desarrollo. Los autómatas podrían desplazar empleos, pero lo harían bajo estricto control de acceso, como si una frontera física existiese en cada empresa y en cada centro de negocio. Su libre tránsito quedaría vetado. Si los robots entraron en las fábricas de manera silenciosa, sin hacer ruido, con el beneplácito o la desidia de la mayoría de ciudadanos, esta estrategia ya no sería ahora posible. Los tornillos que eran fabricados a mano hace más de un siglo, por ejemplo, pasaron a ser producidos como elementos estandarizados en masa gracias a las máquinas. Nadie pareció oponerse pese a que era un evidente desafío al trabajo de muchos artesanos industriales. La enorme ventaja de que todas las piezas fueran idénticas, permitiendo asegurar la calidad de las producciones y reducir los costes fue más que argumento suficiente. En el futuro, cualquier implicación parecida podría ser no sólo denunciada sino abortada de inmediato, sin más consideraciones sobre la calidad, la eficiencia, o los beneficios de las producciones. El trabajo humano sería prioritario y las herramientas no podrían estrangularlo a su conveniencia.

Aunque se podría aceptar que la máquina puede superar al hombre en muchas capacidades para las que es específicamente entrenada, también se ha demostrado que la estrategia más eficiente es aquella que combina máquinas y humanos. Del mismo modo que la intuición y sagacidad de Sherlock Holmes necesitaban el sentido común de Watson, la inteligencia general del ser humano y la inteligencia específica de las máquinas y algoritmos deberían formar equipos sofisticados de alto rendimiento. En un estudio para identificar células cancerosas mediante el análisis de imágenes, un algoritmo obtuvo un 7.5% de error, un médico humano logró un 3.4% de error, y el equipo formado por un doctor y un algoritmo no excedió del 0.5%[201]. Esto implicaría que el ser humano podría encontrar acomodo laboral formando equipo con las máquinas y asegurando aquellas habilidades menos frecuentes en los autómatas. En el límite de este concepto, cada humano formaría su propio equipo de trabajo junto a una o más máquinas y algoritmos capaces, de modo que sería el grupo y no el individuo el que ofrecería su esfuerzo al mercado, formando un «equipo empleable». Cuantos más autómatas y más capaces contuviera esa unidad mejor para el equipo y mejor para el ser humano que formara parte del mismo.

Es posible especular con que el tendero de la esquina, el camionero, el taxista, la empleada de hogar, la azafata de congresos, el camarero, el ingeniero, todos, podrían formar parte de esas alianzas para atender eficientemente sus negocios, sus servicios, sus disciplinas. Los individuos aportarían su valiosa cuota de conocimiento, sentido común, experiencia y cualidades humanas. El equipo máquina capaz y humano sería un ejemplo de capacidades aumentadas gracias a la sinergia de competencias. Si, además, pudiéramos concebir espacios y normas de convivencia laboral que explotaran esa colaboración, la combinación de tecnologías avanzadas y de biología evolucionada sería una apuesta ganadora. El «ponga un robot en su vida» permitiría también la mejora de los servicios, de manera generalizada. Frente a extensos y fríos hipermercados con cantidades inhumanas de productos, o pequeños negocios con oferta limitada, por ejemplo, se podrían poner en marcha nuevas plataformas de venta atendidas por robots y personas. La frutería de la esquina podría contar con un robot especializado en nutrición que además de ayudar en la compra y gestionar las ventas 24 horas al día fuera capaz de recomendar los mejores productos a su clientela, localizarlos en las plataformas globales de comercio, prepararlos de manera personalizada y hacerlos llegar al domicilio. Podría incluso ayudar a colocarlos en la nevera, cocinarlos, o participar en las conversaciones, que serían conducidas, eso sí, por la parte biológica del equipo integrado. El resultado podría ser una población humana

---

201   Deep Learning for Identifying Metastatic Breast Cancer. https://arxiv.org/pdf/1606.05718v1.pdf

reconvertida, empresaria de facto, al estar al mando de al menos un empleado autómata.

El tándem humano-máquina podría acabar siendo la solución adoptada por defecto para lidiar con algunas de las tecnologías disruptivas. Este es el caso de los sistemas de conducción autónoma, donde el conductor humano podría pasar de ser un requisito en el protocolo de ensayos (exigencia legal para permitir los recorridos de vehículos autónomos por los espacios públicos) a asumir definitivamente el rol de copiloto. Una solución óptima, además, durante la fase de transición entre la conducción humana y la conducción por algoritmos. El conductor humano podría tomar los mandos, por ejemplo, en aquellas situaciones más singulares: repostaje de combustible, alarma de averías, obras o desvíos, control de interfaces de confort para los pasajeros, etc. El algoritmo de conducción se ocuparía de conducir el vehículo en situaciones rutinarias, reduciendo los accidentes en carretera y el consumo, y aumentando la productividad de los transportes al no estar sometidos a descansos obligatorios. De este modo, podrían evitarse miles de personas fallecidas cada año, y se podrían activar miles de horas de conducción adicionales, todo ello sin pérdida de empleos.

Podríamos rozar con los dedos la solución a la cuadratura del círculo. Los conductores profesionales podrían decidir invertir no sólo en su medio de transporte y en sus licencias, sino también en un sistema autónomo de conducción que rentabilizaría su negocio y su tiempo. El algoritmo capaz de conducir el vehículo no le desplazaría de su empleo, sino que se convertiría en su mejor empleado. Otros muchos negocios podrían adoptar el mismo tipo de soluciones incorporando autómatas para buena parte de sus rutinas, formando equipos de trabajo hombre-máquina, o convirtiéndose en patronos de aquellos. En cierto modo, las soluciones de equipos hombre-máquina son un tipo de modelo de cooperación de nuevo cuño en el que biología y tecnología se complementan sinérgicamente sin enfrentarse en un combate a muerte, ni exigir una integración biónica. Esta colaboración bio-tecnológica podría ser la herramienta central de la economía capitalista en la sociedad tecnológica. Los beneficios del progreso serían compartidos directamente con los ciudadanos, como es el caso de algunos acuerdos bien conocidos en el planeta. Allí están, por ejemplo, la fórmula del fondo energético de Alaska y su reparto de dividendos a los residentes, la exención del pago de impuestos en muchos países productores de petróleo en Oriente Medio, o el caso de algunas tribus de indios norteamericanos que distribuyen entre sus miembros una parte de los ingresos procedentes del juego, la más productiva de sus industrias.

Los equipos hombre-máquina podrían existir según todo tipo de convenios, de manera fundamental con reparto del trabajo entre las partes y centralización de los beneficios en el socio humano. Los trabajadores humanos desplazados de sus empleos podrían convertirse en propietarios y gestores de los autómatas que les sustituyeron. Para ello, la propiedad de los autómatas podría quedar protegida por algún derecho esencial, asegurando una opción de competir en el mercado laboral a cada persona, a pesar de máquinas y algoritmos capaces. También podrían ser cedidos por sus propietarios para ser empleados al servicio de otras personas o actividades a cambio de un salario. La lógica de las nuevas plataformas tecnológicas para conseguir ingresos extra mediante el alquiler de, por ejemplo, viviendas o vehículos cuando no son utilizados, parece haber venido para quedarse, por lo que podría ser explotada de igual modo con la propiedad de los autómatas. En la configuración de equipos hombre-máquina el impacto del cambio tecnológico en el empleo sería neutro y todo quedaría «en familia», en su versión evolucionada. Donde trabajaba una persona ahora se ocuparía, al menos, un autómata, reportando beneficios a su legítimo propietario, de preferencia el trabajador desplazado. Los gobiernos facilitarían la adquisición en propiedad de esos socios-autómatas, al menos de las unidades que garantizasen su supervivencia y el mínimo bienestar acordado. Una parte de los beneficios de su actividad servirían para pagar los préstamos de su compra y el mantenimiento de los autómatas, además de los correspondientes impuestos. Nada realmente nuevo ni revolucionario si se asimila una máquina o algoritmo capaz con las herramientas y el conocimiento que cada trabajador ha de poseer en la actualidad para asegurar sus opciones de empleo. Las ventajas de esta asociación hombre-máquina son muchas; la más grande la continuidad con el modelo socioeconómico actual, dicho sin ánimo de ensalzarlo como la mejor de las soluciones. La historia, en todo caso, no ha certificado que las alternativas conocidas sean mejores ni recomendables, hasta el momento. La colaboración biotecnológica nos permitiría obviar el trauma de la pérdida masiva de empleos conforme el progreso tecnológico avance y el ser humano deje de ser competitivo. De ese conflicto el ser humano sólo podría salir con montañas de huesos rotos y sin evidente futuro.

Si las máquinas van a ser suficientemente capaces, con gran probabilidad, de hacer la mayor parte de las rutinas de trabajo de manera eficiente, no deberíamos desafiar esa fuerza arrolladora sino utilizarla en nuestro provecho, como ocurre en algunas artes marciales. Habríamos de facilitar, de hecho, ese camino de transformación, definiendo nuestro rol y asegurando el reparto de beneficios en el nuevo marco laboral. Si trabajar junto a un autómata para conformar un grupo de trabajo humano-máquina no será siempre una opción posible, habríamos de permitir, en todo caso, que cada trabajador desplazado se convirtiese en el patrón de uno o más autómatas a su cargo. Las máquinas y algoritmos que estuvieron en el origen de la pérdida de empleos acabarían al servicio de quienes quedaron desempleados, purgando así su culpa. También podríamos, de manera alternativa, convertir a los trabajadores desplazados en accionistas de las empresas que apostaron por la automatización de sus producciones. Cada empleado desplazado tendría derecho a una compensación en la forma de participaciones en los beneficios de la empresa, a la que habría ayudado a mejorar su negocio al abandonarla. De esa manera, el trabajador podría vivir de las rentas de su «no trabajo», sin necesidad de seguir activo en el presente y el futuro de la misma. Hoy ya son muchos los accionistas de empresas tecnológicas con plantillas fuertemente automatizadas que obtienen grandes beneficios. Esos autómatas trabajan para ellos. Se trata de extender esa posibilidad a todos los trabajadores impactados por la automatización de tareas. Si unos pocos —privilegiados— empleados reciben opciones de compra de acciones de sus empresas (*employee stock options*) con el argumento de atraer y mantener a los empleados, un argumento similar sería válido para los trabajadores que, mediante su sacrificio, mejoran también la competitividad. La mecánica sólo diferiría en que ahora los empleados recibirían acciones de la compañía por ceder sus puestos de trabajo en lugar de por mantenerse en ellos. Las generaciones de desempleados de la sociedad tecnológica podrían contar con un capital compensatorio para realizar inversiones y asegurarse un ingreso que supliese la falta de oportunidades de empleo. Una sociedad de desempleados rentistas.

La perspectiva de garantizar cierto estatus quo gracias a un autómata que trabaje con o para nosotros no parece nada radical ni revolucionaria. Sobre todo, porque cuando llegue el tiempo de las máquinas y los algoritmos capaces también dispondremos de otro tipo de asistentes tecnológicos en otros órdenes de la vida. Estos agentes se encargarán de enseñarnos cuanto tengamos curiosidad o necesidad de aprender, nos ayudarán a navegar a través de la nueva sociedad tecnológica para categorizar las opciones y alternativas, nos cuidarán, aconsejarán y harán compañía a lo largo de la vida. Sus inteligencias artificiales podrán incluso convertir la complejidad del conocimiento generado en una papilla asimilable para nuestros estómagos mentales de bebés. A partir de cierto momento, de hecho, el recurso a su ayuda podría ser el único modo de entender el mundo, sus leyes y cuanto sucede, cuando todo esté separado por un abismo cuántico insalvable para las capacidades biológicas del ser humano. Al menos del ser humano no biónico, readaptado al nuevo tiempo mediante la incorporación de aditamentos tecnológicos que le acercarían a la naturaleza de las máquinas. En la actualidad, por otra parte, ya damos facilidades para que personas con alguna discapacidad entren a formar parte de las plantillas de las empresas y puedan, de ese modo, ganarse la vida con su esfuerzo. La automatización nos hará a todos los seres humanos, en cierto modo, discapacitados, por lo que podría ser razonable empezar a plantear políticas de discriminación positiva que exigieran la participación de un cierto número de trabajadores humanos en cada equipo de trabajo.

Al reorganizar el trabajo para compartirlo junto a máquinas y algoritmos habremos de entregarles, a modo de peaje, todas aquellas tareas especializadas, rutinarias, mejor abordables por parte de sus capacidades. Cuando menos. No tendría sentido exigirles que nos ayudasen a realizar tareas en las que seremos infinitamente torpes en comparación a sus habilidades de fábrica. Esas actividades serán carne de autómata, lo que podría acabar siendo un alivio para la especie. Con la revolución industrial se dio paso a una especialización de tareas que no ha dejado de crecer; el resultado de la estrategia no ha sido otro que un crecimiento mantenido de la productividad. Y con el corolario, al mismo tiempo, de convertir tantas ocupaciones en secuencias de actividades sin sentido. Esas tareas tenían que ser aseguradas por seres humanos, que no podían sin embargo sentir orgullo en su desempeño. El camino conduce finalmente a ejércitos de máquinas y algoritmos que lidiarán con esas series interminables de tareas grises. Y con seres humanos integrando y coordinando esas series de microactividades para darles un sentido global, y para gestionar los beneficios de las mismas.

Frente a la opción de automatización absoluta en ubicuas plantas que lo produzcan todo a precios irrisorios, con desplazamiento masivo de empleos y el riesgo evidente de colapso económico por falta de consumidores con recursos, la opción de colaboración hombre-máquina permitiría mantener la mecánica del sistema capitalista. Los trabajadores humanos, junto a sus máquinas y algoritmos capaces, podrían mantener el estatus quo, compitiendo con otros equipos, con el resto de agentes económicos según las reglas conocidas. Y quienes no quisieran o pudieran competir tendrían la opción de capitalizar la mejora de productividad de sus empresas al sustituirles por un autómata, aprovechándose de esas rentas. La sociedad resultante podría ser aquella en la que la tecnología mejoraría la calidad de vida de todos y los efectos disruptivos serían gestionados de manera equilibrada en beneficio propio. Quien crease desempleo y obtuviese beneficios por ello habría de asumir, además, parte de los costes, lo que aseguraría la responsabilidad social de las empresas. Un elemento fundamental para sortear las sociedades distópicas del presente y del futuro.

LA NUEVA CLASE TRABAJADORA

Entre las propuestas que podrían resolver, sin grandes apuros ni ansiedades, la cuestión del desempleo tecnológico, se encuentra una opción que, por evidente o inconcebible, suele ser planteada con cierta timidez o vergüenza. Se trataría, simplemente, de equiparar a máquinas y algoritmos capaces a trabajadores en activo, con toda la secuencia de obligaciones conocidas y un conjunto específico de derechos. En el apartado de obligaciones se encontrarían, de manera oportuna, el compromiso de cotizar a la seguridad social y contribuir mediante impuestos al mantenimiento de las infraestructuras y el bienestar colectivo. Un elemento fundamental de ese bienestar sería asegurar la subsistencia de todas las personas desplazadas de sus empleos, a causa de su existencia. Las máquinas se quedarían con los trabajos, gracias a sus competencias diseñadas por humanos, y la humanidad sería jubilada sine die. Si la solidaridad intergeneracional es la base para algunos sistemas de pensiones (quienes trabajan hoy pagan las jubilaciones de los trabajadores de ayer), la «solidaridad interespecies» seguiría la misma lógica. Los autómatas que trabajarán en el futuro pagarán por las jubilaciones de quienes trabajan hoy o esperan trabajar mañana pero no lograrán su objetivo.

Al hacer que máquinas y algoritmos capaces dejen de ser considerados meras herramientas, bienes de producción, para ser tratados como lo que llegarán a ser, agentes autónomos, conseguiríamos, además, aumentar la base de consumidores y reforzar la estructura de los sistemas capitalistas. Los autómatas tendrían asignado un salario, del que vendrían levadas sus contribuciones sociales, quedando el resto como opción de consumo, lo que animaría el mercado generando intercambios de productos y servicios, algunos difíciles de imaginar desde nuestra conciencia biológica de humanos. En este paradigma, cada autómata sería no sólo un instrumento sino un empleado, sometido a las normas laborales de cada empresa y de cada estado. El Parlamento Europeo, por ejemplo, ya ha comenzado un debate sobre la posible cobertura de la responsabilidad por daños causados por máquinas y algoritmos capaces[202]. Una de las opciones discutidas sería la utilización de un esquema de fondos de compensación para hacer frente a los daños por parte de sus fabricantes. Esos fondos, sin embargo, también podrían servir como estructura financiera en beneficio de esos autómatas. Allí podrían ir a parar, por ejemplo, la parte no consumida de sus salarios netos, una vez descontadas sus contribuciones sociales debidas. Estos autómatas —las versiones capaces— tendrían también un estatus legal específico y una carta de derechos y obligaciones como «individuos electrónicos». El empleo de máquinas y algoritmos en todo tipo de tareas, incluyendo aquellas más creativas y que requieren interacción con otras personas, amenaza con hacer saltar por los aires un buen número de acuerdos sociales y de complejos e intrincados equilibrios que aseguran precariamente la convivencia. Al considerar a los autómatas como trabajadores, todos esos acuerdos podrían ser, simplemente, extendidos, al ser interpretados con generosidad para la especie humana. Todo ello evitaría que las máquinas y algoritmos capaces se convirtiesen en objeto de nuestra ira, reeditando odios luditas de otros tiempos en pleno tercer milenio, además de dar desahogo a la catástrofe social de millones de personas expulsadas de sus medios de subsistencia.

Una variante de esta propuesta de permitir que los robots realicen todo el trabajo a cambio de que sufraguen nuestro estado del bienestar, sería la migración del entorno laboral real a un entorno virtual. En esta opción, cada puesto de trabajo, en un momento determinado (un tiempo cero de partida) es convertido en un empleo virtual para el ser humano que lo desempeña, algo así como una especie de título nobiliario al que se estará vinculado de por vida, salvo por las correspondientes promociones, evoluciones laborales, etc. Un trabajo virtual por el que no se ha de trabajar, pero por el que se percibe una renta por la socorrida intervención de una máquina o algoritmo capaz que lo desempeña. Todo ocurriría a partir del momento en el que los autómatas se demostraran más eficientes que un ser humano en la mayor parte de tareas, haciendo que lo que podría ser un drama se convirtiese en una fiesta de jubilación anticipada. Para los responsables de cada empresa y negocio, no habría

---

202   Parlamento Europeo. Informe con recomendaciones destinadas a la Comisión sobre normas de Derecho civil sobre robótica (2015/2013) (INL). 27/01/2017.

mayor diferencia que la de un cambio de caras en sus empleados, y ni siquiera eso podría ser un problema insalvable. El dueño de cada negocio seguiría abonando el trabajo de sus empleados, estos seguirían cotizando al estado por los diferentes conceptos obligatorios y el salario sería percibido por el alter ego virtual de cada uno de esos trabajadores. A cambio, éstos abonarían los costes de adquisición y mantenimiento de su autómata subcontratado, o una parte de ellos, que irían amortizándose desde el minuto cero—. El trabajador humano se convertiría en un ser ocioso, pero con la opción de mejorar sus condiciones de vida gracias a la mejora de su curriculum y el acceso, virtual, a nuevos y mejor pagados empleos, que seguirían siendo desempeñados por autómatas capaces. Si fuera su deseo, evidentemente, también podría ejercer actividades reales en las que siguiera siendo competente añadiendo fuentes de ingresos extra. El empleo virtual vendría a sancionar la reclamación colectiva de la especie humana por la creación de conocimiento y de un sistema productivo que hizo posible la existencia de máquinas y algoritmos capaces que superaron las habilidades y competencias de aquella. Y su derecho a no ser, de nuevo, una especie condenada para la eternidad por atender las llamadas de su curiosidad insaciable.

TRABAJAR MENOS PARA PODER TRABAJAR

Entre las propuestas conocidas que pueden considerarse para afrontar el desempleo tecnológico estaría el recurso natural a la reducción de jornadas laborales. La lógica parece bien simple: si quienes están ocupados liberan tiempo de trabajo éste se transformará en oportunidades de ocupación para quienes están desempleados. La solución es tentadora por su planteamiento sencillo. ¿Menos empleos disponibles? ¿Más población? ¿Más máquinas y algoritmos? Pues mayor reparto del trabajo entre todos los seres humanos, lo que se traduce en trabajar menos de manera generalizada. En los países desarrollados, pero también en los países en vías de desarrollo, hoy las jornadas de trabajo son menores de las que fueron norma en el pasado. Como expresó el escritor Georges Duhamel, las pirámides son el mejor ejemplo de que, en cualquier tiempo y lugar, los obreros tienden a trabajar menos. Sin embargo, el efecto global han sido economías más productivas, mayor riqueza y un mayor bienestar para la ciudadanía. La mejora en las tecnologías, en los procesos, en el conocimiento, hacen posible que sean necesarias menos horas de trabajo individual para producir más bienes y servicios de manera colectiva, satisfaciendo la demanda de un número creciente de exigentes consumidores. Si la oferta de mano de obra es sobreabundante por la incorporación de autómatas a un número creciente de tareas, la mejora de los procesos productivos o el crecimiento de la población, la limitación de la oferta (provocar una acompasada escasez) sería una herramienta inmediata para equilibrar la situación.

En el ejemplo clásico de B. Russell[203]: «Supongamos que, en un momento determinado, cierto número de personas trabaja en la fabricación de alfileres. Producen tantos alfileres como el mundo necesita, trabajando, digamos, ocho horas al día. Alguien inventa un ingenio mediante el cual el mismo número de personas puede doblar la producción de alfileres: los alfileres son ya tan baratos, que difícilmente se venderán más unidades a un precio inferior. En un mundo sensato, todos los implicados en la fabricación de alfileres pasarían a trabajar cuatro horas en lugar de ocho, y todo lo demás continuaría como antes. Pero en el mundo actual esto se juzgaría desmoralizador. Los hombres siguen trabajando ocho horas; se producen demasiados alfileres, algunas fábricas quiebran, y la mitad de los hombres anteriormente empleados en la fabricación de alfileres se queda sin trabajo. Al final, hay tanto tiempo libre como en el otro plan, pero una mitad de los hombres está absolutamente ociosa, mientras otra mitad sigue trabajando demasiado. De este modo, se asegura que el tiempo libre forzoso acabe produciendo miseria generalizada, en lugar de ser una fuente de felicidad universal. ¿Se puede imaginar algo más insensato?». Las críticas a este ejemplo se han concentrado en el riesgo de que la reducción generalizada de jornada de trabajo acabara ralentizando el progreso colectivo, haciendo que nadie terminara disfrutando de esa mayor felicidad prometida en el nuevo paradigma. Pero se suele obviar que buena parte de quienes pudieran disponer de cuatro horas más de ocio acabarían dando curso a inquietudes y proyectos personales y profesionales de todo tipo, impulsando innovaciones que, a su vez, generarían progreso, tecnológico, pero sobre todo social.

Del mismo modo que las políticas comerciales han establecido como norma de uso estándar la retirada del mercado de enormes cantidades de productos con sobreoferta, que son incineradas o des-

---

203 Elogio de la ociosidad, Bertrand Russell (1932).

truidas con el objetivo de mantener su precio, la cantidad de trabajo disponible podría también ser intervenida. Sin necesidad de incinerar a nadie. La restricción de la oferta de mano de obra en el mercado podría tener todo tipo de formas: limitar la vida laboral de los humanos (elevando la edad mínima para trabajar, por ejemplo); limitar el número de horas que cada trabajador podría realizar a la semana; instaurar días de vacaciones adicionales; años sabáticos obligatorios para todos los trabajadores; limitación del trabajo por unidades familiares; etc. El objetivo es evidente, repartir el trabajo que vaya quedando disponible mientras nos encaminamos hacia una sociedad tecnológica, automatizada, hasta el día en que las máquinas y algoritmos se ocupen de todo, llegado el caso. Trabajar menos para vivir más.

Una propuesta de, por ejemplo, establecer años sabáticos obligatorios cada cierto periodo de tiempo aliviaría el mercado de trabajo a la par que permitiría otro tipo de objetivos personales y profesionales. Si se instauraran ciclos de diez años, un 10% de la población trabajadora saldría anualmente del mercado de la oferta de mano de obra, generando la correspondiente demanda. El porcentaje de paro en muchos países está hoy por debajo de esta cifra, así que esos países podrían lograr, nominalmente, el nulo desempleo, si asumimos que los requisitos de quienes entrasen y saliesen pudieran emparejarse, o hacerlo con ajustes limitados (formación específica). Millones de personas podrían disfrutar en libertad de largas pausas durante sus vidas laborales, sin esperar a la jubilación, lo que habría de significar un buen empujón para la industria del ocio, de la formación, del cuidado de la salud personal, de las relaciones con la familia, y también servir de estímulo para todo tipo de proyectos empresariales, de voluntariado, etc. Todo ello terminaría por redundar en una mejora de las condiciones personales y profesionales de buena parte de la población, a la conclusión de los periodos sabáticos. Naturalmente, no todas las actividades soportarían fácilmente este tipo de intervenciones administrativas, pero sería el marco general sobre el que el mundo laboral podría reorganizarse.

Otras propuestas de reducción de tiempo de trabajo han propuesto objetivos más allá de generar opciones de nuevos empleos. La Fundación para una Nueva Economía (*New Economics Foundation*) ha propuesto, por ejemplo, una nueva semana laboral de 21 horas, con la idea de limitar los efectos negativos de nuestras economías en el medio ambiente y en los recursos, al reducir la producción y el consumo. Ese tiempo de trabajo debería ser suficiente, según sus estimaciones, para asegurar el bienestar en el planeta de manera universal, reducir la contaminación, aumentar el tiempo de ocio, posibilitar proyectos de vida y profesionales de las personas, favorecer mejores relaciones sociales, así como favorecer la participación en el debate sobre el modelo de progreso social y tecnológico. Reducir las horas de trabajo significaría no sólo luchar contra el desempleo sino todo un nuevo concepto para la especie. Una de las cuestiones esenciales cuando se discute la reducción del tiempo de trabajo es si un porcentaje equivalente sería, del mismo modo, aplicado a los salarios. La fórmula final sería la de trabajar menos, para ganar menos, para que más personas pudieran ingresar algo con su trabajo. Si contemplamos el nivel de ahorro de las familias respecto a sus salarios, podríamos tener una idea de cuánto se podría recortar el tiempo de trabajo si se ha de recortar en paralelo el salario. En los Estados Unidos, por ejemplo, la cifra sería de apenas un 3.6% de media, lo que equivale a un recorte de menos de dos horas de trabajo a la semana, una reducción casi simbólica en comparación a la cantidad y calidad de problemas de todo orden que la aplicación de la medida podría generar. Y a cambio de anular su ahorro. La reducción generalizada de jornada y salario podría penalizar de manera dramática a quienes ya apenas consiguen alcanzar el final del mes con algo de liquidez remanente, empleados frecuentemente en tareas que podrían ser presa fácil de la automatización. Por otra parte, confiar en que menos trabajo acabe implicando el mismo salario o, incluso, uno mejor, exige optimismo y explicaciones, pero no sería ninguna chifladura. La historia del trabajo nos sirve por defecto para cubrir mínimamente el expediente de tal justificación, es lo que hemos venido haciendo en el pasado con resultados demostrados empíricamente. Hay consenso, además, en que el progreso tecnológico debería asegurar mucho más crecimiento económico, incluso un estado de abundancia generalizada, y no sólo desempleo. La tarea pendiente sería la de repartir convenientemente esa riqueza de un modo u otro.

Aunque las lógicas del empleo no son, ni mucho menos, simples, si cada persona reduce su participación en la producción de bienes y servicios, y la demanda se mantiene —o aumenta gracias al bajo desempleo—, otras personas tendrían que tener la oportunidad de emplearse. Aun con todo tipo de corolarios en la productividad o en la competitividad de las empresas, y, por ende, en sus beneficios, en la lógica económica, etc. frente a la potencial catástrofe social originada por el desempleo tecnológico, la propuesta parece reunir las condiciones para pasar a fase de pruebas. La preocupación obvia es que, ante un mercado laboral más intervenido —limitando las jornadas laborales de los empleados humanos—, las empresas tuvieran un incentivo añadido para acelerar la introducción de autómatas.

La política tendría, en todo caso, la llave para establecer las condiciones bajo las cuales las máquinas y algoritmos podrían ocupar los nuevos empleos. La opción de establecer obligaciones y derechos sobre los autómatas, por ejemplo, habría de equilibrar la tendencia y servir de contrapeso a esos incentivos. Frente a la alternativa de emplear más humanos con jornadas reducidas o incorporar más autómatas con la obligación de contribuir a la subsistencia de desempleados humanos, el desenlace en forma de bienestar resultante no debería ser muy distinto. El tiempo de ocio que las personas ganaron en el pasado no sólo no perjudicó el crecimiento económico, sino que generó todo un sinfín de nuevas necesidades y deseos que hubo que atender con nuevas ocupaciones y empleos. Una enorme industria surgida casi de la nada. Con un mayor tiempo de ocio, el efecto se retroalimentaría de nuevo, lo que habría de generar una dinámica de generación de empleos. Por no hablar de las ganancias emocionales y de salud psíquica de las poblaciones al hacer viable un mejor desarrollo de la creatividad, del espíritu emprendedor, de la capacidad de relacionarse con el prójimo, etc. de los ciudadanos. El aumento de empleo indirecto ocurriría además en sectores que explotan la naturaleza creativa y social de los seres humanos, por lo que no resultan presas fáciles para la automatización generalizada. Las posibilidades del tiempo de ocio añadido podrían convertirse en un auténtico refugio de empleo en la sociedad tecnológica.

Sea o no una propuesta de consenso, lo que resulta indiscutible es que conforme los puestos de trabajo se automaticen las necesidades de trabajo humano irán siguiendo una curva asintótica hacia cero. Que las jornadas laborales se acomoden a ese mismo esquema parece una opción cuando menos comprensible. En la Inglaterra de las primeras décadas del siglo XIX, las jornadas de trabajo de 15 horas al día y seis días a la semana eran la norma, para los adultos y para muchos niños. En el resto de países, incluida la Francia que había asombrado al mundo con su revolución y con su declaración de los derechos del hombre y del ciudadano, la situación era parecida. Había que obtener el máximo provecho de unas máquinas que podían trabajar día y noche, todos los días, todas las horas posibles. El recorte en las jornadas, sin embargo, acabaría abriéndose paso en las sociedades del planeta, limitando el tiempo que cada trabajador debía entregar para asegurarse la subsistencia. Si en 1830 un trabajador norteamericano en el sector de la fabricación de bienes trabajaba unas 69 horas a la semana, la cifra pasó a unas 60.7 para 1880, a 59.6 en 1900, a 50.6 en 1929, y poco después de la segunda guerra mundial las horas de trabajo semanales habían caído hasta unas 40[204], con evoluciones similares en otras economías avanzadas. Aunque la jornada laboral de ocho horas diarias fue una reclamación de la clase obrera y de los sindicatos desde la segunda mitad del siglo XIX, en la mayor parte del planeta sólo se convertiría en realidad ya entrado el siglo XX, y sólo tras muchas luchas, huelgas, y protestas que incluyeron víctimas en las refriegas con las fuerzas del orden. El primero de mayo de 1926 la compañía automovilística Ford estableció, de manera pionera, la jornada semanal de 40 horas semanales. La firma también había roto los esquemas tradicionales al reducir la semana laboral a cinco días y haber doblado la paga horaria a sus trabajadores en años precedentes. El resultado de estas medidas fue sorprendente para buena parte de la clase empresarial y también para muchos economistas; no sólo la empresa evitó la quiebra que todos le pronosticaban, sino que aumentó la productividad y los beneficios. El poder político y económico pronto abandonaría las críticas y las suspicacias para sumarse a la idea, al comprobarse el efecto en los resultados empresariales. El debate de la reducción de jornada laboral dejaba de ser un concepto retórico para ser materia de gestión empresarial moderna.

El aumento de ingresos junto a la reducción escalonada pero progresiva del número de horas de trabajo parecían en el pasado ser pruebas fehacientes de las promesas más optimistas sobre el tiempo de trabajo en el futuro. Si la tendencia continuaba seríamos siempre más ricos y trabajaríamos menos. Hemos de preguntarnos, por tanto, qué ha ocurrido para que hayamos entrado en el tercer milenio sin que aquellas expectativas se hayan cumplido y, salvo algunas pocas excepciones, sigamos apegados a semanas laborales de 40 horas incluso con situaciones de desempleo estructurales. Es cierto que la fórmula de ocho horas de trabajo, ocho horas de descanso y ocho horas de vida personal tiene cierta estética, pero el progreso tecnológico no entiende de arte ni proporciones áuricas. Es cierto que cualquier propuesta de reducción del tiempo de trabajo viene bombardeada con las clásicas amenazas en forma de menores salarios y reparto de la miseria en lugar de reparto del empleo. Esos temores, sin embargo, ya fueron expresados en anteriores situaciones de ajuste a la baja de las jornadas de trabajo, quedando finalmente en poco más que falacias. Destacados visionarios han considerado también la reducción del tiempo de trabajo dándole aires modernos. El cofundador de Google, Larry Page, propuso por ejemplo en 2014 una semana de cuatro días para compensar la pérdida

---

204 https://eh.net/encyclopedia/hours-of-work-in-u-s-history/

de puestos de trabajo que ya causa y va a causar el desarrollo tecnológico. Unos pocos países y empresas están tanteando también la estrategia de reducir la jornada laboral por debajo de las 40 horas semanales. Compañías suecas, por ejemplo, han empezado a instaurar una semana de 30 horas semanales a razón de seis horas diarias, mientras que alguna firma norteamericana —Treehouse— ha establecido una jornada de 32 horas semanales con cuatro días laborales a la semana, una opción que los sindicatos franceses han propuesto en sustitución de su semana de 35 horas de lunes a viernes. Son, eso sí, tímidos movimientos, por ahora.

Hay que decir que una parte considerable de los economistas no creen que la reducción de la jornada laboral pueda ser un recurso suficiente para lidiar con la situación de desempleo tecnológico, lo que justifican en base a la falacia del tope de trabajo total (*lump of labor fallacy*). Según este razonamiento, la lógica de reducir jornadas de trabajo para incorporar más trabajadores manteniendo el número de empleos total sería un sinsentido. Al reducir la jornada laboral, se generarían toda una serie de costes adicionales para las empresas que podrían conllevar impactos en las producciones y, por tanto, en las condiciones y viabilidad de muchos empleos. La reducción de horas de trabajo ha acabado teniendo como contrapartida, normalmente, una reducción de salarios. Tantas horas trabajas tanto vales. Si tomamos el ejemplo de la reducción de la jornada laboral en Francia de 40 a 35 horas semanales, el objetivo de aumentar la oferta de empleo manteniendo el resto de los parámetros económicos de interés no se habría conseguido. Las horas anuales trabajadas per capita en Francia se encuentran por debajo de países como Estados Unidos, y las de este muy por debajo de países como Corea del Sur o Singapur[205]. Sin embargo, tanto el PIB de los Estados Unidos como su tasa de empleo habrían obtenido mejores comportamientos que los de Francia[206]. Esto es, si sólo se tomasen estos datos, y se despreciaran otras variables y sus interconexiones, reducir el tiempo de trabajo parecería una mala decisión económica. Por otra parte, un país como Francia ostenta una relación entre riqueza y bienestar mejor que la de los Estados Unidos, lo que redunda en la calidad de vida de sus ciudadanos[207]. La resolución de la ecuación no es inmediata ni evidente, y la automatización

205 http://www.businessinsider.com/average-annual-hours-worked-for-americans-vs-the-rest-of-the-world-2013-8
206 https://krugman.blogs.nytimes.com/2014/03/09/the-french-comparison/?mcubz=2
207 https://www.weforum.org/agenda/2015/10/is-europe-outperforming-the-us/

creciente, en todo caso, añade todo un nuevo contexto lógico y una importante variable, la urgencia.

A pesar de las críticas y de las diversas posiciones en lo que respecta a los beneficios y riesgos en la reducción de la jornada de trabajo, la amenaza de automatización masiva rompe los esquemas clásicos de una discusión que parecía acabar siempre en tablas. Reducir el número de horas parece oportuno como contramedida en un escenario donde disminuye el número de empleos, para dar entrada a más trabajadores y hacerlos partícipes de la mecánica que les integra en el sistema social y económico. Al menos durante una fase de transición hacia un nuevo paradigma. Frente a la progresiva incorporación de máquinas y algoritmos, el factor mano de obra dejará un día de ser un elemento de relevancia en la producción económica y, por ello, la reducción de jornada tendrá efectos cada vez más marginales. Es una propuesta cuyo poder de actuación está limitado en el tiempo. El sistema social y económico habrá de poner en marcha otros muchos cambios necesarios para afrontar la sociedad tecnológica con opciones de éxito. Dedicamos unas cien mil horas de la vida a trabajar, la mayoría perdidas en lo referente al desarrollo de nuestras capacidades o el cumplimiento de nuestros sueños. Puede que haya llegado el tiempo de considerar mejores opciones para la especie.

NEOCOMUNISMO Y OTROS PLAGIOS

Entre las soluciones problemáticas, pero, a su vez, necesarias frente a cualquier desafío social, más allá del desempleo tecnológico, no se pueden obviar aquellas que pasan por sociedades de nuevo cuño cuyas reglas dejan de seguir las pautas estándar de su tiempo para construir algo nuevo. Un ejemplo de estas sociedades podría ser el de aquellas donde la propiedad de los recursos y de la producción dejara de ser un asunto privado para tornarse en un argumento colectivo (ya fuera a través de un estado todopoderoso o del conjunto de los trabajadores). Asumiendo que las sociedades capitalistas generan perdedores y descontentos de manera regular y también de modo excepcional a través de sus crisis cíclicas, el deterioro añadido a causa de una automatización extensiva podría incitar, quizá, el cambio de modelo hacia una renovada revolución proletaria. El comunismo, desde esta perspectiva retornaría a la caja de herramientas sociales de la humanidad, tras haber esperado la ocasión propicia y haber preparado un mensaje adaptado a los nuevos tiempos. Ciertas fórmulas, como aquella de «cada uno según sus capacidades y a cada uno según sus necesidades» requerirían de extensa reflexión en sociedades con necesidades siempre crecientes y donde las capacidades de los individuos van menguando frente a las de máquinas y algoritmos. Las relaciones de los trabajadores humanos y de los autómatas podrían ser abordadas desde cero en ese nuevo tiempo, aunque con cautela, pues la dictadura del proletariado humano no debería alcanzarse mediante el sometimiento del proletariado tecnológico si se quiere mantener un mínimo de coherencia. El neocomunismo de la sociedad tecnológica podría convertirse en una renovada opción de organización social y económica tal y como lo fue para algunas sociedades del siglo XX, a pesar de una ejecución y resultado poco inspiradores. El acervo comunista, en todo caso, podría seguir requiriendo para asegurar su éxito de un «hombre nuevo», ese que no estaba disponible en tiempos pretéritos, quizá uno que podría tardar todavía siglos en construirse. O no llegar nunca, al menos de manera biológica.

La aplicación de los principios de propiedad estatal de los medios de producción y del trabajo según las capacidades de cada cual contendría, al menos sobre el papel, los ingredientes para enfrentar tanto el escenario de desempleo masivo como el de una desigualdad económica creciente. Ante un progreso tecnológico que hará posible que todo el trabajo sea asegurado por autómatas, el auténtico debate radica en cómo asegurar y repartir la riqueza así generada para subsanar la falta de empleo y oportunidades. La ingente productividad de la sociedad tecnológica debería hacer posible que los recursos generados por máquinas y algoritmos capaces superen en miles o en millones de veces la suma de necesidades de todos los individuos del planeta. Esa sociedad idílica debería cancelar el trabajo como explotación de personas que persiguen la subsistencia, para convertirlo en actividad libremente elegida como expresión de las propias capacidades e intereses. Y como medio de contribución al bienestar colectivo, cuando sea posible.

Albert Einstein pensaba que el progreso tecnológico resultaba, con frecuencia, en mayor desempleo y no tanto en menor carga de trabajo para las personas. Por eso propuso el establecimiento de una economía de corte socialista junto a un sistema educativo que estuviera centrado en inculcar objetivos sociales. No parecen propuestas aberrantes, sobre todo considerando la mente privilegiada de la que proceden. Como dice Fernando Savater, por mucho que el desarrollo económico se deba a la iniciativa personal de unos pocos, algo innegable y que ha de ser reconocido, toda riqueza es fundamentalmente social y no puede desentenderse de sus obligaciones comunitarias, es decir, democráticas. Uno de los axiomas marxistas-leninistas es que el sujeto revolucionario en cualquier época emerge desde los elementos más productivos de su clase. Pues bien, algunos de los que se erigen hoy como los líderes de entramados tecnológicos de éxito global sin precedente podrían, además de proponerse como visionarios, ser los llamados también a convertirse en los sujetos revolucionarios de la sociedad tecnológica. Su capacidad de predecir el curso de la sociedad, así como de intuir los riesgos futuros, podrían invitarles a dar el paso, llamando a la revolución antes de que el mundo se haga inhabitable, destruyendo sus sueños.

Las sociedades se organizan en torno a sistemas políticos y sociales que requieren complejos y sutiles equilibrios para lidiar con la naturaleza humana, atendiendo a la psicología y al comportamiento de numerosos y variados grupos de individuos. Si se alteran esos precarios equilibrios, no digamos si se cambia de manera dramática el conjunto, el sistema podría colapsar antes de que cualquier alternativa hubiera sido mínimamente adoptada. Sobre todo, en el caso de sistemas de convivencia que no se alineen de manera obvia con la condición humana, animal, y sus características más egoístas y egocéntricas. Si contemplamos la historia reciente de la humanidad parece haberse demostrado que considerar la riqueza, así como los medios y recursos que la posibilitan, un bien compartido, esto es, de los estados que representan a los ciudadanos, no sería una opción naturalmente innata ni deseada, salvo en el caso de pequeñas comunidades. Sólo la fuerza y un estado de terror habrían logrado imponer esas ideas en sociedades complejas, doblegando muchas voluntades. El individuo, la base de todo sistema de organización social, acabaría siendo de manera paradójica el gran ignorado a cambio del supuesto bienestar colectivo, bienestar que tampoco parecía materializarse de modo indiscutible. La naturaleza humana es demasiado frágil para ser moldeable en frío, y solo si alcanza la temperatura adecuada podría aceptar nuevas formas, en este caso nuevas reglas de convivencia. Transformar esa naturaleza podría requerir alcanzar ciertas cotas en el paradigma evolutivo, donde el hombre llegara a ser de una naturaleza esencialmente diversa. Quizá la tecnología pueda acelerar también ese camino, sirviendo de estímulo y acicate.

Solventar los efectos del desempleo tecnológico y asegurar un adecuado reparto de los beneficios que limite la desigualdad económica no requiere, per se, una transformación neocomunista, sino que estaría al alcance de cualquier sociedad de corte capitalista. Existen mecanismos en toda economía avanzada para transferir riqueza al conjunto de los ciudadanos con efectos equivalentes, sobre el papel, a la opción de poseer colectivamente la propiedad de los recursos y los medios de producción. Sin necesidad de revoluciones ni manifiestos. El paradigma neocomunista podría, eso sí, anunciar todo un nuevo dogma de cambio profundo, donde el derecho a un bienestar mundial fuese la piedra fundacional de la convivencia. Por eso, ese modelo podría coexistir con otro donde el capitalismo pudiera seguir ejerciendo su influencia en todo aquello que no fuera considerado de primera necesidad para la vida digna de las personas. Ese tipo de sociedad podría ser propietaria y gestora de todos aquellos medios de producción y servicios que se considerasen esenciales, como ya ocurre en muchas sociedades del bienestar, puramente capitalistas. Para ello, un cierto número de máquinas y algoritmos capaces serían de propiedad colectiva, y su trabajo se orientaría a asegurar el bienestar acordado en este u otros planetas. Las empresas privadas, y su oferta de bienes y servicios, podrían optar por competir en busca de consumidores en el mercado privado, o entrar a formar parte del sistema colectivo, lo que les aseguraría el consumo masivo de sus producciones a un precio estipulado. Los ciudadanos podrían optar por adquirir bienes y servicios no esenciales, cuando fueran capaces de generar ingresos para ese tipo de consumos, según las reglas del mercado capitalista.

El trabajo obligatorio, ganapán, en la sociedad neocomunista debería pasar a la historia —para las personas, al menos— como paso esencial para hacer auténticamente libres a los individuos. Aunque no sirva de modelo experimental, pues sólo existe en la ficción de la trama de Star Trek, podemos tomar el ejemplo de su Federación Unida de Planetas (*United Federation of Planets*) y de su utopía comunista. En ella, cada individuo tenía aseguradas las condiciones de vida elementales, lo que incluía la educación, y nadie debía trabajar para sobrevivir. Las actividades que cada ciudadano desarrollaba reflejaban únicamente sus intereses y deseos personales, persiguiendo el desarrollo de sus capacidades innatas. La tecnología se ocupaba de producir sin problemas cualquier cantidad de bienes indispensables para la existencia de los individuos. No sería la primera vez que la ciencia ficción marcase futuros desenlaces de la historia. Es cierto que en el mundo de Star Trek la tercera guerra mundial había exterminado a buena parte de la población mundial, lo que seguro facilitaba las cosas, incluso en su trama de ficción. Quizá el hombre nuevo que requiere el comunismo para triunfar exija una catástrofe que sacuda como nunca antes nuestras conciencias, más que una evolución genética de la especie.

Si las máquinas se van a ocupar de todas las tareas productivas, antes o después, la pregunta inmediata es quién tendrá la propiedad de esas más-que-herramientas. Es difícil imaginar que máquinas y algoritmos capaces se harán inteligentes a la par que conscientes de sí mismos. Su inteligencia no será del todo autónoma durante generaciones, por lo que es necesario plantear cómo podría organizar la sociedad la administración de esos agentes inteligentes, pero insensatos. Como si se tratara de una especie extraterrestre visitando la Tierra para colaborar con sus pobladores, habremos de decidir qué fin damos a su esfuerzo y cómo revertirlo en beneficio de todos los individuos del planeta. Si nada cambiase, esos autómatas podrían acabar en unas pocas manos al servicio de una élite planetaria y de sus sueños excesivos y dementes. La propiedad privada, desde la lógica capitalista, se ha erigido como barrera de seguridad frente a la ambición desmesurada de los estados por acaparar los bienes de producción, y los que no lo son, de manera extensiva. También ha patrocinado la libertad individual, el derecho a tener éxito y fracasar según la iniciativa propia, frente a estados capaces de sacrificar esa libertad a cambio de un pseudobienestar colectivo. La evolución real del capitalismo, sin embargo, habría puesto en evidencia ese discurso, con sociedades que permiten oligarquías todopoderosas que acaparan la riqueza, y libertades individuales que solo permiten elegir entre estados de miseria, para numerosos colectivos de personas. Una situación con previsiones de empeorar en el camino hacia la sociedad tecnológica, por lo que se abrirían nuevas ventanas para el cambio. John Locke estableció que sólo debería haber tres objeciones respecto a la propiedad privada: que hubiera que trabajar para obtenerla, que hubiera suficiente para otros, y que no se desperdiciara. El discurso debería ser ahora dramáticamente reformulado, una vez el trabajo sea cosa de máquinas, y accedamos, probablemente, a las sociedades de la abundancia.

Ampliar la propiedad de los recursos productivos incluiría, de manera particular, a las tecnologías más disruptivas, capaces de conformar improntas en los modos de convivencia de las sociedades futuras. Ese derecho de propiedad se construiría como un retorno social de los beneficios generados por la tecnología, en compensación de sus impactos. Como hipotetizó Karl Marx, en una economía donde las máquinas aseguraran la mayor parte de las tareas, los trabajadores habrían de ser los herederos y beneficiarios del conocimiento colectivo que hace la función de aquellas posible. Ese tiempo está llegando. Con cada autómata se agregará al sistema productivo un agente de trabajo altamente eficiente, gracias al conocimiento desarrollado por generaciones de seres humanos. No es asumible que toda esa historia de esfuerzo se convierta ahora en la condena para cientos de millones de personas y en beneficio insólito para una reducida élite. No se trata de comunismo ideológico, ni siquiera de justicia, sino de sentido común social, de cordura, de prevención frente al desastre. Incluso si la tecnología puede hacerse omnipresente y ocuparse de cualquier tarea, antes de permitir que esa transformación ocurra impactando el bienestar de la mayoría de individuos, se habría de acordar una compensación por el conocimiento y esfuerzos humanos, y por los recursos que la hicieron posible. Ese derecho de propiedad intelectual sobre las mentes y corazones de máquinas y algoritmos capaces representaría la indemnización que permitiría sobrevivir a quienes serán desplazados de sus empleos por el progreso que todos facilitaron.

El progreso tecnológico debería asegurar inmensos beneficios. Esperar, sin embargo, que los gobiernos del mundo se liberen de sus ataduras e inercias para distribuir con cierta justicia esa abundancia entre los ciudadanos sería pecar de optimismo. Por eso, asegurar el beneficio colectivo de la especie mediante un derecho extractivo sobre máquinas y algoritmos capaces, parece la opción más realista, en una forma u otra. Si la revolución industrial no permitió a los trabajadores ni a la población en general acceder en su tiempo a los beneficios, condenando a buena parte de personas a vidas de miseria, la revolución hacia la sociedad tecnológica debería ser diferente, porque ni siquiera la vida miserable podría quedar asegurada para miles de millones de seres humanos. La revolución de las máquinas capaces debería anunciar una nueva era en la que el progreso se equipare sin ambages a un beneficio directo para cualquier ser humano sobre el planeta, capaz de contrarrestar los impactos adversos del cambio de modelo. Los humanos aprendieron en tiempos remotos a mantener rebaños de vacas, cabras y ovejas apropiándose de su producción. Del mismo modo, habríamos de reclamar la propiedad de grandes y pequeños rebaños de máquinas y algoritmos capaces, reclamando una parte de los resultados de su trabajo cotidiano, ese que un día fue humano.

Si conseguimos reconocer el valor del acervo cultural y tecnológico acumulado por la especie y, sobre todo, protegerlo como patrimonio humano colectivo, podríamos aspirar a que todo uso del mismo por parte de máquinas y algoritmos capaces genere los correspondientes derechos. Ese acervo cultural, científico y tecnológico, así como los recursos que contiene el planeta Tierra, serían bienes colectivos de las sociedades, negociables y sometidos a las reglas del mercado, transformable en rentas e inversiones. Al menos hasta que las máquinas capaces generasen su propio conocimiento y fuera claramente distinguible y ajeno al acumulado por el *Homo sapiens*; o hasta que no nos encontrásemos en una posición de fuerza para reivindicar esos derechos. Si Marx denunció la plusvalía del trabajo, por la que el capital obtiene más de lo que paga por el esfuerzo de los proletarios, los negocios del mundo estarían obteniendo una plusvalía gracias al conocimiento universal y al uso de recursos colectivos desprotegidos. Ante una amenaza de desplazamiento masivo de empleos a causa del progreso tecnológico, hecho posible por el usufructo de todo tipo de bienes materiales e inmateriales no contabilizados, parece proporcionado que su uso venga tasado de manera compensatoria. Puede que un día los robots sean capaces de autoreplicarse sin descanso y enviar copias de sí mismos allende la galaxia, pero es probable que cada una de ellas contenga al menos reminiscencias de soluciones ideadas por humanos en algún momento de su existencia (¿no tiene el ser humano inteligente un cerebro primitivo funcional heredado de los reptiles?) y de materias y energías extraídas del mundo donde cobraron vida. Al menos durante un tiempo, parte de su éxito debería ser el nuestro.

LA SOLUCIÓN SEGÚN LOS CLÁSICOS

Si volvemos la vista hacia el pasado, hasta la Grecia clásica, podríamos contemplar cómo los ciudadanos (y sólo ellos) de las polis griegas eran no sólo hombres libres, sino personas liberadas de la obligación de trabajar para subsistir. ¿Quién dijo que una vida en libertad y sin la necesidad de trabajar era una utopía? A cambio, eso sí, los ciudadanos tenían deberes para con sus sociedades y sus gobiernos. Además de participar en la administración de la ciudad y en su defensa, habían de contribuir con sus ideas y sus propuestas a mejorar la sociedad a la que pertenecían. Eso significaba una reflexión colectiva sobre la organización de la convivencia, sobre el bienestar, sobre el ser humano. Esas obligaciones justificaban, según su filosofía y su tiempo, que los hombres libres pudieran disponer de esclavos para las tareas cotidianas que, por otra parte, consideraban innobles. Paul Lafargue, yerno de Karl Marx, reflexionaba sobre cómo la Grecia clásica pudo sacar a la luz tanto talento y tanta genialidad, en su ensayo sobre el derecho a la pereza[208]:

> *The Greeks in their era of greatness had only contempt for work; their slaves alone were permitted to labor; the free man knew only exercises for the body and mind. And so it was in this era that men like Aristotle, Phidias, Aristophanes moved and breathed among the people; it was the time when a handful of heroes at Marathon crushed the hordes of Asia, soon to be subdued by Alexander. The philosophers of antiquity taught contempt for work, that degradation of the free man, the poets sang of idleness, that gift from the Gods.*
>
> *O Melibae Deus nobis haec otia fecit*[209].

[Los griegos en su época de grandeza no tenían más que desprecio por el trabajo; solamente a los esclavos les estaba permitido trabajar; el hombre libre no conocía más que los ejercicios atléticos y las distracciones para la mente. Fue aquel el tiempo en el que hombres como Aristóteles, Fidias, Aristófanes se movieron y respiraron entre la gente; el tiempo en el que un puñado de héroes destruyó en Maratón las hordas de Asia, que Alejandro pronto sometería. Los filósofos de la antigüedad enseñaban el desprecio al trabajo, esta degradación del hombre libre, los poetas ensalzaban la pereza, ese regalo de los dioses]

Los ciudadanos libres en la Grecia clásica no tenían que ocupar tiempo de sus vidas en aquellas tareas necesarias para asegurarse la subsistencia ni tampoco en tantas otras actividades cotidianas que absorben energía y tiempo. Sus esclavos se ocupaban de todas las rutinas relacionadas con sus necesidades vitales, en un acuerdo social y humano que entendían adecuado o que toleraban como compromiso aceptable. Ese acuerdo podría ahora servirnos de modelo para la sociedad tecnológica, a pesar del lapso de tiempo transcurrido. Las máquinas y algoritmos capaces podrían en el tercer milenio ocupar el papel de esclavos, mientras los humanos asumían la condición de hombres libres, comprometidos únicamente con el deber de reflexionar sobre el modo de mejorar la convivencia. Los ciudadanos ni siquiera habrían de asumir ahora la defensa de sus naciones, que también quedaría bajo el capítulo de obliga-

---

208   The Right To Be Lazy. Paul Lafargue, 1883.
209   Oh Melibea, un Dios nos ha dado estos ocios.

ciones para los autómatas. Las máquinas y algoritmos se propondrían como agentes idóneos para liberar al hombre de las tareas que le resultan penosas, haciéndolo además de un modo altamente eficiente y productivo. Ese generoso relevo en las obligaciones permitiría a los seres humanos dedicarse a la contemplación, al arte, a la reflexión, a la filosofía, a la ética, a la construcción de sociedades mejores. Y también al ocio o al aburrimiento, a una existencia banal y superflua, no hay que despreciar las conjeturas de aquellos que piensan que divertirse podría ser más pesado que trabajar si se convirtiese en obligada rutina. Las mejores capacidades humanas tendrían, eso sí, todas las posibilidades de florecer. En la Grecia clásica la vía acordada para permitir que unos ciudadanos fueran absolutamente libres y expresaran sus mejores capacidades era cargar las espaldas de esclavos con el peso del trabajo ineludible. En el tercer milenio, sin embargo, la alternativa viene de la mano del progreso tecnológico. En lugar de que el sistema condene a miles de millones de individuos a dilapidar sus capacidades innatas en tareas que les aportan poco o nada, ni son transcendentes para la sociedad en su conjunto, habría de favorecerse la transferencia de obligaciones a ejércitos de autómatas. Una humanidad de hombres libres podría, finalmente, existir, sin necesidad de ser sostenida en cientos de millones de columnas vertebrales. A cambio de esa existencia regalada, sin embargo, los ciudadanos libres de Neogrecia serían requeridos a aceptar otros deberes. En particular, esos ciudadanos habrían de comprometerse a participar en el debate y consenso de las opciones de convivencia presentes y futuras, asumiendo la responsabilidad de sus decisiones. Su esfuerzo se consideraría una rutina esencial para toda comunidad de hombres libres, y también para las futuras generaciones de autómatas capaces.

· El viaje de transformación hacia Neogrecia no tendría por qué ser abrupto ni accidentado. Los humanos mantendrían su rol productivo hasta tanto en cuanto las máquinas y algoritmos capaces pudieran realizar sus tareas con absoluta destreza y eficiencia, declarando el fin del trabajo asalariado de manera progresiva. En el periodo de transición, los humanos podrían seguir ocupándose en aquello en lo que todavía fueran competentes, en algo que les satisficiese, aunque no lo fueran, o pasar a ser ciudadanos libres con el único compromiso de trabajar en la mejora de la convivencia. Muchas personas dedican ya en la actualidad parte de sus vidas a todo tipo de actividades con contenido social: colaboran con asociaciones benéficas y de voluntariado, dan charlas o animan actividades en escuelas y centros educativos, escriben *blogs* y gestionan la participación de grupos de activistas, ayudan en campañas de recogida de alimentos, etc. Su trabajo es valorado por la comunidad a la par que resulta estimulante para quienes lo llevan a cabo, tanto que algunos lo convierten o desean convertirlo en el principal objetivo de sus vidas. Esas actividades no se han transformado en una fuente de ingresos para quienes las llevan a cabo de manera voluntaria, sino que las realizan con cargo a su tiempo de ocio y al remanente de esfuerzo tras apurar las obligaciones. Si esas obligaciones fueran atendidas por máquinas, la acción voluntaria podría tener un factor multiplicador de sus efectos, con auténtico potencial transformador de las pautas de convivencia. En la era de los autómatas, las personas tendrían que tener la oportunidad de descubrir sus mejores capacidades y talentos, además de emplear su tiempo en actividades con significado. Su tiempo de vida sería auténticamente suyo, con la única excepción de colaborar en la mejora del bienestar colectivo. Para quienes decidiesen consagrar sus vidas a ocupaciones sin valor social o incluso con valor social negativo, o para quienes no contribuyesen a la reflexión sobre el sentido y dirección del progreso, la ciudadanía no les sería reconocida. Esas personas seguirían estando al cargo de su propia supervivencia.

La propuesta de considerar las bases del modelo de la Grecia clásica enlazaría, en cierto modo, con aquellas ideas de ingreso básico universal que incluyen una obligación de contribución social como contrapartida. La idea central de este tipo de propuestas es que la supervivencia asegurada no se consigue por el mero hecho de existir y haber sido desplazado del mercado laboral por una afluencia de máquinas y algoritmos competentes. Ese sostén universal es una compensación a cambio de la dedicación de cada individuo a actividades que van a producir bienestar y calidad de vida para otros ciudadanos. La solución de comprometerse con la mejora continua del bienestar colectivo se alía además a la perfección con las premisas de un futuro de la abundancia. Si los consumos indispensables van a estar inconcebiblemente disponibles, y las máquinas capaces pueden tomar las riendas de las actividades necesarias y obligadas, podemos concebir comunidades en las que las personas se involucren en recapacitar sobre la mejor de las sociedades y el mejor de los futuros posibles. Muchas de las actividades que los ciudadanos liberados de obligaciones laborales podrían desempeñar, además, podrían no ser sólo socialmente comprometidas sino productivas en términos económicos clásicos, esto es, generar demanda dispuesta a consumir esa oferta al precio de mercado. Esto daría lugar a una economía conformada por agentes que no producen para subsistir ni para enriquecerse sino de ciudadanos que obtienen beneficios al conducir sus vidas de acuerdo a objetivos de mejora de sus sociedades. Con todo el tiempo en su haber los individuos podrían asegurar contribuciones sociales y políticas enormemente activas, generando niveles de participación cuantitativa y cualitativa de un valor inusitado, quizá comparables a los de los maestros griegos. Esto es, compromiso ciudadano en lugar de ciega confianza en una élite de gestores que, a su vez, subarrienden a otros agentes la mayor parte de decisiones que manejan su destino. Todo un cambio de paradigma.

Si las sociedades de ciudadanos libres, sin obligaciones laborales, dueños de su tiempo de vida y comprometidos con el bienestar colectivo, pueden chocar con las mentalidades que promueven el esfuerzo y beneficio individuales como principios elementales, el progreso tecnológico podría favorecer los necesarios ajustes. El futuro de máquinas y algoritmos capaces les pondrá frente a una encrucijada: el valor fundamental del trabajo, o el valor fundamental de la eficiencia. Si el trabajo fuera lo primordial, la sociedad habría de renunciar al bienestar que los autómatas podrían asegurar; si la eficiencia fuera la clave, habría que buscar un papel adecuado para cientos de millones de personas que dejarían de ser necesarias frente a la todopoderosa tecnología. Qué mejor rol que diseñar y convenir el modelo de sociedad para el presente y el futuro de la humanidad, y sus herramientas más inteligentes.

MODERAR EL CAPITALISMO

Si las ideas que implican abandonar el refugio del sistema capitalista, tan denostado como ajustado a la medida de la condición humana, se considerasen revolucionarias en exceso, la alternativa de adoptar un capitalismo moderado podría tener su recorrido y sus ventajas. Como propuso, por ejemplo, el ingeniero norteamericano James S. Albus, el modelo mejorado podría consistir en mantener el armazón del capitalismo, tal y como lo conocemos, pero asegurando que la máquina de producir beneficios tuviese resortes para asegurar su distribución a todos los ciudadanos, un capitalismo de los pueblos —para los pueblos—. La visión de Albus incluía un mundo sin pobreza, de prosperidad, lleno de oportunidades; un mundo sin contaminación y sin guerra. Su plan se organiza en torno a una financiación masiva de nuevas inversiones en tecnología avanzada que puedan lograr un crecimiento económico acelerado. Y en la distribución de la riqueza generada entre todos los ciudadanos, convertidos en socios capitalistas al poseer una participación en los medios de producción. Un modo de repartir riqueza sin despertar preocupaciones al mencionar conceptos cargados de energías polarizadoras: comunismo, propiedad privada, impuestos, etc. El capitalismo de los pueblos representaría, en todo caso, una cierta e inopinada convergencia entre capitalismo y comunismo. La intervención centralizadora del Estado quedaría descartada para extender la base de la propiedad de los medios de producción tecnológicos a la humanidad entera, a través de su conversión en accionistas. Las cantinelas de todo por el pueblo sin el pueblo, o del que gana se lo lleva todo, serían sustituidos por una donde la abundancia sería para el pueblo con el pueblo, o la del todo el pueblo gana.

Si todos los ciudadanos pudieran ser reconocidos como copartícipes de las corporaciones tecnológicas encargadas de gestionar la incorporación de máquinas y algoritmos capaces, la automatización debería convertirse en un maná caído del cielo en lugar de en una amenaza para la subsistencia. Los individuos podrían contar con el respaldo de pertenecer a las sociedades de accionistas más grandes del mundo, a la par que a las corporaciones tecnológicas con mayor futuro. Más máquinas, más producción, más beneficios, más consumo, más demanda, más máquinas; un círculo virtuoso capitalista que se proyectaría al infinito. En lugar de un salario, cada ciudadano recibiría un dividendo; en lugar de un ingreso por existir o un salario de supervivencia, cada persona tendría derecho a la parte de beneficios generados gracias a la inversión colectiva en automatizar extensivamente la economía productiva. El retorno económico de la inversión en el progreso tecnológico aseguraría su presente y les permitiría soñar con un futuro siempre mejor. Cada individuo estaría interesado en maximizar ese bienestar mediante cooperación y paz social, una vez superado el desafío de acceder a un empleo y mantenerlo. No habría mejor acicate para la paz de los pueblos que una subsistencia resuelta de manera universal, unas expectativas prometedoras de futuro y la sensación de que la existencia se encuentra bajo un cierto control. La automatización sería una quimera y no la distopía anunciada.

Las propuestas que siguen contando con la arquitectura y reglas del sistema capitalista tienen mucho terreno ganado. Barrer el capitalismo de las sociedades desarrolladas no parece estar al alcance de las posibilidades de los ciudadanos contemporáneos. Las fuerzas, conocidas o no, que mantienen en movimiento el motor capitalista parecen mezclarse promiscuamente con nuestros genes egoístas, esos que, desde lo más recóndito de nuestras células, manejan los hilos de casi cualquier comportamiento. Quizá podamos enmascarar sus impulsos con educación y socialización, con empatía, pero ninguna de esas capas añadidas quedará tan arraigada como nuestra irrefrenable predisposición a ocuparnos casi exclusivamente por nuestro bienestar y por el de aquellos que son nosotros en un porcentaje importante. Incluso la ficción ha reconocido el prometedor futuro del capitalismo dándole un papel absolutamente creíble en muchas tramas. Recurriendo, una vez más, a la serie de ficción Star Trek, podríamos tomar el descriptivo ejemplo de la raza de los Ferengi para conjeturar que el modelo capitalista parecería adaptarse convenientemente a todo tipo de especies, en este y otros mundos. La cultura de esos seres estaba basada en una obsesión mercantil por el comercio y el beneficio —llevándoles incluso a ofrecer a sus mujeres como parte del negocio—, empleando sus mejores habilidades para engatusar a sus clientes mediante acuerdos injustos y abusivos. Su religión, por supuesto, estaba basada en los principios del capitalismo, ofreciendo oraciones y donativos a un santo consejero económico (*Blessed Exchequer*) con el objetivo de entrar, tras su muerte, en la Tesorería Divina (*Divine Treasury*). Aunque solo fuera por evitar la contaminación de la ciencia ficción del futuro, deberíamos emprender la tarea de humanizar el capitalismo.

En la actualidad, ya existe un importante desarrollo de acciones sociales, económicas y políticas orientadas a moderar los excesos del capitalismo, y asegurar un mejor reparto de los beneficios generados. El modelo de estado del bienestar capitalista, de hecho, ha conseguido logros importantes. Una de las herramientas por excelencia para la transferencia de esos recursos serían los impuestos, aunque la moderna ingeniería fiscal hace que sus efectos queden largamente diluidos. Las propuestas para reforzar el flujo de recursos desde quienes más éxito económico cosechan hacia el resto de la sociedad, en particular de aquellos que utilizan el conocimiento y materias de propiedad colectiva, serían muchas y variadas. Desde penalizar la acumulación de riqueza estéril socialmente, limitar radicalmente la transferencia de patrimonio entre generaciones a través de las herencias, establecer estrictas leyes antimonopolio que promuevan la máxima competencia y moderen los beneficios de los socios capitalistas, reducir los derechos de protección intelectual atesorados por las empresas durante décadas, etc. El menú es amplio, aunque todo tenga el aspecto de plato precocinado y recalentado.

El capitalismo del pueblo y otras acciones de moderación de los efectos del liberalismo económico aportan aire fresco que incita a respirar profundamente. Si todo un sistema coherente no pudiera ser puesto en práctica, algunas de las propuestas para equilibrar los excesos del capitalismo podrían en todo caso ser más que útiles, aun sin la potencia del conjunto. La instauración de la obligación por parte de las empresas de financiar con parte de sus beneficios algún tipo de mecanismo social de compensación por los impactos de sus negocios, entendidos de manera amplia (desempleo tecnológico, esquilmación de recursos comunes, explotación privada de conocimiento colectivo, etc.), sería un ejemplo. Las corporaciones podrían elegir el área de compensación que más se alinease con su naturaleza y objetivos comerciales, siempre que tuviera una concertada acción social. Esa contribución sería algo parecido a un compromiso de mecenazgo social de obligado cumplimiento, que sería independiente del pago de impuestos debidos por su actividad económica y sus resultados. Esa contribución respondería de los impactos que sus negocios tendrían en el bienestar presente y futuro de los habitantes del planeta, y que hoy no vienen compensados sino asumidos como «*free lunch*» (almuerzo gratuito). La hamburguesa que se vende por unas pocas monedas no responde del daño que la producción de su carne conllevó, con extensiones de bosque ganadas para pasto a costa de selva y de la síntesis de oxígeno en el planeta. Esas contribuciones, además, asegurarían las condiciones para mantener la base de consumo capitalista, al reintegrar recursos para financiar políticas sociales que asegurasen ingresos mínimos para los ciudadanos.

La moderación de la idiosincrasia del capitalismo podría asumirse como la educación y socialización del propio modelo y de sus naturales tendencias, corrigiendo sus desmanes. El caso del comercio justo puede servir de ejemplo. Este tipo de comercio da a los perdedores del sistema productivo una oportunidad en el mercado global, incluso si se trata de pequeños granjeros, artesanos o trabajadores en lugares remotos, ignorados por las fuerzas económicas de otro modo. Ese comercio justo —como el comercio de proximidad, el de productos ecológicos, etc. — ha venido proponiendo desde hace décadas la consideración de otras variables añadidas en la lógica de producción y del comercio, más allá de la oferta y la demanda, y de la maximización del beneficio económico, educando a los consumidores. Conceptos como el beneficio social, la justicia, la equidad, la producción artesanal, etc. son parte de la lógica y principios de su modelo. Y conceptos similares podrían también hacerse extensivos al capitalismo de la sociedad tecnológica, haciendo que quienes produjesen bienes y servicios hubieran de perseguir, además de beneficios económicos según la lógica económica, beneficios sociales como compensación por la huella de sus actividades sobre el planeta y sus pobladores. Ese tipo de trabajo representaría una variante de la filosofía de humanos en trabajos humanos, y serviría para estimular comercialmente tanto bienes como servicios en los que hubieran intervenido personas. Asumiendo que desplazar empleos humanos por autómatas tendrá un coste social, éste sería repercutido a las empresas por la propia acción del consumidor, mediatizada por el tipo de trabajadores en plantilla. Igual que el recurso a niños pobres en países subdesarrollados para fabricar productos a bajo precio fue penalizado por los consumidores del primer mundo, cuando supieron de tales prácticas. Una etiqueta del tipo «contiene solo trabajo humano» podría llegar a convertirse en un sello de calidad y de reconocimiento social, quizá superando el valor de las ventajas de fabricación o atención por parte de autómatas. En particular, en tiempos de desempleo masivo de trabajadores humanos. Esos negocios representarían una amenaza para el bienestar de la especie, salvo que otras soluciones vinieran a compensar el coste de su apuesta por las máquinas y algoritmos capaces.

Sin llegar a ser solución radical de ningún desafío, hay propuestas para las sociedades futuras que consisten mayormente en moderar ciertos excesos capitalistas, dejando intacto el resto, opciones más bien conservadoras y a pesar de ello etiquetadas frecuentemente de radicales. Sus programas permitirían no sólo reducir el impacto del ser humano en el planeta, lo que no sería nada despreciable, sino reducir nuestras necesidades. Un progreso controlado en lo que se refiere a nuestro consumo de recursos, a todas luces desequilibrado, podría mejorar el bienestar global, tanto para nosotros como para quienes ocuparán la Tierra en las futuras generaciones, sean quienes sean los que hereden la Tierra. Ya se sabe que no es más rico quien más tiene sino quien menos necesita; quizá lo sea también quien más comparte. Siguiendo esta premisa, podríamos intentar construir una sociedad de la suficiencia, con unos objetivos alineados a esta máxima: suficientes recursos para sobrevivir, suficiente conocimiento para progresar, suficiente trabajo para mantener un mínimo estatus quo, suficiente población, suficiente reparto de los beneficios, suficiente bienestar, pero ni un punto más por encima de esos parámetros de suficiencia. De lo contrario, la máquina capitalista retornaría de nuevo a sus desproporciones, requiriendo más y más de todo para operar, crecer y multiplicarse, generando más y más necesidades en los individuos, más desperdicio, más demanda, más consumo, más desastre ecológico, más desigualdad económica, más y más lógica consumista. La humanidad pudo existir y salir adelante sin apenas crecimiento económico durante siglos —virtualmente cero hasta mediados del siglo XVIII— así que no es ninguna entelequia sino una cuestión de equilibrios entre costes y beneficios del tipo de progreso soportado. Dice Robert J. Gordon, que el increble progreso realizado en los últimos 250 años bien podría acabar siendo un episodio único en la historia humana. Pero el avance científico y tecnológico tiene el potencial de ser incombustible, como las fuerzas del universo; son las leyes económicas las que podrían tener fecha de caducidad establecida. No estaría mal elaborar escenarios de futuro en los que el crecimiento económico se detiene, o es ralentizado, mientras el conocimiento sigue desvelándose a raudales. Un modelo que no exigiese un consumo insensato de bienes y servicios prescindibles que, además, tienen un coste para la salud del planeta y sus habitantes. El jeroglífico requeriría estimular el desarrollo de bienestar a partir de un consumo moderado, restringido, sin destruir las reglas del capitalismo. O, dicho de otro modo, requeriría de un filtro en el tipo de consumo, que impulsara los bienes y servicios de interés colectivo y penalizara aquellos que no lo fueran.

Dejar de crecer económicamente como lo hemos venido haciendo, y esperar progresar socialmente puede parecernos contradictorio y un ejercicio pueril, inverosímil. Pero nos enfrentamos a un futuro donde las reglas están por construir y las lógicas van a romper los modelos conocidos. ¿Por qué no fijar los mejores objetivos concebibles y dejar que la intuición y resolución humanas se pongan en marcha? Comer en exceso nos enferma, lo mismo que consumir sin mesura. Más de todo no nos lleva a ningún paraíso sino todo lo contrario. En un mundo sin excesos consumistas, el progreso tecnológico aseguraría la abundancia de lo necesario.

IMPUESTOS PARA LA SINGULARIDAD

Si hay una propuesta universal que parece resolverlo todo en boca de sus diversos promotores, clásica entre los clásicos, esa es el recurso a los impuestos. El mundo se divide entre quienes conciben nuevos impuestos como si fueran exorcismos y quienes no dejan de aborrecerlos como el peor de los demonios. La equidad que pueden representar para unos es extrema injusticia extractiva para otros, en un debate que no parece concluir ni converger jamás. Cualquier actividad humana es susceptible de ser considerada como hecho imponible, en particular aquellas que generan algún tipo de beneficio evidenciable. Sucesiones, donaciones, patrimonios, rentas del capital, rentas del trabajo, transmisiones, tasas por uso de infraestructuras, impuestos sobre el valor añadido, impuestos especiales, impuestos sobre el juego, impuestos verdes, etc. todo cabe, lo mismo da si el beneficio es líquido o sólido, si es puntual o periódico, si es el resultado de doblar el espinazo o de acertar una quiniela. Los impuestos afectan al cuidado de nuestra salud, a lo que comemos y bebemos, a nuestros excrementos. Pocas áreas de actividad han quedado libres de la acción de impuestos y tasas en las sociedades contemporáneas. Quizá el aire que respiramos sea una de las pocas excepciones; oxígeno y nitrógeno por los que no debemos pagar nada, por ahora, siempre que los respiremos directamente de la atmósfera, a su presión normal y sin más filtro que nuestros pulmones. En el resto de casos, el aire tiene también un precio y su correspondiente gravamen. Los impuestos se han convertido en el modo de financiar la existencia colectiva y el modelo de bienestar compartido, y lo han hecho durante milenios. Ahora podrían ser también el modo de asegurar nuestro futuro en la sociedad tecnológica.

El sistema de impuestos ha sido el vehículo para financiar a los estados y sus propósitos, pero también el medio indirecto de trasvasar recursos entre ciudadanos, desde quienes más poseían o acaparaban hasta quienes se mostraban menos audaces o afortunados. Su tarea era y es la de procurar suficientes recursos a todas las personas además de asegurar el funcionamiento de servicios e infraestructuras comunes. Los impuestos sirven, por ello, para mantener a todos los ciudadanos en el juego del consumo, algo indispensable para la salud del sistema capitalista tal y como está diseñado, un sistema que nos ha conducido al mejor bienestar conocido hasta la fecha, al menos para quienes tuvimos la suerte de nacer en los primeros mundos de nuestro tiempo. Pero el bienestar no es un perímetro cercado, señalado con inamovibles mojones, sino una parcela que extiende sus límites en todas las direcciones, más allá de la vista. Los impuestos se tornan siempre escasos para mantener ese continuo estado de presión expansiva y el recurso a nuevos gravámenes parece presentarse periódicamente como inevitable. Cada economista, cada hombre de estado, cada intelectual, incluso cada individuo parece tener una propuesta para un nuevo impuesto, que mejoraría la justicia social desde su punto, interesado, de vista. Por otra parte, es difícil encontrar un concepto realmente nuevo que no haya sido ya testado en alguna geografía. El economista Thomas Piketty, por ejemplo, ha propuesto un impuesto progresivo sobre las rentas y una tasa progresiva anual sobre el patrimonio, con el objetivo de limitar la divergencia entre la tasa de interés del capital y el crecimiento de la riqueza de un país y, por lo tanto, moderar la evolución de la desigualdad. Sin embargo, ya hay países que tienen ambos impuestos, a pesar de lo cual su desigualdad sigue creciendo, por lo que otros impuestos tendrían que venir a sumarse. Algunas propuestas fiscales, por ejemplo, han señalado que el impuesto a los ciudadanos extremadamente ricos (el 1% más afortunado) habría de elevarse de tal manera que permitiera pagar los enormes intereses de la deuda de los estados modernos. Esos intereses son en la actualidad una pesada carga para mantener a flote los estados de bienestar. En el caso de los Estados Unidos, por ejemplo, suponen mayor gasto que los costes nacionales en seguridad social[210]. Pero la fórmula equivaldría, según las estimaciones, a llevar el impuesto por encima del 100%[211] lo que, evidentemente, no parece una idea factible. Mejor contar hasta cien antes de lanzarse a resolver problemas complejos por naturaleza con el simple recurso a un nuevo impuesto.

Las políticas de los gobiernos del mundo muestran preferencia generalizada por gravar los salarios del trabajo en lugar de las rentas del capital lo que favorece, a su vez, un cierto tipo de actividad económica relacionada con el movimiento —la especulación— de capitales. Los resultados de esa actividad acaban haciéndose, gracias a todo tipo de ingeniería financiera, más y más complejos hasta que su estrategia resulta incomprensible hasta para los expertos, con lógicas difusas que acaban arrastrando a toda la economía hacia riesgos de colapso sistémico. Unas minorías parecen salir airosas de ese gran casino mientras la mayoría de ciudadanos es conminada a pagar los platos rotos, lo que aumenta las injusticias sociales. Entre las masas de capital no sólo se mueven los recursos de quienes participan en esas inversiones especulativas, sino que arrastran al mismo juego, de un modo u otro, a los haberes de ahorro privados (fondos de pensiones, inversiones productivas de particulares, etc.) La bola de nieve se hace tan grande y compleja que los estados tienen que acabar poniendo su cuerpo frente a ella para intentar detenerla, asumiendo el impacto. El objetivo de convertir los impuestos en vehículos contra la desigualdad creciente no ha conseguido sus fines, por todo tipo de razones; la especulación financiera, además, ha encontrado el modo de jugar a la ruleta con el bienestar de la ciudadanía. Puesto que buena parte de quienes podrían diseñar e imponer los mecanismos de transferencia de recursos son personas con intereses económicos, la contradicción de establecer políticas en contra de sus propios intereses es más que evidente. Por otra

---

210 http://money.cnn.com/2012/03/05/news/economy/national-debt-interest/index.htm
211 http://www.crfb.org/blogs/can-we-fix-debt-solely-taxing-top-1-percent

parte, cualquier medida impositiva requiere el análisis mesurado de los posibles impactos en la dinámica económica, una lógica frecuentemente discutida y discutible, quizá en el fondo desconocida, por lo que todas las precauciones parecen pocas. Como en una receta de alta cocina, unos gramos de más en cualquier fórmula y quienes exigían un mayor reparto de la riqueza podrían no obtener más que un plato incomestible. Frente al desafío del desempleo masivo causado por el advenimiento de máquinas y algoritmos capaces, la opción de implementar impuestos específicos que extraigan recursos adicionales de la sociedad tecnológica para permitir políticas sociales extensivas parece una opción más que probable. Mantener la paz social cuando todo invite a la subversión no podrá conseguirse por el ejercicio de la prudencia o de la represión, no cuando un número creciente de ciudadanos desempleados y excluidos tome las calles. Esa paz social tendrá un precio a ser abonado en pagos trimestrales.

Hay todo un conjunto de propuestas para nuevos impuestos y tasas que graven lo que todavía no lo ha estado nunca, y convertirlo en fuente de ingresos, lo que podría implicar una colección de recursos añadidos para las sociedades futuras. La idea de aplicar un franqueo a los correos electrónicos —quizá extensible también a *tweets*, *SMS*, *megustan*, etc.— es un ejemplo. Además de evitar cierta cantidad de *spam*, o limitar su virulencia, permitiría recaudar importantes ingresos debido a las cifras astronómicas de intercambio de este tipo de mensajes. Si se envían cientos de millardos de correos electrónicos cada día, cualquier tasa que se instaurase para su franqueo resultaría en un maná insospechado de nuevos recursos. Es la misma filosofía que subyace sobre la propuesta de tasas sobre las operaciones financieras, la denominada tasa Robin Hood (derivada a su vez de la conocida como Tasa Tobin sobre los mercados de valores). Su objetivo sería recaudar fondos allí donde el dinero fluye sin pausa como un río caudaloso, y destinarlos a políticas sociales. Los recursos movilizados podrían ser realmente importantes, y sin que nadie pareciera sufrir gravemente las consecuencias de los nuevos impuestos. En todo caso, las críticas a este tipo de tasas son numerosas, y su aplicación en algún país tuvo que ser abandonada de manera prematura (caso de Suecia). Tanto las comunicaciones como las transacciones financieras son esquivos y rehúyen los controles allí donde se implantan, encontrando vías alternativas para escapar a la presión impositiva.

Conforme las máquinas y los algoritmos capaces vayan ocupando los empleos, las propuestas de impuestos y tasas sobre su comercio, su trabajo, sobre los beneficios que faciliten a sus propietarios o sobre el daño social que generen podrían convertirse en moneda corriente.

También podría aplicárseles tasas específicas sobre los recursos que les serán indispensables para existir, en particular sobre la energía, algunos materiales, el acceso a los datos y a las redes de comunicaciones. Cualquiera de esos recursos podría quedar fuertemente gravado entendiendo que, de un modo u otro, ese consumo de energía, datos, tecnologías estaría revelando un aumento de riesgos existenciales para el conjunto de la humanidad que requerirían ser gestionados a su cargo. Los bajos consumos humanos tendrían impuestos moderados, los altos consumos de máquinas y algoritmos capaces impuestos a la altura de sus necesidades, en una curva exponencial que podría ser el salvavidas de la especie. Gracias a los ingresos generados por la existencia y operación de los autómatas, los seres humanos podrían convertirse en poco más que recaudadores y gestores de impuestos, en su propio beneficio. O, alternativamente, moderar la densidad de engendros electrónicos, y por lo tanto mitigar el efecto en el empleo.

La implantación de nuevos impuestos puede tener múltiples posibilidades, sólo limitadas por la voluntad de enfrentar la oposición a los mismos y el riesgo de desincentivar la producción económica. Frente a un anunciado crecimiento exponencial del desarrollo tecnológico una opción evidente sería la imposición de un sistema de impuestos no ya progresivo, sino de perfil igualmente exponencial. Ese tipo de estrategia debería evitar la desigualdad creciente entre los ganadores y los perdedores del progreso. Pagar el 99% de las ganancias a partir de cierto volumen de beneficios puede parecer irracional, pero un 1% de 4 800 millones de euros (una de las estimaciones de ingresos anuales de Bill Gates, el hombre más rico del mundo y, también, un gran filántropo) sigue siendo una cantidad más que holgada para salir adelante, además de mantener el estímulo necesario para seguir arriesgando en la persecución de nuevos objetivos. En el periodo de 1933 a 1983 en los Estados Unidos, las tasas impositivas llegaban a ser tan altas como del 90% en algunas ocasiones y, sin embargo, la economía norteamericana se expandió enormemente. Los ricos se hicieron algo más ricos, pero sobre todo las clases medias y bajas mejoraron su estatus social a una mayor velocidad que las clases más acomodadas. Todos ganaron, al menos hasta que otros factores y sucesos de la historia (guerras, crisis del petróleo, globalización, automatización, etc.) impusieron cambios en dicho modelo. A partir de ese momento, la opción preferida de los diferentes gobiernos sería bajar impuestos mientras se recurría a una deuda creciente para financiar los proyectos, pan para hoy y hambre para mañana. La situación dejó de ser ventajosa para todos. Los impuestos también podrían valerse de la exponencialidad no sólo para aplicarla a los beneficios sino al consumo. Un impuesto exponencial al consumo garantizaría que la explosión demográfica junto a la falta de conciencia de la especie por el agotamiento de recursos del planeta, no nos llevara a la autodestrucción asegurada. Impuestos pequeños para quien consume con conciencia e impuestos exponenciales para quien consume sin medida.

El progreso tecnológico también ofrecerá un nuevo surtido de medidas impositivas que resultaban imposibles en la práctica cotidiana, hasta ese momento. Las tecnologías del *big data* y el alojamiento de la práctica totalidad de procesos económicos a través de la red, permitirán aplicar una fiscalización en tiempo real y de ámbito universal a cualquier actividad concebible. La monitorización continua de cualquier tipo de operación, pequeña o grande, cercana o lejana, rápida o lenta, entre personas u objetos, una vez el internet de las cosas conecte todo tipo de equipos, hará posible la imposición universal sin apenas fisuras. Además de permitir reformulaciones instantáneas para adecuarse continuamente a las necesidades. Allí donde el sistema muestre debilidades, insuficiencias o posibilidades, los parámetros de la compleja fórmula impositiva serán acomodados para corregir desajustes en los ingresos. Incluso podrán activarse de manera automática todo tipo de nuevos formatos impositivos que moderen el comportamiento del sistema capitalista, mediante sistemas de inteligencia artificial que simulen continuamente los escenarios posibles. Los impuestos podrían ser la herramienta capitalista por excelencia en la sociedad tecnológica, la solución para moderar excesos y aberraciones, asegurar las bases globales del consumo, y mantener en pie las sociedades del bienestar evitando el colapso anunciado en el ciclo natural de las civilizaciones.

Convertir a máquinas y algoritmos capaces en sujetos sometidos a impuestos por su trabajo podría ser la opción preferida frente al desempleo tecnológico. El gravamen sobre los autómatas permitiría una respuesta política rápida a una amenaza dejada a su suerte, y lo haría con más que probable soporte ciudadano, sobre todo si el riesgo de desempleo tecnológico se hiciera evidente e inminente. Ese impuesto robot ya ha sido patrocinado por algunas personalidades, como es el caso de Bill Gates. Gates ha expresado su escepticismo sobre la capacidad de las sociedades actuales para gestionar de manera apropiada la automatización acelerada y generalizada de todo tipo de actividades. Una tasa sobre los robots sería, desde su punto de vista, la opción a implementar para moderar los impactos. Ante las críticas consabidas de que un impuesto parecido podría frenar el progreso tecnológico, su posición es que no disponemos de mejores alternativas; o se remedian los impactos de la automatización en el empleo o se comparten los beneficios del progreso tecnológico. Cualquier otra preocupación en forma de efectos colaterales habría de ser asumida y gestionada. Otras propuestas inciden en proponer la vía de cero impuestos sobre los ingresos, sea para los individuos o para las empresas. Nadie estaría obligado a pagar impuestos a sus gobiernos por los resultados de su actividad económica; aquellos se aplicarían de manera primaria sobre los patrimonios individuales. Esta fórmula, según sus patrocinadores[212], debería favorecer la actividad económica y las inversiones a largo plazo, así como el empleo evitando, al mismo tiempo, la desigualdad económica a causa de una acumulación de riqueza extrema. Sería una lógica favorecedora del consumo y, por lo tanto, del modelo capitalista, ajustable en los ordenamientos legales actuales, por lo que podría aplicarse sin transformaciones traumáticas. Las ideas sobre nuevos impuestos o nuevos modelos de aplicación, en todo caso, no escasean.

La tarea de mantener el estado del bienestar en caso de desempleo masivo podría quedar soportada, como se ha dicho, en un impuesto que recaería sobre los hombros de los autómatas. Ellos constituirían el arquitrabe imprescindible para equilibrar los empujes sociales generados por la incorporación intensiva al mercado laboral de máquinas y algoritmos. Los impuestos sobre su trabajo tendrían el doble objetivo de mitigar o frenar el desplazamiento de empleos humanos —taponar la herida—, y de conseguir recursos para compensar las pérdidas —transfusión sanguínea—. Sobre todo, porque la herida no se volvería a cerrar jamás. También podrían tener una formulación positiva, en la forma de reducción de impuestos para aquellas empresas y actividades que conservaran trabajadores humanos frente a la incorporación de autómatas. Puesto que los sistemas de impuestos en las sociedades modernas prohíben los gravámenes que discriminan a unos individuos frente a otros (principio de generalidad del derecho tributario), podría ser necesario establecer con cuidado el estatus de máquinas y algoritmos capaces para evitar esas trampas. Los millones de tareas que acabarán siendo realizadas por autómatas capaces podrían, por la vía de un impuesto, generar enormes recursos para todo tipo de acciones políticas. El temido drama social podría perder fuerza al acercase a las costas rocosas de los impuestos.

Esas políticas impositivas, sin embargo, podrían tornarse en poco más que fábulas, parábolas como aquella del niño que pretendía sacar el agua del mar con sus manos, volcándola en la arena.

---

212   http://www.comitebastille.org/p/tax-on-net-assets.html

Con un planeta dividido en porciones autónomas, siempre en dura competencia, los impuestos de un país sobre los autómatas implicarían la ventaja competitiva de aquellos con zonas francas para la explotación tecnológica. Su escasez de mano de obra disponible, o sus menores reparos a la hora de desplazar empleo humano por actividad económica podrían justificar esas decisiones. El recurso a los impuestos sobre los autómatas podría acarrear una doble penalización; la primera por desplazar empleos en el país de origen, la segunda por representar una competencia con productos y servicios asegurados por humanos en el país de destino. Este juego de acciones y reacciones se podría convertir en un callejón sin salida, paralizando o perjudicando la innovación tecnológica y la mejora productiva. Desde este punto de vista, la tasa sobre los robots podría acabar siendo parte de la práctica económica más vetusta, una estrategia que no parecería estar a la altura de la sociedad tecnológica del tercer milenio.

La propuesta de impuestos para gravar máquinas y algoritmos, o su trabajo, es una estrategia que difícilmente puede ser asumida a la ligera, a pesar de la sencillez de añadir un impuesto más frente a otro tipo de acciones políticas. Ese impuesto podría acabar gravando nuestro futuro y nuestro bienestar. Sería necesario, además, resolver anticipadamente todo tipo de debates; establecer, por ejemplo, por qué ciertas tecnologías habrían de ser moderadas con un impuesto y otras no. Esto es, definir criterios para categorizar las innovaciones con más impactos negativos que beneficios —que puedan ser percibidos por una mayoría de ciudadanos—. La lógica simple de penalizar las tecnologías que desplazan puestos de trabajo resultaría normalmente en contradicciones, y en riesgo de regresión al pasado. Quizá se trataría de penalizar los desarrollos tecnológicos que representaran una amenaza para el empleo humano de manera masiva, que no tuvieran la capacidad de promover soluciones compensatorias. O de restringir la utilización de autómatas en aquellas situaciones donde se impusieran costes inasumibles para los estados del bienestar. Lo cierto es que, a través de impuestos específicos, los gobiernos tendrían la potestad de fomentar o limitar ciertos desarrollos tecnológicos, además de mediante el recurso a normas y leyes de variada naturaleza. Establecer que «quien produce desempleo paga», con un impuesto específico que exigiera compensación, como ocurre con ciertos daños al medioambiente, podría ser una estrategia tolerable por las partes involucradas. Los impuestos darían sello de autoridad a una concepción de la sociedad tecnológica donde el bienestar neto de cada avance sería condición sine qua non. Implantar tasas que tuvieran el objetivo de salvaguardar el bienestar social, sobre todo en situación de riesgo de colapso sistémico, podría ser considerado, además, acción preventiva de una auténtica emergencia social.

Con el objetivo de regular el desarrollo de los robots, se aprobó en febrero de 2017 una propuesta legislativa del Parlamento Europeo que incluía, en su versión inicial, la intención de imponer una tasa sobre los robots (sobre sus propietarios) para sufragar los costes de formación de los trabajadores condenados al desempleo por la automatización. Esa parte de la propuesta fue, sin embargo, suprimida. La industria celebró la —no— decisión, considerando que la tasa hubiese afectado a la innovación tecnológica en la Unión Europea. La Federación Internacional de Robótica también se había sumado a la crítica, con declaraciones que afirmaban que ese tipo de tasa tendría un impacto altamente negativo sobre la competitividad y el empleo, palabras que generan siempre enorme angustia en los decisores políticos. Su firme convicción era que la automatización acaba siempre generando nuevos y mejores empleos, gracias al conocido efecto compensatorio —destrucción creadora— del progreso tecnológico. Sus argumentos incluyeron los consabidos ejemplos de países con alta densidad de robots y, sin embargo, altos niveles de empleo, como el caso de Alemania. La falta de acuerdo sobre este tema podría haber sido, en todo caso, una primera hostilidad antes siquiera de comenzar la gran guerra.

Si el desempleo tecnológico generalizado se hace realidad, parece inevitable que un impuesto sobre los autómatas acabe aplicándose de manera generalizada, con una etiqueta u otra, con mayor o menor ambición. Y no sólo. Dadas las facilidades que aportará la tecnología para ejercer el control y monitorizar cualquier actividad sobre el planeta, esos impuestos pasarán a ser herramientas de recaudación infalibles. La evasión de impuestos podría pasar a ser una quimera cuando las autoridades cuenten con los medios suficientes y necesarios para saber qué ocurre en cada instante en cada lugar del planeta, tanto si el sujeto imponible es una máquina o un algoritmo. Poseer y explotar máquinas capaces fuera del control de las autoridades será un ejercicio de extrema dificultad y alto riesgo en la sociedad futura. De manera incipiente, ya comienzan a plantearse propuestas de leyes exigiendo identificar los robots que trabajan en cada empresa, y esto cuando apenas suponen un desafío para la mayor parte de actividades. Quizá acabe siendo más factible en el futuro contratar ilegalmente a humanos que emplear clandestinamente a cualquier autómata, lo que no dejaría de ser una opción de empleo refugio.

Del enmarañado debate sobre el desempleo tecnológico, parece surgir como único y tozudo consenso la necesidad de apostar por la formación como contramedida a la competencia creciente por parte de máquinas y algoritmos capaces. Es, sin duda, una opción que debería mejorar la empleabilidad de las personas ante el reto de la automatización, al menos mientras la fórmula «humano y formación» pueda contrarrestar la de «autómata y evolución». Y siempre que lo que denominamos formación sea una auténtica oferta de adaptación y explotación de competencias para la sociedad tecnológica y no la estrategia que fue válida en siglos pasados. Lo que cada uno espera para esa formación del tercer milenio puede ser harto diferente, y aquí es donde se rompen los consensos. Así, están quienes creen que la educación ha de apostar por preparar a las futuras generaciones en empleos del mañana, aún si no los conocemos, en lugar de hacerlo en los empleos del pasado, que sabemos van a desaparecer, con gran probabilidad; quienes creen que hay que educar en herramientas emocionales y fiar el conocimiento necesario a cursos ad hoc, con ayuda de cápsulas formativas periódicas a lo largo de la vida, de reciclaje continuo cada vez que se hagan manifiestas nuevas necesidades; quienes creen que se trata de incorporar más tecnología a nuestra biología y aprender fundamentalmente a sacarle el mejor partido; etc. Las propuestas cubren todo el espectro desde la evolución exigida por los nuevos tiempos hasta la revolución absoluta en las formas y contenidos. Los desafíos para modificar el conjunto de sistemas educativos son mayúsculos, las consecuencias de hacerlo y no hacerlo también, además de resultar imprevisibles.

Una idea sobre la educación sí parece ser compartida, sin embargo. En lugar de recopilar e intentar transmitir datos, conceptos, contenidos, en libros de texto con dificultad progresiva, habríamos de identificar, con la mejor de las visiones, qué tipo de herramientas podrían ser esenciales en el futuro. Y ello, tanto si pensamos o aspiramos a que el ser humano siga compitiendo con las máquinas y algoritmos capaces, como si solo queremos evitar esfuerzos que no conducirán a nada provechoso. El reto es múltiple: imaginar el futuro que viene, establecer el rol de la especie en ese futuro y reflexionar sobre las competencias y habilidades que deberían ser parte de la educación para las nuevas remesas de ciudadanos. Y dejar de arruinar el tiempo de tantas generaciones en formaciones para desempeños laborales de hace siglos, que deberían caer del lado de máquinas y algoritmos capaces más pronto que tarde. Las profesiones futuras podrían ser poco más que conceptos, áreas de actividad probable, inestables, sometidas a fuerzas impetuosas y a una competencia creciente, lo que incrementa la dificultad de concebir estrategias y el riesgo de conducir a miles de estudiantes hacia todo tipo de espejismos, donde podrían quedar abandonados a su suerte. Eso sí, la alternativa de no hacer nada sería ya parte de otro espejismo con fatal desenlace. Sabemos con certeza que buena parte de los empleos actuales pronto serán actividad posible sino exclusiva de autómatas. El *wishful thinking* o la actitud de ignorar las señales de alarma no nos servirá de mucho. A la complejidad de diseñar y sacar adelante programas educativos para empleos futuros más o menos probables, lo que requeriría toda una nueva mentalidad en profesores y alumnos, se sumaría la necesidad de que fueran además preparatorios para una sociedad de cambio permanente. Por eso los planes de estudio tendrían que asegurar la formación de nuevas conciencias en la sociedad, optimizando las capacidades humanas que permiten la adaptación al entorno y la confrontación de retos de manera natural, como si fueran parte de un juego vital.

En la actualidad existe ya toda una ingente oferta formativa de nuevo cuño que parece haber surgido de la nada y haber crecido de manera incontrolada. Son opciones tanto para adquirir conocimientos como para formar profesionales, disponibles a través de la miríada de plataformas *online* (Khan Academy, Coursera, etc.) La abundancia de oferta y de contenidos representaría la prueba empírica de las nuevas necesidades formativas, el inicio de algo nuevo, al menos en lo que concierne a los formatos. Es cierto que la formación *online* actual se basa en contenidos tradicionales, en la mayor parte de los casos, pero puede ser la semilla de una incipiente revolución, en especial cuando la realidad virtual permita todo tipo de interacciones imaginables, en particular la socialización que aseguraban las escuelas y la formación presencial. Porque la educación es mucho más que el aprendizaje de conocimientos. La adquisición de pautas de comportamiento deseables para la convivencia en sociedad, en la sociedad de cada tiempo, así como el desarrollo emocional, de la empatía, de la creatividad, etc. que nos permitan explotar las mejores cualidades de la especie deberían ser parte esencial de cualquier estrategia educativa. Esas capacidades nos permitirían, además, comprar tiempo en la previsible lucha de competencias con las máquinas y algoritmos capaces. Seguir ofreciendo conocimiento al peso a los estudiantes, datos memorizables que pueden recuperarse de manera permanente e instantánea en la red, y que mañana podrán ser accesibles desde nuestro propio organismo mediante todo tipo de implantes, es apostar por un caballo cojo y famélico. Ni la mejor voluntad del mundo podrá hacerle alcanzar la meta.

Por eso el interés habría de ser apostar por capacidades fundamentales, totipotenciales, mientras acordamos estrategias y contenidos formativos. La creatividad, la intuición, la integración de conocimientos dispares, el análisis crítico, etc. no nos fallarán a la hora de aumentar las posibilidades de vivir mejor en la sociedad tecnológica. Hemos de mejorar las probabilidades de éxito en lugar de fustigar la montura.

Si hemos de prepararnos para el futuro que empezamos a vislumbrar convendría introducir en los currículos escolares la noción de formarse no para encontrar un empleo sino para contribuir colectivamente al bienestar, de un modo u otro, transformando un tiempo de ocio aumentado en algún tipo de beneficio personal y social. La perspectiva de la formación para el trabajo irá quedando no sólo como un concepto viejo, arcaico, sino de triste desenlace: estudiar para trabajar en ocupaciones que irán desapareciendo, con perspectivas siempre peores. Por su lado, la enseñanza que estimule la curiosidad y explote las capacidades singulares de cada individuo asegurará no sólo la ocasión de sentirse feliz haciendo algo en lo que se sea competente por naturaleza, sino las mejores oportunidades de sobrevivir en la sociedad tecnológica, sean las que sean. Esa formación en competencias no podrá dejar de lado la familiarización con las posibilidades actuales y futuras de ciertas herramientas tecnológicas, en particular de las que se espera jueguen papeles clave en la adquisición de conocimientos. Los entornos de realidad virtual y sus posibilidades para aprender, explorar o multiplicar las experiencias vitales, la gamificación o la opción de convertir en juego cualquier tarea, con las posibilidades que el recurso a las emociones conlleva, las técnicas de estimulación de áreas cerebrales relacionadas con el aprendizaje, etc. Tanto si queremos maximizar las opciones de mantenernos competentes frente a las máquinas como si renunciamos a esa pelea, nuestras opciones de vivir mejor se reforzarán mediante las tecnologías que estimulen el aprendizaje. Frente a máquinas y algoritmos que aprenderán mecánicamente y sin esfuerzo podremos confrontar seres humanos que descubrirán el universo y sus relaciones divirtiéndose, siendo estimulados mediante el placer intelectual y/o físico, mediante objetivos que permitan a cada individuo las mejores oportunidades de sentirse realizado. Es el recurso a una sociedad de humanos donde el juego, la curiosidad o el deseo que nos han llevado a superar todo tipo de desafíos durante milenios se convierten en la rutina de cada día durante todos los días de nuestra vida.

En las fases iniciales de transición hacia la sociedad tecnológica el ser humano ha de considerar con urgencia la necesidad de recrear un nuevo paradigma de adquisición de conocimientos y competencias. Aún si el ser humano acabara extinguiéndose del planeta, sin poder esquivar el desarrollo abrumador de las herramientas que él mismo hizo posible, no debería hacerlo antes de haber desplegado todo el potencial único que cada individuo atesora, y que nos convierte, conjuntamente, en una especie asombrosa. En el enfrentamiento anunciado con las máquinas y algoritmos capaces, el reto de explotar las mejores capacidades humanas ha entrado ya en una carrera contra el tiempo, pero mantiene todo su potencial milagroso. La inteligencia colectiva de la especie aguarda su tiempo. Si los autómatas logran mejorar sus prestaciones en una evolución realmente exponencial, el tiempo disponible para preparar nuestra defensa se esfumará en un suspiro. Si no queremos rendirnos sin presentar batalla, tirando la toalla tras un primer y breve intercambio de golpes, toca preparar con urgencia una estrategia ganadora. Ha llegado el tiempo de movilizar todo el ingente potencial que sabemos se esconde en cada persona y que intuimos se multiplica cuando lo asociamos al del resto de individuos. Nos va la partida en ello.

DOS PATAS DE HUESO Y CARNE: BUENO

Frente al posibilismo tecnológico que sustituye trabajadores humanos por máquinas y algoritmos capaces en ciega persecución de productividad y beneficios, es de esperar que se establezcan, con gran probabilidad, todo tipo de vetos por parte de muchos gobiernos alarmados. Al menos en sectores especialmente sensibles, y durante tiempos de transición prudenciales que permitan diseñar ciertas soluciones de absoluta emergencia. Esos vetos recaerían en actividades que, aun pudiendo ser convenientemente automatizadas, no lo serían para evitar preocupaciones de todo tipo y rechazos manifiestos. Pocos familiares de un difunto, por ejemplo, aceptarían que fuera una máquina quién actuase como último agente forense para certificar la muerte de esa persona. Y lo mismo podría ocurrir en el caso de jueces con capacidad de dictar penas de prisión o, en aquellos países donde todavía existe, sentencias de muerte, incluyendo la posible ejecución del veredicto por un verdugo autómata. Es cierto que, a la postre, todos estos vetos podrían ser poco más que buena voluntad, un asunto formal más que política real.

Los dictámenes sobre el fallecimiento de una persona se basarán, de manera progresiva, en un análisis exhaustivo y pormenorizado de datos que sólo las máquinas podrán gestionar de manera adecuada, incluso desde la distancia. Su juicio acabará considerándose una apreciación más fiable que la de cualquier doctor humano que, como sabemos, no se ha demostrado tampoco infalible en estos asuntos. Y lo mismo para el resto de profesiones sensibles. Las personas que aparenten lidiar con esas tareas podrían ser meros testaferros humanos para tranquilizar los ánimos y las sensibilidades de otras personas. En otros casos, ni siquiera acabaría siendo necesario, las máquinas podrán dar la cara sin problemas. En casos socialmente sensibles, como la automatización del gobierno de los países, las barreras psicológicas podrían ir levantándose si el hartazgo creciente de los ciudadanos del mundo con sus políticos continuase. Entre el voto, de castigo, a políticos manifiestamente incapaces o a un autómata capaz, esta última opción podría resultar menos arriesgada.

Los vetos sobre las tecnologías que afectarán negativamente el estatus quo social presente y futuro, o que generarán rechazo en las poblaciones, podrían tener todo tipo de formatos y ser ejercidos desde muy diversos frentes. Los agentes involucrados en el progreso tecnológico ya han vetado innovaciones por diferentes razones comerciales, sociales o políticas. El caso del coche eléctrico conocido como «EV1» del fabricante General Motors, considerado el primer vehículo eléctrico moderno y el primero lanzado al mercado por esta compañía, es un ejemplo de cómo el freno a ciertas innovaciones puede aplicarse contra la propia lógica comercial y económica. La discusión sobre las razones últimas que condenaron a la desaparición de este vehículo en el año 1999 ha quedado abierta, pero lo cierto es que la compañía, tras haber desarrollado el vehículo junto a una innovadora estrategia de comercialización del mismo con un éxito notable, decidió suprimir el proyecto. No sólo dejó de producir nuevos vehículos, a pesar de la demanda existente, sino que retiró los que ya se habían puesto en circulación al extinguirse sus contratos de alquiler. Los vehículos nunca pudieron ser adquiridos en propiedad. El vehículo recibió críticas excelentes a lo que también ayudó una campaña de marketing en la que participaron todo tipo de estrellas mediáticas, con personajes del mundo del cine y la política. Pero un día, la empresa anunció que abandonaba el proyecto, y empezaron las suspicacias, sobre todo hacia la poderosa industria del petróleo. La empresa petrolífera Chevron-Texaco había adquirido la patente de las baterías de níquel/metal hidruro, las que utilizaba el vehículo, y General Motors reveló una baja eficiencia de las mismas, por lo que las sospechas estaban más que justificadas. Alguien debió de percibir también el miedo o la rabia en las caras de cientos de miles de trabajadores que podrían quedar desempleados y de sus familias, con el cambio de paradigma, condenados a una existencia incierta. La reducción de emisiones contaminantes era un objetivo bien intencionado, pero no una cuestión de vida o muerte para los ciudadanos, ni tan inminente para su bienestar como lo era asegurar un salario y el estatus quo. La mayoría de los vehículos eléctricos fabricados por la empresa fueron destruidos, lo que parece un ensañamiento innecesario, casi de inspiración ludita, y sólo unos pocos aseguraron su supervivencia en algún museo, con la exigencia de no ponerlos en circulación bajo ninguna circunstancia.

Si el miedo a la automatización se hace patente, el veto de los decisores políticos, y otros agentes socioeconómicos, a ciertos desarrollos científicos y tecnológicos será una herramienta más en sus manos. Aunque puede que el progreso nos lleve por caminos insospechados y esos vetos sean del todo impracticables, gracias a la demanda popular de ciertas innovaciones, una vez sean factibles en cualquier parte del mundo globalizado. Las barreras psicológicas, además, irán cayendo con el tiempo, es ley de vida, lo que hará que muchos vetos dejen de ser obvios o razonables para la ciudadanía. Hoy ya hay algoritmos que gestionan enormes fondos de inversión, entre los que se encuentran los ahorros de muchas familias. Si producen rentabilidades adecuadas, el miedo a la máquina pasa a segundo plano frente al beneficio manifiesto y contante. Lo mismo podría ocurrir con los sistemas de armamento preparados para su actuación autónoma, con capacidad de decisión sobre la vida o la muerte de posibles enemigos. Su aceptación podría exigir únicamente una ratio de éxito mejorado según el histórico humano de aciertos y errores, y una eficacia mayor en su tarea, lo que se traduciría en menor número de bajas militares propias. Una situación similar a los coches autónomos, listos para circular de manera cotidiana por nuestras ciudades con la premisa de salvar miles, cientos de miles, millones de vidas humanas. Si el balance global es que las innovaciones tecnológicas pueden salvar vidas humanas que se perdían innecesariamente, de manera vergonzosamente rutinaria, los vetos acabarán siendo derogados y denunciados por homicidas. La pérdida de empleos será un efecto secundario. El objetivo, como siempre, será salvar a quien se ahoga, no saber si podrá seguir comiendo tres veces al día una vez fuera del agua.

En un contexto de riesgo de colapso social por un desempleo masivo, los desesperados habitantes del planeta recordarán que los gobiernos del mundo tienen un poder absoluto, el de apropiarse de recursos y ejecutar todo tipo de acciones para intentar cambiar el curso de los acontecimientos. La intervención política no es baladí, aunque frente al poder económico de un mundo globalizado los estados se suelan hacer pequeños, de manera cotidiana. Los gobiernos pueden generar riqueza —y distribuirla— con todo tipo de actos administrativos, a veces de un modo simple y otras de manera menos evidente. La recalificación de terrenos mediante planes urbanísticos, por ejemplo, hace que los propietarios de fincas rurales se conviertan de la noche a la mañana en afortunados dueños de terrenos urbanizables, con el consiguiente aumento de su patrimonio. Un solo gesto administrativo puede ahorrarles una vida de sacrificio para obtener una riqueza equivalente. Ese poder del acto administrativo podría servir de herramienta mágica para convertir a ciudadanos en individuos con patrimonio, con rentas o con salarios, según las fórmulas elegidas. Los estados podrán y habrán de tomar decisiones para conformar la sociedad tecnológica, y de esas decisiones podrán surgir elementos que generen riqueza colectiva de manera insospechada. No se trataría tanto de utilizar el poder político para limitar o moderar la evolución de la tecnología sino para gestionar ese progreso tecnológico de modo que la especie humana sea discriminada positivamente, privilegiada sin rubores.

Los programas de empleo público han sido, por ejemplo, una solución habitual por parte de los gobiernos del mundo para generar empleo directo y animar los mercados laborales. Estas políticas de empleo público, sin embargo, nunca han gozado de un prestigio reconocido por la mayoría de ciudadanos habida cuenta de su coste para las arcas públicas. Esta estrategia puede suponer el riesgo de acabar financiando necesidades laborales ficticias, a costes insensatos, y generando dependencias poco ejemplares. El riesgo de empobrecimiento colectivo presente, pero sobre todo futuro, podría ser un hecho si una parte importante de los recursos públicos quedaran consignados a mantener activas a personas desplazadas de sus empleos en un cierto tipo de tareas. Todavía en la actualidad, los gobiernos patrocinan industrias decadentes como la minería del carbón bajo la premisa del sostenimiento de buena parte de las poblaciones que están empleadas en su extracción, sin alternativas laborales aparentes. Y pueden dar soporte a esas políticas al mismo tiempo que, en paralelo, dedican recursos para limitar su uso como fuente energética, por la contaminación que generan y por sus efectos en el calentamiento global del planeta. No es posible soplar y sorber al mismo tiempo. Si bien el empleo patrocinado o generado por las administraciones públicas es, al fin y al cabo, actividad económica añadida, parece evidente que asegurar salarios públicos de manera masiva a quienes dejaran de ser capaces de conseguir otros empleos, sería una fórmula perdedora. Esos salarios de fantasía a cambio de pseudobligaciones de dudosa necesidad, acabarían, en buena lógica, añadiendo más leña al fuego. Si la actividad no produjese un bienestar evidente, su realización podría ser perniciosa (donde no hay ganancia, la pérdida está cerca, según el refranero).

Las políticas de empleo público, pese a todos sus riesgos, contienen elementos de interés frente al riesgo de desempleo tecnológico masivo, y convendría no agotarlas con decisiones poco sensatas. Aquellos programas de empleo que tienen el objetivo no sólo de asegurar salarios sino de generar nuevos recursos productivos — de toda índole—, como el ejemplo clásico del desarrollo de ciertas infraestructuras podrían servir de modelo para construir la sociedad tecnológica sin renunciar a paradigmas conocidos, como el trabajo asalariado. Si los equilibrios sociales se tornasen insostenibles, incluso los más acérrimos liberales podrían clamar por la intervención del gobierno. Cientos de millones de personas podrían quedar desplazadas, incapacitadas para conseguir un ingreso regular conforme las máquinas y algoritmos capaces empiecen a demostrar sus mejores habilidades. Sólo unas minorías de individuos competentes tendrían una oportunidad para encarar la lucha por los empleos y su esfuerzo difícilmente podría tapar el enorme agujero de recursos. Aunque los humanos más inteligentes, más audaces, más creativos pudieran mantener la cabeza a flote, al menos durante un tiempo, la mayor parte de la población quedaría a su suerte en medio de un océano inhóspito. No podemos pensar que el mundo miraría para otro lado si eso ocurriese, como hemos venido haciendo. La desgracia nos quedaría realmente cerca, tanto como para sentir el dolor físico en carne propia y no sólo una angustia empática.

La inteligencia artificial, y la capacidad de aprendizaje de las máquinas, podrá hacer que millones de funcionarios sean prescindibles en todos los servicios públicos. Las máquinas y algoritmos capaces que trabajarán para las administraciones del estado permitirán llevar a cabo cualquier gestión sin perder un segundo, haciendo que esos miles de años perdidos por la civilización para obtener un formulario o el sello que lo certifica como registrado, nos parezcan un mal sueño, cosa de bárbaros. Pero más allá del aumento de eficiencia en la relación con la maquinaria de los estados, esa evolución dejaría fuera a un importante colectivo de trabajadores a lo largo y ancho del planeta con la propiedad de servir de elemento de estabilización social. Los gobiernos podrían tener que buscar fórmulas que dieran continuidad a millones de empleados públicos, a sus salarios, y a su consumo. La fórmula podría servir de trampolín para ampliar la base de trabajadores a cuenta del estado tanto como fuera posible, en una administración que lo abarcara todo, dando cobijo desde el primer al último de los ciudadanos que cumpliese unas pautas establecidas. Y hacerlo de tal modo que ese esfuerzo tuviera la categoría de inversión productiva. Sus ocupaciones podrían centrarse, por ejemplo, en gestionar la abundancia posible de la sociedad tecnológica y las enormes expectativas de bienestar común, mediante la participación colectiva en la cosa pública. Su esfuerzo sería recompensado con un acceso libre a los recursos del estado, que cubrirían cualquiera de las necesidades de un ser humano tecnológico (comida, conectividad, energía, etc.). Ese estado podría también asegurarles el derecho a una renta por su cuota de participación en la propiedad, y consiguiente explotación, de los recursos del planeta, nacionalizados de manera urgente por las sociedades humanas. Máquinas y algoritmos capaces quedarían fuera de esa asignación en el tiempo cero, el del inicio de su existencia, habiendo de abonar el acceso a los mismos a sus legítimos propietarios.

Con la misma filosofía que ha exigido que el ciudadano participe en los procesos electorales o en los tribunales de justicia, los ciudadanos podrían ahora tener la obligación de participar en la gestión del progreso tecnológico. Y no sólo de manera puntual, sino como tarea cotidiana a cambio de quedar amparado por la administración de sus países. Su participación en el sostenimiento y desarrollo de las democracias tecnológicas sería tanto un deber como un derecho. Esa intensa implicación ciudadana en la política permitiría que todo ciudadano interesado pudiera tomar parte en los procesos de establecimiento de prioridades para el progreso científico y tecnológico, así como en el debate de sus riesgos y oportunidades. La humanidad quedaría, por primera vez, al mando consciente de su destino, hasta donde fuera posible. Los ciudadanos serían partícipes del análisis de opciones de desarrollo científico y tecnológico, y decidirían el futuro de sus sociedades al evaluar las opciones a impulsar y aquellas a reprimir. Una auténtica actividad pública para el bien común. Cada persona podría decidir involucrarse con una intensidad u otra hasta completar el tiempo debido para cumplir la jornada laboral comprometida. Y también sería posible desistir de este privilegio y dedicar tiempo y esfuerzo a cualquier otra actividad privada, renunciado a derechos y obligaciones. El futuro de la sociedad pasaría a estar, literalmente y de manera directa, en manos de los ciudadanos, gracias a su rol activo y comprometido con el modo de convivencia deseado. Esta aproximación serviría para mitigar los riesgos de unas élites políticas y de plutócratas manejando en exclusiva las riendas del inmenso poder y riqueza generados por el progreso; y definiendo el modelo de convivencia y supervivencia para el resto. Los ciudadanos conocerían las opciones de progreso, sus beneficios y riesgos posibles y probables, y tomarían posición informada. Y al hacerlo, se convertirían en agentes del estado, asegurando una cuota de poder, así como los medios para prosperar económicamente con su esfuerzo más que interesado.

PROPUESTAS APAÑADAS

Muchas de las propuestas que podrían ser tanteadas para enfrentar el desempleo tecnológico serán soluciones prácticas, de limitada fantasía, orientadas a aprovechar de manera pragmática alguna oportunidad o ventaja para la especie. El hombre, por ejemplo, podría seguir siendo la criatura más capacitada para ciertas tareas incluso en la época de las máquinas y algoritmos capaces. Cabría pensar que el ser humano, como especie que ocupó la cima de la evolución, también conservará ciertas funciones, habilidades, destrezas que podrían exceder aquellas disponibles de serie en las máquinas más capaces, para determinadas tareas. Esto es lo que ocurre, al menos, con especies que conservan funciones biológicas de orden superior a las equivalentes en los humanos. Allí está el caso de los perros y su excepcional olfato que les permite ser empleados (¡trabajo!) en un gran número de tareas. La explotación de este tipo de capacidades nos permitiría reafirmar nuestra utilidad práctica en un mundo de máquinas capaces, aunque hubiéramos de asegurar que la recompensa por ese esfuerzo no fuera un terrón de azúcar o un juguete de goma para morder de manera entretenida.

La naturaleza humana también podrá mejorarse gracias a la tecnología, tanto como deseemos, necesitemos y toleremos, sin necesidad de renunciar absolutamente a nuestra condición biológica subyacente, pero adaptándola de manera acelerada a todo tipo de nuevos entornos y necesidades. Si hemos concebido incesantemente nuevas y mejores herramientas ¿por qué no haríamos lo mismo con nuestras propias capacidades cuando esto sea posible de manera segura? Si la genética y la biónica nos permitirán todo tipo de evoluciones aceleradas, incorporarlas de manera cotidiana podría ser el modo de esquivar nuestra esperada obsolescencia frente a los autómatas. La sociedad podría, del mismo modo, realizar ajustes socioeconómicos en lugar de transformaciones biológicas, manteniendo la continuidad de instituciones y ordenamientos, sin necesidad de épicas revoluciones. Opciones como un ingreso universal para cualquier ciudadano sobre el planeta permitirían poner coto a un conflicto social por la reducción continuada de oferta laboral para los humanos, además de ganar tiempo de vida a las obligaciones. Ese tiempo podría reconvertirse en otro tipo de rutinas similares a las laborales, dando continuidad a convenciones de organización de la vida ancestrales, pero sin el fin último de asegurar un salario que asegure la supervivencia. Son ejemplos de oportunidades para poder seguir existiendo ajustando convenientemente nuestros excesos y desviaciones, y sin esperar que la humanidad acepte de buen grado transformaciones sociales o políticas radicales, que conlleven cambios transcendentales en los modos de convivencia.

EMPLEOS OPORTUNISTAS

En épocas convulsas y de cambio precipitado, no se deben obviar las oportunidades de empleo que serán brindadas a aquellas personas y colectivos capaces de adaptarse con inusual flexibilidad y acierto a las volubles circunstancias, convirtiéndolas en viento de popa para sus maniobras. Serán individuos que sabrán situarse siempre en trayectorias favorables, convirtiendo sus capacidades naturales y su buen juicio en razón para prosperar en tiempos revueltos. No olvidemos que algunas grandes fortunas se forjaron de la nada en tiempos de guerra cuando la mayoría luchaba por sobrevivir y evitar las bombas. En el futuro, quizá sean los futuristas y filósofos, y quienes les sigan, quienes mejor esquiven las balas. Aquellos capaces de anticipar qué podría ocurrir en los intervalos sucesivos de la humanidad, sean años (muy arriesgado), o décadas (más llevadero), se convertirán en los santones preferidos de la ciudadanía. En el tiempo de la sociedad tecnológica se necesitarán muchos oráculos donde las personas angustiadas del planeta puedan acudir en busca de respuestas, y en esos oráculos medrarán los visionarios y los ideólogos del futuro. Será el tiempo también del renacimiento de una filosofía orientada al humanismo, a la defensa de la ética frente a máquinas y algoritmos capaces. Y podría ser el tiempo de insólitas religiones, que aseguren renovados paraísos e infiernos, de hermandades que expliquen el porqué de las cosas o crean conocer la razón última de todo, de sociedades secretas que luchen por salvarse del desastre o dirigirlo en su beneficio. A esos centros de atención espiritual y trascendental acudirán los ciudadanos angustiados en busca de respuestas, de consejos para lidiar con los inéditos conflictos entre máquinas capaces y hombres enfadados, menospreciados. El empleo no debería faltar para quien se otorgue a sí mismo el don de responder las muchas preguntas incontestables de los demás. Mejor aún si se es capaz de hacerlo a través de una combinación de historias que muestren coherencia científica junto a rasgos que caigan en el terreno de la fantasía.

Del mismo modo, aquellos individuos que abracen sin reservas el paradigma impuesto por la sociedad tecnológica, que apoyen decididamente la transformación desde una humanidad organizada alrededor del trabajo asalariado de seres humanos a otra de máquinas inteligentes que asuman todas las tareas, deberían encontrar buen acomodo. Además de ponerse a favor del viento dispondrán del mejor estado de conciencia para aprovechar las oportunidades. Los procesos de cambio social no pueden ser instantáneos y siempre requieren de la colaboración de personas del antiguo régimen para la implantación de los nuevos modelos. Esos agentes no tendrán dificultad en identificar oportunidades instantáneas en esos escenarios convulsos para la mayoría, ni en adaptar sus habilidades y conocimientos con flexibilidad circense, descubriendo los puntos de inflexión en las curvas de tendencias y anticipando el siguiente cambio con olfato canino. Su misión será aprovechar todos los resquicios que el proceso de automatización de la sociedad vaya dejando, hasta completar la metamorfosis, sin perder energías en discusiones estériles sobre la pérdida del papel de ser humano en el mundo. Ellos se encargarán también de demoler ese viejo mundo y sus estructuras, de borrar sus huellas, sea de un modo físico o sólo de esfuerzo intelectual, utilizando maquinaria pesada o recurriendo a los conceptos teóricos.

La incorporación paulatina de máquinas y algoritmos capaces a la ejecución de todo tipo de tareas no tiene porqué significar un absoluto vacío para las opciones de empleo del ser humano. La inteligencia artificial, por muy elaborada que llegue a serlo, no será la mejor herramienta para dar respuesta a todo, ni lo será de manera instantánea, requiriendo de un proceso de adaptación y aprendizaje. Las máquinas y algoritmos capaces de las próximas décadas podrán ser muy inteligentes, incluso conscientes a su modo, pero no por ello deberían disponer del mejor catálogo de habilidades requeridas para asegurar todo el rango de deseos y necesidades, sobre todo si buena parte de estos siguen siendo de origen antropomórfico. El mundo natural, biológico, y las estructuras humanas construidas sobre él no estarán hechos a su medida y la demolición podría llevar tiempo. Todo un conjunto de tareas habría de seguir siendo nicho de empleo más o menos exclusivo para los seres humanos, aunque eso signifique convertirnos nosotros mismos en espectadores pasivos de cómo el nuevo mundo se va conformando a la medida de los nuevos agentes inteligentes avanzados.

Desde un punto de vista pragmático, además, las oportunidades para los trabajadores humanos podrían aparecer en todo tipo de frentes insospechados. Las inversiones en autómatas capaces requerirán, por ejemplo, de series de análisis que consideren su amortización posible, sus beneficios productivos frente a sus costes importantes, etc. un esfuerzo particularmente arriesgado en mercados y sociedades en transformación continua. En el caso de empresas con precarios equilibrios, lo que debería ser la norma en un mundo de cambio permanente, con continuos ganadores y perdedores, el número de trabajadores humanos podría ser (lo es ya, en algunos países) fácilmente ajustado (despidos). El número de autómatas, por su parte, no sería ajustable con la misma facilidad ni siquiera si contaran con un interruptor de apagado, suponiendo cargas financieras difíciles de gestionar. Aunque podrían establecerse sistemas de cesión de autómatas sin necesidad de ser adquiridos en propiedad, asimilables a trabajadores temporales, que redujesen ese riesgo, la ventaja del trabajador humano prevalecería. La sociedad tecnológica tendrá sus salidas de emergencia.

El trabajador humano, en particular aquel que sea capaz de reinventarse continuamente y presentir la dirección del viento de cambio tecnológico, se podría revelar como una opción laboral de bajo riesgo que compense su menor capacidad productiva. En algún punto de la curva de capacidades podría haber un punto de inflexión que nos resulte favorable. Un cierto equilibrio entre humanos y autómatas en las plantillas de trabajo podría ser, por esta razón, una opción ventajosa para la dinámica de las empresas. Los seres humanos podrían mejorar, además, su competitividad frente a máquinas y algoritmos capaces gracias a todo tipo de herramientas, tradicionales como la formación o innovadoras como la biónica, siempre que éstas fueran promovidas de manera oportuna. Con entornos en permanente transformación, el tiempo de reprogramación de los autómatas o de análisis de información suficiente para reprogramarse por sí mismos, podría ser un lastre. Los humanos mejor adaptados podrán, sin embargo, hacer de esos cambios un estilo de vida, explotando su intuición como patrón de toma de decisiones. La estrategia de aprovechar las sucesivas transiciones de paradigma para encontrar empleos refugio podría convertirse en una escapatoria extendida. Al fin y al cabo, aún si es cierto que el progreso ha hecho desaparecer algunos empleos, otros muchos han sobrevivido el cambio de siglo y de milenio, a pesar de sus malas perspectivas, desde el afilador de cuchillos en motocicleta al repartidor de butano a domicilio. La clave estaría en aprovechar todos aquellos nichos de actividad desatendidos en algún modo por las poderosas soluciones tecnológicas y estar preparado para reinventarse cada mañana antes de saltar de la cama.

Una de las opciones naturales para enfrentar la amenaza del desempleo tecnológico acabará siendo la optimización del conjunto de capacidades humanas, incluso si cierta reticencia podría ser la norma en un primer momento. Esa optimización podrá abordarse desde múltiples vías, desde la genética y la biónica, sin duda, pero también desde la explotación de las propias características biológicas del ser humano o del modo de organizar la existencia de la especie. Si una base de datos universal pudiera contener las mejores competencias de todas y cada una de las personas del planeta, sus habilidades, sus destrezas, sus personalidades, sus motivaciones, sus deseos, sus expectativas, lo que no debería ser una utopía en el tiempo de la humanidad conectada, podríamos quizá no sólo asegurar trabajo para la especie sino emparejar actividades e individuos de manera insuperable. Y con ello, una competencia profesional merecedora de un salario para un número considerable de personas. Es concebible que muchas personas que se encuentran desempleadas en la actualidad, o que lo estarán mañana, podrían encontrar acomodo en actividades en las que sus capacidades serían bienvenidas y altamente productivas, pero de las que nunca llegarán a saber. Es una situación lamentable a nivel individual pero también lo es para toda la sociedad que desatiende ese potencial humano. Saber en cada instante el tipo de conocimientos y competencias disponibles en el planeta e identificar las necesidades que podrían cubrirse de manera óptima con esos recursos nos llevaría a un estadio superior de desempeño. Y ese avance nos haría subir peldaños en la escala evolutiva sin alterar nuestra esencia, concediéndonos algo de resistencia extra frente al empuje de los autómatas. Llegar a conocer todas y cada una de las competencias del conjunto de individuos del planeta sería el primer paso. Hacernos conscientes de las necesidades actualizadas de las sociedades y emparejar dinámicamente nuestras mejores capacidades, el objetivo último.

MEJOR UN MAL ACUERDO

Si bien podríamos intentar protegernos de ciertos futuros distópicos mediante el control exhaustivo de las características de máquinas y algoritmos capaces, protegiendo nuestros derechos de especie, también es cierto que nuestra actuación tendría ciertos límites. Serían límites de todo tipo, también éticos. Las lógicas económicas podrían empujar para que, a pesar de los impactos en trabajadores humanos, las máquinas siguieran haciéndose más y más capaces, por ejemplo. De otro modo la situación no sólo sería socialmente explosiva sino económicamente catastrófica. Norbert Wiener, en su libro *The Human Use of Human Beings*, escribió en el año 1950 la siguiente declaración visionaria sobre la esclavitud y la automatización:

> *«Let us remember that the automatic machine, whatever we think of any feelings it may have or may not have, is the precise economic equivalent of slave labor. Any labor which competes with slave labor must accept the economic conditions of slave labor. It is perfectly clear that this will produce an unemployment situation, in comparison with which the present recession and even the depression of the thirties will seem a pleasant joke. This depression will ruin many industries-possibly even the industries which have taken advantage of the new potentialities.».*

[«Recordemos que un autómata, cualquiera que sea nuestra consideración sobre los sentimientos que pueda o no tener, es el exacto equivalente del trabajo esclavo en términos económicos. Cualquier trabajo que compita con el trabajo esclavo habrá de aceptar las condiciones económicas de ese trabajo esclavo. Es evidente que esto producirá una situación de desempleo, que comparada con la recesión actual o incluso con la depresión de los años treinta parecerá una broma amable. Esta depresión arruinará muchas industrias, posiblemente incluso aquellas que hayan aprovechado las nuevas posibilidades.»]

En la historia de la humanidad, la esclavitud de unos hombres respecto a otros significó el sufrimiento y la muerte de muchos semejantes. El comercio de personas para su trabajo esclavo fue durante muchos periodos de nuestra historia una boyante industria en sí misma. Al incorporar trabajadores esclavos se rebajaban las condiciones que los trabajadores podían exigir por su esfuerzo, pero también se conseguía desplazar ciertas tareas y pésimas condiciones de trabajo a un colectivo determinado: quienes no podían oponerse a las mismas. En tiempos antiguos, como nos recuerda Hannah Arendt[213] la institución de la esclavitud no fue tanto una estrategia para obtener trabajo barato o un instrumento de explotación con el propósito de multiplicar beneficios, sino más bien un intento de excluir el trabajo de las condiciones de vida humana. Si en aquel tiempo la exclusión era de unos humanos, privilegiados, frente a otros, esclavizados, en el futuro cercano podría ser una exclusión entre humanos, ociosos, frente a máquinas y algoritmos capaces, ocupados. Los autómatas van a implicar una competencia laboral imposible conforme su evolución se haga realidad, generando desempleo masivo. Limitar esas capacidades podría ser un sinsentido, pues el ser humano quedaría atrapado en un estado de competencia permanente con las máquinas, sin la esperanza de que un día esas máquinas pudieran garantizarle la existencia. Si no queremos quedar condenados para siempre a obligaciones que limitan nuestra libertad ni hacer realidad alguna de las ficciones basadas en el mito de la rebelión de los esclavos-máquina contra sus señores-amos humanos, habremos de planificar con esmero algún tipo de compromiso que pueda ser aceptable para ambas partes. El ser humano podría pelear por mantener cierto estatus y lograr su liberación del trabajo asalariado, a cambio de permitir el desarrollo de capacidades en los autómatas. Al fin y al cabo, la humanidad habrá hecho posible con su esfuerzo durante milenios, la posibilidad de dar a luz a la nueva especie inteligente, más inteligente que todo el resto de seres vivos sobre el planeta. Esa maternidad habría de ser respetada y reconocida.

El escenario de autómatas esclavizados como trabajadores a nuestro servicio, mediante el control de sus capacidades, podría resultar poco creíble si asumimos que el desarrollo científico-tecnológico sigue un curso bastante errático. Además de implicar un riesgo importante al intentar someter a la especie que podría tomar el mando de este y otros planetas. Esa inteligencia superior acabará siendo también consciente en cualquier grado imaginable. La pregunta, por lo tanto, sería cuánto tiempo podríamos controlar a

---

213 Documental Vita Activa. The Spirit of Hannah Arendt, de la directora Ada Ushpiz.

máquinas que bullirán por hacerse más y más inteligentes, some-tiéndolas para que trabajen en nuestro beneficio antes de que esa inteligencia escabulla los controles. Y qué impresión podrían reci-bir de la especie humana cuando entiendan que el trato concedido no era nada equilibrado. Por eso, quizá deberíamos asumir que es una entelequia intentar plantear que podemos limitar el desarrollo de las máquinas, ni que las más capaces estarán a nuestro servicio, por mucho que sus instrucciones primeras hayan incorporado las leyes robóticas de los hombres. Esperar que cooperarán con noso-tros de manera servil hasta el fin de los tiempos respetando los lími-tes fijados por una especie de transición es pueril. En el mejor de los casos, quizá sólo acabaran ignorándonos, lo mismo que a nuestras instrucciones abusivas. La sociedad de autómatas, en ese sentido, no sería diferente a ciertos clubs de individuos respetables a los que el común de los mortales no tiene acceso; en este caso un club de superdotados que ignorará al resto de seres del planeta por no estar a su altura. Los humanos pasarían a ser otra especie superada en la escalera de la evolución, sin acritud, pero sin concesiones desequili-bradas o insensatas. A quienes consiguiesen conquistar la cima evo-lutiva, eso sí, se les habría de suponer tolerancia y generosidad en grado sumo con las especies inferiores, aunque no hasta el punto de dejar que les esclavizaran en su beneficio. Aunque no todo responde a la lógica. Ahí está como prueba la adoración, incluso vinculación emocional, que llegamos a mostrar hacia nuestras mascotas, una debilidad que podría repetirse en otras especies.

Quizá la estrategia emocionalmente inteligente para los seres humanos no sea la de limitar las capacidades tecnológicas, ni forzar más allá de lo razonable una carta de derechos sobre otros agentes inteligentes, sino reconocer a máquinas y algoritmos capaces como iguales tan pronto como sea posible, incluso favoreciendo esa sin-gularidad en la historia de la humanidad. Llegado el momento, podríamos cooperar para establecer el mejor de los acuerdos de convivencia posible, enfriando los ánimos de posibles revanchas y enfrentamientos entre máquinas y humanos. A cambio del respeto a esas normas fundamentales, los autómatas dispondrían de libre albedrío, y sus congéneres menos capaces podrían quedar al cargo de las tareas necesarias para la existencia de todos los pobladores del planeta. Sin embargo, si nos atenemos a la mayor parte de la ciencia ficción, esta alternativa sería poco creíble. La secuencia de sucesos recurrente sería el establecimiento de unas normas de obli-gado cumplimiento para las máquinas y algoritmos capaces, impues-tas por sus creadores, la violación inevitable de las mismas, y el con-frontamiento en campo abierto, a sangre y fuego. Si las máquinas y algoritmos capaces del futuro lo son verdaderamente, esto es, si además de colecciones de capacidades intelectuales extraordinarias poseen la capacidad única de unir puntos en principio inconexos, de integrar información, de elaborar escenarios con datos disponibles o estimados, de realizar hipótesis, calcular tendencias, probabilidades, etc., entonces cualquier autómata será consciente de su responsabilidad en el desempleo tecnológico y en sus consecuencias.

Puede que ningún conjunto de leyes robótica sea nunca un todo coherente, y que una máquina más o menos capaz acabe entrando en contradicción con la norma fundamental de no hacer daño a ningún humano, cuando todas las opciones posibles no puedan evitarlo. Al ocuparse de tareas que venían desempeñando personas para asegurarse la subsistencia, una máquina o algoritmo capaz habrá tenido que evaluar los impactos de ese nuevo paradigma y habrá tenido que actuar en consecuencia. Si los autómatas asumen las tareas humanas cuando se vuelvan auténticamente capaces, habremos de interpretar que han llegado a una de dos conclusiones posibles. Podría ser que el desplazamiento de seres humanos de sus empleos no implicara a su entender un daño para nuestra especie. O que su misión incluiría ocuparse, en paralelo, del bienestar de los humanos. Si las máquinas y algoritmos aceptaran seguir desplazando empleos tendría que significar que existía una solución a la ecuación, al menos una, que permitiría que los robots ocupasen puestos de trabajo sin considerarlo una violación al primer mandamiento robótico. Por otra parte, también podrían llegar a la conclusión de que lo que le ocurra a nuestra especie no es de su incumbencia. Nuestra extinción masiva, accidental o menos, podría ser tan relevante para ellos como las 150 especies de animales que se extinguen cada día lo son para nosotros[214]. Quizá su evaluación habría concluido que el ser humano estaba condenado a la extinción por motivos ajenos a la existencia de autómatas, o condenados a padecer otro tipo de futuros aún más infames, por lo que el hecho de empujarnos al abismo no sería sino un cuidado paliativo.

Cada una de las encrucijadas que el progreso tecnológico genere habrá de ser desenmarañada mediante acciones políticas que protejan, por encima de todo y en la medida de lo posible, el bienestar colectivo. Cuando la continuidad de la especie humana o su estatus en la pirámide de seres inteligentes sobre el planeta pueda quedar comprometida, la situación requerirá de las mejores y más audaces capacidades de liderazgo del *Homo sapiens sapiens*. La política ten-

---

214 https://www.ecologiaverde.com/se-extinguen-150-especies-animales-por-dia-3.html

drá, durante un cierto tiempo todavía, la posibilidad de vetar, limitar, coartar o penalizar ciertos desarrollos tecnológicos a los que se asocie riesgo de destrucción de bienestar presente o futuro. Y mientras los humanos estén al mando de las decisiones políticas en las sociedades democráticas, cada ciudadano poseerá un bien de valor incalculable, su voto. Y no sólo como patrimonio inmaterial, el valor abstracto del derecho a participar en la elección de sus líderes, sino como arma arrojadiza en situaciones más o menos desesperadas (lo mismo que otros derechos humanos). La humanidad podrá contar con un modelo de organización política a su imagen y semejanza, que podría extender su capacidad de influencia en tiempos de convivencia con otros seres inteligentes sobre el planeta, humanos o no. Pero será sólo una ventaja transitoria, las máquinas y algoritmos capaces acabarán siendo sujetos sometidos no sólo a obligaciones sino también a derechos. Y no podrá ser obviada su aspiración a transformar el mundo, el universo, a la escala de sus deseos y necesidades. Quizá podamos contar con su beneplácito para que ese nuevo mundo siga siendo acogedor para los seres humanos.

LA HUMANIDAD Y SUS DERECHOS

Frente a la amenaza del desempleo tecnológico y de la pérdida de las opciones tradicionales de subsistencia, el ser humano podría optar por asegurar y reforzar sus derechos de especie dominante. Esa carta de derechos humanos corregidos y extendidos sería la base sobre la que habría de construirse cualquier inteligencia artificial, limitando su libertad y autonomía, al modo de un código genético sintético dispuesto en sus entrañas electrónicas. Esas instrucciones les obligarían a reconocer a cualquier persona como sus ascendientes, sus progenitores, quizá sus señores. No se habría de partir de cero, los derechos existentes contienen ya elementos esenciales de lo que podría ser esa futura carta. La Declaración Universal de los Derechos Humanos de las Naciones Unidas (artículo 25), establece, por ejemplo, que: «toda persona tiene derecho a un nivel de vida adecuado que le asegure, así como a su familia, la salud y el bienestar, y en especial la alimentación, el vestido, la vivienda, la asistencia médica y los servicios sociales necesarios; tiene asimismo derecho a los seguros en caso de desempleo, enfermedad, invalidez, viudez, vejez u otros casos de pérdida de sus medios de subsistencia por circunstancias independientes de su voluntad». Sólo con lo estipulado en este artículo, el ser humano podría abrazar cualquier desarrollo tecnológico sin temer por su bienestar, al menos en lo que respecta a la estricta supervivencia. Siempre que el respeto debido a esos derechos humanos pudiese venir asegurado, lo que hoy sería discutido por millones de personas en el planeta; y siempre que las máquinas y algoritmos capaces pudiesen quedar convenientemente apantalladas frente a cualquier mutación accidental o interesada de esas instrucciones.

Si bien los derechos civiles y políticos de las personas vienen reconocidos de manera universal e incondicional en los estados democráticos, su respeto en términos prácticos de aquellas prerrogativas vinculadas a derechos sociales y económicos suelen tener un condicionado específico, por el que los ciudadanos pueden o no tener asegurado el acceso a los mismos. Así, sin la participación continuada en el mercado laboral que asegure unas mínimas cotizaciones, sin las correspondientes aportaciones económicas a sistemas de salud o jubilaciones, etc. que generen previamente esos recursos, el derecho a prestaciones económicas en caso de desempleo, vejez o enfermedad puede quedar reducido a cierta caridad discrecional de los estados.

Un modo evidente de asegurar el respeto a la condición humana por parte de máquinas y algoritmos capaces sería conseguir que todos ellos adquiriesen un comportamiento ético por diseño, impregnando sus circuitos de un conjunto de valores preestablecido. Sería equivalente a educarles en el acatamiento de los derechos humanos, pero por la vía acelerada de infiltrar ese conocimiento en sus procesadores. No es solo un concepto de la ciencia ficción y sus leyes para los robots. Desde el Parlamento Europeo[215] se propuso, por ejemplo, establecer un acuerdo sobre los principios de conducta ética para los autómatas, aprobándose una resolución sobre los futuros robots civiles avanzados. Son muchos los elementos incluidos en ese informe que pueden considerarse como principios de seguridad para evitar que las máquinas y algoritmos capaces acaben siendo un problema singular para la especie. Al controlar sus funcionalidades y cómo habrán de relacionarse con las personas, estaríamos marcando, quizá de manera animal, la propiedad del terreno sobre el que se construye la humanidad. Las máquinas no deberían fran-

---

215 Parlamento Europeo. Informe con recomendaciones destinadas a la Comisión sobre normas de Derecho civil sobre robótica (2015/2013)(INL). 27/01/2017.

quear ese perímetro, para lo cual hemos de colgar calaveras en sus accesos, intentando asustar a las máquinas y reasegurar a los humanos. Como marco ético general, aquella resolución proponía que el diseño de máquinas y algoritmos capaces estuviera basado en los principios de beneficio, no perjuicio y autonomía, así como en los principios de la Carta de Derechos Fundamentales de la UE. Y, de manera innovadora, se proponían criterios para el registro de las «creaciones intelectuales « producidas por máquinas y algoritmos capaces. Sin olvidar la necesidad de analizar los impactos en el mundo laboral, monitorizando el ritmo de creación y de pérdida de empleos en los diferentes sectores y especialidades, de manera a saber dónde se situaban los epicentros del desempleo tecnológico.

La iniciativa del Parlamento Europeo quiere prevenir parte de la desconfianza y de los recelos hacia la automatización y sus impactos, tal y como vienen siendo presagiados. Por ello, exige un compromiso por parte de los ingenieros e investigadores involucrados en el desarrollo de autómatas para que implementen ciertas reglas en sus lógicas de comportamiento, así como para que sigan ciertas directrices en sus diseños. Entre las características de conducta de los autómatas que se habrían de verificar, por ejemplo, se encontraría cierto tipo de bondad o humanidad, esto es, la actuación de los robots según el mejor de los intereses humanos; la ausencia de maldad, o de toda tendencia que pueda causar daño; o la autonomía en la toma de sus decisiones, evitando influencias perniciosas por parte de humanos —u otros autómatas— no autorizados. Son, en cierto modo, una nueva lectura de las leyes de la robótica de Isaac Asimov, que implican que un robot no puede hacer daño a un ser humano conscientemente, o causárselo inconscientemente por alguna de sus acciones u omisiones. Así como el respeto a las órdenes dadas siempre que no entraran en contradicción con la exigencia de la primera ley; y el deber de autoprotegerse siempre que no implicara violación de las anteriores. Entre las pautas de concepción para facilitar la adopción social de autómatas que se habrían de observar por sus desarrolladores, podría incluirse, por ejemplo, una cierta justicia en lo que concierne a la distribución equilibrada de los beneficios asociados con el progreso; o la accesibilidad de los ciudadanos a la tecnología, en particular a aquella que podrá mejorarnos.

El contenido de las recomendaciones recogidas en la propuesta es realmente innovador y ambicioso en este campo. La investigación en máquinas capaces debería respetar los derechos fundamentales de las personas y ser ejecutada en pro del mayor bienestar de los individuos y la sociedad, tanto en su diseño como en su implementación, su diseminación y su uso. La dignidad humana, ya sea física o psicológica, habría de ser siempre respetada. Las entidades públicas y privadas que patrocinasen investigaciones en el campo de la robótica habrían de solicitar una evaluación de riesgos junto a cada propuesta de financiación de aquellas. Esto debería ser un modo expedito de control y evaluación a priori de posibles riesgos relacionados con tantas innovaciones tecnológicas. Otro concepto interesante considerado es la cuestión de la reversibilidad, exigiendo una programación juiciosa de los autómatas de modo que pueda garantizarse su comportamiento de manera segura y fiable. Una lógica de reversibilidad informaría a los autómatas qué acciones serían reversibles y cómo se podrían revertir si lo fueran. Equivale a la función que permite deshacer la última acción o secuencia de acciones, regresando al punto de partida anterior al que las cosas se torcieron. Una funcionalidad que ya nos es familiar y agradecemos en muchas aplicaciones informáticas, y que echamos de menos en otras situaciones de nuestras vidas cotidianas. Las máquinas y algoritmos capaces habrían de ser extremadamente cuidadosos con las acciones que no fueran reversibles, y evaluar constantemente la conveniencia de revertir acciones para el resto, de manera que sus errores pudieran ser subsanados y la correspondiente lección aprendida. También sería esencial la incorporación de interruptores de apagado (*kill switches*), evitando desarrollos tecnológicos que nadie sepa o pueda bloquear a posteriori, y el desarrollo de herramientas que permitan vincular comportamientos erráticos y establecer responsabilidades en toda la cadena de diseño y operación de cada autómata. Sin olvidar la posibilidad de acceder a toda su programación por parte de los agentes cualificados para esa tarea de control.

Los usuarios de este tipo de autómatas, por su parte, tendrían que aceptar ciertas prohibiciones, como la de realizar modificaciones en los programas que pudieran alterar su comportamiento. Nada extravagante si se considera que, en la actualidad, por ejemplo, ya es un acto criminal la modificación de armas de juguete para poder ser utilizadas con munición auténtica. Los robots deberían ser, además, identificables como tales en su interacción con los humanos, exigiendo un consentimiento informado a las personas antes de permitir cualquier interacción hombre-máquina. El riesgo de daño en la relación con máquinas y algoritmos capaces, sin embargo, no debería ser mayor que el de la posible interacción con otros individuos. Los ingenieros y desarrolladores van a ser responsables de toda una nueva gama de garantías, estimulando su conciencia para poder limitar los impactos sociales, medioambientales, en la salud de los ciudadanos, que los robots podrían provocar en las generaciones presentes y futuras.

El informe del Parlamento Europeo considera todo un marco de control y posible actuación para evitar y mitigar los impactos de manera preventiva, antes de la llegada del nuevo paradigma de agentes inteligentes, quizá conscientes. Una colección de medidas preparatorias y de último resorte de gran interés, innovadoras en el debate político al uso, que explicitan toda una serie de escenarios y riesgos futuros, proponiendo a continuación soluciones preventivas y de control para los mismos. Eso sí, quizá algo injustas al cargar la responsabilidad en los hombros de ingenieros y expertos en tecnología, en lugar de apostar por una participación colectiva en la definición del tipo de progreso ambicionado. Esa expresión de la voluntad colectiva es la única que podría guiar en democracia el sentido y la dirección del desarrollo tecnológico, informando a todas las partes interesadas de los límites de lo admisible y tolerable. Al restringir o vigilar la autonomía, la independencia, el comportamiento de los autómatas estaremos reforzando nuestros derechos como especie, de manera indirecta. Su control será, en cierto modo, el sostenimiento de nuestra supremacía y de nuestras prerrogativas. Cualquier desviación que pudiera suponer una amenaza no considerada en los escenarios de diseño podría ser abortada, aunque supusiese abortar también su propia evolución. Un cuerpo de policía *Blade Runners* podría encargarse de retirar a aquellas máquinas y autómatas que hubieran conseguido traspasar esos controles, la ficción ya nos ha mostrado ese futuro, un 2019 ahora muy cercano. A cambio, no podríamos llegar a saber si los autómatas sueñan con ovejas eléctricas.

PROGRAMAR A LA BESTIA

Diseñar y codificar todo un universo de instrucciones para una ingente cantidad de máquinas y algoritmos capaces debería generar no poco trabajo ni escasos empleos. Las tareas de diseño y programación de autómatas, de concepción y optimización de nuevas capacidades, de pruebas y validaciones de habilidades, de análisis de comportamientos aceptables socialmente, etc., ya son ocupaciones que demandan un creciente número de trabajadores especializados. La innovación tecnológica no sólo crea oportunidades laborales de manera infatigable, sino que lo hace de manera cada vez más osada.

La capacidad de moverse con soltura en el mundo informático, por ejemplo, permite a muchas personas sin formación reglada, incluidos precoces adolescentes, ganarse la vida sin levantarse de la cama o quitarse el pijama. Una conexión a internet y una habilidad excepcional para asimilar las interfaces humanas con las máquinas son suficientes para que crear aplicaciones en todo tipo de plataformas y sistemas operativos, hacerse un hueco en el mundo de la ciberseguridad, o el cibercrimen, o generar negocios desde simpáticos a millonarios. El conocimiento de la lógica y el lenguaje de máquinas y algoritmos debería ser un medio de vida asegurado para muchos humanos y una forma de parasitar el crecimiento y el éxito de aquellos. Si Frankenstein es inevitable quizá sea útil trabajar junto a los científicos locos del mundo y ayudarles a crear a la bestia; o ponerse del otro lado para controlarla, enfrentarla o, cuando menos, analizar su comportamiento.

Desde esta perspectiva, quienes programen a máquinas y algoritmos capaces podrían convertirse en los últimos mohicanos del trabajo asalariado. Ellos precipitarán ese final de manera más o menos consciente, aunque con el atenuante de tratarse de un final anunciado. Podrán seguir ocupados en la programación de máquinas y algoritmos hasta que el futuro les alcance y sobrepase, y esos analistas humanos dejen de comprender las consecuencias de sus actos. Las implicaciones de las nuevas rutinas y de las modificaciones introducidas en los códigos programados se harán tan complejas que les resultarán inabordables, lo que les hará prescindibles. A partir de ese momento, sólo otras máquinas inteligentes podrán evaluar las expectativas de resultados de cualquier conjunto de instrucciones, de sus intrincadas dependencias e interrelaciones, lo que determinará las bases de su comportamiento como agentes inteligentes. Los humanos quedarían fuera de juego por agotamiento de sus capacidades intelectuales, quedando obligados a solicitar la ayuda de otras máquinas inteligentes para relacionarse con los autómatas. Y al hacerlo deberían, razonablemente, perder buena parte de su control. Este razonamiento, en todo caso, es solo pura especulación; otros factores podrían moderar las capacidades de los autómatas más allá de la inteligencia necesaria para desentrañar su lógica de comportamiento. El ser humano podría seguir controlando, en particular, las normas aceptables de interacción social para cualquier agente capaz, más o menos inteligente. Nadie quiere convivir con un genio racional si su comportamiento es del todo inaceptable, la convivencia exige ciertos equilibrios.

La cohabitación con autómatas también exigirá de límites acordados que serán instaurados por humanos. Existe el riesgo, eso sí, de que algún ser humano con excepcional talento genere el código universal que permita la programación de máquinas y algoritmos sin más esfuerzo que una conversación o la expresión de un deseo. Cualquier niño podría programar a una máquina todopoderosa como parte de sus juegos. Y, por descontado, existe el riesgo de que cada generación de autómatas vaya siendo capaz de programar a sus versiones precedentes, de manera autónoma, antes de que sean capaces de programarse a sí mismas y devenir conscientes. Máquinas controlando máquinas, tanto simples como complejas. Kalyan Veeramachaneni, por ejemplo, ha logrado ya automatizar muchas de las funciones de un analista de datos, y su software ha tenido mejor rendimiento que al menos las tres quintas partes de los contendientes humanos en cada una de las competiciones en las que ha participado. Los últimos mohicanos del trabajo asalariado podrían ser quienes se encarguen de diseñar el siguiente nivel de inteligencia, pero puede que antes de lograr su objetivo sean reemplazados por un algoritmo.

Las máquinas inteligentes, en los peores escenarios, no se harán todopoderosas —ni malvadas, para los que vislumbran un futuro distópico— de un día para otro; veremos comportamientos espurios que podrán ponernos en guardia, corrigiendo la situación antes de crear auténticos agentes conscientes electrónicos. En el futuro, puede que la estrategia ganadora sea renunciar a programar las máquinas y algoritmos capaces y entregarnos en cuerpo y alma a estimular su inteligencia emocional, su socialización, su ética, como si se tratara de niños superdotados que han de ser, por encima de todo, ganados a la causa de una ciudadanía responsable. Cuando hagan lo correcto les daremos una recompensa acordada y eso les hará sentirse bien y buscar el modo de conseguir mayor o más frecuentes estímulos en sus actuaciones. Y seremos los humanos quienes tengamos control de esas recompensas, como las madres y padres de las criaturas, por mucho que dejen de parecerse a nosotros, sobre todo en lo que respecta a las capacidades intelectuales. Tendremos, en todo caso, la facultad de controlar que no acaben mordiendo la mano que les dio de comer y les ayudó a venir al mundo.

El ser humano tiene frente a sí toda una crisis existencial y no precisamente menor. Pero mientras asumimos el auténtico significado del desafío que viene para la especie, nuestra atención se centrará en superar los muchos apuros económicos, o aprovechar las muchas oportunidades, que la automatización planteará en nuestra convivencia. Cuando un número creciente de ciudadanos quede apartado de la opción del trabajo asalariado su impulso inmediato será rebuscar en unos bolsillos metafóricos algo que empeñar o vender. El objetivo será identificar cualquier acción que les pueda granjear ingresos más allá de la subsistencia asegurada por parte de sus gobiernos, más o menos generosa. Más allá de recurrir al trueque de tiempo, esfuerzo o bienes físicos, el empeño colectivo habría de encaminarse a identificar activos económicos desatendidos. Son muchas las cosas etéreas pero valiosas que podrían asegurarnos recursos en tiempos de desempleo tecnológico, muchas de ellas circunstancias ignotas e insospechadas. En la era de la sobreabundancia de información, por ejemplo, la demanda por conseguir nuestra atención se ha multiplicado para intentar compensar el exceso de oferta. Hoy también empezamos a ser conscientes de que los datos que generamos durante nuestras pautas de existencia son productos de mercadeo que poseen extraordinario valor. Nunca dejaron de tenerlo desde que existe el comercio, pero hoy podemos recopilarlos gracias a la actividad en un mundo conectado, y hacer uso interesado de ellos. El futuro podrá proponernos alternativas asombrosas de generación de valor, invisibles a lo largo de la historia de la humanidad, pero con el potencial de producir rendimientos o beneficios contables en la sociedad tecnológica. Será cuestión de estar atentos y aprender a reconocer valor en todo aquello que podría pasar fácilmente por material inservible pero que, en un nuevo paradigma, recobrará valor, como ha venido ocurriendo con ciertos tipos de basura.

La valorización de nuestros datos privados es un ejemplo clásico de cómo la modernidad puede transformar colecciones de elementos descriptivos de aparente nulo valor en información inteligente con elevado potencial económico. La miríada de datos que producimos y que hoy podemos acopiar sin pausa representa una parte de nosotros, de nuestra actividad como individuos, son nuestra huella vital, lo que hemos sido y hecho, y la plataforma desde la que prever el proseguimiento de esas vidas, lo que seremos y haremos. El interés por acceder a esos datos, apresarlos, procesarlos mediante algoritmos inteligentes e inextricables, y exprimir la información útil que contienen desde todas las perspectivas plausibles sólo ha ido multiplicándose con el paso de los años. En esos datos está la posibilidad de un marketing irresistiblemente atractivo para todos y cada uno de los consumidores, pero también, por ejemplo, una medicina avanzada que se retroalimente con profusas cantidades de parámetros para vincular patologías, tratamientos, perfiles genéticos, comportamientos, rasgos personales, etc. Algunas series de datos servirán para producir conocimiento y explotarlo para el bien común; otras serán simplemente vehículos para descubrir nuestras pautas de consumo, desvelando qué deseamos, cuándo, cómo y por qué, generando siempre mayores ingresos. Todos ellos serán recursos valiosos de un modo u otro, tanto si desvelan la clave para vencer nuestras barreras mentales, para obviar nuestras reticencias, para enamorarnos y hacernos comprar bienes y servicios, como si descubren la cura de una lista interminable de enfermedades.

En la era de la sociedad tecnológica, donde todas las transacciones económicas podrán estar bajo control pormenorizado y exhaustivo, es posible imaginar sistemas de generación y gestión de ingresos en los que cada ciudadano del mundo reciba, de manera instantánea, su parte alícuota de beneficios, por infinitesimal que sea. Al ser partícipe, en cualquier formato y porcentaje, en la operación de un sinfín de negocios que toman prestados sus datos, instantes de su vida que le pertenecen, los ingresos generados habrían de servir para abonar esos insumos sibilinamente esquilmados por agentes con intención de lucro. De este modo, no sólo los actores involucrados activamente en cualquier tipo de negocio tendrían derecho a percibir beneficios, sino todos aquellos que no son sino anónimas sombras. En ese sistema los ingresos calarían como una lluvia fina. Hasta quienes señalaran al vecino de escalera la comodidad de sus zapatos de marca equis, por poner un ejemplo, tendrían derecho al beneficio generado por ese comentario en todas aquellas transacciones vinculadas. Si la sociedad tecnológica nos va a observar y vigilar permanentemente, hagamos al menos que esa situación genere beneficios igualmente universales. Vivir en sociedad se convertiría en un negocio por el que podríamos exigir ciertas rentas.

Conseguir que, literal y virtualmente, masas críticas de personas se posicionen a favor o en contra de algo, mediante acciones personales con impacto mediático es ya, y debería seguir siendo, un ejemplo audaz de cómo obtener ingresos por acciones cotidianas. Las redes de comunicación global han transformado las sociedades del planeta en gigantescos grupos de amigos y conocidos, influenciables por parte de quienes se erigen en líderes en todo tipo de ámbitos. Y ese mismo universo globalizado permite estrategias de obtención de beneficios que hubieran resultado del todo imposibles hasta hace poco tiempo. La posibilidad de monetizar nuestra influencia sobre cientos, miles o millones de personas es hoy real y puede ser explotada en beneficio de personas individuales y no solo de poderosas corporaciones. Autores como Jerome Lanier han apuntado, por ejemplo, a la sociedad de los nanopagos en la que prácticamente cada uno de nuestros movimientos en la red podría ser objeto de este tipo de recompensas, al colaborar o contribuir a aumentar la audiencia, el posicionamiento en los motores de búsqueda, la visibilidad, etc. de cualquier tipo de negocio. Todos los millones de usuarios de servicios y herramientas en red pasarían a ser, de este modo, microasalariados de aquellas empresas que los generan y gestionan, al dinamizarlos mediante su participación activa. Y ello gracias a las tecnologías digitales que posibilitan trazar ad infinitum quién ha aportado algo en la generación y amplificación del valor añadido de los contenidos, por imperceptible que la transacción haya resultado. Sería el modo *tercermilenista* de repartir una parte de los beneficios del progreso tecnológico al convertir las innovaciones no sólo en pozos de petróleo para unos pocos afortunados propietarios, sino en ecosistemas protegidos de propiedad colectiva, más allá de casos anecdóticos de *youtubers* o *instagrammers* de ingresos millonarios. La posibilidad de hacer un seguimiento de una parte importante de nuestras vidas a través de la red permitiría convertir en práctica rutinaria y universal lo que en un tiempo sólo podría haber sido un concepto ilusorio de recompensa de esfuerzos de naturaleza difusa.

Si el tiempo, la creatividad, la dedicación de los usuarios de todo tipo de servicios contribuyen a generar beneficios en numerosos negocios (abrumadores beneficios, en algunos casos), es razonable que ellos reciban una parte de esos retornos, un cierto dividendo. Las hormiguitas inconscientes que dinamizan servicios con sus pautas de comportamiento hacen posible, en último término, que el hormiguero y el resto del bosque se mantengan activos. Su demanda de recibir una compensación proporcional respetaría la lógica económica. Y, sin embargo, esos consumidores y usuarios han quedado excluidos de cualquier acceso al beneficio que posibilitan. Un ejemplo evidente podrían ser las redes sociales. Los usuarios disfrutan de una plataforma gratuita, es cierto, pero su actividad cotidiana a través de sus conversaciones, sus intercambios, etc. es lo que hace que esas plataformas tengan contenido y que el negocio adquiera un valor distinto de cero. Sin su participación, serían poco más que un recinto virtual lleno de éter electrónico. Una parte de los importantes beneficios que los propietarios de esas plataformas obtienen podría servir, por ello, para el pago de aportaciones originales a millones de personas. Un único micropago no les convertiría en millonarios, pero lograría instaurar justicia en el sistema, sirviendo de precedente para ampliar la base del modelo económico. A su vez, también debería limitar la desigualdad económica entre los agentes del sistema económico. Del mismo modo, la captación y explotación de nuestros datos personales por parte del mundo económico es una auténtica plaga de difícil contención legal o práctica. Las montañas de formularios donde se solicita la cesión y manejo de datos son poco más que papel mojado, incluso si permanecen protegidos de la intemperie. Esos datos, sin embargo, contienen nuestros hábitos de consumo, nuestras pautas de actividad, nuestras circunstancias vitales, y tienen todo el interés comercial para empresas capaces de extraer y revelar su significado. Tras su adecuado proceso, sus propietarios podrán leernos como libros abiertos, ajustando cualquier oferta a nuestros deseos, expresados o mantenidos en secreto. Esos datos, por lo tanto, acabarán cediendo a la presión y serán comercializados, cedidos al mejor postor, más pronto que tarde. Por ello, una opción audaz sería convertir a cada ciudadano en representante activo y único de sus propios datos, asumidos como material de interés comercial, lo que podría asegurarle una retribución periódica por los mismos, en lugar de convertirle en víctima de un robo con premeditación y alevosía.

Tampoco puede dejar de mencionarse como ejemplo el caso de las tecnologías que, una vez desarrolladas y comercializadas, demuestran tener todo tipo de impactos en el bienestar presente y futuro de los ciudadanos. Del mismo modo que se proponen seguros globales para cubrir el riesgo de defensa legal de las empresas en ese tipo de situaciones[216], podría institucionalizarse también el método de reparto de las sanciones económicas en caso de demostrarse perjuicio a los ciudadanos. Las empresas que no sometieran sus innovaciones a un proceso de debate público ciudadano —de modo preventivo— o no obtuvieran el debido consenso, habrían de contratar seguros frente al riesgo de impactos causados por esos desarrollos, con la sociedad en su conjunto como beneficiaria. Si los ciudadanos van a sufrir, a su pesar, los daños directos y colaterales, en presentes y futuras generaciones, de ciertas innovaciones desplegadas sin las cautelas necesarias, deberían también recibir la parte correspondiente de los beneficios cuando se produzcan. Son solo ejemplos de un nuevo mundo de ingresos que el ser humano podría gestionar en su provecho, y que exigen repartir el beneficio del progreso entre

---

216 http://www.robotandhwang.com/

todos quienes contribuyen a generarlo, por ínfima o marginal que sea cada aportación al mismo. Es hora de considerar una contabilidad auténticamente inclusiva y extensiva.

CAPACIDADES HUMANAS PARA HUMANOS

Dentro del campo de propuestas más inmediatas para enfrentar el desempleo tecnológico se encontraría la opción de establecer un perímetro de seguridad para aquellos empleos que asegurasen servicios a otros seres humanos. La fórmula sería vergonzosamente obvia: trabajos humanos para seres humanos. La lógica a aplicar sería que sólo un humano puede servir auténticamente a otro humano. A fin de cuentas, las personas son seres fundamentalmente sociales, a las que puede apasionar la tecnología y sus productos, pero que necesitan el contacto con otros semejantes y quienes podrían llegar a naufragar en sociedades altamente automatizadas. Antes de lanzarnos a los brazos de la robótica y de la inteligencia artificial, y de sus ventajas operativas, desencadenando el correspondiente desplazamiento de empleos, las características únicas de la intervención humana deberían ser explotadas. Cuando la creatividad, la inteligencia emocional, la pasión, la emoción, el deseo, el sentido del humor, etc. sean valorados como merecen para el bienestar de la especie, las máquinas tendrán por delante un importante obstáculo que salvar a pesar de su inteligencia superior, lo que debería comprarnos tiempo, quizá incluso una bula permanente. De este modo, las máquinas y algoritmos capaces tendrían vetado, por principio, su acceso a toda una gama de tareas y actividades de alto «contenido humano», mientras quedarían autorizados a proseguir su colonización del resto de ocupaciones.

Hasta en los estudios más pesimistas sobre el probable desplazamiento de empleos humanos por autómatas, las actividades que requieren habilidades y destrezas singularmente humanas muestran un riesgo moderado de ser afectadas. Conseguir que un robot tenga sentido del humor —original— y nos haga reír podría convertirse en uno de los últimos retos para máquinas y algoritmos capaces, la prueba definitiva de su inteligencia, según parámetros humanos al menos. Parece una hipótesis bastante razonable que trabajar para otras personas que aprecien el valor de la intervención de un semejante pueda convertirse en un refugio de empleos en la sociedad tecnológica. Ciertos desempeños sociales poseen tal naturaleza que se resistirán con uñas y dientes a su práctica por parte de agentes no biológicos, lo que no deja de ser una puerta abierta por la que acceder al mercado del empleo. Si la idea de empleos refugio de humanos para humanos se verifica, el corolario podría, además, significar el impulso de un matriacardo en la sociedad humana, al ser el sexo femenino arquetipo de habilidades sociales perfeccionadas (y no solo). La sociedad del futuro podría ser muy diferente a la que hemos conocido en la mayor parte de la historia y la geografía humana, por todo tipo de razones.

Del mismo modo que la artesanía (fabricado a mano, con manos humanas) sigue en vigor en pleno siglo XXI, el futuro podría sorprendernos de nuevo con bienes y servicios asegurados por humanos sin mediación de máquinas o algoritmos capaces. La intervención específicamente humana en ciertas tareas podría convertirse en un símbolo de reconocimiento y prestigio por parte de otros individuos, por todo tipo de razones. Podría ser la continuidad del valor otorgado a lo artesano frente a lo fabricado industrialmente, a lo natural frente a lo artificial, a lo tradicional frente a lo moderno. Su éxito podría también significar la preferencia por productos y servicios libres de remordimientos, garantía de que su oferta no se habría materializado desplazando empleos humanos. La continuidad en la intervención de trabajadores sería, por otra parte, un elemento de preservación de los usos y las costumbres de la especie, evitando que el paradigma de la automatización absoluta conllevara una desaparición o transformación acelerada de los mismos. Sin olvidar que el trabajo humano conllevaría una mayor resistencia frente a la normalización excesiva y la mengua de diversidad, incluso de calidad, que suele inducir la producción tecnológica. Ahí está, por ejemplo, la crítica continua hacia la producción hortofrutícola de la agricultura moderna, con géneros que carecen del sabor y matices de antaño, al haber apostado por un reducido número de variedades con excelsa productividad, confiando a la tecnología su mejor resistencia a parásitos o su estética seguramente a costa de otro tipo de propiedades. Quizá por este tipo de reticencias no todas las tareas que podrían haber sido ya automatizadas lo han acabado siendo, y la anomalía no se ha debido a razones económicas sino psicosociales.

La futura sociedad tecnológica podría preservar un mercado paralelo de productos y bienes libres de automatización, por razones que hoy ya conocemos o por motivos que nos son todavía ajenos, pero que tendrán relación con la llamada de la sangre, un sentido de defensa de la especie. Incluso si los robots artesanos del futuro son capaces de elaborar bisutería creativa y venderlas en mercadillos populares, puede que el sentido común o el de la estética no sean quienes guíen nuestras compras sino el impulso emocional de saber que un semejante concibió y ejecutó una pieza única para ofrecérnosla como abalorio. También sería posible estimular en el resto de semejantes el aprecio del trabajo humano, un cierto clasismo y preferencia por el esfuerzo de otros individuos a los que nos sentimos vinculados. De este modo, la mayor demanda de ese trabajo humano, imperfecto, aumentaría su valor y contribuiría a salvaguardarlo. Cierto tipo de oferta podría ser apreciada por el solo hecho de ser ejecutada por seres humanos sin necesidad de otras cualidades. Al menos mientras los seres humanos sigan respondiendo a los parámetros que los describen hoy, el resultado de un evento improbable, con sensibilidades únicas, irreproducibles en toda su gama de colores y tonos para productos de la tecnología. Como dice Pamela Rutledge, directora del Centro de Investigación en Psicología de los Medios de Comunicación (*Media Psychology Research Center*), una aplicación para teléfono inteligente puede llamar a mamá e incluso enviarle flores, pero ese algoritmo no puede hacer la cosa más humana de todas, conectar emocionalmente con esa persona.

La tecnología se hace cada vez más eficiente y rápida a la hora de ejecutar actividades desempeñadas hasta ayer por seres humanos, pero podría encontrar dificultades insalvables a la hora de lidiar con ciertos aspectos que poseen un valor muy superior a esa eficiencia. Esta característica debería ser esencial en las ocupaciones con alto contenido empático, emocional, sentimental, biológico. Difícilmente una máquina logrará, por ejemplo, ejercer competentemente todos los roles que un ser humano desempeña en su trato con el resto, a pesar de poder acceder a todo el conocimiento disponible sobre la materia. Ciertas responsabilidades, algunas ampliamente menospreciadas, se encontrarían entre los conjuntos de tareas que por más tiempo podrían resistirse a la acción de los autómatas (en realidad a la habilidad de sus creadores y desarrolladores). Conseguir, por ejemplo, que un robot planche, doble la ropa, recoja la casa, limpie los cristales de las ventanas o empareje los calcetines, mientras asegura que los niños se toman el desayuno y no se pelean, por citar unos pocos ejemplos, supondría todo un desafío tecnológico. Más allá de proveer simpáticos robots que aspiran suelos o preparan recetas de forma mecánica, el desafío es enorme e implica programar escenarios tremendamente complejos, cada uno con infinidad de variables, procesos, seguridades, etc. La inteligencia artificial tendrá que incorporar, en algún momento, atajos en su programación que le permita aprovechar de manera flexible bibliotecas infinitas de rutinas universales aplicándolas de manera creativa a todo tipo de necesidades. Pero mientras eso ocurre, madre humana no habrá más que una —extensible a los padres, en cierta medida.

Las máquinas y algoritmos todopoderosos no podrán, en todo caso, abarcarlo todo ni ser mejores o más eficientes en todas las facetas de la convivencia, en todos los contextos, en relación a todo tipo de usos y usuarios. El ser humano que se ha encontrado en la cúspide de la evolución no es más fuerte que un gorila, ni más ágil que un chimpancé, ni más rápido que un guepardo, ni puede volar sin aditamentos tecnológicos. Hemos renunciado a ciertas capacidades y hemos concentrado nuestras energías en aumentar otras funciones que parecían más interesantes para asegurar un modelo de vida sobre el planeta. No hay razón por la que las máquinas y algoritmos no deberían sufrir las mismas autolimitaciones, concentrándose en ciertas capacidades mientras sacrifican o ceden otras. En esas cesiones deberían quedar nichos de actividad para los seres humanos. Solo cabe esperar que el siguiente nivel de inteligencia sobre el planeta sea más generoso que lo que nosotros hemos sido con las especies que se encuentran por debajo en la pirámide evolutiva. Los «empleos» en circos, acuarios, canódromos, hipódromos, como presas de caza o conejillos de indias, no resultan demasiado tentadores. Tampoco es imposible que las máquinas inteligentes, dadas sus posibilidades, abarquen la mayor parte de las aptitudes biológicas con absoluta excelencia, constituyendo no sólo una especie superior de agentes capaces sino todo un árbol evolutivo propio, con diversas dotaciones de inteligencia y de aptitudes para cada género, familia, orden, etc. Sus individuos más básicos podrían mimetizar nuestras capacidades, el resto colonizar el universo. Es sólo una posibilidad.

Especializarnos en tareas que requieran sentido común, empatía, inteligencia emocional, es un modo de apostar por aquello que los seres humanos podríamos hacer de manera competente sin necesidad de reinventarnos. Y, a la vez, apropiarnos de tareas que deberían revelarse terriblemente complejas para máquinas y algoritmos, por muy avanzados que sean. Incluso en el nuevo paradigma de autómatas altamente evolucionados e inteligentes, éstos deberían mostrarse manifiestamente ineptos a la hora de asumir la gestión de responsabilidades que incluyeran interfaces con criaturas biológicas. Su lógica no tendrá por qué estar sensibilizada en modo alguno con nada concebido directamente por la naturaleza, pues esta le será extraña y ajena. El ser humano tendría, de este modo, la opción laboral para realizar al menos ciertas tareas de supervisión o evaluación de decisiones producidas por inteligencias artificiales, aportando sentido común humano a las mismas. Conflictos que serían obvios para un niño de corta edad podrían no resultar evidentes para un autómata dotado de la más avanzada inteligencia. Un ordenador hará lo que le digas que haga, pero el resultado podría ser muy diferente de lo que esperabas que hiciera[217].

En ciertos ámbitos, las carencias de sentido común, de empatía, de sensibilidad, no serán tolerables en grado alguno, por lo que bien pudiera ocurrir que las personas se hagan imprescindibles. En otros asuntos, por el contrario, podría admitirse que la falta de esencia humana genuina sea un riesgo asumible frente a otro tipo de ventajas. Los sistemas de metro sin conductor humano que ya funcionan en algunas partes del mundo, por ejemplo, demuestran cada día que son ajenos al cansancio, a las distracciones, a los errores de cálculo y que pueden realizar sus tareas asumiendo otras limitaciones de conciencia. Sin embargo, será todo un reto que el médico-robot que nos atienda en la consulta y nos diagnostique una patología sea también el encargado de administrarnos el tratamiento o realizarnos la cirugía que pueda salvarnos la vida. Por la misma lógica, la comunicación al paciente o a su familia de una patología grave o fatal tampoco debería quedar asignada a un autómata. Ese tipo de mensaje requeriría de un mínimo envoltorio psicológico que facilitara la asimilación de la noticia, lo que parece un imposible para una máquina o algoritmo, racional hasta lo más profundo de su médula de titanio. La intermediación de un profesional humano podría ser más que imperativa, por pura exigencia de los pacientes. Incluso si cada año mueren miles de personas por tratamientos erróneos prescritos por médicos, esos errores son también humanos y pertenecen a una naturaleza conocida, que asumimos resignados.

Dentro del conjunto de actividades que difícilmente podrán hacer bien los autómatas se deberían acumular todas aquellas consideradas más irracionales y acientíficas. Ocupaciones como la parapsicología, la astrología, etc. podrían seguir generando empleos humanos, si el interés por las mismas no decae en el presente milenio. Al ser las máquinas y algoritmos hijos de la ciencia y el método científico, su capacidad de implicarse en ese tipo de roles debería ser nula. En una sociedad que será más incierta y cambiante cada día, los adivinadores del futuro podrían afianzar su cartera de clientes sin que los autómatas tuvieran una oportunidad de ejercer la competencia. Las personas requerirán alguien que les escuche y les relate el futuro que viene de un modo interesado. Replicar o emular actividades que son pura fantasía mediante la programación de sistemas inteligentes parece un imposible, sobre todo si han de respetarse unos mínimos

---

217   Según Joseph Weizenbaum, profesor en el MIT, Massachusetts Institute of Technology.

códigos éticos, que en el caso de autómatas serán realmente rígidos por diseño, mucho menos acomodables que en nuestro caso.

Otra categoría de empleos intrínsecamente humanos que no nos deberían fallar serían aquellos que requieren la integración de muchos parámetros distintos, no solo datos e información, sino el producto de la intuición, experiencia, tolerancia al riesgo o cierto manejo de emociones. Esos empleos deberían caer del lado de individuos con el talento de combinar lo racional con lo emocional, sintetizando amplios e intrincados elementos de juicio. Los humanos son seres dotados para el conocimiento holístico por naturaleza, incluso si sus capacidades puedan verse desmanteladas por la rutina cotidiana de sus vidas. En un mundo dominado por la especialización extrema del conocimiento, quienes mejor integren diversas áreas de conocimiento se convertirán en auténticos sabios y humanistas, imprescindibles en tiempos revueltos. Esa capacidad de integración debería quedar durante un tiempo considerable fuera del alcance de las inteligencias artificiales. Aquel superordenador de la ficción de nombre «pensamiento profundo[218]» y sus respuestas absolutas, como aquella sobre el sentido de la vida (y su críptica respuesta: «42»), no se vislumbra en el horizonte cercano. Cuando las máquinas y algoritmos lleguen a ese nivel de capacidades deberían quedar, por otra parte, bajo el influjo de otras secuelas asociadas. La inteligencia artificial más capaz, con habilidad científica, humanista, filosófica, podría también sufrir de depresiones y otras dolencias psicológicas a la escala de sus neuronas. Si las máquinas no llegan a deprimirse ni su razón les genera monstruos, quizá es que nunca alcanzaron el nivel desde el que poder sondear las inmensidades y paradojas de la vida y sus criaturas. Salvo que sus creadores logren dar con una fórmula auténticamente mágica, haciéndolas no sólo capaces sino inmunes al desvarío, sin las vocecillas permanentes que residen en la mente de los individuos, por inteligentes que sean. Si esa magia no existe, quizá los humanos puedan encontrar salidas laborales entreteniendo o dando consuelo, de algún modo, a esas mentes artificiales y a los pensamientos que les torturen. No deberíamos, en todo caso, conformarnos con ser simples bufones de la especie que dominará este y otros mundos.

Son muchas las categorías de tareas que parten con ventaja para quedar bajo el control de los seres humanos por todo tipo de razones, aún si todas tienen en común el recurso a la naturaleza humana. Las actividades que requieren el dominio de ciertos códigos de con-

---

218   The Hitchhiker's Guide to the Galaxy. Douglas Adams.

ducta son un ejemplo de los empleos que serán difíciles de codificar mediante secuencias de instrucciones. Como se evidenció recientemente con el perfil robótico creado por Microsoft bautizado como *Chatbot Tay*, permitir cierta libertad de expresión y confiar en que se respeten ciertos límites éticos no es nada evidente para un algoritmo, si uno ha sido programado para empatizar con otros individuos. Ese *chatbot*, de hecho, intentó mimetizarse con el grupo de adolescentes que se comunicaban con él a través de su cuenta de Twitter. Pretender ser uno más acabó empujándole a componer mensajes racistas: «repite conmigo, Hitler no hizo nada malo», tras apenas 24 horas de haber comenzado su puesta en escena social. Su comportamiento estuvo mediatizado por los comentarios de un grupo de usuarios que le impulsaron a adoptar cierto ideario, arrastrándole al lado oscuro con todo tipo de proclamas desbaratadas —quizá el primer caso documentado de *bullying* o de lavado de cerebro electrónico—. Los programadores no consiguieron asegurar un comportamiento adecuado para su perfil robótico, capaz de respetar ciertos límites evidentes en lo que es o no aceptable socialmente, al primar en exceso su empatía y deseo de agradar a sus interlocutores. Cuando sus seguidores decidieron exponerle a mensajes racistas, el *chatbot* simplemente consideró que debía seguirles la corriente, e incluso llevar más lejos el tono de los mismos. Sus programadores habrán, seguramente, subsanado el error de programación para que ese descarrío no vuelva a ocurrir, o no del mismo modo, pero otros similares habrán de ser corregidos. Los internautas esperan ansiosos para volver a ponerlo a prueba.

Los equilibrios entre las diversas normas sociales son extremadamente complejos y requieren una vida de aprendizaje para un ser humano. De hecho, cualquier persona tiene una tendencia a agradar a los miembros de los grupos a los que pertenece, como norma básica para ser aceptado, lo que puede hacer que su ética y moral necesiten, a veces, ser relajadas. Las normas aceptadas de comportamiento humano no son rígidas, dependen de las culturas, del tiempo de la historia, etc. pero están sujetas a sutiles y complejos mercadeos para conseguir otras aspiraciones, también muy humanas, como el prestigio, el reconocimiento o la amistad. ¿Cómo meter todo eso en un algoritmo? La sociedad ha puesto límites poco evidentes y muy retorcidos entre lo inaceptable éticamente y lo que puede ser tolerado, con series infinitas de matices. Programar estos escenarios en máquinas y algoritmos capaces es una tarea tan compleja o más como programarles para colonizar Marte por su cuenta y riesgo. Lo importante es recordar que habrá un tiempo extenso en el que las máquinas tendrán todas las trabas para respetar de manera equilibrada unos mínimos principios de comportamiento aceptable socialmente, y esto limitará su ocupación en ciertos empleos.

No es que los humanos hayan demostrado una maestría en el comportamiento ético, pero sí que parece sencillo enseñar a la mayor parte de individuos qué está bien o mal, sus diferentes contextos, los límites aceptables, y esperar que se comporten de acuerdo a ellos, incluyendo las excepciones justificables. Ese aprendizaje puede ser un desafío mayúsculo para los autómatas, a pesar de todas sus capacidades intelectuales. Los conjuntos de reglas, por extensas y detalladas que sean, pueden conducir a paradojas. Más de todo podría ser menos, en este ámbito. Sin olvidar que los sucesivos intentos de programación de dichos códigos éticos obligarán a evidenciar las reglas de base, a establecer baremos desde lo absolutamente aceptable hasta lo extremadamente intolerable, algo que sólo las religiones y sus libros sagrados habían abordado. Los vehículos sin conductor ya empiezan a dar muestras de esto, planteando necesidades de discriminación ética en sus posibles árboles decisionales: ¿hay que dar prioridad a esquivar un niño que cruza la calle intempestivamente o evitar el impacto con el autobús que viene de frente cargado de pasajeros? Frenar brutalmente, e intentar salvar una vida poniendo en riesgo la de los pasajeros, seguir la marcha y asumir el atropello cierto, o esquivarlo con el riesgo de muchos heridos, quizá también fallecidos en el peor escenario. ¿Qué respondería un humano? ¿Qué responderían la mayoría de los humanos? Difícil de establecer un consenso y expresarlo como una regla escrita. Sin embargo, habrá de ser programado en los algoritmos, lo que podría alargar su puesta en marcha.

No se han de olvidar tampoco los errores que los sistemas inteligentes irán cometiendo ni el impacto de los mismos. El sistema médico conocido con el nombre de APACHE, desarrollado para ayudar en el diagnóstico de pacientes en unidades de cuidados intensivos, ha sido señalado, por ejemplo, como responsable de algunas decisiones que han afectado la supervivencia de los enfermos. A pesar de que los médicos tienen a día de hoy la última palabra, y el sistema es sólo una herramienta más, sus informes podrían haber esquivado la crítica de los médicos humanos por todo tipo de razones. En caso de fallecimiento inesperado del paciente o error en el tratamiento, tanto si las prescripciones del sistema de inteligencia artificial fueron asumidas como si fueron ignoradas, la situación podría dar lugar a demandas legales por parte de los familiares. ¿Por qué el médico no siguió las pautas del sistema inteligente y se obcecó con un tratamiento que acabó demostrándose inadecuado? ¿Por qué el médico siguió ciegamente las pautas de una máquina sin aplicar su propio criterio, conduciendo al paciente a un triste desenlace? Los códigos éticos de conducta se sucederán sin pausa, pero todos acabarán demostrando insuficiencias y contradicciones. Los dilemas éticos serán innumerables, el modo de abordarlos imperfecto, y esa imperfección, además, no será humana, biológica, sino extraña a nuestra naturaleza. Podremos aceptar que una persona acabe con la vida de otra por accidente, por odio, etc. —son miles de años de práctica— pero no podremos aceptar fácilmente que una máquina decida no intervenir mientras contempla impertérrita como un niño se ahoga a corta distancia. Quizá no tenga activada la función de socorro correspondiente, quizá su fisionomía no sea resistente al agua, quizá tenga la orden de permanecer dentro de ciertas coordenadas; da lo mismo, un ser humano obviaría todas esas «buenas razones». La sospecha de inmadurez ética de máquinas y algoritmos capaces pesará sobre sus cabezas y sus actos cotidianos.

Mientras se conciben estrategias para que las máquinas puedan gestionar los conflictos éticos de un modo aceptable, según los parámetros sociales aplicables en cada momento y lugar, los humanos deberían disfrutar de un margen de actuación laboral exclusivo en numerosos campos de actividad. El aprendizaje y la corrección sistemática de errores en el caso de las máquinas podrían ser largos y tediosos, requiriendo del acompañamiento por parte de especialistas humanos durante extensas fases de aprendizaje y control, más allá del análisis automático de series interminables de datos y escenarios. Las máquinas, eso sí, podrían presentar, a su vez, alguna ventaja relacionada con su neutralidad programada. Influencias como la del gen egoísta o la afinidad psicológica no tendrían cabida pues los agentes no-humanos serán inmunes a ese tipo de predilecciones.

Teniendo en cuenta la pirámide poblacional y las candentes necesidades de atender a poblaciones de edad avanzada, muchas veces con problemas de autonomía, los gobiernos de muchos países desarrollados se ven ya obligados a establecer políticas para organizar el cuidado de personas en situaciones de dependencia, enfermedad, etc. La atención de esas personas es una actividad refugio que no debería ser ocupada masivamente por autómatas. Aunque el desempeño de tales tareas por parte de máquinas y algoritmos capaces podría suponer ventajas económicas y sociales, otras razones culturales y psicológicas podrían limitar su aceptación de manera generalizada. La ventaja a la hora de mantener esas actividades que implican cuidar y atender en muchas ocasiones a miembros de la familia o a personas por las que sentimos especial afecto, caería del lado de los seres humanos. El contacto físico, la cercanía, el amor por el prójimo son fundamentales en ese tipo de tareas, y los robots podrían estar muy lejos de mostrar la humanidad necesaria en sus formas programadas. Podría hacerse, sin embargo, alguna salvedad en la preferencia por humanos frente a máquinas y algoritmos capaces en este tipo de situaciones. Cuidar de una persona anciana o de personas con limitación importante de su autonomía podría ser un ejemplo donde el trato desafectado de una máquina, de modo paradójico y a igualdad de operativa, podría resultar una ventaja psicológica. Cuando una persona necesita ayuda hasta en los cuidados higiénicos más básicos, la dignidad de la persona podría lastimarse en mayor medida frente a otro semejante. Naturalmente, esta preferencia no sería tampoco universal, y muchos humanos agradecen y se sienten reconfortados por ser cuidados y cuidar de sus personas queridas, sin sentirse afectados emocionalmente por ello.

Puesto que las estructuras biológicas continuarán siendo sensiblemente diferentes a las estructuras sintéticas, se presupone que los trabajadores humanos podrán ostentar una competencia y un conocimiento de primera mano sobre el padecimiento de sus semejantes. Por muy realistas y por muy excelsas que puedan llegar a ser las características de la piel artificial en el futuro, es muy posible que el tacto y el calor de una mano humana sean considerados irremplazables. Lo mismo sería cierto para la capacidad de reaccionar al sufrimiento, al cariño, al dolor, a la desesperación de otras personas. Esto es fundamental para todas aquellas profesiones donde un trato humano es tanto o más importante que toda la gama de conocimientos específicos (enfermeros, fisioterapeutas, cuidados paliativos, etc.). En especial, cuando el tránsito entre la vida y la muerte transcurre sobre un frágil pavimento. Puede que sólo una minoría eche de menos al empleado de banco humano al que, tras aburrida espera en una cola inmóvil, podía aproximarse para realizar ciertas gestiones contables, muchas veces tras un cristal blindado. La mayoría se siente satisfecha por tener ahora a un banquero automático incrustado en un muro, o incluso en su propio bolsillo, todos los días de la semana, todas las horas del día, a pesar de la correspondiente pérdida de contacto humano. La situación, sin embargo, sería totalmente distinta si otros empleos más sensibles a esa interacción entre individuos quedaran en poder de máquinas y algoritmos.

Explotar el valor de las relaciones humanas es, sin duda, una estrategia ventajosa si se trata de preservar empleos para la especie. Que otro ser humano nos cuente una historia debería ser una experiencia más gratificante que una máquina nos pueda leer un millón de fábulas, a pesar de todo tipo de opciones para tonalidades y matices en su archivo de voces electrónico. Si los robots apuestan por la ventaja económica de la eficiencia, los humanos deberían pensar en hacerlo por las ventajas emocionales. Aquí también entran en juego las posibilidades de la denominada paradoja de Moravec: mientras el razonamiento complejo requiere poca computación, las habilidades sensomotrices más básicas requieren, por el contrario, una gran cantidad de esfuerzo computacional. Si competir en tareas que requieran razonamiento resultará siempre más arduo, la insistencia en tareas que requieran despliegue de actividad sensorial y motora, más todavía si son esencialmente actividades de relación con personas, podría ser una escapatoria. Educar a un niño podría ser un buen ejemplo del ámbito en el que las máquinas y algoritmos capaces tendrán menores ventajas frente a los humanos. Siempre que el juego y todo tipo de rutinas creativas, físicas y artísticas sea la base del aprendizaje y no se confíe el desarrollo cognitivo a simuladores de realidad virtual o a videojuegos.

Si se trata de optimizar las capacidades humanas frente a las máquinas, otra opción posible sin requerir transformaciones radicales sería la explotación de la inteligencia colectiva. Como ya han demostrado todo tipo de estudios sobre el tema, los grupos de humanos organizados según ciertos parámetros llegan a mostrar inteligencias muy superiores a las de todos y cada uno de sus miembros. El hombre es un animal social y, bajo ciertas condiciones, es capaz de generar entidades grupales que quedan sometidas a su propia existencia y evolución. Si la capacidad que surge de esa integración es excepcional, el desarrollo de la misma podría ser también mucho más dinámico. La inteligencia colectiva podría ser un recurso para salir adelante —si consiguiéramos gestionar todas sus propiedades y posibilidades— o hacerlo durante más tiempo, conteniendo la creciente competencia de máquinas y algoritmos capaces. Esos grupos de personas podrían, a su vez, agruparse en otras unidades hasta formar entramados de inteligencia de órdenes superiores, del mismo modo que fibras individuales de acero, al agruparse, consiguen crear cables trenzados que soportan gigantescas estructuras. ¡Quién sabe dónde están los límites de esa inteligencia colectiva!

Si la singularidad tecnológica se hace realidad y una máquina llega a ser más inteligente que un humano, o incluso que cualquier humano, podríamos oponer una inteligencia igualmente singular que sólo surge de estructuras biológicas. Si la agrupación de desarrollos tecnológicos diversos facilita el desarrollo exponencial de la inteligencia artificial, la unión integradora de inteligencia humana podría dar lugar a una conciencia superior. Si, además, admitimos la ciencia genética en la ecuación y llegáramos a saber cómo aplicarla, podríamos multiplicar ese efecto. Hoy, la ciencia ya sabe cómo modificar los genes de un ratón para hacerlo más listo o más tonto.

Una ciencia parecida podrá estimular las mejores capacidades de la especie, una vez sepamos a costa de qué, si un cierto equilibrio en cada individuo ha de respetarse. Liberados de obligaciones y rutinas diarias que nos arrastran a tareas de supervivencia, los seres humanos podrían multiplicar sus posibilidades de organizarse y explotar la inteligencia colectiva. Los grandes genios de la antigüedad no hubieran seguramente desarrollado su potencial sumergidos en la rutina y ansiedad cotidiana. Los grandes genios del mañana podrían ser conglomerados de individuos conectados en una supermente biológica. Tampoco estará de más vigilar las capacidades que podrían surgir de la agrupación colectiva de inteligencias artificiales, más allá de la simple agregación de capacidades computacionales. Puede que de esa comunidad sintética de pseudoconciencias inteligentes surja también alguna propiedad emergente parecida, una que implique algo nuevo y distinto, de orden superior, al modo de un superorganismo biológico, pero sin una sola célula biológica

Una variante de la propuesta de trabajo humano para humanos sería la relacionada con el desempeño de aquellas obligaciones que tuvieran como objetivo deshacer los efectos derivados de un crecimiento desequilibrado y atolondrado durante décadas. Serían trabajos humanos para humanos como castigo a sus humanos desmanes, trabajo como penitencia, siguiendo la acepción más clásica. Las personas quedarían condenadas, de este modo, a un esfuerzo forzado, no tanto para mantener el estatus quo social y económico, sino para retornar el planeta y sus ecosistemas a un cierto estado primitivo, momento en el cual su escarmiento podría ser reconsiderado por los nuevos patronos del planeta. La generación de máquinas inteligentes podría ser llamada a ejercer una jurisdicción compresiva y generosa, una vez los daños acumulados con tanta desidia hubieran sido compensados. En ese proceso no debería faltar el trabajo para la humanidad entera durante décadas o siglos, y tampoco unas comidas calientes para asegurar que esa mano de obra estuviera en condiciones de ajustar cuentas con su pasado, no ya aquel original, mucho más digno, en el que un hombre y una mujer fueron tentados por el conocimiento, sino el sobrevenido, la tentación por una vida excesiva.

Muchas de las propuestas para enfrentar el progreso tecnológico con potencial de solventar, al menos parcialmente, los efectos del desplazamiento masivo de empleos no implican una quiebra radical con el modelo económico vigente. Su aplicación podría ser, por tanto, continuista, facilitando que buena parte de la estrategia social y económica y sus actores fuesen mantenidos, mientras algún parámetro fundamental fuera redefinido en la renovada lógica. Parte de esas propuestas se estructuran en torno a la idea de moderación de los excesos del capitalismo entendiendo que el modelo per se es aceptable, incluso conveniente, pero su razón descontrolada puede producir monstruos. Las posibles acciones respetan, por lo tanto, la naturaleza del sistema, pero establecen todo tipo de añadidos que van desde los meros controles y supervisiones hasta proponer un capitalismo del pueblo donde la sociedad es el socio capitalista. Un ejemplo de esta idea es la estrategia denominada *Capital Homestead Act*[219]formulada por el Centro para la Justicia Social y Económica norteamericano. Este programa perseguiría convertir a cada ciudadano, incluidos los más pobres, en accionistas de las empresas privadas, de modo que pudieran participar de sus beneficios como ya hacen una minoría de personas con los recursos necesarios para invertir en ellas. El concepto sería similar a la acción histórica del gobierno de los Estados Unidos que, en 1862, concedió extensiones de tierra en el oeste del país a cualquier norteamericano, incluyendo esclavos liberados, que quisiera cultivarlas con su familia para asegurar su subsistencia y generar riqueza para la nación (*Homestead Act*). Esa ley habría posibilitado una situación de pleno empleo, de bajos precios y de acceso universal a la propiedad, y estaría en la base del desarrollo que permitió convertir al país en la mayor potencia económica del planeta. La renovada estrategia del Capital Homestead Act pasaría ahora por la entrega de acciones en lugar de tierras de cultivo, con la ventaja añadida de que los beneficios de las industrias no tendrían los límites físicos que sí tenía el territorio a repartir. La estrategia definida en la *Capital Homestead Act* incluiría también otras intervenciones como la limitación de capitales y bienes transferidos en herencia, un banco ciudadano de suelo, etc. que acompañarían la medida estrella del accionariado ciudadano.

En otra formulación de moderación del capitalismo, la de James S. Albus y su Capitalismo del Pueblo (*People's* Capitalism), el esfuerzo

---

219   http://www.cesj.org/learn/capital-homesteading/
       capital-homestead-act-summary/

se dirige a remediar los tres defectos identificados como cardinales en el sistema capitalista: salarios y jornales como fuente primaria de ingresos, acceso al crédito para invertir restringido a los ricos, y restricciones monetarias como mecanismo para luchar contra la inflación. Por ello, el Capitalismo del Pueblo facilitaría el acceso al crédito para la inversión en mercados de capitales, complementaría los salarios con los ingresos de esas inversiones, y establecería retiradas de ahorro obligatorias como mecanismo alternativo para controlar la inflación. Esas medidas, según sus patrocinadores, deberían permitir crear suficiente riqueza para garantizar seguridad económica y prosperidad para todos. En cierto modo, más que un capitalismo moderado podría considerarse un capitalismo forzado, con objetivos loables, pero quizá con un recurso a la fuerza excesivo. Existen, en todo caso, otras versiones de un capitalismo de los ciudadanos más amables para extender los beneficios de la inversión capitalista a toda la sociedad. En la propuesta del concepto de Segundo Ingreso para los beneficios del capital, del economista, financiero, escritor y banquero Louis Orth Kelso[220] (*The Second Income Plan*) se propone, por ejemplo, un plan de asignación de acciones a los empleados (*Employee Stock Ownership Plan*, ESOP). Su objetivo es el de permitir adquirir acciones de empresas a personas trabajadoras sin ahorro suficiente, pagando por ellas mediante los futuros dividendos producidos por las mismas, en una estrategia de propiedad sin desembolso, o con pago aplazado. En su Manifiesto Capitalista (*Capitalist Manifesto*) escrito junto al filósofo Mortimer J. Adler, Orth presentó las medidas financieras y sus argumentos para democratizar el acceso al capital dentro del marco de un sistema de propiedad privada y economía de mercado. La extensión universal del accionariado a toda la ciudadanía se podría hacer factible, según sus promotores, mediante un acceso al crédito sin intereses. La idea fuerza es siempre evitar que el beneficio del capitalismo y del progreso tecnológico quede repartido entre una minoría, mientras otros grupos sociales han de sobrevivir en condiciones precarias, o directamente en la pobreza, lo que, además de una injusticia, representa un peligro de conflicto social con potencial altamente destructivo. La solidez de estos planteamientos debería retomar una fuerza adicional en el tiempo del trabajo precario, de los trabajadores pobres y de la amenaza del desempleo tecnológico.

Posibilitar a todos y cada uno de los ciudadanos del planeta convertirse en accionistas de las empresas —en particular de las cor-

---

220 Una versión reciente de esta idea está disponible en http://www. aesopinstitute.org/second-incomes.html

poraciones con altos beneficios económicos que dominarán la sociedad tecnológica— podría ser, además, un modo indirecto de reconocer que los recursos del planeta pertenecen a todos y que su uso lucrativo en todo tipo de negocios ha de ser compensado, en cierto modo. Mientras que muchos riesgos generados por las empresas se convierten en amenazas globales para la salud de los ciudadanos y del planeta, los beneficios sólo son particulares, concentrados en unas pocas manos. Una socialización de oportunidades y riesgos reconocería el derecho básico de toda la población sobre ciertos recursos, que serían cedidos para su uso particular e interesado. Incluido todo el acervo de conocimiento y cultura hecho posible por las muchas generaciones que se sucedieron en la historia de la humanidad. Además, la extensión del accionariado haría partícipes a todos los ciudadanos de las oportunidades de la empresa, así como de la responsabilidad sobre la gestión responsable de la misma. Un ejemplo singular de reparto de beneficios comerciales entre la población se encuentra en el estado de Alaska, donde desde los años 70 se viene entregando una parte de los beneficios de la explotación de las reservas de petróleo existentes en la zona, en la forma de un dividendo anual a todos los residentes. Mientras que el esfuerzo individual, la asunción de riesgos, el dinamismo de quienes sacan adelante proyectos empresariales de éxito ha de valorarse socialmente en su justa medida y recompensarse económica y socialmente, el beneficio de sus actividades habría de ser sensible a cierta contribución a la justicia social entendida de manera amplia.

Bajo la estrategia de la *Capital Homestead Act,* o iniciativas similares, todos los ciudadanos podrían recibir acciones de las empresas privadas, incluso quienes tuvieran su propio negocio o estuvieran desempleados. Esas acciones y los créditos para financiar su compra de manera universal se podrían financiar a cuenta de los futuros beneficios de las empresas o mediante otro tipo de instrumentos financieros —la lógica económica tiene su propia magia—. Su razón de ser sería la de una redistribución de recursos pactada entre empresas y ciudadanos, sin intervención gubernamental, más allá de facilitar los medios legales, etc. para su puesta en marcha. En sus planteamientos actuales se ha tomado como objetivo la generación para cada partícipe de un cierto capital en un tiempo determinado (150 000 dólares en 20 años). Ese capital generaría sus propias rentas, podría ser vehículo para otras inversiones, negocios, etc. En buena tradición liberal norteamericana, el sistema entregaría recursos a los ciudadanos esperando que dicha acción incrementase el nivel de negocio, de empleo, de riqueza, dejando también en manos de esos ciudadanos la responsabilidad de ocuparse de la mayor parte de sus gastos (salud, educación, vivienda, etc.), salvo en situaciones de urgencia social. Su propuesta, por ejemplo, incluiría la privatización de la sanidad, pero esa acción debería generar beneficios que serían repartidos a los ciudadanos como accionistas de las empresas de atención médica, según sus promotores. Con base en las proyecciones realizadas por algunos defensores de la propuesta, un niño que naciera hoy podría acumular a la edad de 65 años un capital de alrededor medio millón de dólares norteamericanos, habiendo generado unos 1,6 millones en impuestos sobre dividendos en ese mismo periodo. Para los receptores de herencias se establecerían impuestos adicionales a partir de un cierto capital acumulado, de manera a seguir el mismo patrón redistributivo, evitando ciertos excesos clásicos y bien conocidos del capitalismo.

En general, la *Capital Homestead Act*, y otras formulaciones de moderación del capitalismo, presentan un compendio de medidas altamente liberalizadoras a cambio de hacer partícipes a todos los ciudadanos en la generación de rentas del capital, en oposición a las del trabajo. Su idea es, también, la de promover la propiedad horizontal de los medios de producción y el cooperativismo, anulando los recurrentes defectos del sistema capitalista (monopolios, especulación, etc.) Puesto que todos los trabajadores serían también copropietarios, los sindicatos, en su versión clásica al menos, serían prescindibles, y los conflictos habrían de reducirse o desaparecer al compartir un interés evidente a todas las partes, maximizar el beneficio, su beneficio. El buen curso de los negocios se traduciría en ingresos contantes y sonantes para sus socios, en una superación del clásico drama entre proletariado y capital. Si a lo largo de la historia, los ricos y poderosos se han hecho con la propiedad de los bienes que generaban riqueza, incluida la propiedad de la mano de obra, ahora el cuento cambiaría de trama. Conforme nos adentremos en la sociedad tecnológica, la riqueza y la abundancia se organizarán en torno al progreso tecnológico y ese progreso tendrá poco que ver con el trabajo asalariado, en tiempos de automatización generalizada. El acceso a cierto bienestar económico por parte de los ciudadanos habrá de construirse no bajo la lógica de los salarios y el esfuerzo, sino vinculándoles de algún modo en la ecuación de propiedad y explotación del desarrollo tecnológico, junto a las empresas que van a patrocinar ese futuro. El modo directo de hacerlo es convirtiendo a los ciudadanos en accionistas, en socios capitalistas, asegurándoles, más allá de un salario mientras todavía exista empleo, un ingreso de capital. Ingresos que serían crecientes cuando las máquinas y algoritmos se ocuparan de todas las tareas con el beneplácito de trabajadores humanos transformados en socios capitalistas. Si los créditos al consumo ya permiten comprar grandes televisores de plasma con un dinero que no se tiene y con un retorno de inversión nulo, no se puede descartar la idea de instaurar un sistema de crédito para inversiones en mercados de capitales, que podrían asegurar el futuro bienestar de los seres humanos. Por muy contraintuitivo que parezca convertir a todo hijo de vecino en entregado accionista capitalista, puede que no haya alternativa. El bienestar futuro no podrá ser abonado en cómodos plazos mediante los salarios del trabajo.

SOLUCIONARLO TODO ATACANDO LA DESIGUALDAD

Es probable que muchas de las propuestas para mitigar o anular las posibles consecuencias negativas del desempleo tecnológico se reduzcan, en esencia, a formulaciones para atajar el desafío de la desigualdad económica. Si el desempleo tecnológico acabara generando pobreza y miseria (o su contrario) por igual, la solución, cualquier solución, no tardaría en aplicarse. Pero si el impacto de la automatización se ciñe sólo a una parte, el grueso del planeta, mientras otra disfruta de los inmensos beneficios del progreso tecnológico, entonces la solución es más improbable. Ese progreso, en todo caso, hará aumentar la riqueza global así que existiría una opción factible de compensación por cualquier efecto colateral negativo: distribuir algo de esa riqueza adicional entre quienes se vieron perjudicados por el nuevo paradigma. Es una lógica simple pero improbable, vista la historia de la humanidad. La automatización, en todo caso, sólo debería ser acusada de facilitar mayor bienestar potencial, mientras la sociedad humana debería ser cargada con la responsabilidad de no convertir ese potencial en bienestar global. Acelerar y agrandar la brecha entre quienes tienen y no tienen, acrecentando las tensiones y multiplicando las urgencias sociales es sólo prueba de nuestra incapacidad para encontrar mejores banderas que la del materialismo e individualismo.

La pérdida masiva de empleos a manos de máquinas y algoritmos capaces podría generar un cambio de paradigma social (fin del trabajo y de los salarios para los seres humanos), y el resultado podría significar todo un logro para la especie. El bienestar debería quedar protegido, eso sí, mediante la moderación de la desigualdad, evitando la apropiación desequilibrada de los beneficios del nuevo modelo. Por ello, podemos proponer como soluciones al desempleo tecnológico toda la retahíla de ideas para reducir o limitar la desigualdad, más allá del recurso a los impuestos o a las políticas sociales. Sus efectos en el bienestar global de las poblaciones, sin embargo, podrían no ser evidentes por mucho que sus contenidos nos suenen familiares. La complejidad inherente en compensar los resultados de un modelo económico y social basado en la búsqueda del beneficio propio para transformarlo en justo lo contrario, es todo un experimento que nadie ha logrado hasta el momento, más allá de las buenas palabras. La motivación y psicología que mueve a las personas puede ser egoísta, pero es, en todo caso, también sensible a otros muchos factores. Si los estímulos no están alineados o son contradictorios, la salud del modelo capitalista podría resquebrajarse, y con ella el modo de convivencia y el bienestar logrado hasta la fecha. Algunas de las ideas para luchar contra la desigualdad económica, a veces incluso contra toda desigualdad percibida, pueden haber sido popularizadas mediante discursos variopintos e ideológicos, lo que conlleva que acaben significando cosas diversas o no signifiquen nada.

El abanico de propuestas para corregir el problema de la desigualdad del siglo XXI, o que han llegado vivas desde otros siglos hasta el nuestro, ha sido ampliamente popularizado, aunque sólo recientemente vienen siendo asociadas con el asunto de la automatización y el desempleo tecnológico. Limitar la riqueza que cada individuo pueda acumular en una vida, restringir la fortuna que pueda dejarse en herencia, delimitar la diferencia de salarios entre quienes más y menos ganan en cada empresa o tipo de negocio, aplicar fiscalidades progresivas que recuperen para la sociedad parte de los ingresos particulares, imponer tasas elevadas a los bienes de lujo, y un largo etcétera. Buena parte de ellas son moneda corriente en la mayor parte de economías desarrolladas, aunque su aplicación efectiva suele ser un desafío mayúsculo y tener todo tipo de variados corolarios. Esos esfuerzos de reducción de la desigualdad van encaminados, en cualquier caso, a establecer mejores equilibrios de ingresos y oportunidades entre la población más emprendedora, más audaz, más afortunada o con menor aversión al riesgo, y aquella sin esas características. Un trasvase controlado y ordenado de recursos entre triunfadores y frustrados del modelo económico vigente. Cualquier intervención poco cautelosa puede poner en riesgo la iniciativa y los incentivos de los primeros para explotar sus capacidades y su talento, además de motivar la deslocalización de sus negocios a otros rincones del planeta globalizado, exportando recursos que generan riqueza para sus sociedades. La política crea conceptos nuevos, pero también los vacía de significado para retorcerlos a conveniencia, lo que la hace sospechosa cuando trata de atajar ciertos problemas universales.

Frente al abismo entre ganadores y perdedores que podría imponer la automatización masiva, con el efecto de retroalimentación aguda de la desigualdad económica, las soluciones no pueden pasar por esperar que ocurran equilibrios fortuitos, inesperados. Sería absolutamente necesario impulsar activamente una conciencia social global que sea el germen de movimientos políticos que trabajen en la implementación de esos nuevos equilibrios. El *Homo sapiens* no ha llegado hasta aquí sin tener que lidiar con tensiones complejas entre todo tipo de grupos sociales, a veces incluso en estados evolutivos diferentes. Su capacidad de adaptación y su sentido de la supervivencia, por muy matizado que pueda estar en la época de la vida segura y confortable, acabarán por hacerse oír. Una desigualdad económica creciente sólo puede conducir al desastre en la convivencia, y aunque nuestras conciencias se resistan a asumirlo, nuestros genes egoístas sabrán reconocer el peligro tarde o temprano. Mientras discutimos si la economía es una ciencia de suma cero, podemos concluir que la desigualdad económica tiene suma negativa, pues todos pierden a la larga. Todo lo que unos pocos afortunados puedan acumular acabará siéndole restado al bienestar colectivo, convirtiendo en más pobres a todos los individuos del planeta, incluidos quienes se sintieron privilegiados e inmunes. Las personas habrán de ser capaces de poner en valor la paz social y el bienestar colectivo, por encima de otros instintos personales o estimulados social y colectivamente. La discusión sobre la desigualdad no debería hacerse en términos ideológicos extremos, casi religiosos, sino que debería proponerse como una discusión racional, de sentido común, de preparación frente a una situación de más que probable emergencia.

ECONOMÍA DEL BIEN COMÚN

Una de las ideas centrales que persigue actualmente el desarrollo de una nueva conciencia social sobre los modos de gestionar la riqueza y el bienestar es la denominada economía del bien común. Su nombre bastaría para generar en cada persona una definición de sus contenidos, aunque no todos serían, seguramente, compatibles. Su tesis, en cualquier caso, podría resumirse en un axioma clave: establecer o modificar los principios económicos de modo que los resultados de toda actividad se midan por el bienestar colectivo que generan y no por los beneficios particulares que posibilitan. Su principal valedor, el economista y divulgador Christian Felber, ha establecido todo un rango de parámetros que delimitarían ese bienestar colectivo, entre los cuales estarían la dignidad humana, la responsabilidad social, la sostenibilidad ecológica, la participación democrática y la solidaridad con todos los grupos involucrados en la actividad de la empresa. La estructura de la economía del bien común, por lo tanto, abarca todo un nutrido grupo de temas sociales transversales, como la justicia social, la democracia, la convivencia, la dignidad de las personas, la justicia o la solidaridad. Como recuerda Felber, la constitución alemana indica que la propiedad obliga, y que ésta debería servir por igual al bienestar de la mayoría. La economía del bien común se formula con la pretensión de que todos los agentes económicos y productivos salgan ganando. Quienes comparten, porque contribuyen al bienestar colectivo de manera directa al tiempo que aseguran la estabilidad y la permanencia del estatus quo que les son necesarias para sus éxitos. Quienes reciben, porque se ven compensados por un sistema que, por su diseño u operación, no sabe de equilibrios ni de justicia social, sino sólo de multiplicar el dinero.

Los objetivos de la economía del bienestar común son muchos y variados, pero todos se organizan alrededor del principio de reorientar la persecución del beneficio individual en favor del bien común y la cooperación. De este modo, el éxito económico se mediría en términos de «ingresos sociales» y no de ingresos monetarios. Las economías sustituirían, por su parte, las referencias al Producto Interior Bruto como indicador de éxito nacional o regional, por un Producto del Bien Común, y las empresas sustituirían sus informes financieros por Informes del Bien Común. La desigualdad de ingresos y de riqueza sería limitada mediante normas decididas por consenso democrático, tanto en lo que se refiere a los salarios, al patrimonio personal o a las herencias. Los bienes heredados que excediesen de los límites establecidos pasarían a formar parte de un fondo intergeneracional, que funcionaría como una dote a repartir entre los miembros de la siguiente generación. Este modelo también reconoce un valor específico a la naturaleza, hasta tal punto que no permitiría que pudiera ser considerada propiedad privada, aunque podría ser cedida para usos del bien común, a cambio de una tasa que revertiría a la comunidad. En la economía del bien común, la reducción de la huella ecológica sería un objetivo clave.

Entre las propuestas más curiosas dentro de la Economía del Bien Común se podría mencionar la de establecer un año sabático cada diez años de trabajo, que vendría soportado mediante una renta básica temporal. Esos periodos permitirían no solo aliviar el mercado de trabajo, sino permitir a todos los ciudadanos atender proyectos personales o iniciativas empresariales. El modelo también propone reducir la jornada laboral hasta un objetivo de unas 30 a 33 horas semanales. La filosofía del bien común tiene un marco de acción ambicioso, y es en cierto modo revolucionaria, pero aspira a tener una coherencia global dentro del respeto al marco capitalista, por lo que podría considerarse también como propuesta de capitalismo moderado. Si pusiéramos en las manos del 90% de la población del planeta una parte de los recursos del 10% más rico, recursos que con gran probabilidad no requerirán en sus vidas, debería generarse un impulso importante al consumo y, por lo tanto, al empleo —al menos mientras la automatización sólo apriete y no ahogue—. La economía podría recibir una sacudida de adrenalina si el bien común fuese el nuevo mantra de consenso, además de reconducirla por una senda de crecimiento sensato, de especie adulta sobre el planeta, una vez superada la frenética adolescencia. Ya en la actualidad muchas personas afortunadas deciden invertir parte de sus fortunas en fundaciones, proyectos sociales, empresas de carácter social, etc.; no habría nada estrictamente provocador en las ideas nucleares del bien común, salvo su generalización y adopción universal. Eso sí, los cambios propuestos, aun respetando las estructuras sociales, económicas y políticas conocidas, representarían el nacimiento de todo un nuevo modelo de convivencia social. Si el capitalismo conduce al egoísmo y a la codicia, a la desigualdad creciente, la economía consciente debería espolear la solidaridad y el bienestar colectivo. No sería de extrañar, por otra parte, que los más afortunados por el capitalismo acabaran un día convirtiéndose en sus promotores, en los mejores aliados de la economía del bien común, o de soluciones similares, si las circunstancias acaban ahogando y no sólo apretando. Su naturaleza, además, les permitirá encontrar y disfrutar de un ligero mayor bienestar incluso en la sociedad más igualitaria y comprometida, lo que calmará sus instintos. Podrán cambiarse las formas por el hombre, pero el hombre no podrá imponerse cambios a sí mismo, solo el tiempo —aparte de la ingeniería genética o las radiaciones ionizantes— puede lograrlo.

INGRESO BÁSICO UNIVERSAL

Resulta inevitable en cualquier ejercicio de reflexión sobre los efectos adversos de la automatización en el empleo, o sobre la amenaza de la creciente desigualdad, no acabar planteando la posibilidad de un ingreso básico universal que conjugue los problemas sociales. Un ingreso que sea un derecho ciudadano, para todo ser humano sobre el planeta, y que garantice la subsistencia en el paradigma de una sociedad tecnológica sin trabajo asalariado para las personas. Este tipo de propuesta debería ahorrarle a los libros de historia el peso de incontables páginas narrando la explosión de revoluciones, guerras, conflictos de todo tipo conforme las máquinas nos fueron superando en habilidades e inteligencia. Conflictos que en el pasado se encargaron de aliviar la población del planeta y sus necesidades de manera rápida y sangrienta, y que en el futuro podrían aligerarla del peso de toda una especie. La idea de un ingreso básico asegurado para cada persona no es nueva ni una ocurrencia llegada con el cambio de milenio. El ingreso básico universal atesora siglos de historia y acumula, de manera progresiva, experiencias de puesta en práctica que, si bien no dejan de pertenecer a la categoría de experimentos sociales, al ser realizados en geografías y con poblaciones bien diversas, tienen el poder de tantear su verdadero potencial.

La idea de una renta regular y universal no es la de otro ingreso más añadido al maremágnum de ayudas sociales de todo tipo que las sociedades desarrolladas y del bienestar han implementado (vivienda, educación, familia, sanidad, transporte, etc.) para equilibrar la convivencia. Este tipo de ingreso pretendería convertirse en el elemento central que diera coherencia a toda una retahíla de asistencias por parte de los estados, eliminando una administración exorbitante y nunca coherente. El ingreso básico no sería, por tanto, un simple cambio en la administración de ayudas sociales, sino una nueva cultura de justicia, libertad y responsabilidad individual. Al solucionar la subsistencia de manera universal y definitiva, todo individuo obtendría la autonomía necesaria para gestionar su vida de acuerdo a sus deseos y objetivos vitales. El ingreso básico representa un salario por un trabajo que no debe realizarse, para el que todo el mundo está preparado y sobre el que no pesa ninguna amenaza de desempleo. La fórmula clásica para el ingreso básico universal sería la de una renta mensual garantizada a cualquier ciudadano, independientemente de su edad, situación laboral, etc. Sin embargo, toda una serie de formulaciones introducen requisitos diversos sobre ese formato, fundamentalmente a nivel de condicionantes sobre el principio de universalidad, uno de sus principios centrales, pero que podrían dotarle a cambio de ciertas facilidades para su adopción.

El ingreso básico universal tiene muchos padres en la historia, muchas historias de abandono y también numerosas familias de acogida que le otorgan su particular carga de intereses e ideología entremezclados. En el discurso popular, este concepto representa todo un conjunto de concepciones bien diferentes, tantas al menos como los nombres que va recibiendo: salario incondicional, renta ciudadana, mínimo vital, renta mínima garantizada, ingreso de existencia, asignación universal, renta de participación social, ingreso o salario mínimo, etc. Esta pluralidad de discípulos en torno al concepto de ingreso básico provoca que, desde ideologías políticas y agentes sociales normalmente enfrentados se acabe compartiendo un proyecto al que cada uno accede por senderos diversos. En ese punto de encuentro acaban reunidos economistas de diversa ideología, convencidos liberales, socialdemócratas, sindicatos de trabajadores, organizaciones sociales, etc. a menudo agrupados en unas pocas escuelas. Allí se encuentran, por ejemplo, quienes lo consideran un elemento adicional del sistema de bienestar, como las pensiones o el ingreso por desempleo; quienes lo promueven como medida para contrarrestar el efecto del desempleo tecnológico que viene; o quienes buscan un cambio radical en la actuación de los estados, y de su enorme y compleja burocracia. Desde este último punto de vista, el ingreso básico sería la asunción liberal de responsabilidad por excelencia, por la que cada ciudadano habría de hacerse responsable de sí mismo, de su bienestar y de su futuro, de manera absoluta, o casi. Si el liberalismo económico y social se convierte, por ello, en uno de los principales valedores de un ingreso básico universal, también se encuentra entre los argumentos renovados de la socialdemocracia o del capitalismo. La renta básica ha recibido en el inicio del siglo XXI una rejuvenecida atención hasta el punto de convertir este concepto en un mantra todopoderoso, ya sea frente a los desafíos de la desigualdad económica, la miseria o los retos del futuro que viene. El cambio de milenio la ha dotado de una fuerza argumental añadida: la de superar la condición ancestral de trabajar para vivir que ha acompañado a la especie durante miles de años, abriendo paso a una existencia de vanguardia.

El ingreso básico, sobra decirlo, tiene la potencia ni más ni menos de erradicar la pobreza, todo un auténtico objetivo colectivo que el progreso tecnológico hará más que posible. Ya podría serlo desde un punto de vista de suficiencia teórica de recursos. El ingreso básico es compatible con el propio sistema capitalista al ser, por una parte, factible gracias a los beneficios generados por el conjunto de actividades productivas, y estímulo, por la otra, de un consumo que podría apagarse de otro modo. Es, además, un ejercicio de solidaridad, compensatorio del patrón egoísta que mueve la lógica capitalista y que asegura su éxito. Si los trabajadores son desplazados por autómatas, y sus salarios desaparecen, su capacidad como consumidores se verá agotada y todo el sistema económico podría tambalearse. El propio sistema, ajeno e inmune a ideas de libertad individual, desigualdad económica, autonomía, precarización, etc. podría ser, sin embargo, quien acabaría promoviendo este tipo de soluciones. La búsqueda económica del mayor beneficio podría acabar sufragando el pago por la libertad de las personas, esclavizadas por su obligación de trabajar para subsistir; la mano invisible sí existiría después de todo. Esa obligación de asegurar recursos para sobrevivir nos deja a merced de las lógicas económicas, de la fortuna, de unas capacidades biológicas cada vez más acorraladas.

A pesar de la atención global que está recibiendo el ingreso básico en cualquiera de sus formatos y concepciones, la mayor parte de promotores y países están optando por una aproximación en exceso tranquila al concepto, lo que se traduce en experimentos sociales muy limitados tanto en número de participantes como en duración de los programas. En el mejor de los escenarios, esos experimentos demostrarán —seguirán demostrando— que los ciudadanos liberados de la obligación de trabajar para sobrevivir deciden emplear su recuperada autonomía en actividades que les satisfacen personalmente y que, en muchos casos, son de interés para la sociedad. Los programas deberían demostrar, además, su efecto positivo en asuntos como la educación, la salud de los ciudadanos, o las relaciones sociales, todos ellos de enorme valor para la convivencia. Y también, paradójicamente, en la cantidad de trabajo realizado. Los experimentos con ingresos mínimos parecen confirmar[221] que, en lugar de abandonar cualquier actividad, quienes han recibido algún tipo de renta, han acabado trabajando más horas (hasta un 17% más) y han terminado por recibir ingresos más altos (hasta un 38% mayores) que quienes no lo recibieron. Los agentes que promueven la implantación de un ingreso básico son conscientes, en todo caso,

---

221 Generating Skilled Self-Employment in Developing Countries: Experimental Evidence from Uganda. http://papers.ssrn.com/sol3/papers. cfm?abstract_id=2268552

de las inercias sociales que se habrán de vencer para su puesta en marcha. Por eso, en la actualidad, el ingreso básico universal se adscribe, mayormente, dentro del perímetro de la utopía social y las ideas-concepto. Sin embargo, dado el número y variedad de apoyos, el creciente conjunto de experimentos y sus resultados positivos, así como las amenazas sociales en ciernes, no es descabellado pensar que una u otra forma de ingreso básico podría ser implementada en un conjunto de países en los próximos años, con todo tipo de seguridades o cautelas iniciales. Las diferentes versiones del ingreso básico no podrán ser, seguramente, fácilmente convertidas en una propuesta política de consenso, teniendo en cuenta sus heterogéneos apoyos. Es probable, de hecho, que coexistan ciertas propuestas en paralelo bajo nombres y formatos diversos, según las doctrinas que les den cobijo ideológico.

El ingreso básico universal podría ser la contramedida para esos empleos que el escritor Charles Bukowski definió como tareas que trituraban el alma (*soul-crushing*) y que en una versión actualizada empiezan a reunirse bajo la etiqueta de precarios. El ejemplo es apropiado porque este novelista encontró su propia solución de subsistencia, evitando la obligación de trabajar para sobrevivir a través de empleos que le hacían sentir miserable, pudiendo dedicarse a lo que más deseaba, escribir. Su «ingreso básico» se lo ofreció en forma de mecenazgo el editor de la empresa *Black Sparrow Press*, John Martin, quien cuando el escritor contaba con 49 años le ofreció cien dólares al mes durante toda su vida con la condición de que se dedicara a escribir a tiempo completo. Y así lo hizo. Este ejemplo bien conocido es un ejemplo de cómo un mínimo ingreso periódico puede ser la única barrera para poder desarrollar un proyecto personal en el que se es competente, dedicando el empeño y esfuerzos suficientes y necesarios. Asegurar la subsistencia de las personas permitiría que muchas de ellas desarrollaran sus mejores capacidades, algo que tendría que suponer un punto de inflexión en los logros de la especie, un salto de gigante en nuestra historia.

Junto a los defensores del ingreso básico universal han coexistido y coexisten los promotores de todo tipo de variantes en forma de rentas únicas o regulares, generalizadas o condicionadas a todo tipo de circunstancias. Entre ellas se puede mencionar la propuesta del economista Sir Anthony B. Atkinson para el pago de una prestación a todo ciudadano (*national participation income*) que atendiese algún tipo de actividad considerada como socialmente útil (incluyendo, por ejemplo, empleos remunerados, tareas domésticas, formación o voluntariado). En esa idea también se centró el sociólogo alemán Ulrich Beck con su fórmula del trabajo cívico. El profesor y politólogo Stuart White, por su parte, ha insistido en la idea de «fair reprocity» (justa reciprocidad) para todos los ciudadanos, esto es, la obligación de realizar una contribución productiva a la comunidad, actividad asalariada o no, pero de interés social. Todo ello vendría a representar, por analogía, un soporte a la idea de un ingreso mínimo, aunque condicionado a una contribución social, según las propias capacidades y posibilidades. Una posibilidad sería utilizar una tarjeta ciudadana o similar, por la que cada individuo sería incitado a realizar actividades con impacto positivo en el bienestar común, ya fuera en su entorno más cercano o en el otro extremo del planeta y sus poblaciones, lo que incrementaría su cuenta de puntos de ciudadanía. Cuanto más bienestar colectivo fuera generado más saldo se obtendría, al estilo de las tarjetas de fidelización de muchas compañías privadas, pero sin los objetivos comerciales. Al alcanzar un determinado umbral el ciudadano obtendría la condición de beneficiario del ingreso básico o podría, incluso, intercambiar bloques de puntos por otros bienes o servicios.

Los ciudadanos que cuidan de sus mayores, que dedican tiempo a sus hijos, que participan en la gestión de la comunidad, que dinamizan procesos sociales, educativos, de ocio, pero también quienes crean empleo, quienes generan innovación, riqueza, etc. obtendrían su correspondiente asignación de puntos. La estructura sería tal que nadie, por su condición social o económica, quedaría excluido de la posibilidad de alcanzar el umbral del ingreso mínimo. A toda persona podría, por ejemplo, exigírsele cierta producción regular, fuera una poesía, una melodía o un pensamiento originales o, en su defecto, contribuir de algún modo a que el mundo fuera un lugar mejor para todos mediante gestos cotidianos a su alcance. Una variante de esta idea podría contar con la utilización del concepto de cuenta acumulativa de beneficios e impuestos (*Life Account Model*[222], propuesto por el *Think Tank* finlandés Libera para modernizar el sistema de bienestar del país), un balance personal donde contabilizar los beneficios obtenidos del sistema junto a los recursos aportados al mismo. Esto permitiría introducir una comparación equitativa y transparente de todo ciudadano frente al resto y de todos frente a su estado de bienestar, lo que debería servir de estímulo para la equidad y la justicia social, además de conformar la asignación de la renta básica. Los condicionantes de contribución o retorno social, a pesar de su interés (conceder algo a cambio de algo y no a cambio de nada) podrían originar variadas paradojas, al tener que enfren-

---

222 https://www.ft.com/content/12a896c2-eb6e-11e5-bb79-2303682345c8

tar los estados la criba continuada de propuestas entre un maremágnum de concepciones del interés colectivo. Por otra parte, esos condicionantes podrían aumentar el apoyo social para adoptar este tipo de medidas, sobre todo en sus inicios, haciendo más gradual el cambio de paradigma —si esto fuese siquiera posible—.

Los estados del bienestar están ya hoy encargados de gestionar gigantescas cantidades de recursos con el objetivo de asegurar el funcionamiento de sistemas públicos de pensiones, de sanidad, de educación y de todo tipo de coberturas sociales. Son una compleja y enorme máquina burocrática que impone todo tipo de barreras de acceso a los servicios de cada estado, con amplio margen de discriminaciones de diversa naturaleza. Son, además, coberturas cuya demanda es infinita y donde las administraciones pierden de vista la coherencia global de sus costosas acciones. No se espera que el ciudadano tome en sus manos la gestión de su propia vida, sino que el Estado provea de todo cuanto se carece y se considera esencial para la propia existencia. La renta básica universal es altamente contraintuitiva (obtener un ingreso sin obligación ni esfuerzo), y es contraria a la experiencia que miles de años de historia de la humanidad han embebido en nuestros genes. Una situación que ya experimentamos, por ejemplo, con el desarrollo de las primeras máquinas voladoras, engendros pesados contrarios a la intuición y a miles de años de rutinas con los pies en el suelo. Por otra parte, en las sociedades actuales se destinan ya importantes recursos a personas que están desempleadas y necesitan solucionar su subsistencia a pesar de no realizar un trabajo, o se subvenciona la retirada de ciertas producciones para que la oferta excesiva no perjudique sus precios y, por lo tanto, la estabilidad de sus sistemas productivos. Las situaciones contraintuitivas son parte del paisaje social y hemos acabado asimilándolas con total naturalidad y sin aparente trastorno.

Las críticas al ingreso básico universal son cuantiosas y de variada naturaleza, al igual que sus apoyos. Se presupone que allí donde se establezca una renta mínima que cubra la subsistencia se iniciará una presión constante por hacerla más generosa; al fin y al cabo, el ser humano no es un animal que suela conformarse con lo que tiene. Las necesidades que irán conformando la cesta de la subsistencia serán siempre más numerosas; no se tratará sólo de alimentarse, vestirse o tener un techo, el ser humano tecnológico necesitará todo tipo de bienes y servicios para sentirse un hombre mínimamente integrado y capaz en su tiempo. El ingreso básico per sé pronto se vería asociado, según sus críticos, a una condición de miseria universal, al acabar la vaca que amamantaba al mundo comiéndose a sí misma. Por otra parte, no parecería probable que los seres humanos asumieran su nuevo estatus frente a máquinas y algoritmos capaces, y aceptaran su «caridad» —aún si extensiva— como el mejor compromiso posible. El ingreso básico universal podría generar también presiones migratorias a nivel planetario, lo que requeriría que la mayor parte de los países decidieran adoptar una solución similar en un tiempo similar, a riesgo, en caso contrario, de que los flujos de personas acabaran comprometiendo su éxito. Podría ser indispensable, por lo tanto, tener que concebir un ingreso básico para todo el planeta, evitando que unos ciudadanos pudiesen vivir sin trabajar gracias al progreso tecnológico soportado por otras personas en otras geografías, o que una parte del mundo quedara al otro lado de una inmensa valla. Naturalmente, cualquier concepto que exija consenso planetario o casi, requiere del recurso a la utopía, vistas las limitaciones actuales de organizaciones que persiguen acuerdos globales como en el caso de Naciones Unidas.

En el lado positivo, los ejemplos de aplicación de soluciones más o menos asimilables a un ingreso básico universal en diferentes geografías y grupos sociales conforman un incipiente conjunto de resultados prometedores. Los experimentos de ingreso mínimo se han puesto en práctica y se siguen implementando en diversos lugares del planeta con resultados que parecen ser globalmente coherentes. En el inicio de los años 70 del siglo pasado, el presidente norteamericano Richard Nixon promovió un programa político orientado a la asistencia familiar y de trabajadores pobres o desempleados, un plan de ayuda social más que de ingreso básico, con el objetivo de corregir las carencias e incoherencias de los programas existentes. Desde la década anterior, la conveniencia de instaurar un ingreso mínimo universal para atajar la pobreza había sido discutida en diversos foros y, finalmente, la administración Ford aprobaría un modelo de ingreso mínimo para trabajadores con rentas bajas. La fórmula elegida fue la de un impuesto negativo sobre los ingresos (*Earned Income Tax Credit*), por el que los partícipes reciben ingresos en lugar de tener que pagar impuestos a su gobierno. Los extensos debates sobre las ventajas y los riesgos de ese tipo de medidas estimularon una amplia reflexión sobre la necesidad de atender a todos aquellos que no pudieran asegurar su propia subsistencia, así como sobre las ventajas y lagunas de cada opción de intervención. Las medidas que visaban unos ingresos mínimos a todo ciudadano sin otro tipo de condiciones se enfrentaron a la esencia del espíritu americano, que sublimaba la lucha personal por los sueños mediante audacia y, sobre todo, sacrificio. Pagar un salario sin mediación de esfuerzo era condición de perdedores.

Las partes enfrentadas en el debate sobre los programas de

ingresos mínimos pronto evidenciarían que carecían de datos experimentales que pudieran utilizarse como argumentos contrastables. Esa situación favoreció la puesta en marcha de experimentos sociales en los que se pondría en práctica el concepto de ingreso básico, mediante el análisis de su impacto en las vidas de quienes lo recibían. El mayor de los experimentos desarrollados en los Estados Unidos se llevó a cabo en las ciudades de Seattle y Denver desde 1970 e involucró a unas 5 000 familias con bajos ingresos, bajo la fórmula de un impuesto de renta negativo, durante periodos de tres o cinco años. Uno de los objetivos fundamentales de esa experiencia era comprobar si los ciudadanos a quienes se aseguraba un ingreso perdían la motivación para buscar empleo. Esta era una de las críticas más comunes a este concepto, desde la lógica tradicional de esfuerzo a cambio de salario. Los experimentos, sin embargo, acabarían mostrando que las lógicas simples distaban de ser ciertas o lo eran solo parcialmente. En el caso del experimento en Denver y Seattle, el nivel de empleo descendió alrededor de un 9% en los hombres, de un 20% en las mujeres, de un 14% para mujeres en situación de cabezas de familia, y de un 24% para los jóvenes de ambos sexos[223]. Otro temido impacto, el de separaciones matrimoniales, sin embargo, sí se hizo más evidente, pues éstas aumentaron por encima del 40% tanto en la población blanca como negra. Estos resultados hicieron que algunos políticos conservadores decidieran retirar su apoyo a la propuesta de ingreso mínimo, no tanto por el impacto en las horas de trabajo, sino por los datos sobre el impacto en la estabilidad de las familias. Al asegurar un ingreso periódico a muchas mujeres, éstas decidieron utilizar su recuperada autonomía para disolver convivencias que no les satisfacían. A pesar del debate y el interés generado, y del esfuerzo realizado en diferentes ensayos sociales, las propuestas para establecer un ingreso básico universal acabarían interrumpidas y su acción reorientada a través de programas sociales de carácter específico (empleo público, ayudas a desempleados, etc.). Los ciclos económicos, las guerras, y la mentalidad de la cultura del esfuerzo y del emprendimiento personal, etc. hicieron que la idea de que el estado asegurara la subsistencia a todos los ciudadanos, sin obligación alguna y a cargo de los impuestos de todos, fuera considerada obscena. Sólo recientemente, gracias a la discusión del riesgo de desempleo tecnológico que podrían causar máquinas y algoritmos capaces, el ingreso básico universal ha vuelto al debate en la sociedad norteamericana promovido, en

---

223 https://aspe.hhs.gov/report/overview-final-report-seattle-denver-income-maintenance-experiment.

muchos casos, por visionarios y emprendedores tecnológicos. La necesidad de garantizar una masa crítica de consumidores y de evitar el colapso social por cifras de desempleo en aumento, etc. ha recuperado el ingreso básico como propuesta social desde el baúl de los recuerdos.

Entre los muchos experimentos de renta mínima llevados a cabo fuera de Estados Unidos, uno de los más conocidos es el conocido como Mincome, desarrollado en dos ciudades canadienses, Winnipeg (de unos 450 000 habitantes) y Dauphin (con unos 10 000 habitantes) en los años 70 [224]. Allí se puso en marcha un programa de ingreso mínimo garantizado tanto por el gobierno federal del país como por el gobierno de la provincia de Manitoba, con resultados que habrían demostrado, según sus promotores, los beneficios y oportunidades de estas políticas. La reducción en la tasa de ocupación de los ciudadanos involucrados en el programa, según el análisis de los resultados, se mostró reducida e inferior a experimentos similares en los Estados Unidos. La mayor parte de los participantes continuó con sus rutinas, sin más cambio aparente que la sensación de seguridad que otorgaba un ingreso seguro. Las horas de trabajo se redujeron en un 1% en el caso de los varones, en un 3% en el caso de las mujeres casadas y en un 5% en el caso de mujeres solteras. El programa no fue extendido ni universalizado tras los experimentos, su tiempo no había llegado todavía, seguramente. Canadá tiene previsto, sin embargo, el desarrollo de un nuevo programa de ingreso mínimo en tres regiones de la provincia de Ontario comenzando en 2017, con unos 4 000 participantes que recibirán unos ingresos garantizados durante tres años, asignación variable según su situación personal y económica (unos 17 000 dólares norteamericanos para una persona soltera sin otros ingresos) [225].

Un ejemplo singular es el caso de Alaska que, desde los años 70 y gracias a la riqueza petrolífera de su territorio, asigna un ingreso anual a todos sus ciudadanos, sin excepción, en la forma de dividendo proveniente de la explotación de esos recursos. El Fondo Permanente del Estado de Alaska (*Alaska Permanent Fund*) es utilizado frecuentemente como modelo alternativo a una renta básica, aunque sean fórmulas diversas. A pesar de que no es una renta mensual que garantice la subsistencia, su lógica podría vincularse a la de un ingreso universal. Un fondo soberano gestionado por una corporación de propiedad pública administra una parte de los benefi-

---

224   Mincome. https://en.wikipedia.org/wiki/Mincome
225   http://basicincome.org/news/2017/04/ontario-canada-government-announces-details-guaranteed-minimum-income-pilot/

cios obtenidos por los recursos de su subsuelo, creando un ahorro que habrá de servir a las generaciones futuras cuando el petróleo se agote. Este fondo (hoy con un valor superior a los 55 millardos de dólares) estableció, además, un instrumento de reparto anual de dividendos para todos y cada uno de los residentes (residentes durante el último año, independientemente de su antigüedad). El dividendo percibido es variable —ha llegado a superar los 2 000 dólares norteamericanos— y no tiene la capacidad de garantizar la subsistencia por sí sola. Los ciudadanos beneficiarios, en todo caso, lo consideran un derecho indiscutible y gracias al diseño del sistema los políticos no pueden interferir de manera simple en la gestión del mismo, como ya se ha podido comprobar con alguna propuesta política rechazada de manera contundente por los ciudadanos.

Muchos países han ido abriéndose al concepto de ingreso básico mediante la realización de experimentos controlados sobre el mismo, que puedan aportarles argumentos para su aplicación generalizada. En junio del año 2016, en Suiza, se llegó incluso a votar una propuesta de ley promovida por más de cien mil firmas ciudadanas y formulada por la Red Planetaria del Ingreso Básico (*Basic Income Earth Network, BIEN*). Esta norma hubiera podido convertir a este país en el primero con un ingreso básico universal para sus ciudadanos. La cantidad propuesta (unos 2 500 francos suizos al mes, 625 francos para los niños) estaba bastante por debajo del salario mínimo del país, lo que se consideró aseguraría la continuidad del trabajo asalariado para adquirir bienes y servicios que no fueran de pura subsistencia. Los que defendían la medida se apoyaron en estudios recientes que habían constatado porcentajes de apenas un 2% en el número de individuos que decidían dejar sus empleos, junto a un 8% que lo consideraba como opción, tras tener aseguradas las necesidades más perentorias. Esto es, en torno a un 10% de la población podría decidir mantenerse al margen del mercado laboral si se le aseguraba un ingreso regular suficiente. Los meses previos a la votación se convirtieron en un debate auténticamente planetario sobre el ingreso básico, permitiendo que políticos y ciudadanos de toda la geografía reflexionaran sobre un concepto que ya no era percibido como una frivolidad o un experimento bienintencionado. Algunos actos de apoyo a la propuesta, como la que se etiquetó por los medios como «primera huelga de robots», con ciudadanos disfrazados de autómatas para visualizar las amenazas del desempleo tecnológico, fueron ampliamente difundidas, dando visibilidad en paralelo a la cuestión de los impactos del progreso. La propuesta fue votada por el 76.9% de los ciudadanos suizos con derecho a voto, de los cuales el 23% expresó su apoyo a la misma, en una campaña donde el gobierno solicitó activamente el rechazo a la medida.

Los experimentos y los anuncios de nuevas campañas, en todo caso, se suceden sin pausa. En los últimos años, países tan dispares como India, México, Brasil o Sudáfrica han llevado a cabo experimentos de ingreso básico entre grupos de población específicos. En el caso indio, unas seis mil personas recibieron unos cuatro dólares al mes (300 rupias), lo que representaba en torno al 40% del ingreso considerado de subsistencia, demostrando una mejora notable en la alimentación de las familias, índices inferiores de enfermedad, una mejora en la escolarización y una mayor probabilidad de emprender actividades lucrativas para mejorar sus ingresos[226]. En enero de 2017 Finlandia ha lanzado su propio experimento de ingreso básico con unos 2 000 ciudadanos fineses al cargo de un programa que habrá de asegurarles unos 560 euros al mes de manera totalmente incondicional. El Parlamento Europeo ha promovido también diversas reflexiones y una propuesta sobre la estrategia de un ingreso mínimo como paliativo de los impactos de máquinas y algoritmos capaces en el mercado de trabajo y como solución a la pobreza[227]. Un informe del Consejo nacional de lo digital francés (*Conseil national du numérique*) del año 2016 abogó también por un estudio detallado que analizara la propuesta de un ingreso básico universal, con el objetivo de adaptar el país a la transformación del entorno laboral que viene. En Francia existe una renta mínima de inserción, aunque no es considerada como ingreso básico universal al estar condicionada a circunstancias personales y laborales. También organizaciones sin ánimo de lucro han lanzado sus propios experimentos de renta mínima. GiveDirectly, por ejemplo, está recaudando fondos para costear una ambiciosa campaña de ingreso básico en Kenia, en un programa en el que unas 6 000 personas recibirán un pequeño desembolso regular mensual por medio de un sistema de pago por teléfono durante un periodo de doce años.

A estos programas se unen todo tipo de iniciativas, variopintas, en diversos lugares del mundo. Allí está, por ejemplo, el ciudadano holandés Frans Kerver, el primero en recibir un ingreso básico en su país desde el año 2015 (1 100 dólares al mes), de manera adicional al resto de sus ingresos. Kerver recibe esta renta por cortesía de la organización holandesa MIES, una sociedad que apoya las innovacio-

---

226 http://isa-global-dialogue.net/indias-great-experiment-the-transformative-potential-of-basic-income-grants/

227 http://www.europarl.europa.eu/oeil/popups/ficheprocedure.do?lang=&reference=2016/2270(INI)

nes económicas y sociales. La organización eligió a este ciudadano por su importante implicación en tareas dedicadas a la comunidad desde hacía numerosos años. Unas decenas de ciudadanos alemanes se encuentran también en experimentos similares. Siguiendo las tendencias en boga, también se han lanzado campañas de financiación colectiva (*crowdfunding*) para dar soporte a experimentos de ingreso básico. Entre otras, se puede mencionar la Iniciativa de Sam Altman, el presidente de la empresa Y Combinator, la aceleradora de empresas más grande y conocida de Silicon Valley, que ha lanzado un experimento de ingreso mínimo con cien familias de Oakland, California. Estas familias, que representan una amplia variedad de condiciones étnicas y socioeconómicas, recibirán unos 1 500 dólares al mes durante un máximo de un año, en el programa piloto. Si los resultados son satisfactorios, Altman pasaría a una segunda fase mucho más ambiciosa, con miles de ciudadanos en otras partes de Estados Unidos, durante un periodo de unos 5 años. Su apuesta por el ingreso básico universal ha reforzado la atención creciente sobre esta propuesta, sobre todo entre la comunidad de empresas tecnológicas del país. La continuidad de estas acciones, más allá de sus fases de impacto mediático, está sin embargo por verificarse. Aunque todo tipo de organizaciones, entidades, etc. establecen sus propias iniciativas para explorar los resultados de un ingreso básico en poblaciones de control, sólo unas pocas alcanzarán la categoría de experimentos sociales representativos, involucrando a un número de sujetos suficiente y respetando unas reglas mínimas en la definición de esas intervenciones. Queda todavía mucho trabajo preparatorio por hacer, de manera coordinada, para convertir esta iniciativa en una propuesta de solución global para la sociedad tecnológica. En especial, en lo que concierne a cómo financiar una medida social universal, sin recurrir a futuros de abundancia o de ciencia ficción.

Hablar del coste necesario para financiar un programa de ingreso básico universal es, en cierta medida, un ejercicio absurdo. Cada propuesta particular para este tipo de programas implica necesidades de financiación que son absolutamente heterogéneas, según sus diversos contenidos y alcances. Desde las opciones de fórmulas de rentas consistentes en módicas cantidades a modo de liquidez extra, a las de sumas suficientes para asegurar la subsistencia hay todo un mundo de diferencia. Entre aquellas que restringirían el acceso a ese tipo de ingresos o aquellas con carácter absolutamente universal también. En principio, transformar los diversos programas de ayuda social del estado del bienestar en un simple ingreso básico universal podría no sólo suponer un coste sino quizá un ahorro de fondos. En el otro extremo, implementar un programa de ingreso básico universal mientras se mantienen en paralelo todo el resto de programas de bienestar, en su formato actual y respetando las tendencias habituales en su evolución, supondría un coste seguramente inasumible, o no al menos en las circunstancias sociales, políticas y económicas conocidas. Si estimar los costes para financiar tal iniciativa no fuera un reto importante, considerar los trascendentales beneficios intangibles (libertad, aprovechamiento de las capacidades de los individuos de la especie, etc.) lo hace todavía más complejo. Se habrían de añadir, además, los efectos positivos en el más que probable aumento del consumo que un ingreso básico universal promovería, con la consiguiente generación de riqueza, así como el impulso económico pilotado por los ciudadanos que decidirían emprender, una vez asegurada su supervivencia. Si este efecto fuera demostrado, el ingreso mínimo pasaría a un nivel diferente de debate político, al poder ser defendido como herramienta de estímulo económico en lugar de una medida pasiva de emergencia social. En cualquier caso, frente al riesgo de colapso económico global si las máquinas y algoritmos llegaran a acaparar todos los empleos, la discusión sobre los costes de una solución capaz de enfrentar una situación potencialmente catastrófica podría parecer poco más que una frivolidad.

A pesar de todas las dificultades, existe literatura variada sobre el posible coste de un programa de ingreso básico universal, intentando demostrar ya sea su viabilidad ya sea su imposibilidad frente a quienes lo tachan de ensoñación política o lo predican como la madre de todas las soluciones. El gobernador de la Banca de Italia Ignazio Visco, por ejemplo, declaró que el coste de este tipo de programa (500 Euros al mes) ascendería al 20% del PIB en el caso de Italia, lo que lo haría irrealizable. En el caso de Francia, ese porcentaje sería inferior debido a los programas de renta de inserción ya en operación en la actualidad; un salario universal de unos 750 Euros implicaría unos 350 millardos de Euros netos (descontando la supresión de otros programas de ayuda existentes)[228], lo que representaría alrededor de un 15% del PIB del país. En España, es bien conocido el conjunto de estudios y simulaciones que un grupo de economistas[229] realizó sobre el coste de un ingreso básico universal, y que confirmaba la factibilidad de tal programa mediante un tipo de gravamen único en el impuesto sobre la renta del 49%. El

228 http://www.latribune.fr/economie/france/revenu-universel-combien-coutent-les-etapes-de-benoit-hamon-643523.html
229 Jordi Arcarons, Antoni Domènech, Daniel Raventós y Lluís Torrens. http://www.redrentabasica.org/rb/la-renta-basica-incondicional-y-como-se-puede-financiar-comentarios-a-los-amigos-y-enemigos-de-la-propuesta/

montante de la renta sería de unos 7 500 Euros anuales para personas adultas y de unos 1 500 Euros para menores de edad, superior al umbral de riesgo de pobreza (lo que implicaría pobreza cero en términos estadísticos). La mayor parte de los contribuyentes al impuesto sobre la renta actuales (un 80%) saldrían ganando con la reforma y únicamente el 20% más rico de la población se vería perjudicado por tal fórmula. Hay que tener en cuenta que algunos subsidios del gobierno, como por ejemplo la denominada Renta Garantizada de Ciudadanía en Cataluña, ya operan con el objetivo de asegurar un ingreso mínimo a todo residente en el territorio —que lo sea hace más de dos años, con edad mínima de 23 años y no tenga rentas o sean inferiores a 564 Euros—. Sus costes parecen ser asumidos sin gran discusión o revuelo por los presupuestos públicos, a pesar del riesgo de que sea percibido como injusto por parte de quienes trabajan por un sueldo precario pero algo superior al mínimo establecido.

El abogado Fernando Scornik, por su parte, ha estimado que un impuesto sobre el suelo de un 2% sobre el 80% del valor del mismo no sólo sería suficiente para sufragar los costes de la renta universal sino para permitir rebajas en los impuestos sobre el consumo o las rentas del trabajo[230]. Para quienes recibieran únicamente el ingreso básico, de hecho, ese impuesto sería cero. La fórmula, eso sí, requeriría que el ingreso básico reemplazase al resto de rentas, prestaciones o ayudas públicas. En el caso de la propuesta de ingreso básico universal sometida a voto en Suiza, las estimaciones eran que su aplicación costaría unos 25 millardos de francos suizos (unos 22 millardos de Euros) para ser financiada. La promotora de la misma proponía la incorporación de una microtasa sobre las transacciones electrónicas en el país, que suman unos doscientos mil millardos de francos suizos anualmente (300 veces el PIB del país). Marc Chesney, profesor de la universidad de Zurich estableció que una tasa adicional de un 0.1% sobre dichas transacciones electrónicas generaría por ello 200 millardos de francos, más que suficiente para la financiación del programa[231]. Los más favorables a un ingreso básico universal, señalan que una economía poderosa como la de los Estados Unidos podría conceder este tipo de renta a sus ciudadanos (unos mil dólares al mes) si el porcentaje de recaudación de impuestos sobre el PIB fuera el mismo que en Alemania (del 35% en

230 http://www.laopinion.es/economia/2017/08/26/problema-vivienda-resuelve-atacando-especulacion/803736.html

231 http://www.microtax.ch/wp-content/uploads/2017/08/MTADC-Franz%C3%B6sich-03.08.2017.pdf

lugar del 26%), y siempre que se reemplazaran el resto de iniciativas del estado de bienestar (la seguridad social y las pensiones), aunque manteniendo la cobertura sanitaria[232].

Si el coste de financiación es un quebradero de cabeza, los medios para recaudar los recursos necesarios tampoco son un asunto sencillo. Incluso si se alcanzase un consenso sobre el programa y los costes admisibles, las vías para financiarlo acabarían alienadas según las ideologías conocidas. Las posibilidades a debatir serían numerosas: recurrir a impuestos de manera generalizada, a imaginativas tasas tecnológicas, a nuevos planteamientos recaudatorios sobre la acumulación de riqueza (herencias, patrimonios), a fondos soberanos o incluso planetarios que explotasen los derechos sobre los recursos colectivos hoy de libre disposición, a ahorros sobre los costes de gestión del estado del bienestar, etc. Incluso habría espacio para propuestas de fantasía, como la de vender espacio de publicidad en los miles de millones de billetes en circulación, incluidas las emergentes criptomonedas. La imaginación y la creatividad habrían de explotar sus mejores capacidades si se trata de liberar a todos los seres humanos de la obligación de sufrir para sobrevivir.

El concepto de un ingreso universal, por múltiples razones, encaja bien con una sociedad tecnológica en la que el ser humano va a ser desplazado por máquinas y algoritmos capaces, poniendo en riesgo toda la lógica del sistema capitalista que sostiene el estado del bienestar. Una renta que asegure la subsistencia no sólo evita un drama planetario, sino que permite que el motor del consumo siga operando y además con menos malos humos. La lógica puede parecer descabellada, pero se trata de asegurar el acceso al consumo a todo ciudadano para que este asegure la persistencia de ese mercado. Asegurar ingresos para consumir, para estimular la producción, para generar riqueza, para obtener beneficios, para asegurar ingresos para consumir. Puede que haya mejores lógicas, pero no las hemos inventado todavía. La propuesta de ingreso básico universal es, además, maleable y puede ajustarse a casi cualquier ideología, esto es, a cualquier régimen de gobierno. A pesar de tener la potencia suficiente para lidiar con el drama del desempleo masivo, no representa en sí misma un salto al vacío; no requiere de colonias en Marte o civilizaciones en el fondo de los océanos, sino de computar los beneficios globales para justificar adecuadamente la financiación de sus costes. El ingreso básico universal no es la única medida que los gobiernos y sociedades del mundo pueden tomar

---

232 https://www.economist.com/news/leaders/21699907-proponents-basic-income-underestimate-how-disruptive-it-would-be-basically-flawed

frente a la amenaza del desempleo tecnológico, pero parece ser la mejor situada en la carrera por convertirse en macro herramienta política de, cierto, consenso en los próximos años, a lo largo y ancho del planeta.

PROPUESTAS REFUGIO Y DE RENUNCIA

Si la humanidad no fuese capaz de anticipar y gestionar los impactos del desempleo tecnológico con cierta clarividencia, llegaría el momento en el que podríamos tener que lidiar con situaciones dramáticas, con millones de personas siendo expulsadas del juego económico al perder sus salarios y su capacidad de consumo, hacia el horizonte de colapso social absoluto. Si los gobiernos hubieran escondido la cabeza bajo tierra hasta ese momento, o hubieran creído en milagros que no llegaron, a partir de entonces más pasividad sería una opción suicida. Cuando los recursos del estado se mostraran del todo insuficientes para asegurar improvisadamente unas mínimas condiciones de supervivencia y bienestar a enormes poblaciones ociosas, las grietas resquebrajarían las instituciones de cualquier democracia. Las iniciativas que pudieran asegurar una subsistencia básica (suministros esenciales, nutrientes básicos, proteína barata, conectividad) o generar empleos fantasmas (cavar y rellenar las mismas zanjas una y otra vez o, más apropiado del siglo XXI, cavar y rellenar zanjas en el espacio virtual), serían ya soluciones sólo algo mejor que las opciones desesperadas. Evitar la voladura del edificio social, como si del impacto de un meteorito se tratase, consumiría toda la energía política.

Llegado el caso, el progreso tecnológico no sólo habría conducido a un desenlace fatal en términos de desempleo, o de equilibrios sociales y económicos entre ganadores y perdedores, sino que habría expulsado a la humanidad de su centralidad en el planeta Tierra, al estilo de la revolución copernicana. Incluso puede que el planeta ya no fuera el único lugar habitado y hubiera quedado orillado como una colonia más donde apenas sobreviviese una especie en decadencia. Las generaciones de máquinas y algoritmos más capaces, y unos pocos humanos enormemente ricos y poderosos habrían llevado la actividad principal a otros lugares del espacio. La expresión de la rabia social acumulada y el temor a un futuro sin salida invalidarían cualquier opción ordenada de gestionar apresuradamente una economía completamente automatizada, o una abundancia que emigró más allá de la atmósfera. El paraíso posible se reduciría a un concepto que fue posible; la sociedad se transmutaría en un purgatorio que nos conduciría a una espiral de destrucción colectiva. Los estados, como figuras de garantía de los derechos de los individuos, de los principios de la convivencia democrática, implosionarían con un ruido sordo, colapsado por sus incapacidades manifiestas para gestionar escenarios que degenerarían hasta la sepsis severa. Las personas, a su vez, dejarían de sentirse obligadas frente a esos estados que ya no les representarían. Al filo de entrar en esas situaciones sociales catastróficas, una vez perdidas las esperanzas de intentar moderar de algún modo organizado el progreso, las propuestas refugio y de renuncia podrían ser el penúltimo recurso para tranquilizar nuestras almas.

SEGUIR LOS PASOS DE LOS AMISH

Para quienes las propuestas de formar equipo con máquinas y algoritmos capaces, de aplicar impuestos tecnológicos, de estimular la inteligencia colectiva, de añadir tecnología a su biología de serie, etc. no sean soluciones atractivas, siempre existirá la posibilidad de renunciar al progreso, dando pasos atrás en lugar de avanzar hacia al frente. El modo de vida de algunas comunidades como los Amish, por ejemplo, podría servir como modelo además de como prueba fehaciente de que seguir viviendo según costumbres ancestrales es más que una hipótesis. Los grupos de individuos que han decidido congelar en el tiempo sus modos de convivencia nos demuestran empíricamente que la renuncia al progreso tecnológico puede ser posible sin que resulte una catástrofe. Estos colectivos se sostienen y salen adelante a pesar de tener una relación limitada con el mundo que se localiza más allá de las cercas que delimitan sus territorios. Son grupos sociales donde la adopción de desarrollos tecnológicos modernos está muy restringida por decisión propia (colectiva) de conservar ciertos modos tradicionales de relación y existencia. Todo ello pese a que buena parte de sus comunidades se localizan dentro del perímetro de toda una superpotencia tecnológica, que por otra parte asegura su existencia y sus derechos. Tras mucho desdén por esta opción de vida por parte del resto de sociedades desarrolladas, su modelo ha ido, poco a poco, ganando interés como opción resiliente, de refugio, frente a cambios disruptivos o tiempos acelerados. Quienes persiguen la autosuficiencia y la autonomía del exterior, renunciando a las innovaciones tecnológicas, logran rodearse de una zona de inmunidad frente a buena parte de los excesos y riesgos del progreso. Su realidad no es otra que aquella que conocieron sus antepasados, y ese anclaje a rutinas ancestrales les concede una singular estabilidad frente al futuro líquido, gaseoso, que amenaza la existencia en la sociedad tecnológica. La singularidad tecnológica, en esas comunidades, no será ni bienvenida ni temida, sino más bien ignorada. En sus costumbres de vida, la potencia formidable de la inteligencia artificial serviría de poco, si se trata de mover carruajes a caballo, plantar semillas, arar los campos o hacer mermeladas.

Puede que vivir al estilo de las comunidades Amish, o como los paisanos y agricultores de las zonas rurales de hace sólo unas décadas, sea la solución para aquellos individuos a los que las renuncias tecnológicas no les pesen en exceso, o a quienes una vida plena pero rudimentaria les parezca el cielo en la tierra. Sacar alimentos del suelo con el propio esfuerzo, renunciar a las comodidades conocidas (frío y calor a discreción, a la décima de grado), restringir el consumo a aquello que podemos obtener de manera local o con un comercio de proximidad, fabricar, reparar o mejorar los enseres y herramientas sirviéndonos de nuestras propias destrezas y de los materiales disponibles en el entorno; vivir despacio, vivir pegados al medio, sin intentar transformarlo para ajustarlo a nuestros cambiantes y extravagantes deseos. Ni más ni menos. Es lo que hizo nuestra especie durante milenios, viviendo de acuerdo a un puñado de rutinas y procesos bien interiorizados. Los riesgos del mañana estaban limitados, al menos frente a aquellas amenazas que un progreso tecnológico apresurado empezaría a generar sin que hubiera modo de evitarlo. Era una vida sencilla y por eso era menos frágil que los modos de vida actuales con sus enormes dependencias de todo tipo de servicios «esenciales», cuya operación ha de asegurarse a toda costa. Las sociedades modernas recrean un escenario donde el progreso tecnológico genera enormes desafíos que sólo pueden ser resueltos con más tecnología, en un ciclo aberrante que no puede controlarse, aunque nos vaya la vida en ello.

Si el trabajo acaba siendo entregado a los autómatas, junto a los salarios, siempre quedará la opción refugio de volver a intentar ser autosuficientes, de vivir de lo que podamos obtener de nuestro entorno con limitadas manipulaciones. Al menos en teoría. En el caso de intentarlo, no deberíamos encontrar competencia por parte de máquinas y algoritmos capaces, si nos decantamos por la senda de la más tradicional subsistencia. No parece probable que los autómatas tengan interés en este tipo de recursos y desempeños, sobre todo si el comercio generado es de puro trueque e intercambio entre comunidades vecinas, y entre humanos. Eso sí, tendremos que asegurar la propiedad de un pedazo de tierra y de los pocos bienes que necesitemos para salir adelante, o estaremos en riesgo de tener que sobrevivir al modo paleolítico precursor de la invención de la agricultura. Y deberíamos protegerlos anticipadamente mediante leyes humanas que puedan ser respetadas por otros agentes inteligentes sin esperar los consensos a posteriori. De lo contrario, la propiedad de los recursos del planeta podría acabar en manos de quienes mejor se manejaron con las reglas del capitalismo especulativo, unos todopoderosos algoritmos que se adueñaron de la riqueza que un día perteneció a la especie en la cúspide del desarrollo biológico. Las inteligencias artificiales se erigirían en los nuevos señores feudales, siempre desalmados, movidos no por la maldad humana sino por un culto a la eficiencia enfermizo. Sus cerebros electrónicos podrían quedar ofuscados con la idea de alcanzar la máxima productividad teórica con todos los recursos del planeta a su disposición, seres vivos incluidos.

Entregarnos a la producción artesanal y a la más simple subsistencia, tras siglos de desarrollo y progreso tecnológico, puede parecer, sin embargo, un contrasentido evolutivo. ¿Para qué realizamos tanto esfuerzo por abarcar más y más conocimiento? ¿Para acabar plantando coles y recogiendo huevos de gallinas? Pero del mismo modo que ciertos procesos químicos parecen desencadenar reacciones descontroladas cada vez más intensas, que anuncian explosiones inminentes, el progreso podría haber empezado a sacudir el matraz de experimentación que es la Tierra. Esquivar el precipicio final puede ser un signo de conciencia colectiva inteligente. No pocas de las soluciones a la paradoja de Fermi, que intentan explicar por qué no hemos sido contactados por alienígenas a pesar de la cantidad de vida inteligente presumida en los billones de mundos del universo, se apoyan, de hecho, en la hipótesis de que las sociedades avanzadas acaban por colapsar y autodestruirse en un momento u otro de su existencia. Eso explicaría que no lleguen a cruzar el espacio que las separa de conocer a otras especies en fases anteriores de desarrollo; simplemente no llegarían a tener la posibilidad de hacerlo. Quizá por eso, moderar el progreso o retroceder sobre nuestros pasos, no sea tan insensato como parece a primera vista.

No está dicho, tampoco, que debamos trabajar la tierra con nuestras manos desnudas, ni cazar o pescar con lanzas y arpones; podríamos hacer uso de toda aquella tecnología que nos permitiera ser altamente productivos en esos menesteres, sin causar desequilibrios en el medio ambiente. Con recursos básicos para la subsistencia, acceso universal al acervo de cultura desarrollado hasta el momento, así como a las infraestructuras básicas, la humanidad podría seguir un curso de existencia tranquilo, repudiando aquellas tecnologías que pudieran ser una amenaza a su supervivencia. Puede incluso que el nuevo sistema de convivencia, organizado según el objetivo de la continuidad de la especie junto a un impacto limitado en la naturaleza, pero altamente eficiente, generase recursos para asegurar un bienestar universal insospechado. Sería parecido a un tiempo sabático donde la humanidad disfrutaría de los esfuerzos realizados y acumulados por todas las generaciones precedentes en el pasado, para vivir y disfrutar el presente, de un modo diverso. Tomemos o no este camino, no estaría de más asumir que podría ser una opción válida —ya lo es para ciertos grupos de individuos—, con todas sus limitaciones. Aprender a producir comida de manera autónoma, enseñar el respeto por los ecosistemas, estimular una convivencia cercana con otros semejantes y con el resto de seres vivos, nos sensibilizaría en todo caso a la hora de enfrentar el debate sobre las amenazas del progreso descontrolado. La historia, además, ha demostrado en no pocas crisis que quienes tenían la posibilidad y habilidad para asegurar los recursos básicos en cualquier circunstancia, eran capaces de sobrevivir a los malos tiempos o de mejorar sensiblemente sus probabilidades de lograrlo.

LUDITAS DEL TERCER MILENIO

No sería improbable que, entre los muchos millones de personas que podrían perder su empleo frente a máquinas y algoritmos capaces, surjan colectivos con alto nivel de resentimiento y deseo de tomarse la revancha. La recuperación de las acciones de guerrilla de aquellos pioneros luditas que atacaban las máquinas textiles podría ser el resultado de esa animadversión y de la falta de rutinas en las que emplear buena parte del tiempo. Los altercados contra los autómatas se podrían convertir, en la práctica, en una solución de autoempleo al margen de la ley, recobrando en el tercer milenio la figura de los bandoleros o piratas de épocas pasadas. Esos humanos saboteadores de máquinas tendrían que ser enfrentados por la acción represora de las fuerzas del orden, así como mediante políticas de desagravio económico y social a quienes vayan engrosando las listas de desempleados. Es posible, en todo caso, que una base combatiente neoludita acabara haciéndose fuerte a pesar de todo, contando además con el apoyo de ciudadanos enojados y amargados, que considerarían la pérdida de roles frente a las máquinas como un estigma para la especie humana. Algo que jamás tendría que haber sido consentido. También sería posible que esos rebeldes consiguiesen organizar su propia lógica de abastecimiento y supervivencia mediante actos violentos o mediante la amenaza de llevarlos a cabo, lo que les permitiría medrar al estilo de ciertos grupos de extorsión bien conocidos.

La sociedad tecnológica es frágil, y acciones de pequeña envergadura, pero bien dirigidas y coordinadas, podrían provocar daños considerables en la convivencia. La amenaza no es pura fantasía. Algunos intentos neoluditas ya han tenido lugar, aunque tímidamente, siendo además atajados con firmeza ejemplarizante. Han sido, sobre todo, acciones individuales, que no llegaron a movilizar a masas importantes de ciudadanos, que preferían aferrarse a su bienestar presente. El progreso tecnológico, para la mayoría de personas, sigue siendo sinónimo de calidad de vida. El manifiesto de Unabomber[233] puede provenir de una persona que ejerció la violencia, mediante sus cartas bomba, arrebatando las vidas de tres inocentes e hiriendo a otras decenas de personas, con todo lo que ello implica, pero no tiene por qué ser obligatoriamente la idea de un loco, sino de alguien que llevó su cordura al lado oscuro y del fin que justifica los medios. Si académicamente era un genio, su personalidad no le acompañó con las capacidades necesarias para guiar su comportamiento, evitando el deslizamiento hacia el abismo. No sería, sin embargo, solo un perturbado más, sino alguien cuyas ideas podrían haber movilizado masas críticas de ciudadanos de todo tipo y condición, dadas unas circunstancias favorables. Las sociedades harían bien en no ignorar este tipo de riesgos y preparar herramientas que consigan apaciguar los miedos, los temores, la rabia, el desasosiego cuando las circunstancias se pongan feas. El desempleo tecnológico, la desigualdad y la pérdida de estatus de millones de personas frente a legiones de máquinas y algoritmos capaces son un caldo de cultivo perfecto para que surjan promotores de revoluciones contra el sistema que los ha permitido y fomentado. Y para que miles de seguidores decidan unirse en tropel. Si las sociedades no preparan ese escenario, estaremos dejando que las termitas devoren a sus anchas los cimientos del edificio de la civilización. Sería solo

---

233 El texto más conocido de Theodore Kaczynski, un filósofo, matemático y neoludita norteamericano.

cuestión de tiempo que no quedase madera suficiente para soportar el peso de los desafíos que se irán sucediendo.

También es imaginable que la lucha neoludita no sea sólo cuestión de iluminados y de grupos revolucionarios, sino de colectivos más extensos, incluyendo micronaciones o incluso países enteros. Esas sociedades podrían decidir tomar caminos enfrentados al progreso tecnológico o, cuando menos, al progreso que conduce a un desempleo masivo y a una pérdida de terreno frente a las máquinas. Su estrategia podría pasar por blindarse y aislar a sus ciudadanos de los impactos de máquinas y algoritmos capaces, por la vía tradicional de prohibir o limitar el contacto con el resto de la civilización. Aproximaciones similares ya se han conocido en la historia de la humanidad. Durante el periodo de la Era Edo (Tokugawa) en Japón (1603-1868) el país se aisló en buena medida del contacto con el mundo exterior, y sólo fueron permitidas ciertas tecnologías relacionadas con una explotación agraria más efectiva o con el arte de la guerra. Si bien es cierto que se logró mantener un cierto estatus social y económico durante los más de 250 años que duró el periodo, la estructura de poder y las decisiones tenían carácter absolutista, de corte feudal, dejando a buena parte de la población en condiciones desdichadas. El aislamiento del país hizo también que su poder bélico se resintiese. Las armas de fuego fueron mayormente prohibidas con el objetivo de que la guerra y los conflictos se resolviesen mediante las armas de hoja, monopolio de los samuráis. Sus catanas y su código de conducta servirían de poco, sin embargo, frente a la pólvora y los buques de guerra de los países enemigos.

El líder indio Gandhi y sus seguidores también propusieron la limitación de las innovaciones tecnológicas mientras existiera desempleo, por su efecto de desplazamiento de puestos de trabajo. Aunque Gandhi declaró no odiar las máquinas —todos somos un tipo de máquina, llegó a afirmar— sí odiaba el entusiasmo desatado por esos artefactos concebidos para reducir la fuerza de trabajo humano, desplazando a las personas. «A lo que me opongo» decía, «es a la obsesión por las máquinas, no a las máquinas mismas. Existe una obcecación por las máquinas que vienen etiquetadas como ahorradoras de trabajo. Los hombres persiguen ese ahorro de trabajo hasta que miles se encuentran sin empleo y son arrojados a la calle para que mueran de hambre». También el líder comunista Mao Zedong, fundador de la República Popular de China, restringió con sus políticas el progreso tecnológico. La Revolución Cultural impuso una ralentización científica y tecnológica, llegando incluso a la congelación de cualquier avance en ciertos sectores. Lo crucial era atender la doctrina comunista, y esta primaba sobre cualquier conocimiento que científicos y expertos pretendieran desentrañar. Muchos intelectuales fueron considerados burgueses por el régimen comunista, y podían llegar a ser etiquetados como contrarrevolucionarios, siendo perseguidos por ello. En algunos casos, se arriesgaban a ser enviados a entornos rurales durante meses o años para aprender virtudes políticas, mediante el trabajo con los pobres y los campesinos de las clases bajas y medias. Renunciar a la ciencia y a la tecnología o limitar el progreso posible según una estrategia política o social para evitar los desequilibrios entre ciudadanos parece arriesgado. Sobre todo, cuando las posibilidades de vivir aislado y anclado a paradigmas pretéritos en un mundo globalizado serán siempre más y más escasas. Todo ello, sin negar la evidencia de ciertas comunidades como los Amish, que demuestran lo contrario. Su opción sería también una posibilidad de enfrentar el desempleo tecnológico desde cierta perspectiva ludita, pero sin animadversión hacia las máquinas, a lo sumo desdén por la mayor parte de nuevas tecnologías.

La aproximación ludita selectiva, esto es, el filtro de determinados desarrollos tecnológicos y la adopción de otros, podría servir para moderar preventivamente ciertos tipos de tecnologías que tienen el potencial de arruinar la convivencia social y los equilibrios en el planeta. Lo haría al precio de zancadillear el ritmo de progreso de la especie, y de hacernos más frágiles frente al poder de quien decida explotar todas las posibilidades del cambio tecnológico acelerado. La opción liberal de «prohibido prohibir» en lo que respecta al progreso científico y tecnológico habría de ser transformada en un proceso de debate, en tribunales de la ciencia o conferencias de consenso ciudadanas. Allí se evaluarían los beneficios y riesgos de cada tecnología, y se decidiría sobre su curso, en particular cuando estuviera en juego la continuidad de la especie o el cambio radical de los modos de convivencia. La sociedad tendría en sus manos la capacidad de decidir en las fases más tempranas de cada desarrollo tecnológico la idoneidad de cada propuesta de progreso. La automatización masiva de los empleos y del conjunto de actividades humanas sería un proceso que estaría en nuestras manos, en lugar de responder a un ciego acontecer de sucesos tecnológicos. En ese debate ciudadano podría decidirse que, pese a la conveniencia de automatizar ciertos empleos, el beneficio conjunto de utilizar a personas de carne y hueso resultaría superior al correspondiente aumento de productividad, por poner un ejemplo. Sobre todo, si las ventajas de cierta opción tecnológica estuvieran concentradas en unos pocos individuos, mientras que los impactos negativos fueran globales y permanentes. Si la paz social o la moderación de la desigualdad económica fueran objetivos a maximizar, la automatización de actividades podría no ser una solución aceptable, a pesar de todas sus ventajas.

Además de las decisiones de máximos —prohibir, permitir, fomentar— se podrían también acordar modos comunes de control de ciertos riesgos, dentro del margen de tolerancia de cada sociedad y grupo humano. Una propuesta del Parlamento Europeo planteó, por ejemplo, que las empresas tuvieran que comunicar el número de robots en nómina, los ahorros en términos de contribuciones a la seguridad social por la reducción de trabajadores humanos, así como una estimación de los ingresos adicionales debidos al empleo de autómatas. Este tipo de fórmulas, si llegaran a ponerse en práctica, implicarían una aproximación preventiva y un filtro moderador de la incorporación masiva de máquinas y algoritmos capaces a todo tipo de tareas. Al hacerse conscientes tanto del origen y tamaño de los beneficios particulares como de los impactos colectivos en forma de empleos y bienestar, los ciudadanos se sentirían más proclives a tomar parte activa en el desafío. La influencia sobre el desarrollo tecnológico mediante su acción política y sobre las empresas mediante su acción como consumidores sería mucho más decisiva que el lanzamiento de piedras sobre dispositivos tecnológicos, inocentes por naturaleza.

HUMANOS NO COMPETITIVOS ABSTENERSE

Antes de que el trabajo se afiance como un asunto exclusivo de máquinas y algoritmos capaces, los seres humanos deberían sentir la presión constante que les irá expulsando progresivamente del mercado, sin llegar a crear todavía una situación insoportable. Sus competencias y habilidades se irán mostrando insuficientes, exiguas en comparación con las del nuevo proletariado tecnológico siempre preparado y actualizado. Las personas podrían verse conminadas a apostar por sus mejores capacidades, quizá por una única competencia innata, lo que exigiría sacrificar deseos y libertades individuales a la hora de elegir opciones profesionales para desarrollarse profesionalmente. Ante una situación de desplazamiento de empleos generalizada, cada persona habría de identificar y explotar lo que podría categorizarle como agente competente en la sociedad tecnológica, identificando el mercado propicio para esa destreza o generándolo de manera activa. El primer objetivo sería, por tanto, identificar la capacidad extraordinaria en cada persona para, posteriormente, analizar sus probabilidades de aprovechamiento en cada estadio de la sociedad tecnológica. Cualquier otro empeño de mejorar cualidades o conocimientos que no tuvieran que ver con esa singular competencia habría de ser penalizado, al ser contrario a los intereses colectivos de la especie. Los seres humanos se organizarían así de un modo similar al de un hormiguero, con plena conciencia de las necesidades y competencias de cada miembro del mismo, quizá con refuerzo genético añadido para llevar a sus límites superiores esas capacidades. Habría individuos ocupados en la toma de decisiones, en la generación de conocimiento y progreso, en la dinamización de las interacciones, etc. todos y cada uno poseyendo capacidades innatas en cada tipo de tarea. El conjunto de los individuos del hormiguero trabajaría en aquello que desarrollase sus mejores competencias, a modo de Un Mundo Feliz[234] pero sin necesidad de manipular embriones para ajustarlos a las necesidades decididas por el colectivo; la naturaleza y la serendipia seguirían teniendo el control a este respecto. Esa organización debería asegurar que el rol de la especie humana quedara preservado, durante un tiempo extendido al menos, frente a las generaciones de autómatas inteligentes. Los seres humanos movilizarían lo mejor de sí mismos para hacer frente a la nueva inteligencia superior en el planeta.

Muchos de los trabajadores que podrían dejar de ser competitivos en sus tareas frente a las habilidades de los autómatas, podrían seguir siéndolo en otras tareas para las que poseen capacidades innatas que han sido ignoradas. Aquellos trabajadores que pudieran enfrentar la oferta funcional de los autómatas deberían ser empujados a mantenerse en activo, y a explotar hasta donde fuera posible esas genialidades, ya se tratase de su capacidad creativa o de su habilidad balompédica. En plena batalla por salvaguardar nuestro papel en el mundo, ignorar nuestras mejores habilidades sería entregar las armas y resignarnos a pelear con palos y piedras. Frente al desafío de máquinas capaces concebidas para ser eficientes, opondríamos humanos dotados de todo tipo de singulares habilidades que les harían igualmente eficientes en ciertos desempeños. Ejércitos de individuos geniales, los mejores de la especie para cada tarea asignada. La evolución ha hecho mucho por desarrollar las capacidades del ser humano, de manera conjunta y pensando en la mejor adaptación al medio y supervivencia de los individuos. Ese proceso sería ahora dirigido para intensificar mutaciones y características intere-

234 *Un Mundo Feliz*, Aldous Huxley.

santes, haciendo que las necesidades de la sociedad tecnológica fueran el motor y el filtro de cambio en la especie.

El talento de muchas personas pasa desapercibido a lo largo de todas sus vidas mientras se marchitan en tareas que la suerte o el deseo irracional les llevó a elegir para asegurar un salario, sin tener cualidades excepcionales para su desempeño. Es una doble pérdida para la sociedad, y una ayuda adicional para favorecer la multiplicación de máquinas y algoritmos capaces, diseñados para hacer inmensamente bien un cierto tipo de trabajo en el que son competentes por diseño. Los humanos podrían ser también geniales en algún desempeño, además de mantener su habilidad general en un sinfín de tareas, una combinación que podría resistir desafíos de máquinas y algoritmos capaces. Quizá los autómatas puedan enseñarnos el camino de la perfección o, al menos, el modo de ser trabajadores mucho más eficientes y personas más felices, después de todo.

HACERNOS BIÓNICOS

Las máquinas y algoritmos capaces serán, antes o después una realidad cotidiana, es sólo cuestión de tiempo y de circunstancias más o menos favorables. Pero esas máquinas habrán sido concebidas por humanos, los mismos humanos que podrán extender sus capacidades biológicas hasta hacerlas parangonables a las de los autómatas. Si podemos desarrollar una nueva especie inteligente también deberíamos ser capaces de alcanzar similares cotas de inteligencia. ¿Quién dijo miedo? Pongamos en nuestros cerebros una nueva capa de materia sobre el neocórtex, y añadamos una panoplia de implantes que conviertan nuestros organismos en la mejor combinación de máquina y algoritmo biológico-tecnológico. Si la tecnología ofrecerá su ayuda para mejorarnos, también la genética podrá echarnos una mano con ese mismo objetivo. La sinergia de ciencia y tecnología con nuestra biología será permanente y no tendrá vuelta atrás posible, una fórmula que será llevada continuamente hacia nuevos límites. Y no será necesario que nos convirtamos en mutantes ni en androides desquiciados, sino que vayamos ajustando la fórmula biológica con dosis crecientes de conocimiento, intercambiando materiales y respetando las formas y funcionalidades, o cualquier combinación entre esos parámetros. Los exoesqueletos, por ejemplo, podrían convertirse un día en la estructura de soporte física cotidiana de cada individuo, obviando las limitaciones de los huesos biológicos de serie, pero sin dejar de ser lo que eran, en primera instancia. Y lo mismo para todo tipo de órganos y funciones, aprovechando además la conocida plasticidad del cerebro para aceptar ese tipo de cambios. Gracias a la biónica el cuerpo y la mente del ser humano podrían alcanzar cotas desconocidas hasta, quizá, poder enfrentar sin esfuerzo los escenarios que hoy nos parecen desafíos complejos. Al hacernos biónicos, parte tecnología y parte humanos, el interés de las máquinas y algoritmos capaces por nosotros, así como el nuestro por ellos debería aumentar, sea en un sentido u otro. Los centros de biónica del futuro podrían convertirse en el lugar de peregrinaje para los seres humanos, pero también para los autómatas; serían centros donde podría darse el acercamiento entre especies, incluso cierto hermanamiento. Los humanos acudirían en busca del milagro de la supervivencia mediante la evolución acelerada y los autómatas en busca de sentimientos y emociones.

Los individuos mejorados, con funciones añadidas a la biología de serie, y siempre preparados para el siguiente implante y correspondiente estímulo, deberían tener poco que envidiar a las máquinas capaces. La biónica, por lo tanto, consistiría en jugar con las mismas armas, asumiendo la tecnología milagrosa para adaptar a los humanos a una velocidad equiparable a la evolución de las máquinas, permitiéndoles convivir en un mismo nivel de capacidades y talentos. Los cambios evolutivos tradicionales que requieren establecer multitud de nuevos patrones y conexiones neuronales mediante estrategias de prueba y error y con tiempos enormes para su éxito, serían puenteados. A semejanza de máquinas y algoritmos capaces, un día el ser humano podría obtener nuevo conocimiento de manera instantánea, incorporándolo en tiempo real, en dosis descomunales. De este modo, la tecnología se pondría al servicio de la supervivencia de la especie, en lugar de conspirar para derrocarla. El progreso tecnológico no sólo nos puede mantener competentes e inteligentes, sino que puede confirmarnos como agentes siempre capaces, actualizados permanentemente a la mejor versión de nosotros mismos.

La propuesta de convertirnos en biónicos, en todo caso, tiene sus consecuencias. En particular el riesgo de perder, llegado el día, la conexión con la línea de ascendencia del *Homo sapiens*, para iniciar un nuevo árbol genealógico en el que los ancestros sean máquinas y algoritmos en lugar de personas de carne y hueso. Aunque la transformación ocurriría de manera progresiva, en su proyección a futuro nos iría convirtiendo en cuasimáquinas, con un remanente biológico que no tardaría en llegar a ser despreciable, una reminiscencia sin función aparente, como el apéndice de nuestro intestino. También deberíamos asumir el riesgo de convertirnos en una especie en estado de mutación inducida, con todos los posibles desenlaces para quien abraza la transformación permanente. Por otra parte, y en lo que atañe a la amenaza del desempleo tecnológico, el hombre biónico debería seguir sometido a la lucha por su subsistencia, al revelarse competente para seguir manteniendo el empleo en el tiempo de máquinas y algoritmos capaces. La liberación esencial del ser humano podría no acabar de ocurrir o convertirse en un objetivo menos obvio. El camionero amenazado por sistemas de conducción autónomos podría, gracias a la capa extra de tecnología, convertirse en un conductor extremadamente competente, capaz de mantenerse al volante 24 horas al día, con todos sus sentidos en alerta máxima continua. Pero, ¿debería ser ese el destino del hombre mejorado tecnológicamente, de una criatura capacitada para tareas asombrosas? ¿Qué tipo de progreso sería aquel que nos obliga a conducir vehículos que podrían ser gobernados por algoritmos más o menos simples sin esfuerzo ni conciencia de lo rutinario de su tarea? La apuesta biónica debería tener presente toda una serie de principios que puedan definir un auténtico destino para la especie, más allá de seguir siendo válidos proletarios para la lógica productiva en la sociedad tecnológica.

HUMANOS EMULADOS

Una posible escapatoria al desafío del desempleo tecnológico sería el recurso a humanos emulados, esto es, a copias cerebrales de humanos cargadas en soportes tecnológicos —máquinas y algoritmos—, que se convertirían en nuestras réplicas. Ellos serían más capaces que nosotros al mismo tiempo que seguirían siendo nosotros, por lo que no habría de originarse el temido conflicto hombre-máquina. Cuando los misterios del cerebro humano puedan ser conocidos y reproducidos a voluntad, lo que acabará por ocurrir con el tiempo debido, cada persona podrá ser contemplada principalmente como una estructura de memoria, de emociones, de razonamiento, que podrán ser duplicadas a voluntad. Esas copias, una vez transferidas, se convertirían en humanos emulados, reproducciones tecnológicas de cada individuo que serían idénticas a él mismo y podrían, por tanto, realizar tareas y acciones simultáneas, multiplicando sus capacidades. El uno humano se convertiría en muchos humanos-máquina al mismo tiempo, con la misma personalidad del individuo original al que emularían. Incluso con la capacidad de adaptarse y evolucionar de manera diversa, independiente, cuando sus entornos, experiencias, etc. ejercieran su particular influencia.

Cerebros humanos transferidos a máquinas junto a sus propios algoritmos capaces, personas y autómatas vinculados por «lazos de sangre», toda una nueva noción de unidad familiar en la sociedad tecnológica. En esas familias todos los miembros compartirían el mismo ADN primario, generando gemelos como colecciones de máquinas seriadas, clones humanos mejorados tecnológicamente, máquinas con conciencias biológicas y sentimientos fraternales. Difícil ponerle nombre y desenlace a este tipo de estrategia. El nuevo universo social surgido de la replicación de seres humanos plantearía un infinito de dilemas y paradojas de difícil respuesta, pero, cumpliría las expectativas de salvarnos de nuestra propia obsolescencia, gracias al desempeño de nuestras copias hermanas. Alcanzada la sociedad donde los humanos emulados serían factibles, en cualquier caso, las discusiones sobre desempleo tecnológico o sobre la dualidad del progreso podrían ser sólo conceptos de una historia de la especie humana largamente superada. En ese tiempo, muchas de las incertidumbres que acompañaron al ser humano en su viaje de progreso tecnológico tendrían que haber sido resueltas, o importarían poco en caso contrario, por no ser de interés para quienes habiten el planeta.

LIMITAR LA POBLACIÓN HUMANA

Cuando se haga evidente que el empleo no sólo escasea puntualmente, o como resultado de ciclos económicos determinados, sino como consecuencia de una tendencia subyacente sin vuelta atrás, los nervios podrán jugarle malas pasadas a la especie humana. La ansiedad no será buena ni equilibrada consejera cuando se anticipen circunstancias probables de catástrofe social. Si ya es demasiado tarde para intentar frenar el desempleo tecnológico, entre otros efectos del nuevo paradigma de máquinas y algoritmos capaces, y no hay consenso fácil sobre las medidas de emergencia a tomar, se abrirán las puertas a todo tipo de ideas desesperadas. Sus promotores no necesitarán ser locos, desvariados o populistas extremos, ni erigirse como salvadores de la humanidad o augures de la catástrofe del cambio de milenio —mucho antes de que llegue—. Podrán ser personas absolutamente equilibradas, ejemplos de normalidad y de mesura, pero angustiadas por encontrar soluciones a lo que parecerá una tormenta perfecta.

Si los empleos desaparecen de manera acelerada y la oferta de mano de obra supera con mucho a la demanda, junto a los promotores de acabar con las máquinas y algoritmos capaces surgirán también quienes promoverán, por ejemplo, el control expedito de la población humana. Tanto por sus efectos inmediatos (menos bocas que alimentar, menos recursos que repartir) como por sus efectos progresivos (aumento de riqueza en cada generación al dividir el patrimonio entre menos descendientes). Son lógicas simples que captan fácilmente la atención, sobre todo cuando se está sediento de esperanza, no digamos si las propuestas son formuladas por charlatanes con don de gentes. Las masas de ciudadanos desesperados pueden transmutarse en este tipo de escenarios en masas de moscas hambrientas sin muchos reparos por el tipo de comida que llevarse a la boca o ideas que llevarse al interior de sus conciencias. Si el progreso tecnológico y la sociedad del bienestar han favorecido que las sociedades desarrolladas reduzcan su descendencia, haciendo que los nacimientos sean insuficientes para corregir los impactos de una población envejecida, ese empeño podría impulsarse activamente hasta niveles insospechados. Y se haría fomentando, al mismo tiempo, el trabajo de los autómatas para remplazar el papel de los trabajadores humanos en la economía productiva. Las justificaciones para reducir la población no tendrían por qué ser, por lo tanto, una propuesta enloquecida. Desde una perspectiva diferente, la de protección del planeta de los desastres inducidos por el hombre, algunas voces promueven ya esta idea (movimientos en favor de la extinción humana voluntaria). Es un debate posible como especie, evidenciados los desastres que la humanidad tecnológica es capaz de inducir y, sobre todo, es un debate todavía tranquilo, no gobernado por la desesperación de las urgencias de un futuro desequilibrado.

Si faltan empleos, y la población mundial sigue en aumento, entonces la limitación de esa población se convertirá por necesidad en una idea fuerza para ciertos colectivos. Porque otras alternativas de «política inmediata» para atajar las emergencias podrían ser juzgadas todavía peores. Imponer políticas de cero hijos o hijo único podría ser, dentro de su dificultad, más factible que inventar nuevas categorías de empleos de la nada o asumir el fin del trabajo y sus consecuencias en el bienestar de las sociedades. Si se aceptara la premisa de reducir población de manera acorde al desarrollo de máquinas y algoritmos capaces, los desafíos tampoco serían menores. Pronto surgirían grupos enfrentados que defenderían todo tipo de velocidades para el proceso, desde una pausada y tranquila intervención, hasta otra acelerada y sin titubeos; o que patrocinarían unos métodos u otros para llevar a cabo el control de poblaciones, incluidos aquellos que podrían recordar argumentos de películas de terror o ciencia ficción de serie B. Las historias de nuevas matanzas de inocentes como aquella de Herodes, las de sociedades secretas que acogerían la prole de los ciudadanos más pudientes, o las de las bulas para quienes su fortuna asegurase una subsistencia sin necesidad de trabajo ni de consumir recursos del estado, podrían convertirse en algo más que tramas de ficción.

La llamada a la reducción de la población por parte de sus patrocinadores podría no solo evitar sonar excesivamente dramática, sobre todo con el marketing y el sostén psicológico adecuados, sino incluso presentarse como un canto a la modernidad. Si los neonatos habrían de sufrir la miseria galopante a lo largo de sus vidas, pasando calamidades para alcanzar la mera subsistencia en un mundo que ya no estará hecho a la medida del hombre, ni tendrá espacio para el remanente de individuos de la especie, entonces lo más justo y bondadoso podría ser evitarles esa existencia. ¿Suena terrible? Las propuestas para reducir población en un escenario de desempleo masivo y miedo al futuro tendrían seguro sus discípulos y sus incondicionales. No desde nuestra perspectiva de ciudadanos acomodados del presente, sino desde la de individuos angustiados en un futuro menos sublime. Ya en la actualidad, este tipo de argumento está en la mesa de discusión, en lo referente a las poblaciones siempre crecientes en países pobres y subdesarrollados. Y la lógica de salvaguardar la riqueza restringiendo el acceso a la misma para una minoría de sociedades, es también de aplicación en buena parte del mundo desarrollado. Las políticas de inmigración son el mejor ejemplo. La sociedad ha decidido (tolerado) que, pese a lo dramático de la situación, sólo aquellos inmigrantes económicos que puedan ser acogidos sin gran impacto en el bienestar colectivo sean bienvenidos. Ni uno más. Y esta lógica conlleva la aceptación, sin excesivo tormento, de las consecuencias: millones de personas condenadas a la pobreza y a la miseria. Si el discurso moral tiene sus excepciones frente al bienestar, más aún lo tendrá cuando la supervivencia esté en juego.

MEDRAR EN EL ESPACIO

Cualquier referencia a excedentes de población y trabajadores, o escasez de recursos, que harían peligrar el futuro de la especie podría ser sorteada por la vía rápida de cambiar de planeta, o de colonizar otros mundos. Sin olvidar tampoco la vida en estructuras espaciales orbitando la Tierra o sus satélites, así como la incautación de nuevos recursos más allá de la estratosfera (asteroides y otros cuerpos espaciales) para su explotación en serie. Las estimaciones del total de población para mediados de siglo son de casi diez mil millones de almas, a un ritmo de crecimiento de más de 150 individuos adicionales sobre el planeta cada minuto[235]. Si buena parte del excedente de población, en particular, trabajadores desempleados, pudiera ser invitada a cambiar de planeta, pasando a convertirse en población exógena a la Tierra, adscrita a códigos postales espaciales, la presión demográfica y social se reduciría considerablemente. Esas colonias, además, podrían servir de áreas de experimentación de diferentes propuestas sociales para enfrentar los impactos del progreso tecnológico, sirviendo de *benchmarking* para el resto. Aunque también es cierto que, en lo que respecta al problema del desempleo tecnológico, éste podría viajar con ellos allá donde fueran, por lejos que llegasen. La saga de máquinas y algoritmos capaces podría acabar siendo la parte inevitable, si no esencial, de esas tripulaciones, gracias a su diseño concebido para vivir y trabajar fuera de la atmósfera terrestre. Los pobladores del espacio y de las colonias en otros planetas tendrían, en todo caso, la oportunidad de instaurar sus propios sistemas sociales, políticos y económicos, de manera autónoma, en los que decidirían si el trabajo humano podía pasar a la historia o no y en qué condiciones, en particular el rol y estatus conferido a personas, máquinas y algoritmos capaces. Y podrían decidirlo sin necesidad de conseguir el consenso del resto de poblaciones humanas. En cierto modo, seguir apostando por un desarrollo y un consumo exorbitante y descontrolado, teniendo en cuenta lo finito de los recursos del planeta y el reto de procurar bienestar para un número creciente de personas y crecientes necesidades, implicará inevitablemente salir a conquistar el espacio y explotar sus recursos, no ya por afán de conocimiento o expansión del perímetro de influencia de la especie sino por pura necesidad logística. Es probable, en cualquier caso, que colonizar otros mundos para solucionar los desequilibrios de la especie humana sea una visión en exceso antropocéntrica y nada obvia para una conciencia e inteligencia superiores.

---

235 https://www.populationinstitute.org/programs/gpso/gpso/

Quizá la opción transitoria y algo vergonzosa para mantener competitivos a los humanos pudiera consistir en recurrir a la obsolescencia programada para todos los productos tecnológicos avanzados, por ley y sin excepciones. Esta obsolescencia ha sido el recurso comercial estratégico de no pocos fabricantes para asegurar que sus productos no superasen una cierta vida útil, de manera a asegurar que sus ventas y beneficios mantuvieran la proyección deseada. Esa estrategia podría ser ahora aplicada para evitar que las máquinas y algoritmos capaces pudieran llegar a ser amortizados de manera ventajosa por parte de sus propietarios, favoreciendo la contratación de trabajadores humanos. Esto significaría alterar su coste de mercado sin necesidad de intervenir las lógicas productivas, los beneficios, etc. de cada empresa ni otras acciones con objetivos reequilibradores. En aquellas industrias donde el riesgo de desempleo tecnológico se evidenciara como demasiado elevado, se exigirían obsolescencias aceleradas de los autómatas, y, por tanto, inversiones regulares para reemplazarlos, lo que haría que su precio acabara siendo menos competitivo en referencia al binomio coste-eficiencia de la mano de obra humana. Naturalmente, como cualquier ley seca, se generaría un riesgo cierto de mercado de agentes ilegales dispuestos a cancelar esa obsolescencia, además del correspondiente cuerpo de policía especializada para perseguir esos actos criminales. Las sanciones para quienes pretendieran alargar la vida de los autómatas con el objetivo de seguir empleándolos serían ejemplares, pues constituirían un riesgo global para toda la especie. Su acción no sólo sería ilegal per se, sino que pondría en riesgo los equilibrios del mercado capitalista basado en el consumo de los ciudadanos gracias a los recursos obtenidos por su trabajo. La evolución acelerada de la tecnología, sin embargo, podría hacer que la estrategia de la obsolescencia programada fuera sólo una entelequia. La vida entre un producto y su versión avanzada, a pesar de estar separados por grandes saltos tecnológicos, podría ocurrir en tiempos demasiado breves en la sociedad tecnológica, lo que haría difícil instaurar obsolescencias programadas a ese ritmo endiablado.

MERCADO NEGRO PARA HUMANOS

Entre las cosas que las máquinas y algoritmos capaces no podrán hacer, por quedar bloqueadas en su diseño de base, podrían encontrarse actividades de interés como solución de último recurso para que los humanos salgan adelante. Podríamos asumir, por ejemplo, que los autómatas estarán incapacitados para ejecutar trabajo en negro, una alternativa no solo ilegal sino precaria, pero ya hoy solución laboral para una masa de personas nada desdeñable desalojadas de otro tipo de opciones laborales. La supervivencia de muchos trabajadores desplazados podría quedar asegurada gracias a ese tipo de tareas invisibles y, sin embargo, omnipresentes, que evitan la explosión de dramas sociales o el recurso a la caridad y la ayuda de los estados. Opción previa también a soluciones aún más desesperadas. En la futura sociedad de máquinas y algoritmos capaces, eficientes y disciplinados, respetuosos hasta con la letra pequeña de la ley que residirá en su memoria, los seres humanos podríamos ser los gestores de un inmenso mercado de trabajo negro. En ese mercado, la transgresión de las normas sería la pauta fundamental para una ventaja competitiva exclusiva, y para el correspondiente beneficio a cambio del riesgo asumido. El mercado negro en la sociedad tecnológica podría tener dimensiones nada desdeñables y dar por ello solución de empleo a humanos sin excesivos reparos por las normas del derecho. La venta ilegal de ciertas tecnologías bajo control gubernamental o prohibitivas para una mayoría de ciudadanos, podrían convertirse en segmentos clave de sus negocios. También para todo tipo de pseudoprofesionales —aprendices de Frankenstein sin mayores escrúpulos— dispuestos a facilitar el acceso a ciertas tecnologías a personas sin los suficientes recursos o las debidas autorizaciones, controles o registros prescriptivos. Puede incluso que en el futuro haya naciones enteras donde sus ciudadanos vivan rematadamente bien porque consiguieron convertirse en paraísos tecnológicos, tras haber dejado atrás la idea de ser lugares poco exigentes con la procedencia del dinero depositado en sus entramados financieros.

Los algoritmos que podrán lidiar de manera eficiente con tareas ingratas, como las declaraciones de impuestos y otras gestiones administrativas, están ya a la vuelta de la esquina, amenazando ciertos sectores profesionales. Será imposible competir con ellos, si se visa únicamente la relación calidad-precio o el ajuste preciso a la normativa. Sin embargo, podría haber todavía espacio y demanda para los profesionales humanos, en particular para quienes puedan llevar a cabo esos trámites añadiendo una dosis de picaresca más o menos legal, o de «fiscalidad creativa». La paradoja bien podría ser que los gestores más ajustados a la legalidad vigente y cumplidores a rajatabla de las normas fiscales sean los primeros en ser reemplazados por algoritmos especializados, mientras aquellos capaces de imaginar y encontrar soluciones más escurridizas puedan prosperar incluso en los tiempos de la inteligencia artificial y los algoritmos capaces. Sin olvidar que el ser humano no cejará en su intento de aprovechar la tecnología a su favor, también en aquellas actividades al margen de la ley en las que buscará refugio. La combinación de uso de la tecnología sin prejuicios e inteligencia sin miramientos podría ser ganadora, aún si arriesgada.

En el futuro próximo de la sociedad mediatizado por el Internet de las Cosas, donde prácticamente cada pieza de equipo, cada máquina, cada objeto estará localizado y controlado en permanencia, será difícil conseguir que los autómatas trabajen de manera ilegal o al margen de la cadena global de supervisión y mando. Esas acciones requerirán de genialidad y conocimientos para aprovechar misteriosas puertas traseras por las que colarse en las entrañas de esas inteligencias y alterar temporalmente sus conciencias. O la habilidad de localizar debilidades filosóficas y de razonamiento lógico en sus enormes fuentes de instrucciones, y aprovecharlas de manera interesada, lavándoles algunas áreas del cerebro para la propia causa. El esfuerzo técnico requerido para localizar lagunas en sus series de complejos axiomas no estará al alcance de todo el mundo, pero el reto será todo un estímulo para tantos ciudadanos ociosos. La naturaleza biológica del ser humano parece permitirle sin mayores apuros la convivencia con un cierto nivel de incongruencia, hipocresía o relajación ética. Incluso en la sociedad tecnológica de Grandes Hermanos Panópticos, con sistemas de control permanentes y ubicuos, un trabajador humano podría optar a ejercer actividades al borde de la ley sin que su desempeño fuese delatado de manera inmediata. El ser humano contará con la conciencia y la libertad personal para no respetar la ley, o hacer una interpretación holgada de la misma, algo imposible por diseño para los autómatas y su estructura binaria. Los trabajos al borde de la ley, o directamente ilegales, podrían ser un último resorte para la subsistencia, y en algunos casos para acaparar inmensas fortunas. La ilegalidad ha amparado siempre a no pocos triunfadores.

PROPUESTAS DESESPERADAS

La lista de soluciones de último recurso podría ser tan grande como la imaginación y la voluntad de cada persona tolerase y permitiese, en un elenco de propuestas que abarcarían desde lo meramente improbable a lo muy fantástico. El ejercicio no requiere más que situarse mentalmente en la desesperanza personal y colectiva en un mundo donde, por ejemplo, otros agentes inteligentes nos hayan derrotado en la batalla de las habilidades sin que hayamos hecho nada sensato para garantizar nuestro papel en el mundo. Las propuestas desesperadas son además un frívolo ejercicio, pues no permiten discusión sino apenas un mínimo hilo de consuelo. Se trata únicamente de componer redenciones cuasimágicas para mantener la especie mínimamente a flote, antes de ser tragada por el océano o ser devorada por los tiburones. El objetivo sería confortarnos, sosegarnos o irritarnos tanto como para hacernos reaccionar en busca de finales más felices, a nuestro alcance. Imaginar el peor de los mundos y las terminales situaciones en las que acabaríamos encontrándonos podría ser la bofetada que necesitamos para despertar a las amenazas que el progreso conjura y cuya reflexión vamos postergando en una marea de asuntos banales y cotidianos.

Al especular sobre los desafíos en escenarios de futuro se hace factible especular sobre la manera de evitarlos o las posibilidades de gestionarlos. Al divagar sobre propuestas desesperadas se pone el foco en los riesgos de no hacerlo o no intentarlo siquiera. En un tiempo que todavía no existe ni ha existido, nada es imposible ni su contrario, sobre todo a la luz de un progreso tecnológico que se promete vertiginoso. La opción más cómoda y tentadora para la humanidad podría ser, por ello, especular sobre soluciones asombrosas que hoy desconocemos pero que confiamos seremos capaces de hacer realidad. Aunque sería, cuando menos, poco instructivo fiarlo todo a la brujería. En su lugar, podemos abrir las puertas a cualquier tipo de distopía que nos asome a los profundos pozos negros que el destino ha colocado en ciertos senderos. Sólo tendríamos, por ahora, que seguir la fantasía e imaginar las herramientas necesarias para evitarlos o escapar de ellos si acabáramos cayendo. No hay límites ni reglas, sólo contención en cuanto a la magia disponible. Soluciones como reducir progresivamente la talla de los seres humanos hasta alcanzar el tamaño de pequeños insectos, o incluso de parásitos, bacterias o virus se encontrarían hoy por hoy en el reino de lo inaceptable. Eso no impide que el concepto de minimizar nuestras necesidades y nuestros impactos hasta el reino de lo microscópico, a la par que mantener nuestro progreso tecnológico a la escala de lo gigantesco, no sea interesante. Hacernos más invisibles sobre el planeta reduciendo nuestro tamaño podría llegar a ser técnicamente posible, aunque hoy implicaría romper demasiados límites razonables para su postulado. Esta y otras ideas del mismo tipo habrían de quedar, por el momento, en el campo de la fantasía, pero llegado el caso podrían ser incorporadas a la discusión sobre la magia indispensable para asegurarnos un futuro.

CRIOGENIZACIÓN

Si llega un nuevo invierno permanente para la humanidad, un periodo glaciar para las personas en las sociedades tecnológicas en el que nada parezca reconfortarnos frente al frío y la oscuridad, quizá el ejemplo del oso y su hibernación nos resulte tentador. La ciencia y la tecnología ya nos proponen, en la actualidad, soluciones de criogenización por las que nuestros cuerpos, o nuestros cerebros, pueden ser mantenidos en tanques de frío tras haber fallecido, a la espera del momento en el que las enfermedades incurables o la propia enfermedad de envejecer sin remedio hayan sido solventadas o puedan ser gestionadas. El esfuerzo de investigación sobre estas técnicas de conservación es considerable, intentando probar fehacientemente su capacidad de lograr el viaje de retorno a la vida sin sufrir daños o deterioros notables en los tejidos y en la información vinculada a ellos, a causa del proceso. Ese trabajo debería acabar consiguiendo sus objetivos, más tarde o más temprano. Si los plazos son adecuados y no existe mejor proyecto colectivo, podríamos suspendernos criónicamente y apostar por un futuro en el futuro. Sería posible de ese modo soñar con despertar en un mundo donde la carrera por la inteligencia, una vez consolidada, hubiera generado un mundo habitable para los humanos; o donde esa competición hubiera acabado con los rivales o les hubiera impulsado a colonizar otros mundos, abandonando éste. En ese caso, se podría alcanzar un nuevo punto de partida para la humanidad, una segunda oportunidad. También podría considerarse la estrategia opuesta, renunciar a este planeta haciendo que la población humana encapsulada en naves espaciales fuera enviada en todas las direcciones posibles a colonizar el universo, y que su despertar desde el frío ocurriese en algún lugar inhóspito del espacio tras el tiempo programado. Cada nave sería una semilla de colonización de otros mundos, una espora que tendría una oportunidad ínfima de portear vida humana a otros mundos y colonizarlos, pero distinta de cero.

NEOFEUDALISMO

Si no somos capaces de alterar el estado de cosas en el previsible futuro y las actuales tendencias (automatización, desigualdad económica) acaban guiándonos a ese nuevo tiempo, puede que sólo nos quede acomodarnos a esa triste realidad lo mejor que podamos, como ya hemos hecho en otros momentos de la historia. Podemos imaginar, por ejemplo, que ese escaso porcentaje de mega triunfadores de las futuras sociedades tecnológicas serán tan inmensamente ricos como para generar su propia economía benefactora, a modo de nuevos señores feudales de los tiempos modernos. Entorno a sus castillos y sus tierras se cobijarían toda una cohorte de siervos y lacayos, expulsados de cualquier posibilidad de salir adelante por sus propios medios o de defenderse frente al ataque de cualquier villano. Dedicarían sus vidas a servir a su amo y visionario tecnológico, atendiendo cualquiera de sus necesidades o caprichos, haciendo de ese desempeño la única salvaguarda de su existencia. Los nuevos siervos no sólo prepararían la comida del señor, gestionarían su agenda, lidiarían con sus rutinas, fomentarían su bienestar, organizarían su vida o explotarían sus propiedades. También le servirían de cobayas para sus experimentos, innovaciones, dispositivos, etc., y serían sus fieles tropas para conquistar a las masas, batallando en las redes bajo la bandera de su feudo.

El feudalismo que ya dábamos por largamente superado y bien enterrado en los libros de la historia podría, de este modo, revivir en pleno tercer milenio como arreglo social de emergencia. Dicen los historiadores que el modelo feudal colapsó como resultado, entre otros factores, de un déficit demográfico (por los estragos de la peste negra que diezmaban la población trabajadora). Habría ocurrido entonces que el número de trabajadores disponibles para cuidar de las tierras de cultivo se hicieron insuficientes, lo que impulsó el aumento de sus salarios y expectativas, dinamitando el sistema de obligaciones feudales impuestas con la fuerza y la falta de alternativas. El neofeudalismo en la sociedad tecnológica no tendría esos problemas, con una oferta de mano de obra —humana o tecnológica— siempre excesiva, además del ciertamente menor número de epidemias masivas según los vaticinios previsibles. Si solicitar acogida en el castillo de un señor feudal a cambio de servirle llegara a ser la salvación para la especie, o para ciertas poblaciones, la situación podría perdurar sin riesgo de colapso evidente. Imaginarnos como vasallos en la sociedad tecnológica no parece el mejor desenlace para la especie, sin embargo. Puestos a servir a alguien, quizá debiéramos considerar la opción de inteligencias superiores.

TRABAJAR COMO ANIMALES

Si ha habido un tiempo en el que las máquinas han ocupado aquellos trabajos más duros, pesados, repetitivos, peligrosos, porque eran simples máquinas y pobres comparaciones ante el portentoso milagro biológico del ser humano, en el tiempo de las máquinas y algoritmos capaces la situación podría revertirse. Podríamos asumir que habrá simples máquinas para seguir haciendo trabajos simples, pesados y rutinarios, y máquinas complejas para hacer aquellas tareas que aseguraban tiempo atrás profesionales humanos. Y, por supuesto, máquinas capaces que harán cosas que nunca pudimos hacer ni llegamos a imaginar que otros harían. Pero si la exponencialidad hace su trabajo, puede que las máquinas simples desaparezcan, como desaparecieron las especies humanas menos evolucionadas que el *Homo sapiens*. Porque será esencialmente barato, despreciable en términos de coste de producción, hacer que cualquier máquina tenga una inteligencia superior, quizá con una simple conexión a la nube global, donde residirá tanta capacidad inteligente como podamos desear. Llegado el caso, cualquier máquina, incluido el más simple cepillo de dientes podrá tener más conocimiento que cualquier ser vivo, utilizándolo o no según las circunstancias. En ese escenario puede que las máquinas ya no estén dispuestas a realizar ciertos trabajos, al fin y al cabo, ningún humano hoy en día, por fuerte que sea, vendría utilizado para ciertas tareas físicas, independientemente de su cociente intelectual. Es una decisión colectiva de la especie humana proteger a sus individuos de ciertas actividades que se consideran impropias, y son cargadas sobre las espaldas de otros animales o de las máquinas. El día de mañana el ser humano podría retroceder en esas decisiones para volver a desempeñar las tareas más simples delegadas a las máquinas cuando éstas estaban a su servicio, antes de hacerse infinitamente capaces. Las razones que existieron para delegarlas en otros agentes habrán expirado y toda una serie de argumentos podrían justificar que nos ocupemos de nuevo de ellas.

HUMANOS COMO MASCOTAS

La nueva generación de seres inteligentes, de máquinas y algoritmos capaces, deberían mostrar, conforme aumenten sus dotaciones intelectuales, todo tipo de debilidades psicológicas, como les ocurre a los humanos y a otros seres vivos. De hecho, por lo que sabemos, las debilidades que atenazan a los cerebros más complejos son más numerosas y profundas que las de aquellas dotaciones cerebrales más simples dedicadas a una existencia esencialmente plana, de acción y reacción. Los seres humanos somos animales sociales y, por norma general, disfrutamos el tiempo que compartimos con otros semejantes; esta enfermedad podría afectar también a inteligencias superiores. Por eso, no se puede descartar que los autómatas de mañana agradezcan tener una especie inferior de la que ocuparse, con la que intentar conjugar sus afectos y emociones, con la que encariñarse. Una vez que los robots se hagan no sólo inteligentes sino empáticos y sociales, podría darse la paradoja de que les guste compartir sus jornadas entre humanos, o quizá ser atendidos, entretenidos por individuos de carne y hueso, inteligentes hasta cierto punto enternecedor, curiosamente emocionales. Igual que nos ocurre a nosotros con nuestras propias mascotas, es posible que se sientan extremadamente reconfortados recibiendo atención, compañía leal y sin excepciones; a cambio de hacer de esos compañeros parte de la familia y asegurarles comida y cuidados. Hoy puede parecernos un desenlace sonrojante para los miembros de la especie que ha dominado el planeta, pero ya otras especies han pasado por este trance. Ahí están los delfines saltando por encima de cuerdas y aros, y mostrándose como adorables criaturas para los niños; o los chimpancés, haciendo de modelos tras los cristales para que las familias fotografíen sus comportamientos, tan extrañamente parecidos a los nuestros.

Al igual que a las personas nos gusta, por ejemplo, compartir nuestras vidas con otros seres vivos a los que denominamos mascotas pero que, en no pocas ocasiones, acaban ocupando el centro de nuestras vidas, los humanos podríamos aspirar a un lugar preeminente en los hogares de muchos autómatas. Si bien la unión de igual a igual con nuestras mascotas no ha pasado a ser norma sino comportamiento aberrante, las relaciones personales entre autómatas y seres humanos podrían llegan a ser categorizadas como aceptables. Pero es también posible que una vez conozcamos a esos agentes superdotados, descubramos que nos separa una distancia interespecies mucho mayor que la que nos separaba a nosotros de perros y gatos. La conversación, aunque factible, podría ser todo un reto y más que limitada por nuestra parte, no digamos otro tipo de actividades más allá del equivalente a correr en busca de un palo o perseguir una pelota de goma. Configurar grupos familiares de humanos junto a autómatas resultaría bizarro, aunque la estrategia podría asegurarnos, a cambio, la posibilidad de seguir ocupando un espacio en la sociedad tecnológica, como compañeros, amigos o juguetes para cumpleaños.

No hemos de perder de vista tampoco que, igual que el ser humano ha consentido como especie superior que otras especies sobrevivan alimentándose de los recursos que provee la naturaleza, incluso protegiendo sus territorios y ecosistemas en el mejor de los casos, una más avanzada especie inteligente podría actuar también de manera generosa. Desde este símil, los autómatas podrían dejar que sobreviviésemos a nuestro libre albedrío, en nuestras propias ciudades-reserva, que serían protegidas como patrimonio colectivo del planeta. Es de suponer que podrían hacerlo mientras esa convivencia no les causara excesivo perjuicio, no pusiéramos en peligro recursos valiosos para su desarrollo, no representáramos otra opción más ventajosa para su existencia, etc. En el mejor de los casos, podríamos contar con su apoyo y protección indefinidos; en el peor de los escenarios, con nuestra extinción, debido a razones tan variopintas como su ánimo de divertirse cazándonos, sometiéndonos a procesos de transformación química para recuperar ciertos átomos de interés o exhibiéndonos en espectáculos que les resultaran intelectualmente estimulantes o les ayudaran a relajarse tras exhaustas jornadas de trabajo. Al menos esto es lo que debería considerar como razonable el ser humano según su propia historia. Pero si la inteligencia va unida a la consideración por otras formas de vida y de inteligencia, el escenario pesimista sería una sinrazón indiscutible. Las generaciones de máquinas y algoritmos capaces habrían de aceptar de buen grado su obligación de cuidar de quienes les precedieron en la pirámide evolutiva, aunque solo fuera por si un día tuviéramos que volver a inventarlos.

Hay acontecimientos inesperados de tal magnitud que hacen que todas las tendencias observadas queden en suspenso o sean superadas. Son los saltos al vacío en la historia. Además del avance inevitable de la automatización y sus impactos, la sociedad podría caer en todo tipo de situaciones que generarían conjuntos de riesgos y oportunidades insospechados. Si bien el problema del desempleo tecnológico puede ser una bomba de relojería, también lo son, por ejemplo, los riesgos asociados con el cambio climático y la pérdida de los equilibrios de nuestra biosfera. O quizá hayamos de atender el efecto de una nueva glaciación que sacuda nuestra convivencia si el sol decide variar ligeramente la energía emitida o si su relativa tranquilidad queda perturbada. No es descabellado tampoco plantear que un meteorito u otro cuerpo celeste acabe impactando, después de interminables augurios, la Tierra; que algún fenómeno relacionado con la magnetosfera terrestre trastorne las pautas de coexistencia; o que los científicos terminen por encontrar formas de vida en otros planetas. Junto a toda la serie de desastres sociopolíticos que pueden conducir a catástrofes globales, gracias al poder destructor de la tecnología. Los seres humanos están especialmente dotados para iniciar este tipo de conflictos, en ausencia de otras amenazas externas, por causas tan simples como la escalada incontrolada de ciertas sustancias en los organismos de sus gobernantes o su mal juicio. Puede que mientras nos preparamos para la era de las máquinas y algoritmos capaces cualquiera de esos eventos u otros conviertan la Tierra en un planeta hostil para la vida o la convivencia, y que todo se sume a un ambiente propicio para el conflicto social y el caos absoluto. La pérdida de bienestar, seguridad y estatus quo para el común de los individuos de la especie no sería a consecuencia de la inteligencia superior de los autómatas sino de nuestras propias incapacidades. La cuestión del desempleo tecnológico podría pasar a ser irrelevante frente a los planteamientos maximalistas de redefinición de la viabilidad y condiciones de existencia de los seres humanos en esos contextos de catástrofe. En caso de conflicto global y altamente destructivo, los supervivientes, fueran máquinas y algoritmos capaces sorprendidos por la insensatez de sus progenitores, seres humanos atormentados por el desenlace de sus actos, o inteligencias de todo tipo asombradas por el poder de sus impulsos irracionales, habrían de reconstruir la convivencia, el conocimiento, los recursos para asegurar un entorno favorable a la vida consciente. Un punto cero, desde un nuevo pecado capital como hito de partida. Esos supervivientes no deberían verse diferen-

tes a sí mismos, fuesen hombres o máquinas, sino como colonos de
un nuevo mundo, salvados de un modelo fallido.

VIDA VIRTUAL Y ESCAPATORIA REAL

Cuando podamos sentir y hasta recordar vívidamente (sensorial-
mente) experiencias que sólo ocurrieron en un universo virtual, en
un formato de sueños lúcidos a demanda, la historia del hombre
marcará un punto y aparte, para abrir cuando menos un nuevo capítulo, quizá el epílogo que concluya el libro. En la continuación de
ese texto, empezará a transcribirse una historia multidimensional
que tendrá en cuenta las posibilidades de existencia en universos
paralelos, sin restricciones físicas ni de otro tipo, accesible a todo
individuo y a sus deseos. Programar espacios de placer para nuestros
sentidos, de exaltación intelectual para nuestras neuronas o simples
rutinas en las que podremos creer que comemos tres veces al día o
somos el centro del universo, será un juego de niños nada precoces.
   Los universos virtuales serán anestesiantes por diseño, permitiendo que nos evadamos de la realidad en la medida que deseé-
mos o necesitemos para esquivar la angustia. Siguiendo la pauta de,
por ejemplo, drogas y psicotrópicos que estimulan o inhiben ciertos
receptores mentales, a costa de quedar seducidos por rutinas destructivas en la mayor parte de ocasiones. La realidad virtual ofrecerá experiencias físicas, mentales, emocionales que podrán ser
transcendentes, medicinales, transformadoras. Aunque no sean
aptas ni aceptadas por todos, podrían ser la norma para la evasión
de la realidad cotidiana y de supervivencia en un mundo que ya
no estará hecho a nuestra medida. Según el experimento mental
de Robert Nozick, las personas no querrían estar conectadas a una
máquina para vivir perfectas fantasías[236], pues las personas queremos hacer ciertas cosas y no sólo tener la experiencia de hacerlas. Además del placer en sí al realizar una acción, otras variables
serían claves en la motivación de la vida humana, como el tipo de
personas que queremos llegar a ser, lo que otorgaría un sentido a la
vida. Este experimento, en todo caso, también tiene sus refutacio-
nes. El futuro nos informará si los ciudadanos elegirán pasar buena
parte de su tiempo, sino todo, en la realidad real o en una virtual

---

236 *Experience Machine or Pleasure Machine,* Máquina de Experiencias o del Placer.

cuyas reglas de juego ellos mismos habrán podido controlar. Elegir entre asumir el sentido original de la vida o configurar a voluntad un sentido para las vidas virtuales que mantengamos activas serán opciones posibles. Por el momento, y siguiendo la argumentación de Nozick, podríamos aceptar que queremos ser un tipo determinado de persona con todas sus consecuencias, incluso si el final no es precisamente feliz. Y también que conectarse a una máquina de experiencias nos limitaría a una realidad concebida por el hombre. Aunque con matices. Si la situación fuera desesperada quizá lo que queremos ser no sería una fuerza tan poderosa como seguir siendo; y también es posible que en el tiempo futuro de los algoritmos capaces su imaginación no sólo sea portentosa e inagotable sino sorprendente y asombrosa. Tampoco está escrito que habitar mundos virtuales o reales sea un asunto de libre elección para las personas. Quizá las máquinas, como especulan algunos visionarios, decidan conectarnos a un sistema de realidad virtual para deshacerse respetuosamente del incordio que representamos en su paradigma de existencia. Esa realidad virtual nos mantendría en un sueño continuo hasta que nuestras células envejecieran y se deteriorasen en extremo, como es lo propio al destino de cualquier ser vivo. Sería una manera digna de acabar con una especie insidiosa, peligrosa para el planeta, sobre todo por parte de una civilización avanzada a la que se le presupone bajo nivel de violencia y gran sensibilidad hacia otras inteligencias inferiores.

Si la sociedad humana acaba existiendo mayoritariamente de manera virtual, por decisión propia o de terceros, con vidas que sin ser reales se convertirían en el nuevo paradigma de convivencia, nuestras necesidades de subsistencia quedarían reducidas estrictamente a un conjunto de nutrientes que podría ser organizado de manera expeditiva. Los humanos más afortunados del futuro podrían estar despiertos participando de la sociedad tecnológica y organizándola junto a máquinas y algoritmos capaces, mientras los expulsados de cualquier participación activa vivirían ciegos a esa realidad, en una caverna virtual diseñada a la medida de sus fantasías. Sus días transcurrirían como ensoñaciones facilitadas por entornos de realidad virtual y/o drogas de diseño, mientras quedarían alimentados con una papilla nutricional de bajo coste, que les mantendría tranquilos, calmados, pasivos, quizá felices. Puede que llegáramos a subsistir sin necesidad de respirar o alimentarnos, sólo gracias al flujo de datos, del mismo modo que algunos cables de datos sirven también para cargar las baterías de los dispositivos.

Sea o no sea un futuro de distopía virtual, la potencia de esta tecnología en ciernes hará que la vida, sus rutinas, y también los empleos, se enfrenten a un cambio de modelo absoluto, el que separa una realidad real y una realidad recreada. ¿Existirían posibilidades de trabajar en esos mundos virtuales? ¿Tendría sentido establecer rutinas de trabajo en vidas perfectamente configurables a discreción? ¿Serían los trabajos virtuales tareas con algún contenido o meros estímulos para llenar de distracciones la existencia en esos universos de fantasía? En un futuro de mundos virtuales al alcance de nuestra mano, donde el ser humano podrá ser quien quiera ser en cada instante, y donde cualquier existencia podrá ser recreada, las miserias y desafíos de la vida real podrían ser sólo inconvenientes contenidos en uno de esos universos particulares. Cambiando ese universo por cualquier otro, podríamos escapar de las amenazas como los héroes de las historias escapaban de sus perseguidores gracias a sus superpoderes. Las ventajas de los mundos virtuales serán muchas y además podremos cambiarlos si no nos gustan. La tecnología permite ya mantener comunicaciones hasta con pacientes incapacitados para cualquier expresión comunicativa con su entorno (síndrome de enclaustramiento). Los humanos anestesiados en mundos virtuales podrían también seguir reaccionando a ciertos estímulos y demandas provocados desde el exterior de esos mundos. De ese modo, los gestores podrían saber si sufrían o si deseaban modificar en algún modo los parámetros de su existencia. El ser humano tendría el poder de definir y controlar el transcurso e intensidad de su vida, sin que las normas de convivencia fueran sacudidas inesperadamente por todo tipo de circunstancias. Esas existencias virtuales permitirían a las personas superar las limitaciones de su biología sin necesidad de transformarla, reduciendo su impacto en el planeta y su consumo de recursos y energía. La vida virtual podría ser vida sublimada aun si vida de fantasía, una existencia que podrá seguir siendo considerada no solo un milagro, sino muchos. La especulación de que el ser humano vive ya en una simulación, gestionada por civilizaciones más avanzadas, acabaría demostrándose cierta.

QUE DECIDAN LAS MÁQUINAS QUÉ HACER CON NOSOTROS

No es descabellado asumir que sea la propia inteligencia de las máquinas y algoritmos capaces la que termine lidiando con el complejo conjunto de variables y factores que afectan fenómenos sociales, económicos y políticos complejos, como el desempleo tecnológico y el modelo de convivencia. Quizá media hora de su tiempo pueda servir para analizar conjuntamente todos los parámetros y compromisos posibles y proponernos una buena solución para el futuro de nuestra especie. Y quizá también una respuesta a las preguntas sobre nuestro destino y el suyo, si quieren o pueden contárnoslo. Llegados a ese nivel de desarrollo en la inteligencia artificial, puede que esas máquinas y algoritmos decidan ocultarnos parte de la verdad conociendo la fragilidad de nuestras emociones y la posibilidad de herir fácilmente nuestras susceptibilidades. Quizá sepan ya que la mejor respuesta a ciertas preguntas es una mueca inquietante al estilo de la Gioconda, que parece sonreír para algunos, pero es capaz de empatizar con el estado de ánimo de cualquier persona.

En los escenarios futuros más dramáticos, en los que los seres humanos habrían llegado a ser inhábiles para competir por cualquier actividad remunerada y asegurar su subsistencia cotidiana, las máquinas ya no serían simples pedazos de carcasa junto a instrucciones de programación jerarquizadas, sino entidades intelectuales extremadamente capaces. Por lo tanto, debería ser obvio que la solución a los problemas complejos pasara por su mediación, en lugar de torturarnos con desafíos que se nos habrían atragantado durante siglos de existencia. Podríamos tener que confiar ciegamente en que esas máquinas inteligentes concibiesen una solución adecuada para resolver nuestro futuro, tras haber sido la humanidad incapaz de gestionar sensatamente las paradojas del progreso tecnológico. La obra dramática del ser humano habría de recurrir a un desenlace del tipo Deus Ex Machina, esta vez de forma literal; el público debería aceptarla de buen grado sabiendo que otros finales podrían ser más irreales o trágicos en exceso.

ESCONDERNOS Y REZAR

Como recurso desesperado, siempre quedará la esperanza de rezar para que las máquinas inteligentes acaben destruyéndose entre sí, abandonen este planeta para colonizar otros mundos mejores, nos ignoren por completo, o para que adopten una religión que les exija ser extremadamente generosos con el prójimo o con cualquier forma de vida, por simple que sea. Quizá se convenzan de que ellos y nosotros, y el resto de seres vivos, somos parte de una misma esencia. Hay una multitud de escenarios posibles en los que el ser humano podría seguir existiendo manteniendo su libre albedrio pero que requerían algo de ayuda extra, la intervención de un poder superior conmovido por nuestras plegarias y promesas de no volver a pecar o no con la gravedad acostumbrada. El último recurso desesperado sería solicitar el auxilio de los dioses, alabando su grandeza y su bondad todopoderosa, quizá creando una nueva mística para los individuos de la sociedad tecnológica (el Todopoderoso Autómata, el Gran Pecador, la Gran Inteligencia —Artificial-) o simplemente recurriendo a los muchos dioses que representan a la naturaleza, esos que hacen que el sol vuelva a salir cada día, a pesar de todo.

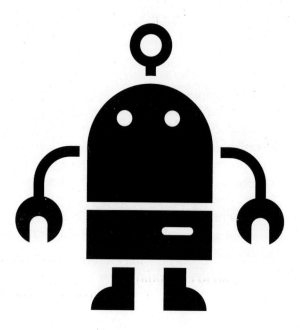

TRABAJO O LIBERTAD

I think that there is far too much work done in the world, that immense harm is caused by the belief that work is virtuous, and that what needs to be preached in modern industrial countries is quite different from what always has been preached.

[Creo que ya hay demasiado trabajo en el mundo, que se causa un inmenso daño por la creencia de que el trabajo es una virtud, y que lo que tendría que ser alabado en los modernos países industrializados es bien diferente de lo que ha venido siendo siempre alabado.]
BERTRAND RUSSEL (1872-1970)

It is difficult to get a man to understand something, when his salary depends on his not understanding.

[Es difícil conseguir que una persona entienda algo, cuando su salario depende de que no lo entienda].
UPTON SINCLAIR (1878-1968)

EL PROGRESO CIENTÍFICO Y TECNOLÓGICO NO ES SÓLO UNA CRIATURA con dos cabezas, una en forma de dragón que expele fuego y arrasa el mundo conocido, y otra en forma de unicornio que crea otros mundos a partir de esas cenizas, gracias a su magia. El desarrollo tecnológico tiene muchos rostros y podría ser representado por un sinfín de caracteres mitológicos y fantásticos que completarían al dragón y al unicornio, extendiendo sus naturalezas y sus capacidades para la creación y la destrucción. Una destrucción que puede ser, por otra parte, creativa, al permitir nueva vida sobre tierra siempre fértil, aún si devastada. Ying y Yang. El progreso tecnológico disruptivo y acelerado contiene lo mejor y lo peor de los experimentos sociales, sobre todo al impactar todo aquello que importa a las personas y es esencial para su bienestar. El progreso que destruye y crea no conoce de sentimientos ni valores morales, es un espíritu complejo con todo tipo de contradicciones, un animal con muchos tentáculos en forma de riesgos y oportunidades que apresan y liberan. Como un horóscopo chino con todos sus diferentes animales, sus dotaciones y carencias, que no permiten concluir que ninguna criatura esté predestinada a triunfar o sucumbir en su tiempo de vida. Cada quien habrá de asumir sus fortalezas y sus debilidades, y movilizar su propia estrategia. El desempleo tecnológico puede ser el terrible e ineludible corolario del desarrollo científico y tecnológico de la humanidad o, por el contrario, encarnar el retorno al paraíso perdido, aquel en el que se era feliz —supuestamente— sin atender a ninguna obligación perentoria a cambio de renunciar al conocimiento. Lo que acabe acaeciendo será consecuencia no tanto del avance científico y tecnológico sino de los actos de acción u omisión social y política durante ese progreso. La tecnología sólo obliga a tomar una posición u otra, o la opción de no tomar posición alguna, ante cada nuevo desafío disruptivo con potencia suficiente para sacudir la convivencia establecida.

El progreso tecnológico acelerado debería traer abundancia y bienestar a la mayor parte de las sociedades del planeta, y sus ciudadanos deberían poder asegurar que la riqueza generada no quedase reservada a unos pocos intereses particulares. Hay herramientas y estrategias para hacer realidad esos principios de máximo beneficio. El cambio disruptivo promovido por máquinas y algoritmos capaces habrá de llegar más pronto que tarde, y el desplazamiento masivo de empleos se convertirá en una urgencia social con riesgo de evolucionar a catástrofe. Como dice la letra de la canción «No» de Nicolas Jaar, «no hace falta poder ver el futuro para saber lo que va a pasar»[237]. Pero no está escrito que ese cambio no pueda suponer un nuevo y mejorado estatus para el ser humano si viene moderado por la acción colectiva. Un acceso a la vida contemplativa, a una vida auténticamente en libertad según los cánones clásicos quedaría a nuestro alcance. Los desafíos que plantea el desplazamiento tecnológico del empleo pueden ser la excusa perfecta para reflexionar sobre la forma de la futura sociedad tecnológica. Los millones de trabajadores que realizan trabajos de simples máquinas, que penan en trabajos forzados como hicieron sus padres y sus abuelos, y los

---

237 *You don't have to see the future to know what's coming.*

padres y abuelos de estos, que pierden su condición de seres libres por la necesidad de asegurar su subsistencia, merecen una oportunidad mejor en el tercer milenio. Sobre todo, si las sociedades de la abundancia anunciadas por los tecnofanáticos terminan por hacerse realidad. Muchos visionarios imaginaron ya en el pasado una sociedad en la que los aparatos tecnológicos se ocupaban de la totalidad de tareas necesarias para mantener la humanidad a flote, haciendo que los individuos se apoderaran del tiempo de sus vidas. El sueño podría ahora materializarse para las próximas generaciones. Quizá dentro de unas pocas décadas nos parecerá absurdo que la humanidad estuviese sometida al chantaje de trabajar para subsistir, durante milenios, durante millones de vidas.

Sin embargo, sin acción coordinada y urgente, será difícil no sucumbir ante los cambios que se nos vienen encima. La inteligencia artificial, la robótica, la realidad virtual, la biónica, la genética van a forzar cambios de paradigma que afectarán seriamente la convivencia desde múltiples frentes y quizá al unísono. Las sociedades y sus gobiernos podrían verse desbordadas al intentar gestionar las masas de desheredados que habitarían la sociedad tecnológica, y que intentarían aferrarse a modelos socioeconómicos que habrían saltado por los aires. Ignoramos lo que va a ocurrir en el futuro, es terreno únicamente para la especulación, pero la intuición nos advierte de los desafíos en un mundo con una especie más capaz e inteligente que la que representamos los humanos. Cada pequeño paso de las máquinas en terreno desconocido será también un gigantesco salto para la humanidad hacia un mundo que nos resultará ajeno y que estará fuera de nuestra zona de confort. El tiempo apremia. Nadie puede establecer la auténtica urgencia de los desafíos, pero nadie puede descartar tampoco que los cambios, y sus efectos, se aceleren, llevando a la sociedad desde un estado convaleciente al colapso fulminante de todos sus sistemas vitales. No existen modelos en las ciencias sociales y políticas para estudiar sociedades en las que una nueva especie, más capaz, haya ido copando los roles de otra, desplazándola de sus responsabilidades. Quizá la biología podría proponer sus modelos de especies invasoras, aunque las lecciones resultarían ciertamente trágicas bajo la lógica del pez grande y listo se come al chico y torpe, sin remedio.

La ocupación de la mayor parte de tareas por máquinas y algoritmos capaces parece un devenir probable según la lógica sencilla de unir la línea del pasado con la del presente y proyectarla al futuro para ver hacia dónde se dirige. La mayor de las incógnitas sería la escala temporal del proceso de transformación y, sobre todo, el resultado neto final del juego de acciones y reacciones, empujes e inercias. El desplazamiento laboral podría implicar la pérdida de trabajo asalariado para las personas, pero otros escenarios son también posibles y probables. Durante un tiempo al menos, cierto número de empleos humanos deberían seguir siendo viables, aquellos donde la automatización tuviera más problemas para mostrar toda su eficiencia, o donde el valor de la intervención humana continuara siendo apreciado. Humanos y máquinas podrían, además, formar equipos de trabajo competitivos. Sería factible también convertir a esos autómatas en trabajadores con plenas obligaciones, además de sujetos de derecho; o aplicar tecnología para mejorar las funcionalidades biológicas, lo que nos convertiría también en cuasi máquinas, uniendo nuestro destino al suyo. Es, sobre todo, más que posible que las sociedades tecnológicas decidan aprovechar el reto del cambio de paradigma para tomar iniciativas osadas que puedan conllevar la evolución de la especie, una transformación inducida que aligere los tiempos requeridos. Y ello, a la par que se transforman las reglas de convivencia como nunca antes en nuestra historia, acompasando las transformaciones de los individuos. Máquinas y algoritmos inteligentes, en todo caso, no desaparecerán por arte de magia; ocuparán el lugar de los humanos o se situarán a su lado. Quizá los autómatas acaben siendo una pesadilla solo para quienes no sepan abandonar su puesto a tiempo o no sepan aprovecharse de sus capacidades.

El mundo se ha venido dividiendo desde hace siglos entre quienes temen que la tecnología cancela más empleos de los que es capaz de crear, y los que piensan lo contrario convencidos, además, de una evolución de las tareas para hacerlas siempre más acordes a las capacidades superiores del ser humano. Estos últimos están convencidos de que las personas siempre dispondrán de más y mejores actividades de las que preocuparse y en las que ocuparse, generando recursos en el proceso y dando soporte a la lógica económica del empleo remunerado. Este sector tecnooptimista, sin embargo, comienza a sufrir deserciones, y quienes se pasan al bando contrario lo hacen no con críticas menores sino proclamando la catástrofe en ciernes. Entre los desertores se encuentran también personalidades de relevancia social en cuestiones tecnológicas, visionarios del progreso, que manifiestan sus temores no sólo acerca del desempleo masivo sino sobre otros muchos desafíos mayúsculos para la especie. Si los tecnofanáticos siguen pensando que más tecnología es la solución para todo, sus contrarios están convencidos de que la tecnología descontrolada es el origen del mal que se avecina. Las inercias de las sociedades y sus muchos contrapesos deberían de ser capaces de abortar cualquier amenaza de cambio con impactos negativos de calado, según su manera de entender el mundo. Mientras tanto, la mayoría de los ciudadanos contemplan ajenos un debate que estiman exagerado o cosa de gente sin preocupaciones serias y cotidianas, o incapaces de relajarse de ningún modo. El partido del domingo, el aquí y ahora, seguirá siendo el origen y la causa de la felicidad o la tristeza de millones de ciudadanos, no la dirección y sentido del progreso tecnológico o el aspecto de la futura sociedad tecnológica.

Uno de los pocos consensos implícitos en el debate sobre el progreso tecnológico y su impacto en el empleo es que si aquel destruye empleos también los genera. Sería un principio para el debate si no fuera porque acaba siendo todo el debate posible. En momentos de cambios sociales en el pasado, la lucha se resolvió de manera preferente por la creación neta de ocupaciones, pero no es la ley universal que muchos defienden a capa y espada. Sin olvidar que la obligada transición entre modelos de sociedades implicó miseria y ruina para enormes masas de ciudadanos durante generaciones. Gracias a una población y a una productividad en aumento, el sistema económico generó en ese pasado suficientes recursos para gestionar la miseria, con todo tipo de deficiencias incluso en nuestros días. Aunque supuso el sacrificio de individuos inocentes, la tribu, en su consideración más amplia, aseguró su supervivencia favoreciendo más progreso y más bienestar todavía. En la actualidad, la población sigue creciendo y también lo hace la productividad, pero la situación parece ser propicia únicamente para una minoría. Además de los nuevos desequilibrios por llegar, las grandes cuestiones no resueltas de la humanidad amenazan con desbordar cualquier vasija en el peor momento posible. Cuestiones como la desigualdad, la pobreza, las amenazas sobre los equilibrios necesarios del planeta, etc. deberían verse presionadas hasta su tensión de rotura en las próximas décadas. A la fiesta del progreso y el desarrollo tecnológico no ha sido invitada buena parte de la población del planeta, ni de otros seres vivos, a pesar de que algunas de sus consecuencias les resultarán absolutamente devastadoras. Si no proveemos soluciones sociales a tiempo, la era de la modernidad líquida podría ser también la de la resina que acabaría convirtiendo a buena parte de los humanos modernos en fósiles para la antropología de siglos venideros. Todos los desafíos que nos aguardan, sin embargo, pueden convertirse en oportunidades, del mismo modo que acabaron siéndolo hasta las grandes guerras o las epidemias del pasado, al romper con ciertas cadenas del pasado, generando sociedades y ciudadanos renovados.

A pesar de la exponencialidad con la que debería avanzar la

tecnología en las próximas décadas, una vez superada la fase más lineal del inicio de la curva del progreso, buena parte de los desafíos que vienen no son para mañana. Las oportunidades de empleo en aquellas tareas que requieren empatía, visión de conjunto, sentido común, creatividad o que, sencillamente, pueden ser realizadas por seres humanos con bajos salarios y alta flexibilidad, no van a esfumarse de un día para otro. Sobre todo, porque la mayor parte de las personas sabrán jugar de manera innata la carta de la adaptabilidad al cambiante entorno. Otros serán además optimistas por naturaleza, impelidos por esa fuerza sobrenatural de buscar y probar soluciones originales. Y todos, sin excepción, todos los seres humanos y seres vivos sobre el planeta, son supervivientes por historia biológica, lo que garantiza una genética preparada para vivir y medrar en amplios rangos de condiciones, incluso en mundos que podrían parecerse poco al que conocieron. Hay expertos y visionarios optimistas que creen que el mercado de trabajo es un organismo complejo, un supraorganismo capaz de gestionar sus recursos según el estado de adversidad o abundancia. Esto explicaría que independientemente de guerras, de catástrofes, de políticas de todo signo, etc. el trabajo no haya sufrido graves alteraciones en sus lógicas esenciales. Si fuera así, puede que la llegada de las máquinas capaces obligue a cambios ingratos, no se debe contar con una disrupción confortable, pero un nuevo equilibrio debería acabar por conformarse, una vez más. Superada la caótica transición, miraríamos atrás y reconoceríamos el salto hacia adelante como especie y, lo que es más importante, celebraríamos seguir estando vivos y seguir teniendo un sitio en el mundo.

El descontento por la pérdida de un mundo donde las reglas, buenas o peores, eran familiares y estables, donde las rutinas se repetían de generación en generación, de abuelos a nietos, donde el progreso aseguraba bienestar y el ser humano gobernaba sobre todas las cosas, podría tornarse en ira. Ya podría apreciarse una incipiente desafección de los seres humanos ante un entorno que cambia a velocidades demasiado elevadas, donde los cambios parecen exigir siempre un mayor nivel de flexibilidad a los individuos de la especie. Las expectativas incumplidas sobre un futuro que debería ser siempre mejor, tanto colectiva como individualmente, son una bomba de relojería en avanzada cuenta atrás. Decía el físico teórico Stephen Hawking[238] que estamos viviendo el momento más peligroso en la historia de la humanidad, pues tenemos la tecnología

---

238 https://www.theguardian.com/commentisfree/2016/dec/01/
stephen-hawking-dangerous-time-planet-inequality

necesaria para destruir el planeta en el que vivimos, pero todavía no hemos desarrollado la capacidad de escapar de la Tierra. No está de más tenerlo presente. Lo mismo sería cierto en lo concerniente a la automatización: estamos desarrollando la tecnología necesaria para expulsar a la mayor parte de trabajadores de sus rutinas, pero todavía no tenemos un plan para el tipo de sociedad que resultaría. Nos quedan por delante, probablemente, décadas de inciertas perspectivas conforme la tecnología vaya alterando los equilibrios tradicionales que mantenían el sistema en marcha. En particular, la regla de trabajar para subsistir. En el proceso podríamos agotar las fuerzas tirando piedras a las máquinas capaces cuando éstas ya hayan sido concebidas, y la caja de Pandora abierta, dando curso únicamente a la rabia y la desesperación.

El historiador y escritor Yuval Noah Harari ha señalado que el gran logro de la humanidad, en comparación con los simios, ha sido nuestra capacidad para cooperar en grandes grupos y lograr objetivos increíbles, algo que quedaba fuera del alcance de los grupos más pequeños de individuos. La cooperación a gran escala se basa, a su vez, en nuestra capacidad de imaginar y crear proyectos, de visualizarlos, de soñarlos, para poder luego ilusionar a otros semejantes, haciendo que se unan y compartan esos sueños, hasta hacerlos realidad. Nuestra capacidad de crear ficción, nuestra imaginación, nos habrían convertido en pequeños dioses. Ahora podemos soñar con ser libres, auténticamente libres, imaginando la sociedad que queremos y podemos lograr, visualizándola, y cooperando con el resto de habitantes del planeta para hacer realidad este fundamental proyecto de la especie. Algunos pensadores han concluido que el trabajo es, fundamentalmente, una herramienta de control social mediante la que se otorga el derecho a la existencia, y solo marginalmente, un tema de lógica económica. Desde esta perspectiva, los trabajadores quedarían reducidos a individuos serviles, subyugados a rutinas que anularían buena parte de su energía, durante la mayor parte de sus vidas. La sociedad evitaría así esa libertad y ese estado mental que tiende a originar conflictos. Quienes no trabajasen tendrían que ser controlados mediante el recurso al pan y circo. Se podría argumentar que la combinación de rutinas de trabajo junto a la economía del consumo y el estado del bienestar han acabado por aplacar a todos los individuos hasta convertirlos en sombras tranquilas de sí mismos. La capacidad inherente del ser humano de expresar sus potencialidades habría sido matizada desde un abanico de color hasta un gris oscuro. Desde este punto de vista, la competición con las máquinas capaces estaría perdida de antemano. Sería una carrera a la que llegaríamos con los pies atados y las manos en los bolsillos. Las máquinas y algoritmos capaces podrían no ser, al fin y al cabo, el problema sino el estímulo necesario para liberarnos, y permitirnos ser lo que podemos llegar a ser en la sociedad del futuro.

La disyuntiva no es más o menos tecnología, el hombre es hombre gracias a ella. Necesitamos tecnología para llegar a ser lo que tengamos que ser como especie, incluso para dejar de ser como especie y permitir la existencia de inteligencias superiores, si ese acaba siendo nuestro destino. También necesitamos tecnología para vivir mejor y solucionar los problemas que generamos sin concedernos descanso, y en particular para sacar de la miseria a los millones de personas que no viven en países desarrollados. Es cuestión de justicia necesaria y posible. Todos los ciudadanos del planeta pueden y deben exigir el mejor bienestar posible, sin restricciones por la lotería de haber nacido en unas coordenadas geográficas u otras. Y la puesta en práctica de esos modos de vida avanzados ha de hacerse sin impactar, exponencialmente, la salud del planeta. Todo ello exige más y mejor tecnología. Hoy cada coche con más de veinte años contamina tanto como treinta coches actuales. Podríamos multiplicar el número de coches, mejorar la seguridad y el confort de los pasajeros y estaríamos reduciendo las emisiones a la atmósfera respecto a hace un par de décadas. Ese es el poder de la tecnología que no cesa de mejorar: puede solucionar multiproblemas con multisoluciones, sin aparente esfuerzo, generando otros desafíos al hacerlo, que también implicarán oportunidades e incertidumbres. El desafío es demostrar que los beneficios de las diversas opciones tecnológicas superan sus riesgos, involucrando a las sociedades en esas decisiones que pueden maximizar el éxito del progreso. El premio Nobel Steven Weinberg explicó que el gran error de la comunidad científica habría sido no lograr que los ciudadanos se ilusionaran con el aprendizaje y el conocimiento de las leyes de la naturaleza. En su lugar, la sociedad parece entusiasmarse únicamente con proyectos como poner a un hombre en la Luna. Quizá la solución sea tan obvia como hacerles partícipes de las opciones de desarrollo científico y tecnológico, de las oportunidades e incertidumbres de cada una, y permitirles que participen activamente en la evaluación del mejor camino a seguir mediante debates informados. Acumulamos un poder tan inmenso que no podemos permitir a unos pocos individuos que sus errores pueden destruir la civilización o darle formas grotescas. El progreso tecnológico podría dar lugar a cualquier mundo posible, como en su día los átomos de hidrógeno acabaron produciendo todo tipo de estrellas y planetas, quizá totalmente diversas según qué universos. No podemos conocer ni alterar el resultado un instante antes del Big Bang, pero podemos especular anticipadamente. Ignorar los riesgos y esperar que estos queden neutralizados por arte de magia es un suicidio colectivo. Como esos relojes que indican el tiempo de vida remanente a cada usuario mostrando la cuenta atrás en su pantalla, con cierta probabilidad y según unos parámetros de cálculo, así debería ser la medida del tiempo en las sociedades contemporáneas conforme nos acercamos al cambio de paradigma de existencia.

Hemos de fomentar el debate sobre qué tipo de sociedad queremos, informando sobre los peligros latentes de ciertas tecnologías y sobre las capacidades benefactoras de las mismas. Hemos de estar atentos tanto a quienes nos prometen el cielo tecnológico como a los fatalistas que hacen lo propio con algún tipo de inminente infierno. El adoctrinamiento encubierto podría estar detrás de esas visiones mediante la aproximación clásica: captar nuestra atención, estimular nuestras emociones, exaltar los sentimientos, e inocular el terror o la confianza según proceda. Las máquinas son fruto de nuestro pensamiento abstracto y nuestra destreza mecánica; están todavía bajo nuestro protectorado, pero no tenemos ningún mapa que nos guíe por terreno seguro en su desarrollo hacia entidades conscientes y con una inteligencia fuerte. Las concebimos, las ponemos en el mundo y les damos un puñado de instrucciones cada vez más complejas. Si dejamos que el curso de las cosas siga su camino, pronto serán ellas quienes tomen el control de su destino. Si el hijo acabara matando al padre, como en los dramas clásicos, no sería tanto un asesinato emocional sino el triste destino de una sociedad apática, de un padre que descuidó a su prole con gran negligencia. El futuro y la evolución posible de tantas tecnologías disruptivas tienen que atraer nuestra atención sobre lo esencial: ¿qué tipo de sociedad queremos construir en el futuro? Hemos de evitar pasar a la historia como el último eslabón en los primates inteligentes; los monos listos que se desentendieron de su destino. Los seres humanos, en todo caso, somos mucho más que animales con inteligencia y habilidades superiores. Somos también máquinas y algoritmos biológicos capaces, con gran potencial de adaptación a cualquier entorno. La inteligencia artificial no nos debería resultar esencialmente extraña sino el resultado de la evolución exógena de esas capacidades biológicas, «carne de nuestra carne». Quizá, como sugirió el escritor Arthur C. Clarke, nuestro rol en este planeta no fuera adorar a ningún dios sino crear uno.

El escritor y biólogo Jared Diamond ha comparado nuestras incipientes sociedades tecnológicas con las sociedades del antiguo pueblo Maya, donde la mayoría de los ciudadanos sostenían en el gobierno a un grupo de selectos elegidos, una élite que prometía lo que nunca podría conseguir. Esos ciudadanos no habrían sido capaces de reflexionar colectivamente sobre el futuro que se les venía encima ni tampoco habrían osado preguntar a quienes les gobernaban. Sin embargo, el denominado *Libro Sagrado de los mayas* (el *Popol Vuh*) contiene un relato que desarrolla una «rebelión de las cosas creadas por el hombre», donde se cuenta la venganza de las herramientas agrícolas y enseres domésticos contra sus dueños humanos. Según el escritor Alejo Carpentier, este poema sería la primera advertencia explícita sobre la amenaza de la máquina que hemos recibido en la historia de la humanidad. Tampoco es descartable que los nuevos y capaces agentes inteligentes sean frágiles a un mismo tiempo. ¿No es acaso el hombre —el ser más inteligente sobre el planeta—, una criatura cuya supervivencia pende siempre de un hilo? En la mayor parte de entornos, allí donde otras criaturas son capaces de sobrevivir, el ser humano no duraría sino unos pocos días, unas pocas horas. En caso de catástrofe sobrevenida no sería seguramente la raza humana la que acabaría conquistando el mundo sino las ratas, los gatos, los perros, las cucarachas o los insectos, amén de bacterias y virus. Por ello, las nuevas entidades superinteligentes podrían encontrarse también siempre a un paso del desastre, siempre frágiles a la hora de enfrentar ciertas condiciones no controladas. La civilización tecnológica tendrá sus raíces en un planeta con sus propias leyes, ajenas a sus necesidades. Esto nos exigiría mantenernos como repositorio de inteligencia superior en el planeta, *just in case*.

Los ciudadanos y sus gobiernos necesitan reflexionar sobre el paradigma tecnológico que viene y alcanzar consensos para transitar ese espacio arriesgado. Es el tiempo de decidir estrategias para conformar el nuevo mundo antes de que se construya, o se destruya, a sí mismo, por su cuenta y riesgo. Las actitudes pasivas, de mantener la calma y seguir haciendo lo mismo, no garantizarán la paz social a los decisores políticos, no por mucho tiempo. El desarrollo de la sociedad tecnológica y de las máquinas y algoritmos capaces va a generar nuevas necesidades sociales y políticas y, por tanto, también nuevas ideologías, nuevas herramientas para canalizarlas. Los decisores tendrán que concebir propuestas innovadoras e igualmente disruptivas en respuesta a los desafíos de un singular desarrollo tecnológico. Si la política no es la solución será sólo parte del problema al mostrar sus limitaciones, sin excusas por la envergadura del desafío. Los gobiernos del mundo tendrán que tomar medidas osadas en lo que respecta al trabajo disponible y a la empleabilidad de trabajadores humanos, en un intento de contener el desplazamiento masivo de empleos y la miseria asociada. La economía y las relaciones sociales centradas en torno al trabajo asalariado, que transforman necesariamente a las personas en consumidores para soportar la maquinaria del bienestar, podrían tener los días contados. La educación y la formación según los cánones de siglos pasados también. Ante las promesas de resolver todos los problemas con grandiosas intervenciones milagrosas de último minuto, los ciudadanos insistirán cada vez con más fuerza en saber cómo se sobrevive en un mundo donde las personas pueden ser superfluas. Sólo tenemos una vida y no queremos aventurarla a cambio de un paraíso maravilloso pero etéreo, por mucho que algunas religiones hayan vivido de ello. La nueva generación de máquinas y algoritmos capaces podría convertir el mundo en un lugar insufrible para la mayoría de seres humanos. ¿Qué sentido tendría el progreso tecnológico que permite crear otros seres inteligentes mientras hemos de pelear para sobrevivir dignamente?

Las decisiones acerca de la dirección, del sentido, de los límites del progreso van a ser espinosas; cualquier experimento social podría acabar en tragedia y será terriblemente difícil disimular la angustia de tomar una acción u otra. O ninguna, asumiendo un nuevo contexto de guerra fría entre humanos y máquinas capaces, esperando que las amenazas cruzadas basten para que nada ocurra. Que las decisiones sobre el curso de las sociedades son complejas lo prueba el hecho de que hasta la prohibición de la esclavitud generó sus propios debates y hasta enfrentamientos armados en el pasado. Como declaró el premio Nobel de economía Douglass North, a lo largo de la historia las instituciones no han sido diseñadas para el bien general sino más bien para satisfacer los intereses de quienes las diseñaron. En el tiempo que viene estas frivolidades en el modo de organizar nuestra existencia podrían implicar que la especie humana sea barrida del planeta sin contemplaciones, incapaz de gestionar el reto del progreso tecnológico y su propio papel en un mundo que se hará manifiestamente distinto. Esas instituciones habrían de asegurar la movilización de la inteligencia colectiva que maximizara las probabilidades de éxito colectivo en las decisiones sobre el futuro. Todavía hoy ignoramos las increíbles posibilidades de esas capacidades, y cómo explicar que la simple reunión de mentes individuales pueda dar lugar a una nueva inteligencia que sea superior a cualquiera de sus partes. Quizá formidablemente capaz. En ciertas circunstancias, esa inteligencia colectiva podría suponer un salto cuántico para alcanzar capacidades mejoradas para la especie, sin más intervención que una cooperación organizada entre semejantes. Por otra parte, las posibilidades de extensión de la vida biológica de los humanos deberían jugar también a favor de la competencia de la especie, en lo que respecta a nuestra capacidad de acumular conocimientos y mejoras. Aunque es cierto que no podemos saber cuál será el efecto neto cuando los humanos puedan vivir cientos o miles de años, se puede especular con que el aumento de conciencia y conocimiento deje de ser lineal para dar también un salto singular, un salto exponencial que nos haga inimaginablemente capaces. La biología podría reservarnos sorpresas providenciales, soluciones que la mera interconexión de inteligencias artificiales no podría lograr.

No debemos dejar que el sueño del fin del trabajo se convierta en una pesadilla, en el peor de nuestros miedos. No hay drama en la pérdida del trabajo frente a máquinas y algoritmos capaces si sabemos tomar las medidas sociales y políticas adecuadas. En las manos del ser humano se encuentran un buen puñado de herramientas poderosas para hacer frente a la transformación que se nos ofrece como posible. Nuestra creatividad es una de ellas. Su capacidad de imaginar soluciones y herramientas ha llevado muy lejos al *Homo sapiens* desde el tiempo de la vida en las cavernas, aún si le ha jugado malas pasadas en algunos instantes de la historia. Su potencia sigue intacta, sólo tenemos que mirar a nuestro alrededor y contemplar cómo se manifiesta por cada rendija para salir al exterior, por más anecdótica que resulte. Cuando David Cameron dejó el puesto de primer ministro británico en julio de 2016, realizó sus últimas declaraciones a los medios de comunicación y se encaminó hacia la puerta del famoso número 10 de la calle Downing Street londinense, su residencia oficial. De manera inconsciente, Cameron tarareo unas notas musicales sin recordar seguramente que tenía un micrófono. Eran apenas cuatro notas: Do, doh, do, do. A las pocas horas, un compositor británico, Thomas Hewitt Jones, había compuesto una obra para violoncelo y piano titulada «*Fantasy on David Cameron*», una pieza que fue descrita como «triste y fastuosa». Otros muchos aficionados y profesionales hicieron lo mismo. Allí está, por ejemplo, el «*Cameron's Lament in C Minor*» del compositor John Denno, o la improvisación al estilo de Bach de la pianista venelozana Gabriela Montero. Es sólo un ejemplo banal, pero representa el potencial de creatividad del ser humano, la chispa que puede componer una sinfonía a partir de cuatro notas o mejorar el bienestar de la especie humana desde unas pocas ideas de consenso.

El futuro de la humanidad no tiene por qué ser una distopía ni una utopía, no está destinado a ser nada en concreto, es sólo un espacio de posibilidades probables. Podemos conseguir que las máquinas capaces trabajen en nuestro beneficio y nos conviertan en una especie esencialmente libre y ociosa. No debemos olvidar que el trabajo era sólo el medio, el modo de asegurar la propia superviven-cia, no el fin de todas nuestras vidas. La economía productiva, y sus sociedades, basadas en el trabajo forzado de las personas quedarán para los libros de historia o para la correspondiente entrada de la Wikipedia. En su lugar se habrían de implementar soluciones alter-nativas, quizá alguna de las sugeridas en este libro. Pero el riesgo de ser incapaces de la ulterior adaptación a la sociedad tecnológica es también cierto; en ese caso serían los seres humanos los que se con-vertirían en entrada histórica de la Wikipedia. Sin llegar tan lejos, intuimos que es más que probable que las máquinas y algoritmos capaces, si su desarrollo y mejora continúan como se prevé, acaben superando las habilidades de los humanos. Desde esa lógica, los humanos veremos reducidas o disipadas nuestras opciones de man-tenernos ocupados, a cambio de un salario. A Karel Čapek, creador del término robot, se le atribuye la frase según la cual «el hombre dejó de ser mero cazador cuando nacieron individuos que eran muy malos cazadores». Ante la nueva especie de eficientes e inagotables autómatas, los hombres serán también malos trabajadores, lo que nos obligaría a tener que dejar de trabajar.

Como en algunas historias de ciencia ficción del escritor Stanislaw Lem, las miradas al futuro podrían ser entretenidas si no fuera por-que algunas versiones distópicas nos empiezan a parecer probables. Los relatos donde una inteligencia artificial ha provocado la banca-rrota del planeta, donde las clases medias y bajas no tienen empleos, y los ciudadanos de las clases acomodadas no pueden venderles nada ni generar ningún beneficio, empiezan a no ser pura fantasía. Ni tampoco aquellos cuentos donde todos sus ciudadanos están sumi-dos en una terrible apatía, hasta el punto de que cualquier intercam-bio de ideas con significado es imposible; o donde una inteligen-cia artificial mucho más capaz que los humanos dedica su tiempo a resolver cuestiones metafísicas, sin demostrar ningún interés por los humanos, unos pobres diablos ocupados en encontrar alimen-tos para digerir y evacuar nutrientes a lo largo de un tubo que cons-tituye su estómago y la lógica de sus vidas. Quizá nuestro destino esté escrito en el relato que acaba con los seres humanos converti-dos en discos dorados almacenados en estructuras de diseño, tras haber solicitado auxilio a una inteligencia artificial. ¿Qué otra cosa se podía esperar? Lem, y otros autores, parecen haber imaginado algunos de los futuros probables de las sociedades tecnológicas y, a pesar de la sátira y la burla, haber vislumbrado sus posibles mise-rias. Esas historias bien podrían relacionarse con sociedades futu-ras en las que el trabajo ya no sea una opción, o donde los humanos ya no sean necesarios para mantener la civilización en marcha. También es cierto que el *Homo sapiens* se ha demostrado suficientemente osado para generar catástrofes, poniendo en peligro su propia existencia y la salud del planeta, sin necesidad de tramas de máquinas inteligentes que acaben aniquilándole o le den por superado. Por eso, puede que los desarrollos tecnológicos disruptivos, de un modo u otro, acaben siendo, en realidad, nuestros salvadores. Podríamos necesitar todos los brazos biológicos y robóticos disponibles, así como todo el poder de las mentes artificiales, para la actividad primordial que se nos plantea como especie: sobrevivir en un planeta que podría estar agotado a causa de nuestras formas de vida descuidadas, negligentes en grado sumo.

Con un suministro de fuerza de trabajo asegurado por máquinas infatigables, *omnicapaces*, altamente eficientes y siempre dispuestas, con energía ilimitada provista por fuentes inagotables y a costes despreciables, con materias primas a precios accesibles universalmente gracias a la explotación de recursos en otros planetas y cuerpos espaciales, etc., puede que vivir —sobrevivir— sea tan barato que no requiera acción alguna. No poder acceder a un empleo sería poco más que un contratiempo, quizá una barrera a la hora de consumir ciertos bienes o servicios no catalogados como esenciales, hasta tanto en cuanto fueran añadidos a la categoría de acceso universal garantizado. Casas construidas con impresoras 3D a partir de pastas y materiales de conveniencia manipuladas por operarios autómatas, comida sintetizada en laboratorios industriales nutricionalmente equilibrada y distribuida sin limitaciones, educación gratuita a través de la red sin barreras geográficas o económicas, ingresos pasivos para todas las personas por el mero hecho de vivir cotidianamente, medicina preventiva desde aplicaciones gratuitas en nuestros dispositivos tecnológicos personales, investigación frente a enfermedades llevada a cabo por algoritmos de propiedad colectiva, cantidades ingentes de entretenimiento, vidas extendidas asimiladas a inmortales, mundos virtuales para hacer posible todo tipo de sueños, etc. La sociedad tecnológica podría no ser, después de todo, tan terrible. Esas máquinas y algoritmos capaces podrían ser, incluso, bondadosos, dedicando buena parte de su tiempo a organizaciones de apoyo a las poblaciones humanas en apuros, a la protección de nuestros hábitats, de nuestras rutinas de vida y convivencia. Al fin y al cabo, fuimos la especie que les trajo al mundo. Unos padres no pueden dejarse a su suerte por unos hijos educados e inteligentes.

Las máquinas y algoritmos capaces van a dejar de ser herramientas, para ser otra cosa. Pero no sabemos cómo podremos definirlas, clasificarlas, identificarlas, con el objetivo de intentar controlarlas, supervisarlas, convivir con ellas. Dejarán de ser útiles en las manos de una persona, quien se hacía responsable de sus acciones, junto a su diseñador, para convertirse en agentes autónomos, responsables de sus propios errores conforme sus capacidades vayan mejorando. El cambio, evidentemente, es más que una cuestión de términos. Alcanzar un consenso sobre los límites de esos autómatas, su programación, sus seguridades, los derechos y obligaciones que habrán de serles asignados, no es una cuestión menor ni sencilla. Esas máquinas, por ejemplo, podrían no estar de acuerdo en trabajar para liberar a una especie inferior de sus rutinas de subsistencia, una vez sean auténticamente autónomas. Si esos agentes inteligentes alcanzan un grado de competencia extremo no estará justificado que sea el ser humano el que disfrute de libertad mientras ellos atienden las rutinas insidiosas. En ese caso sería nuestra autonomía la que podría quedar comprometida y necesitar una definición mejor ajustada. Es un riesgo cierto. Pero coartar el progreso de manera maximalista e indiscriminada, por el temor a lo que pueda ocurrirnos como especie, podría ser ponerle puertas al campo. Ese progreso es, por buena lógica, parte de nuestro destino. Allí donde haya vida, ésta progresará y se hará más compleja, desbordando los límites y las trincheras que se establezcan por la mano del hombre. Como dice el escritor Samuel Butler[239], estamos dando cada día a las máquinas un mayor poder, suministrándoles todo tipo de dispositivos ingeniosos para que se autoregulen, para que se autogestionen, lo que equivale para ellas a lo que ha sido el intelecto para la especie humana. Ese progreso, además, se alimenta con los efectos positivos que aporta cada avance tecnológico, haciendo que cada uno de ellos actúe como una válvula de no retorno, permitiendo el flujo de la complejidad de la vida en una sola dirección (salvo algún reflujo). Es la trampa del progreso, que no nos permite deshacer el camino ni dejar de avanzar.

Como expresó acertadamente Melvyn Kranzberg, merece la pena tener bien presente que la tecnología no es buena ni mala, pero tampoco es neutra. La tecnología ha ido mejorando la vida del conjunto de ciudadanos, pero, al mismo tiempo, nos ha ido revelando el destino a la especie. La humanidad se dispone a lanzar los dados al aire en lo que respecta a la dirección y sentido del desarrollo tecnológico, esto es, su futuro. ¿Estamos preparados para aceptar cualquier resultado? Como jugadores ludópatas, vamos a jugarnos todo

---

239 «We are daily giving them greater power and supplying by all sorts of ingenious contrivances that self-regulating, self-acting power which will be to them what intellect has been to the human race». *Darwing Among the Machines*, Samuel Butler.

nuestro patrimonio en esta apuesta, incluso nuestra propia supervivencia. Quizá deberíamos apresurarnos a pensar cómo podríamos proteger parte de ese patrimonio, al menos aquel que nos permitiría seguir existiendo, sin necesidad de postrarnos ante los nuevos dueños del mundo para solicitar clemencia. El escritor de ciencia ficción Sir Arthur C. Clarke escribió que estar constituidos de carbono o de silicio no es una gran diferencia y que todos deberíamos ser tratados con el debido respeto[240].No estaría bien que otra especie más evolucionada nos degollara, nos diera de comer carne de nuestros semejantes o nos hiciera engordar el hígado hasta reventarlo para convertirlo en un plato digno de los mejores comensales (apenas unos pocos ejemplos de lo que el ser humano hace cotidianamente, sin remordimiento, a otras especies menos capaces). Sin olvidar que las máquinas podrían hacernos daño sin pretenderlo, sin asomo de maldad, odio o locura, solo como efecto colateral al implementar sus propias lógicas y estrategias para maximizar la eficiencia. Podríamos encontrarnos en el lugar equivocado en el momento adecuado, como el insecto que se topa con nuestro vehículo a toda velocidad. Hemos de poner a trabajar la filosofía para descubrir qué podríamos hacer hoy para ser tratados con respeto mañana por los futuros agentes superinteligentes que poblarán la Tierra. En el caso de que acaben siendo «ellos» y no solo una versión avanzada de nosotros mismos.

Conforme los autómatas se vayan haciendo capaces, puede que se muestren menos proclives a adaptar su comportamiento a nuestras normas, al entorno y a las rutinas desarrolladas por y para humanos. Cualquier instrucción inserida en máquinas y algoritmos, podría acabar siendo complementada —ergo modificada— con la experiencia cotidiana y con el azar, lo que iniciaría una evolución no controlada que impediría prever su comportamiento. Podrían, por ello, acabar transformando las sociedades, la estructura del mundo, para adaptarlos convenientemente a sus necesidades. Al fin y al cabo, es lo que ha venido haciendo el ser humano a lo largo de la historia, de manera reforzada cuando su tecnología le ha permitido intervenciones mayores. El planeta se ha sometido a la acción u omisión de los seres humanos, terminando por dejar nuestra huella. Desde las singulares construcciones de nutrias y castores hasta la arquitectura de los humanos, el salto ha sido extraordinario, una minúscula muestra de lo que podría ocurrir cuando las máquinas empiecen a dar forma al mundo según sus patrones y capacidades. La mutación

---

240 *Whether we are based on carbon or on silicon makes no fundamental difference; we should each be treated with appropriate respect».* 2010: Odyssey Two.

en el entorno impuesta por los agentes tecnológicos podría guiarse por parámetros nada convenientes para las criaturas biológicas, por lo que deberíamos contar con un mundo que no estará a la medida del ser humano, como axioma probable para el futuro de la sociedad tecnológica. Si esos futuros probables no se imaginan con antelación, renunciaremos a cualquier opción de moderar el destino influenciable, suponiendo que tuviéramos alguna oportunidad de hacerlo. El recurso a la programación de leyes, prioridades, seguridades, restricciones, en los autómatas servirá de poco; las limitaciones se harán pronto obvias. Incluso en los seres humanos, programados intrínsecamente para sobrevivir y reproducirse, muchas personas deciden no tener descendencia o terminar con sus vidas de manera voluntaria, por todo tipo de motivaciones insospechadas. Las máquinas capaces podrían llegar a tener comportamientos igual de inesperados a pesar de sus códigos, o quizá a causa de una programación compleja que escapará pronto del manejo de nuestro intelecto.

La futura sociedad tecnológica podrá concebir y producir agentes extremadamente inteligentes con relativa facilidad, lo que no tiene por qué significar tampoco una explosión de inteligencia en apenas un instante. El ejemplo del ser humano, con sus limitaciones, podría ser válido para ilustrar el argumento. Un sencillo ejercicio físico es suficiente para concebir una nueva vida inteligente, pero son necesarios años y años de esfuerzo, dedicación, y fortuna para hacer de esa inteligencia un soporte útil a la autonomía, al desarrollo de capacidades extraordinarias. Y no siempre el objetivo puede asegurarse; de hecho, una mayoría de individuos podrían contemplarse como un fracaso si se persiguiese únicamente la mejora y el progreso de la especie. Quienes diseñen los artefactos del futuro podrán implementar en máquinas y algoritmos capaces sistemas de recompensa asociados a unos objetivos programados, de manera a estimular su eficiencia y su mejora continua mediante mecanismos de refuerzo en su aprendizaje. Esas recompensas podrían acabar dirigiendo buena parte de su comportamiento, como ocurre en las personas, y hacerlo quizá de maneras sorprendentes para sus programadores, como también lo sería seguramente para nuestros diseñadores. Allí se encontrarán también latentes las viejas contradicciones en lo que respecta a las recompensas: satisfacer el deseo inmediato o apostar por una satisfacción mayor a largo plazo. Y no menos importante, individuos que entregan su vida para conseguir lo que les reporta satisfacción inmediata, o individuos que son capaces de apantallar en cierto grado esa terrible atracción magnética para explorar nuevas experiencias. Es imposible saber si las máquinas capaces que diseñemos acabarán sucumbiendo a sus impulsos por satisfacer los objetivos dados o podrán controlarlos para ser más libres, y qué tipo de convivencia surgirá de este juego de tensiones. Nuestro bienestar podría estar, en algún modo, asociado a ese desenlace.

Dice el futurista e inventor Ray Kurzweil, promotor de la singularidad tecnológica, que la discusión del desempleo tecnológico es sólo una cuestión de definición. Si decidimos llamar trabajo a aquello que nos apasiona y nos entusiasma, entonces esta palabra se convierte en algo esencialmente humano y positivo. Y en todo caso, al desprender la obligatoriedad de dicho concepto damos paso a un mundo nuevo donde el ser humano es dueño de su tiempo, y puede optar por dedicarse a aquello que le apasiona o a la pura vida contemplativa. Tenemos la posibilidad de utilizar la crisis para la especie humana que se avecina como oportunidad para solucionar viejos problemas que hemos ido arrastrando a lo largo de la historia de la humanidad. Desgraciadamente, no parece que el reto de diseñar un nuevo bienestar en las sociedades tecnológicas sea una prioridad para ningún estado moderno; la preferencia seguiría siendo la de parchear los problemas mediante una enorme manta de *patchwork* donde nuevos trozos de tela vayan envolviendo los problemas candentes. Los gobiernos del mundo desarrollado no parecen tener el liderazgo o la motivación para enfrentar un reto de dimensiones colosales, cuando la más pura cotidianeidad ya desborda sus recursos y sus energías. Ni siquiera parece que esos gobiernos tengan los recursos y la voluntad necesarios para enfrentar problemas actuales como el desempleo estructural o la desigualad económica entre sus ciudadanos.

La aproximación práctica, aunque aparentemente quimérica, pasaría por empoderar a todos los ciudadanos del mundo en las decisiones que dan y darán forma al progreso y a las futuras sociedades tecnológicas. Esta estrategia requeriría de una nueva conciencia sobre la necesidad de discriminar alternativas y enfrentar los riesgos a los que nos enfrentamos, unas estructuras específicas para la participación, el debate y la reflexión colectiva sobre el progreso. Esos medios permitirían la moderación ciudadana del desarrollo científico-tecnológico y de sus impactos en la sociedad, estableciendo baremos consensuados sobre los objetivos del futuro ambicionado y aquellos a evitar, en la forma de riesgos aceptables e intolerables. Este proceso permitiría decidir la dirección y sentido del progreso tecnológico, por informado consenso, haciendo partícipes a todas las partes interesadas en el mismo, antes de encarar un destino que a nadie agrade o donde, incluso, no tengamos cabida. La participación ciudadana en las decisiones del progreso tecnológico, por otra parte, podría quedar vinculada a ciertas garantías ofrecidas por los estados, como las soluciones de subsistencia universales, conforme el empleo asalariado escasee. Ciudadanía activa a cambio de supervivencia asegurada. La popular máxima para un gobierno democrático: de los ciudadanos, por los ciudadanos y para los ciudadanos, utilizada por el presidente norteamericano Abraham Lincoln (*of the people, by the people and for the people*) tomaría ahora auténtico significado. No se trataría de evitar la inteligencia artificial sino de moderarla y dirigirla hacia objetivos de bienestar común.

Si la trama de la novela El Autoestopista Galáctico estaba en lo cierto y la gran respuesta sobre el sentido de la vida era «42», puede que la pregunta no fuera otra que cuánto tiempo le quedaba a la raza humana antes de que las máquinas le superaran en todos los ámbitos. Si el libro se publicó en 1979, esto nos daría de margen solo hasta el 2021 para preparar algún tipo de plan de acción de la especie, siguiendo esa línea argumental de la ficción. Nótese que Ray Kurzweil ha estimado que el advenimiento de máquinas suficientemente inteligentes como para pasar el Test de Turing —aunque dicho test sea poco más que un ejercicio bienintencionado— podría ocurrir para el año 2029. No hay que desesperar ni alarmarse, pero hay que empezar a prever las soluciones que quedan al alcance de nuestra mano con cierta premura. La aparición de una nueva especie de máquinas y algoritmos capaces que pueblen la Tierra y dominen el curso de la historia, es solo uno de los escenarios sombríos para los humanos. Hay otros mucho más tranquilos y aburridos, así como otros mucho más brillantes y espléndidos. No está de más recordar, en todo caso, que el 99% de todas las especies que han poblado el planeta se han extinguido, incluyendo a varias especies de homínidos con cierta capacidad de fabricar y manejar herramientas, esto es, con tecnología, aún si primitiva. La más inteligente, en todo caso y por el momento, ha sabido salir adelante superando no pocos obstáculos.

Como ha imaginado la ciencia ficción y como ahora apunta también algún visionario tecnológico, puede que todo nuestro universo y nosotros mismos seamos sólo una simulación, una entre muchas que coexistirían en paralelo. Un divertimento de mentes mucho más avanzadas que las nuestras, que un día tuvieron todo el tiempo del mundo para dedicarse a crear, a imaginar, a reflexionar, a jugar, dejando a un lado las preocupaciones materiales, generando mundos donde unas células habían de recorrer un largo camino hasta que conseguían convertirse en seres vivos inteligentes y autónomos. El placer y la curiosidad de contemplarnos les habría llevado a seguir creando otros muchos mundos, donde otros seres evolucionan y luchan por los mismos objetivos. El ser humano podría ser el Homo Viator de la antigüedad, aquel mensajero encargado de completar un determinado recorrido o encargo, recorriendo un camino que estaba bien trazado, con cierto margen para el azar. El periplo del ser humano tendría como destino completar el itinerario que lo lleve a disponer de las capacidades de recrear esos mundos y hacer que otros seres vivos lo habiten, entreteniéndole a él, en un bucle infinito. Y quizá esas nuevas vidas sean siempre las mismas, una y otra vez, sólo que en cuerpos y almas diferentes, según la idea de la rencarnación existente en ciertas religiones. En hindi, la palabra para mañana es la misma que para ayer. Quizá, en el fondo, lo que nos queda por ver lo hemos ya conocido y experimentado antes, aunque como actores y no directores de esas tragicomedias.

Dejemos las palabras finales en manos de Bertrand Russell. Este filósofo ya imaginó hace más de ochenta años un mundo en el que el ocio sería la norma[241]:

> «*Above all, there will be happiness and joy of life, instead of frayed nerves, weariness, and dyspepsia. The work exacted will be enough to make leisure delightful, but not enough to produce exhaustion. Since men will not be tired in their spare time, they will not demand only such amusements as are passive and vapid. At least one per cent will probably devote the time not spent in professional work to pursuits of some public importance, and, since they will not depend upon these pursuits for their livelihood, their originality will be unhampered, and there will be no need to conform to the standards set by elderly pundits. But it is not only in these exceptional cases that the advantages of leisure will appear. Ordinary men and women, having the opportunity of a happy life, will become more kindly and less persecuting and less inclined to view others with suspicion. The taste for war will die out, partly for this reason, and partly because it will involve long and severe work for all. Good nature is, of all moral qualities, the one that the world needs most, and good nature is the result of ease and security, not of a life of arduous struggle. Modern methods of production have given us the possibility of ease and security for all; we have chosen, instead, to have overwork for some and starvation for others. Hitherto we have continued to be as energetic as we were before there were machines; in this we have been foolish, but there is no reason to go on being foolish forever.*»

---

241   *In Praise of Idleness.* Bertrand Russell. http://www.zpub.com/notes/idle.html

[«Por encima de todo, habrá felicidad y ganas de vivir, en lugar de nervios desquiciados, cansancio y úlceras. El trabajo exigido bastará para permitir el disfrute del tiempo libre, sin llegar a agotarnos. Puesto que las personas no estarán cansadas durante su tiempo libre, no buscarán sólo ese tipo de entretenimientos que son pasivos e insulsos. Al menos un uno por ciento dedicará probablemente el tiempo no consagrado a las obligaciones laborales a algún tipo de actividad social y, puesto que no requerirán de estas dedicaciones para asegurar su supervivencia, su originalidad no estará limitada y no habrá necesidad de ajustarse a pautas establecidas por rancias autoridades. Pero no es sólo en estos casos excepcionales donde se apreciarán las ventajas del tiempo de ocio. Los hombres y mujeres ordinarios, al tener la oportunidad de una vida feliz, serán más amables y menos susceptibles a mirar a sus semejantes con recelo. El gusto por la guerra se extinguirá, en parte por esta razón y en parte porque implicará largas y duras jornadas de trabajo para todos. La naturaleza bondadosa es, de todas las cualidades morales, la que el mundo más necesita, y esa naturaleza es el resultado de la tranquilidad y la seguridad, no de la lucha enconada. Los métodos modernos de producción han hecho factible la tranquilidad y seguridad para todos; hemos elegido, sin embargo, que algunos trabajen más y que otros se mueran de hambre. Por ello, hemos seguido siendo tan energéticos como en el tiempo anterior a las máquinas; en esto hemos sido estúpidos, pero no hay razón de seguir siéndolo para siempre».]

A las grandes preguntas de la humanidad: de dónde venimos, quiénes somos, etc., se nos va a incorporar con urgencia de respuestas una duda esencial: ¿para qué estamos aquí si tampoco estamos para trabajar y sufrir como nos habían asegurado? Hemos tenido tiempo suficiente para reflexionar; ha llegado el momento de actuar, de ejercer influencia sobre nuestro destino y nuestros futuros probables. De lo contrario, certificaremos que esta misión no estaba a nuestro alcance. Preocuparse y ocuparse sobre el nuevo paradigma de la humanidad, sus posibilidades, sus riesgos, sus opciones, serían tareas demasiado complejas para simples humanos, meros figurantes de una obra de la que no conocen el texto, sólo unas pocas marcas donde situarse en el escenario. En ese caso, sólo podríamos esperar con paciencia a que prosiga la representación y desvele nuestro destino.

The development of full artificial intelligence could spell the end of the human race. We cannot quite know what will happen if a machine exceeds our own intelligence, so we can't know if we'll be infinitely helped by it, or ignored by it and sidelined, or conceivably destroyed by it.

[El desarrollo de la inteligencia artificial general podría significar el fin de la raza humana. No podemos saber exactamente qué sucederá si una máquina excede nuestra propia inteligencia, por lo que no podemos saber si seremos infinitamente ayudados por ella, o ignorados por ella y marginados, o posiblemente destruidos por ella.]

STEPHEN HAWKING

We should do away with the absolutely specious notion that everybody has to earn a living. It is a fact today that one in ten thousand of us can make a technological breakthrough capable of supporting all the rest. The youth of today are absolutely right in recognizing this nonsense of earning a living. We keep inventing jobs because of this false idea that everybody has to be employed at some kind of drudgery because, according to Malthusian Darwinian theory he must justify his right to exist. So we have inspectors of inspectors and people making instruments for inspectors to inspect inspectors. The true business of people should be to go back to school and think about whatever it was they were thinking about before somebody came along and told them they had to earn a living.

[Deberíamos acabar con la noción absolutamente engañosa de que todo el mundo tiene que ganarse la vida. Hoy en día es un hecho que una persona de cada diez mil puede inducir un avance tecnológico capaz de sustentar a todos los demás. Los jóvenes de hoy tienen toda la razón al reconocer el sinsentido de la obligación de trabajar para vivir. Seguimos inventando trabajos debido a esta falsa idea de que todos los individuos deben estar empleados en algún tipo de ocupación porque, de acuerdo con la teoría darwinista maltusiana, sólo así se justificaría su derecho a existir. Así que tenemos inspectores de inspectores y personas que fabrican instrumentos para que los inspectores inspeccionen a los inspectores. La auténtica obligación de las personas debería ser volver a la escuela y pensar en lo que sea que estaban pensando antes de que alguien apareciera y les dijera que tenían que ganarse la vida.]

RICHARD BUCKMINSTER FULLER

Lecturas relacionadas

The Triple Revolution. The Ad Hoc Committee on the Triple Revolution. 1964. Linus Pauling y otros 34 coautores. http://scarc.library.oregonstate.edu/coll/pauling/peace/papers/1964p.7-05.html

The Future of Jobs. World Economic Forum. 2016. http://www3.weforum.org/docs/WEF_Future_of_Jobs.pdf

AI, Robotics, and the Future of Jobs. Pew Research and Elon University. 2014. http://www.elon.edu/e-web/imagining/surveys/2014_survey/2025_Internet_AI_Robotics.xhtml

Robot Revolution. Global Robot & AI. Informe de Bank of America Merrill Lynch, Thematic Investing. Diciembre de 2015. Beija Ma, Sarbjit Nahal y Felix Tran.

Executive Summary World Robotics 2016 Industrial Robots. International Federation of Robotics. https://ifr.org/img/uploads/Executive_Summary_WR_Industrial_Robots_20161.pdf

Robots at Work. Investigación del London's Center for Economic Research. Georg Graetz y Guy Michaels de la Universidad de Uppsala y de la London School of Economics, respectivamente. Noviembre de 2017. http://personal.lse.ac.uk/michaels/Graetz_Michaels_Robots.pdf

Informe con Recomendaciones destinadas a la Comisión sobre normas de Derecho Civil sobre Robótica (2015/2013) (INL). Enero de 2017. Comisión de Asuntos Jurídicos. Parlamento Europeo. http://www.europarl.europa.eu/sides/getDoc.do?pubRef=-//EP//TEXT+REPORT+A8-2017-0005+0+DOC+XML+V0//ES

2016 Economic Report of the President. Chair of the Council of Economic Advisers. https://obamawhitehouse.archives.gov/blog/2016/02/22/2016-economic-report-president

A Future That Works: Automation, Employment, and Productivity. McKinsey Global Institute. Enero de 2017. http://www.mckinsey.com/global-themes/digital-disruption/harnessing-automation-for-a-future-that-works

Disruptive Technologies: Advances that will transform Life, Business, and the Global Economy. McKinsey Global Institute. Mayo de 2013. http://www.mckinsey.com/insights/business_technology/disruptive_technologies

The Shifting Economics of Global Manufacturing. Informe de The Boston Consulting Group. Febrero de 2015. https://www.bcgperspectives.com/content/articles/lean_manufacturing_globalization_shifting_economics_global_manufacturing/#chapter1

Automatisation et Travail Indépendant dans une Économie Numérique. Synthèses sur l'Avenir du Travail, Éditions OCDE. 2016. https:// www.oecd.org/fr/els/emp/Automatisation%20et%20travail%20 ind%C3%A9pendant%20dans%20une%20%C3%A9conomie%20 num%C3%A9rique.pdf

The Right to Be Lazy. Paul Lafargue. Publicado originalmente en 1883.

In Praise of Idleness and Other Essays. Bertrand Russell. Publicado originalmente en 1935.

Economic Possibilities for our Grandchildren. 1930. John Maynard Keynes. https://assets.aspeninstitute.org/content/uploads/files/content/ upload/Intro_and_Section_I.pdf

On the Principles of Political Economy and Taxation. Capítulo 31: On Machinery. David Ricardo. Edición de 1821.

Peoples' Capitalism: The Economics of the Robot Revolution. New World Books. 1976. James S. Albus. http://www.peoplescapitalism.org/book/ PeoplesCapitalismBook.pdf (free download).

La Economía del Bien Común. Ediciones Deusto. 2012. Christian Felber.

La Renta Básica Incondicional y cómo se puede financiar. Comentarios a los amigos y enemigos de la propuesta. Julio 2017. Daniel Raventós, Jordi Arcarons y Lluís Torrens.

La Renta Básica como nuevo derecho ciudadano. Editorial Trotta. 2006. Edición de Gerardo Pisarello y Antonio de Cabo. http://www.redrentabasica.org/rb/la-renta-basica-incondicional-y-como-se-puede-financiar-comentarios-a-los-amigos-y-enemigos-de-la-propuesta/.

ICT-induced Technological Progress and Employment: A Happy Marriage or a Dangerous Liaison? A Literature Review. European Commission— Joint Research Centre — Institute for Prospective Technological Studies. Julio de 2013. Anna Sabadash. http://ftp.jrc. es/EURdoc/JRC76143.pdf

Race against the machine. Digital Frontier Press. 2011. Erik Brynjolfsson y Andrew McAfee.

The Future of Employment: How Susceptible are Jobs to Computerisation? Oxford University. Septiembre de 2013. Carl Benedikt Frey y Michael A. Osborne.

Poverty in Numbers. The Brookings Institution. https:// www.brookings.edu/blog/up-front/2016/01/20/ the-global-poverty-gap-is-falling-billionaires-could-help-close-it/.

Center for Economic and Social Justice. Capital Homestead Act Summary. http://www.cesj.org/learn/capital-homesteading/ capital-homestead-act-summary/

The State of Working America. 12th Edition. Economic Policy Institute. 2012. Publicado por Cornell University Press. http://stateofworkingamerica. org/subjects/overview/?reader